초등학교

3~4학년군

수학
3-1

수학
다잡기

부록 평가 문제 다잡기

금성출판사

구성과 특징

자습서 구성 및 활용 방법

수학 다잡기

수학 교과서의 본책

체계적인 예습, 진도, 평가
시스템을 갖춘 3단계 개념 학습

평가 문제 다잡기

시험 대비
자료집

다양한 유형의 문제로
평가 대비 강화

교과서 다잡기 구성과 특징

체계적인 3단계 개념 학습(선수 학습 , 본 학습 , 마무리 학습)과 다양한 유형의 문제로 교과서 개념과 각종 시험
까지 완벽 대비할 수 있습니다.

선수 학습-예습

❯❯ 단원 도입

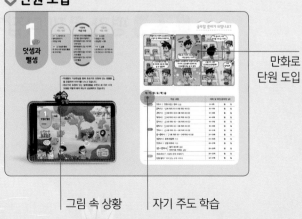

만화로
단원 도입

그림 속 상황

자기 주도 학습

❯❯ 준비 팡팡

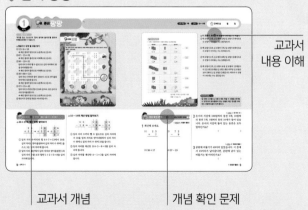

교과서
내용 이해

교과서 개념

개념 확인 문제

본 학습 - 진도

단원의 주요 개념을 파악합니다.

그림으로
개념 잡기

서술형

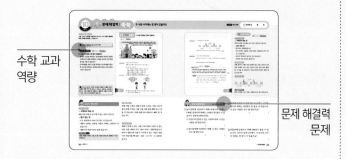

수학 교과
역량

문제 해결력
문제

피드백

학부모
코칭팁

교과서
개념

참고 자료

마무리 학습 - 평가

다양한 유형의 문제를 통해 실력을 확인합니다.

❥ 개념+확인
교과서 개념과 확인 문제를 풀면서 개념을 이해합니다.

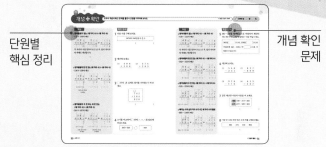

단원별
핵심 정리

개념 확인
문제

❥ 서술형 문제 해결하기
서술형 평가에 대비하며 문제 해결력을 기릅니다.

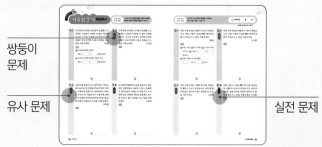

쌍둥이
문제

유사 문제

실전 문제

❥ 단원 평가
다양한 문제를 풀면서 단원에 대한 학습을 마무리합니다.

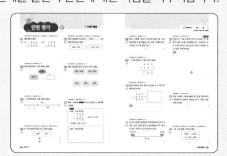

차례

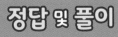

지도 계획표 3-1

지도 계획표는 선생님들께서 사용하시는 지도서의 학기 지도 계획표를
『수학 다잡기』에 맞추어 수정 구성한 것입니다.
학교마다 다를 수 있으니 참고하시기 바랍니다.

3월

1주	1차시	**1. 덧셈과 뺄셈** 단원 도입 / 준비 팡팡
	2차시	1 (세 자리 수) + (세 자리 수) (1)
	3차시	2 (세 자리 수) + (세 자리 수) (2)
	4차시	3 (세 자리 수) + (세 자리 수) (3)
2주	5차시	4 (세 자리 수) − (세 자리 수) (1)
	6차시	5 (세 자리 수) − (세 자리 수) (2)
	7차시	6 (세 자리 수) − (세 자리 수) (3)
3주	8~9차시	7 (세 자리 수) − (세 자리 수) (4)
	10차시	문제 해결력 쑥쑥
	11차시	단원 마무리 척척
4주	12~13차시	놀이 속으로 풍덩 / 이야기로 키우는 생각
	1차시	**2. 평면도형** 단원 도입 / 준비 팡팡
	2차시	1 선분, 반직선, 직선

4월

1주	3차시	2 각
	4차시	3 직각
	5차시	4 직각삼각형
2주	6차시	5 직사각형
	7차시	6 정사각형
	8차시	문제 해결력 쑥쑥
	9차시	단원 마무리 척척
3주	10차시	그림 속으로 쑥쑥 / 이야기로 키우는 생각
	1차시	**3. 나눗셈** 단원 도입 / 준비 팡팡
	2차시	1 똑같이 나누기 (1)
4주	3차시	2 똑같이 나누기 (2)
	4차시	3 곱셈과 나눗셈의 관계
	5~6차시	4 나눗셈의 몫 구하기

5월

1주	7차시	문제 해결력 쑥쑥
	8차시	단원 마무리 척척
	9차시	놀이 속으로 풍덩 / 이야기로 키우는 생각

5월

2주	1차시	**4. 곱셈** 단원 도입 / 준비 팡팡
	2차시	1 (몇십) × (몇)
	3차시	2 (몇십몇) × (몇) (1)
	4차시	3 (몇십몇) × (몇) (2)
3주	5차시	4 (몇십몇) × (몇) (3)
	6~7차시	5 (몇십몇) × (몇) (4)
	8차시	문제 해결력 쑥쑥
4주	9차시	단원 마무리 척척
	10~11차시	놀이 속으로 풍덩 / 이야기로 키우는 생각
	1차시	**5. 길이와 시간** 단원 도입 / 준비 팡팡

6월

1주	2차시	1 길이의 단위 1 mm
	3차시	2 길이의 단위 1 km
	4~5차시	3 길이와 거리를 어림하고 재어 보기
2주	6차시	4 시간의 단위 1초
	7차시	5 시간의 덧셈과 뺄셈 (1)
	8~9차시	6 시간의 덧셈과 뺄셈 (2)
	10차시	문제 해결력 쑥쑥
3주	11차시	단원 마무리 척척
	12~13차시	놀이 속으로 풍덩 / 이야기로 키우는 생각
	1차시	**6. 분수와 소수** 단원 도입 / 준비 팡팡
4주	2차시	1 똑같이 나누기
	3~4차시	2 분수
	5차시	3 분모가 같은 분수의 크기 비교

7월

1주	6차시	4 단위분수의 크기 비교
	7차시	5 소수 (1)
	8차시	6 소수 (2)
	9차시	7 소수의 크기 비교
2주	10차시	문제 해결력 쑥쑥
	11차시	단원 마무리 척척
	12차시	놀이 속으로 풍덩 / 이야기로 키우는 생각

1
덧셈과 뺄셈

• 학생들이 가상현실을 통해 호숫가와 초원에 있는 동물들을 관찰하며 이야기를 나누고 있습니다.
• 호숫가와 초원에 있는 얼룩말들을 보면서 세 자리 수의 덧셈을 어떻게 해야 하는지 궁금해하고 있습니다.

그림 속 상황

자/기/주/도/학/습

	학습 내용	계획 및 확인(공부한 날)		
예습	**1차시** | 단원 도입 / 준비 팡팡	6~9쪽	월	일
진도	**2차시** | **1** (세 자리 수)＋(세 자리 수) (1)	10~11쪽	월	일
	3차시 | **2** (세 자리 수)＋(세 자리 수) (2)	12~13쪽	월	일
	4차시 | **3** (세 자리 수)＋(세 자리 수) (3)	14~15쪽	월	일
	5차시 | **4** (세 자리 수)－(세 자리 수) (1)	16~17쪽	월	일
	6차시 | **5** (세 자리 수)－(세 자리 수) (2)	18~19쪽	월	일
	7차시 | **6** (세 자리 수)－(세 자리 수) (3)	20~21쪽	월	일
	8~9차시 | **7** (세 자리 수)－(세 자리 수) (4)	22~23쪽	월	일
	10차시 | 문제 해결력 쑥쑥	24~25쪽	월	일
	11차시 | 단원 마무리 척척	26~27쪽	월	일
	12~13차시 | 놀이 속으로 풍덩 이야기로 키우는 생각	28~29쪽	월	일
평가	개념+확인 / 서술형 문제 해결하기	30~33쪽	월	일
	단원 평가 / 재미있는 수학 이야기	34~37쪽	월	일

준비 팡팡

학습 목표
'무엇을 알고 있나요'와 '함께 생각해 볼까요'를 통하여 단원을 준비할 수 있습니다.

◆ 원숭이가 갖게 될 과일 찾기

① $12+6=18$

➡ 계산 결과가 맞으므로 오른쪽으로 갑니다.

② $67-15=52$

➡ 계산 결과가 틀리므로 아래쪽으로 갑니다.

③ $50-19=31$

일의 자리 수끼리 뺄 수 없으므로 십의 자리에서 10을 받아내림합니다.

➡ 계산 결과가 틀리므로 아래쪽으로 갑니다.

④ $35+80=115$

십의 자리 수끼리의 합이 10보다 크므로 받아올림하여 백의 자리에 씁니다.

➡ 계산 결과가 맞으므로 오른쪽으로 갑니다.

⑤ $27+15=42$

일의 자리 수끼리의 합이 10과 같거나 크면 십의 자리로 받아올림합니다.

➡ 계산 결과가 맞으므로 오른쪽으로 갑니다.

⑥ 원숭이가 갖게 될 과일은 바나나입니다.

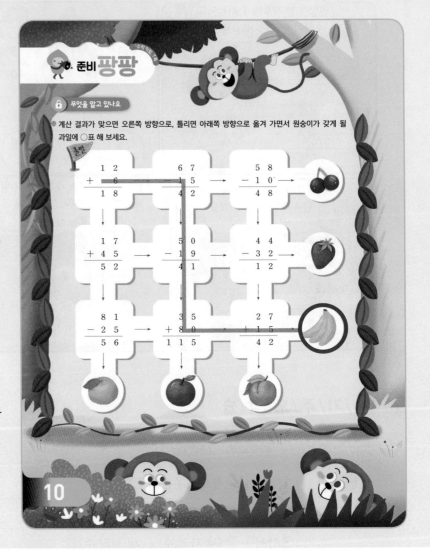

교과서 개념 완성 | 배운 것을 다시 생각하기

◆ 26+57의 계산 방법 알아보기

$$
\begin{array}{cc}
& 2\;6 \\
+ & 5\;7 \\
\hline
\end{array}
\;\rightarrow\;
\begin{array}{cc}
& \overset{1}{}\;\; \\
& 2\;6 \\
+ & 5\;7 \\
\hline
& \;\;3 \\
\end{array}
\;\rightarrow\;
\begin{array}{cc}
& \overset{1}{}\;\; \\
& 2\;6 \\
+ & 5\;7 \\
\hline
& 8\;3 \\
\end{array}
$$

① 일의 자리 수끼리의 합 $6+7=13$에서 10은 십의 자리로 받아올림하여 십의 자리 수 위에 1을 쓰고, 3은 일의 자리에 씁니다.

② 일의 자리 계산에서 십의 자리로 받아올림한 1과 십의 자리 수를 모두 합한 $1+2+5=8$을 십의 자리에 씁니다.

◆ 53−18의 계산 방법 알아보기

$$
\begin{array}{cc}
& 5\;3 \\
- & 1\;8 \\
\hline
\end{array}
\;\rightarrow\;
\begin{array}{cc}
\overset{4}{5}\;\overset{10}{3} \\
-\; 1\;8 \\
\hline
5 \\
\end{array}
\;\rightarrow\;
\begin{array}{cc}
\overset{4}{5}\;3 \\
-\;1\;8 \\
\hline
3\;5 \\
\end{array}
$$

① 일의 자리 수끼리 뺄 수 없으므로 십의 자리에서 10을 일의 자리로 받아내림하여 십의 자리 수 위에 4, 일의 자리 수 위에 10을 씁니다.

② 일의 자리를 계산한 $10+3-8=5$를 일의 자리에 씁니다.

③ 십의 자리를 계산한 $4-1=3$을 십의 자리에 씁니다.

☐ 안에 수 모형의 개수와 수 모형이 나타내는 수를 써넣으세요.

함께 생각해 볼까요

백의 자리	십의 자리	일의 자리	
2 개	3 개	4 개	→ 234
3 개	5 개	7 개	→ 357
5 개	7 개	0 개	→ 570
1 개	0 개	9 개	→ 109
2 개	4 개	13 개	→ 253

일 모형 10개는 십 모형 1개로 바꿀 수 있습니다.

11

수 모형의 개수와 수 모형이 나타내는 수 써넣기

① 백 모형이 3개, 십 모형이 5개, 일 모형이 7개이므로 수 모형이 나타내는 수는 357입니다.

② 백 모형이 5개, 십 모형이 7개, 일 모형이 0개이므로 수 모형이 나타내는 수는 570입니다.

③ 백 모형이 1개, 십 모형이 0개, 일 모형이 9개이므로 수 모형이 나타내는 수는 109입니다.

④ 백 모형이 2개, 십 모형이 4개, 일 모형이 13개입니다. 일 모형 10개를 십 모형 1개로 바꾸면 십 모형은 모두 5개이고, 일 모형은 3개입니다. 따라서 수 모형이 나타내는 수는 253입니다.

학부모 코칭 Tip

일 모형 10개를 십 모형 1개로 바꿀 수 있음을 생각할 수 있게 하여 받아올림이 있는 덧셈의 계산 원리를 이해하는 과정에 도움이 되게 합니다.

개념 확인 문제
정답 및 풀이 194쪽

| 2-1 3. 덧셈과 뺄셈 |

1 계산해 보세요.

(1)
$$\begin{array}{r} 2\ 5 \\ +\quad 7 \\ \hline \end{array}$$

(2)
$$\begin{array}{r} 7\ 2 \\ -\quad 9 \\ \hline \end{array}$$

(3) $38 + 17$

(4) $37 - 19$

| 2-1 1. 세 자리 수 |

2 은서의 지갑에 100원짜리 동전 5개, 10원짜리 동전 7개, 1원짜리 동전 10개가 들어 있습니다. 은서의 지갑에 들어 있는 동전은 모두 얼마인가요?

(   )

| 2-1 3. 덧셈과 뺄셈 |

3 공원에 비둘기가 40마리 있었습니다. 이 중에서 15마리가 날아갔다면, 공원에 남아 있는 비둘기는 몇 마리인가요?

(   )

2 차시

1 | (세 자리 수)＋(세 자리 수) (1)

학습 목표

받아올림이 없는 세 자리 수의 덧셈 결과를 어림하고 계산 원리를 이해하여 계산할 수 있습니다.

그림으로 개념 잡기

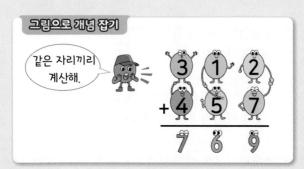

같은 자리끼리 계산해.

$$3\ 1\ 2$$
$$+\ 4\ 5\ 7$$
$$7\ 6\ 9$$

참고

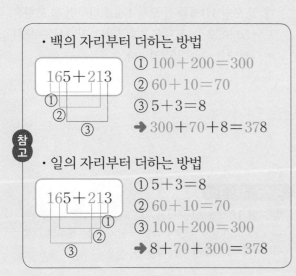

· 백의 자리부터 더하는 방법

$165+213$

① $100+200=300$
② $60+10=70$
③ $5+3=8$
➡ $300+70+8=378$

· 일의 자리부터 더하는 방법

$165+213$

① $5+3=8$
② $60+10=70$
③ $100+200=300$
➡ $8+70+300=378$

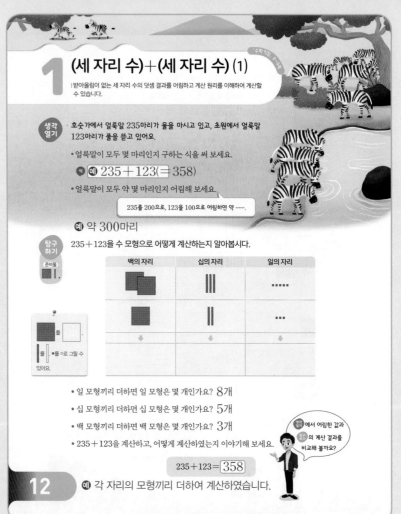

1 (세 자리 수)＋(세 자리 수) (1)

받아올림이 없는 세 자리 수의 덧셈 결과를 어림하고 계산 원리를 이해하여 계산할 수 있습니다.

생각 열기 호숫가에서 얼룩말 235마리가 물을 마시고 있고, 초원에서 얼룩말 123마리가 풀을 뜯고 있어요.

· 얼룩말이 모두 몇 마리인지 구하는 식을 써 보세요.

식 예 $235+123(=358)$

· 얼룩말이 모두 약 몇 마리인지 어림해 보세요.

235를 200으로, 123을 100으로 어림하면 약 ……

예 약 300마리

탐구하기 235＋123을 수 모형으로 어떻게 계산하는지 알아봅시다.

준비물

를 로 그릴 수 있어요.

백의 자리	십의 자리	일의 자리
	‖‖	•••••
	‖	•••

· 일 모형끼리 더하면 일 모형은 몇 개인가요? 8개
· 십 모형끼리 더하면 십 모형은 몇 개인가요? 5개
· 백 모형끼리 더하면 백 모형은 몇 개인가요? 3개
· 235＋123을 계산하고, 어떻게 계산하였는지 이야기해 보세요.

생각에서 어림한 값과 탐구의 계산 결과를 비교해 볼까요?

$$235+123=\boxed{358}$$

12 예 각 자리의 모형끼리 더하여 계산하였습니다.

교과서 개념 완성

생각 열기 얼룩말이 모두 몇 마리인지 식으로 나타내고 어림하기

235를 200으로, 123을 100으로 어림합니다.
➡ $200+100=300$으로 어림할 수 있습니다.

탐구하기 수 모형으로 235＋123의 계산 방법 탐구하기

· 일 모형 5개와 3개를 더하면 일 모형은 8개입니다.
· 십 모형 3개와 2개를 더하면 십 모형은 5개입니다.
· 백 모형 2개와 1개를 더하면 백 모형은 3개입니다.
· $235+123=358$입니다.

확인하기 받아올림이 없는 (세 자리 수)＋(세 자리 수)의 계산 익히기

가로 계산을 세로 계산으로 바꾸어 계산할 때에는 각 자리의 수를 맞추어 쓰고, 각 자리의 수를 더하여 계산합니다.

$$\begin{array}{r} 3\ 0\ 3 \\ +\ 4\ 6\ 5 \\ \hline 7\ 6\ 8 \end{array} \qquad \begin{array}{r} 2\ 5\ 8 \\ +\ 6\ 2\ 1 \\ \hline 8\ 7\ 9 \end{array} \qquad \begin{array}{r} 5\ 3\ 4 \\ +\ 1\ 0\ 4 \\ \hline 6\ 3\ 8 \end{array}$$

학부모 코칭 Tip

세로로 덧셈을 할 때 각 자리의 수를 맞추어 쓰고 계산하는 것을 어려워할 경우 점선을 긋고 계산하게 합니다.

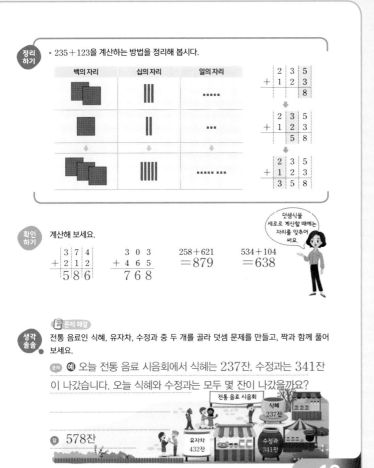

정리하기

• 235+123을 계산하는 방법을 정리해 봅시다.

백의 자리	십의 자리	일의 자리	
	|||	·····	2 3 5 + 1 2 3 ⎯⎯⎯ 8
	||	···	2 3 5 + 1 2 3 ⎯⎯⎯ 5 8
	||||	········	2 3 5 + 1 2 3 ⎯⎯⎯ 3 5 8

확인하기

계산해 보세요.

$$\begin{array}{r} 3\ 7\ 4 \\ +\ 2\ 1\ 2 \\ \hline 5\ 8\ 6 \end{array}$$

$$\begin{array}{r} 3\ 0\ 3 \\ +\ 4\ 6\ 5 \\ \hline 7\ 6\ 8 \end{array}$$

$258+621$
$=879$

$534+104$
$=638$

> 덧셈식을 세로로 계산할 때에는 자리를 맞추어 써요.

생각 쑥쑥 📖 문제 해결

전통 음료인 식혜, 유자차, 수정과 중 두 개를 골라 덧셈 문제를 만들고, 짝과 함께 풀어 보세요.

문제 예 오늘 전통 음료 시음회에서 식혜는 237잔, 수정과는 341잔이 나갔습니다. 오늘 식혜와 수정과는 모두 몇 잔이 나갔을까요?

답 578잔

풀이 $237+341=578$(잔)

13

이런 문제가 서술형으로 나와요

유진이네 학교의 여학생은 321명, 남학생은 334명입니다. 유진이네 학교의 학생은 모두 몇 명인지 풀이 과정을 쓰고, 답을 구해 보세요.

| 풀이 과정 |

❶ 유진이네 학교의 학생은 모두 몇 명인지 구하는 식 세우기

유진이네 학교의 여학생 수와 남학생 수를 더합니다.

➜ $321+334$

❷ 덧셈을 하여 학생 수 구하기

$321+334=655$이므로 유진이네 학교의 학생은 모두 655명입니다.

답 655명

수학 교과 역량 📖 문제 해결

덧셈 문제를 만들어 짝과 함께 풀어 보기

덧셈 문제를 만들기 위해 문제에서 주어진 조건 및 정보를 파악하고, 적절한 해결 전략을 세워 문제를 해결하는 과정을 통하여 문제 해결 능력을 기를 수 있습니다.

개념 확인 문제

정답 및 풀이 194쪽

1 계산해 보세요.

(1)
$$\begin{array}{r} 3\ 2\ 6 \\ +\ 2\ 4\ 1 \\ \hline \end{array}$$

(2)
$$\begin{array}{r} 4\ 1\ 5 \\ +\ 3\ 0\ 4 \\ \hline \end{array}$$

(3) $356+633$

(4) $814+132$

2 계산 결과를 비교하여 ○ 안에 >, =, <를 알맞게 써넣으세요.

(1) $652+127 \bigcirc 274+421$

(2) $245+352 \bigcirc 275+323$

3 구슬을 미희는 121개 모았고, 성현이는 미희보다 348개 더 모았습니다. 성현이가 모은 구슬은 모두 몇 개인가요?

(　　　　　　　)

2 | (세 자리 수) + (세 자리 수) (2)

학습 목표

받아올림이 한 번 있는 세 자리 수의 덧셈 결과를 어림하고 계산 원리를 이해하여 계산할 수 있습니다.

그림으로 개념 잡기

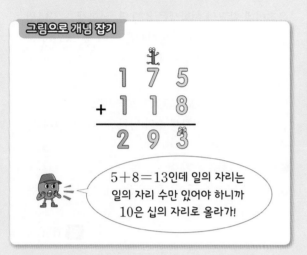

$$
\begin{array}{r}
1 \\
1\ 7\ 5 \\
+\ 1\ 1\ 8 \\
\hline
2\ 9\ 3
\end{array}
$$

5+8=13인데 일의 자리는 일의 자리 수만 있어야 하니까 10은 십의 자리로 올라가!

어휘	받아올림	덧셈을 하는 과정에서 같은 자리 수끼리의 합이 10이거나 10보다 크면 바로 윗자리로 10을 올리는 방법입니다.

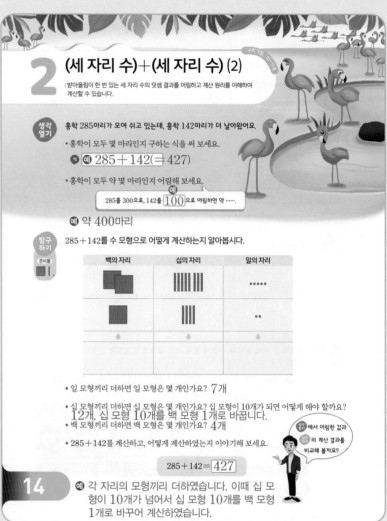

2 (세 자리 수) + (세 자리 수) (2)

받아올림이 한 번 있는 세 자리 수의 덧셈 결과를 어림하고 계산 원리를 이해하여 계산할 수 있습니다.

생각 열기

홍학 285마리가 모여 쉬고 있는데, 홍학 142마리가 더 날아왔어요.

• 홍학이 모두 몇 마리인지 구하는 식을 써 보세요.
식 예 285+142(=427)

• 홍학이 모두 약 몇 마리인지 어림해 보세요.
예 285를 300으로, 142를 100으로 어림하면 약 ……

예 약 400마리

탐구 하기

285+142를 수 모형으로 어떻게 계산하는지 알아봅시다.

백의 자리	십의 자리	일의 자리
↓	↓	↓

• 일 모형끼리 더하면 일 모형은 몇 개인가요? 7개
• 십 모형끼리 더하면 십 모형은 몇 개인가요? 십 모형이 10개가 되면 어떻게 해야 할까요? 12개, 십 모형 10개를 백 모형 1개로 바꿉니다.
• 백 모형끼리 더하면 백 모형은 몇 개인가요? 4개
• 285+142를 계산하고, 어떻게 계산하였는지 이야기해 보세요.

285+142= 427

예 각 자리의 모형끼리 더하였습니다. 이때 십 모형이 10개가 넘어서 십 모형 10개를 백 모형 1개로 바꾸어 계산하였습니다.

14

 교과서 개념 완성

탐구하기 수 모형으로 285+142의 계산 방법 탐구하기

• 일 모형 5개와 2개를 더하면 일 모형은 7개입니다.

• 십 모형 8개와 4개를 더하면 십 모형은 12개입니다. 십 모형 10개를 백 모형 1개로 바꾸면 남은 십 모형은 2개입니다.

• 원래 있던 백 모형 2개와 1개를 더한 것에 바꾼 백 모형 1개를 더해 주면 백 모형은 4개입니다.

• 285+142=427입니다.

확인하기 받아올림이 한 번 있는 (세 자리 수) + (세 자리 수)의 계산 익히기

$$
\begin{array}{r}
1\ \ \ \ \\
2\ 4\ 7 \\
+\ 6\ 8\ 2 \\
\hline
9\ 2\ 9
\end{array}
\qquad
\begin{array}{r}
1\ \ \ \ \\
4\ 1\ 3 \\
+\ 3\ 9\ 4 \\
\hline
8\ 0\ 7
\end{array}
\qquad
\begin{array}{r}
1\ \\
5\ 3\ 6 \\
+\ 1\ 2\ 8 \\
\hline
6\ 6\ 4
\end{array}
$$

생각 솔솔 계산 결과를 보고 더하는 수 구하기

$$
\begin{array}{r}
1\ \ \ \ \\
2\ 6\ 5 \\
+\ ㉠\ ㉡\ 4 \\
\hline
6\ 3\ 9
\end{array}
$$

[1단계]
➡ 6+㉡=3이 될 수 없으므로
6+㉡=13에서 ㉡=7입니다.

[2단계]
➡ 1+2+㉠=6에서 ㉠=3입니다.

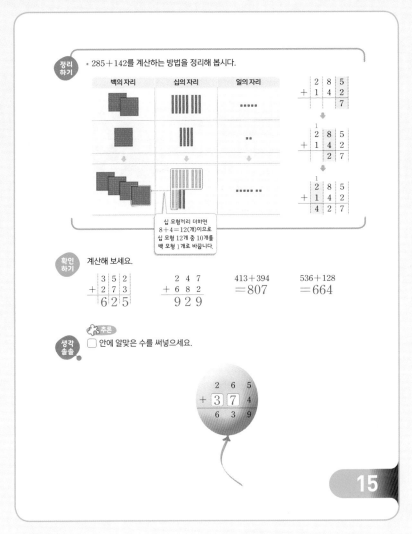

정리
하기

• 285+142를 계산하는 방법을 정리해 봅시다.

백의 자리	십의 자리	일의 자리

십 모형끼리 더하면
8+4=12(개)이므로
십 모형 12개 중 10개를
백 모형 1개로 바꿉니다.

확인
하기

계산해 보세요.

$$\begin{array}{r} 3\ 5\ 2 \\ +\ 2\ 7\ 3 \\ \hline 6\ 2\ 5 \end{array}$$

$$\begin{array}{r} 2\ 4\ 7 \\ +\ 6\ 8\ 2 \\ \hline 9\ 2\ 9 \end{array}$$

413+394
=807

536+128
=664

생각
솔솔

✦추론

□ 안에 알맞은 수를 써넣으세요.

$$\begin{array}{r} 2\ 6\ 5 \\ +\ \boxed{3}\ \boxed{7}\ 4 \\ \hline 6\ 3\ 9 \end{array}$$

15

이런 문제가 서술형으로 나와요

과학관에 온 사람이 어제는 543명이었고, 오늘은 어제보다 148명이 더 많았습니다. 오늘 과학관에 온 사람은 모두 몇 명인지 풀이 과정을 쓰고, 답을 구해 보세요.

| 풀이 과정 |

❶ 오늘 과학관에 온 사람은 몇 명인지 구하는 식 세우기

어제 과학관에 온 사람 수에 148을 더합니다.

➡ 543+148

❷ 덧셈을 하여 오늘 과학관에 온 사람 수 구하기

543+148=691이므로 오늘 과학관에 온 사람은 모두 691명입니다.

답 691명

수학 교과 역량 ✦추론

계산 결과를 보고 더하는 수 구하기

받아올림이 있는 세 자리 수의 덧셈의 계산 원리를 이용하여 □ 안에 알맞은 수를 구하는 과정을 통하여 추론 능력을 기를 수 있습니다.

개념 확인 문제　정답 및 풀이 194쪽

1 계산해 보세요.

(1)
$$\begin{array}{r} 1\ 2\ 5 \\ +\ 2\ 6\ 8 \\ \hline \end{array}$$

(2)
$$\begin{array}{r} 4\ 5\ 5 \\ +\ 1\ 2\ 8 \\ \hline \end{array}$$

(3) 163+819

(4) 248+171

2 가장 큰 수와 가장 작은 수의 합을 구해 보세요.

147	286	348

(　　　　　　　)

3 선우네 집에서 학교를 지나 도서관까지 가는 거리는 몇 m인가요?

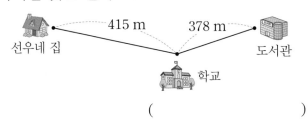

선우네 집　415 m　378 m　도서관
학교

(　　　　　　　)

3 | (세 자리 수)＋(세 자리 수) (3)

차시 4

학습 목표

받아올림이 두 번 또는 세 번 있는 세 자리 수의 덧셈 결과를 어림하고 계산 원리를 이해하여 계산할 수 있습니다.

그림으로 개념 잡기

나도 더하는 것 잊지 마!

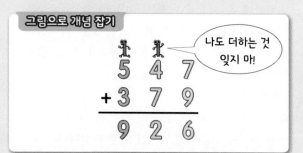

```
    5 4 7
  + 3 7 9
  ─────────
    9 2 6
```

참고

• 458＋168을 수 모형으로 계산하기

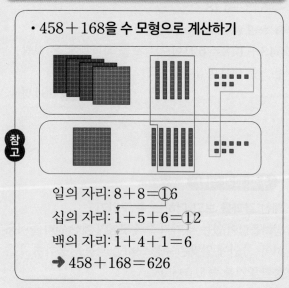

일의 자리: 8＋8＝16
십의 자리: 1＋5＋6＝12
백의 자리: 1＋4＋1＝6
➡ 458＋168＝626

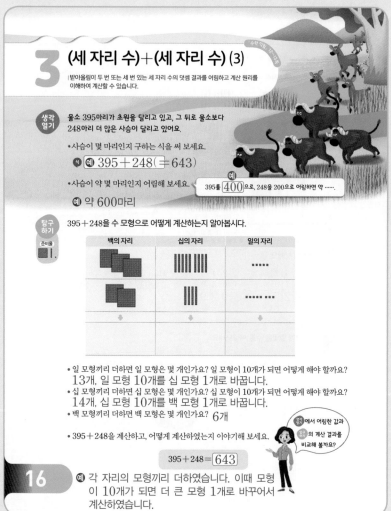

3 (세 자리 수)＋(세 자리 수) (3)

받아올림이 두 번 또는 세 번 있는 세 자리 수의 덧셈 결과를 어림하고 계산 원리를 이해하여 계산할 수 있습니다.

생각 열기

들소 395마리가 초원을 달리고 있고, 그 뒤로 들소보다 248마리 더 많은 사슴이 달리고 있어요.

• 사슴이 몇 마리인지 구하는 식을 써 보세요.

➡ 예 395＋248(＝643)

• 사슴이 약 몇 마리인지 어림해 보세요.

예 395를 400으로, 248을 200으로 어림하면 약 ……

예 약 600마리

탐구 하기

준비물 □ |

395＋248을 수 모형으로 어떻게 계산하는지 알아봅시다.

백의 자리	십의 자리	일의 자리

• 일 모형끼리 더하면 일 모형은 몇 개인가요? 일 모형이 10개가 되면 어떻게 해야 할까요?
13개, 일 모형 10개를 십 모형 1개로 바꿉니다.
• 십 모형끼리 더하면 십 모형은 몇 개인가요? 십 모형이 10개가 되면 어떻게 해야 할까요?
14개, 십 모형 10개를 백 모형 1개로 바꿉니다.
• 백 모형끼리 더하면 백 모형은 몇 개인가요? 6개

• 395＋248을 계산하고, 어떻게 계산하였는지 이야기해 보세요.

395＋248＝643

예 각 자리의 모형끼리 더하였습니다. 이때 모형이 10개가 되면 더 큰 모형 1개로 바꾸어서 계산하였습니다.

16

교과서 개념 완성

탐구하기 수 모형으로 395＋248의 계산 방법 탐구하기

• 일 모형 5개와 8개를 더하면 일 모형은 13개입니다. 일 모형 10개를 십 모형 1개로 바꿉니다. 남은 일 모형은 3개입니다.

• 원래 있던 십 모형 9개와 4개를 더한 것에 바꾼 십 모형 1개를 더해 주면 십 모형은 14개입니다. 십 모형 10개를 백 모형 1개로 바꾸면 남은 십 모형은 4개입니다.

• 원래 있던 백 모형 3개와 2개를 더한 것에 바꾼 백 모형 1개를 더해 주면 백 모형은 6개입니다.

• 395＋248＝643입니다.

확인하기 받아올림이 두 번 또는 세 번 있는 (세 자리 수)＋(세 자리 수)의 계산 익히기

```
   1 1
   7 6 9
 + 6 8 2
 ─────────
 1 4 5 1
```

```
   1 1
   5 6 4
 + 2 4 8
 ─────────
   8 1 2
```

```
   1 1
   4 9 9
 + 5 0 6
 ─────────
 1 0 0 5
```

생각 솔솔 체험을 한 학생 수의 합이 700명이 넘는 두 가지 민속놀이 찾기

팽이치기와 제기차기, 팽이치기와 윷놀이, 제기차기와 윷놀이를 체험한 학생 수의 합을 각각 구합니다.

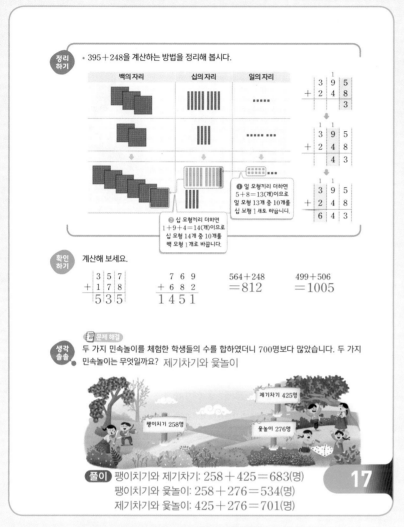

정리하기
• 395+248을 계산하는 방법을 정리해 봅시다.

백의 자리	십의 자리	일의 자리

$$\begin{array}{r}{\scriptstyle 1}{\scriptstyle 1} \\ 3\;9\;5 \\ +\;2\;4\;8 \\ \hline 6\;4\;3 \end{array}$$

❶ 일 모형끼리 더하면 5+8=13(개)이므로 일 모형 13개 중 10개를 십 모형 1개로 바꿉니다.

❷ 십 모형끼리 더하면 1+9+4=14(개)이므로 십 모형 14개 중 10개를 백 모형 1개로 바꿉니다.

확인하기
계산해 보세요.

$$\begin{array}{r}3\;5\;7 \\ +\;1\;7\;8 \\ \hline 5\;3\;5 \end{array}\qquad\begin{array}{r}7\;6\;9 \\ +\;6\;8\;2 \\ \hline 1\;4\;5\;1 \end{array}$$

564+248
=812

499+506
=1005

문제 해결

생각 솔솔　두 가지 민속놀이를 체험한 학생들의 수를 합하였더니 700명보다 많았습니다. 두 가지 민속놀이는 무엇일까요? 제기차기와 윷놀이

제기차기 425명
팽이치기 258명
윷놀이 276명

풀이　팽이치기와 제기차기: 258+425=683(명)
팽이치기와 윷놀이: 258+276=534(명)
제기차기와 윷놀이: 425+276=701(명)

17

이런 문제가 서술형으로 나와요

연화는 줄넘기를 어제는 189회 하였고, 오늘은 어제보다 129회 더 많이 하였습니다. 연화가 어제와 오늘 한 줄넘기는 모두 몇 회인지 풀이 과정을 쓰고, 답을 구해 보세요.

| 풀이 과정 |

❶ 연화가 오늘 한 줄넘기 횟수 구하기

어제 줄넘기를 한 횟수에 129를 더합니다.
➡ 189+129=318(회)

❷ 연화가 어제와 오늘 한 줄넘기는 모두 몇 회인지 구하기

189+318=507이므로 연화가 어제와 오늘 한 줄넘기는 모두 507회입니다.

답 507회

수학 교과 역량　문제 해결

체험을 한 학생 수의 합이 700명이 넘는 두 가지 민속놀이 찾기
해결 전략을 탐색하고 적절한 방법으로 문제를 해결하는 과정을 통하여 문제 해결 능력을 기를 수 있습니다.

개념 확인 문제　　정답 및 풀이 194쪽

1 계산해 보세요.

(1)
$$\begin{array}{r}4\;5\;2 \\ +\;3\;8\;9 \\ \hline \end{array}$$

(2)
$$\begin{array}{r}4\;1\;6 \\ +\;7\;3\;5 \\ \hline \end{array}$$

(3) 735+188

(4) 548+987

2 호연이의 저금통에는 동전이 284개의 들어 있고, 수아의 저금통에는 호연이의 저금통보다 137개 더 많이 들어 있습니다. 수아의 저금통에 들어 있는 동전은 모두 몇 개인가요?
(　　　　　　　)

3 상자 가, 나, 다 중 두 상자에 담긴 구슬을 합하였더니 500개보다 많았습니다. 두 상자는 무엇과 무엇인가요?

가 상자	나 상자	다 상자
125개	335개	186개

(　　　　　　　)

5 차시

4 | (세 자리 수)−(세 자리 수) (1)

학습 목표

받아내림이 없는 세 자리 수의 뺄셈 결과를 어림하고 계산 원리를 이해하여 계산할 수 있습니다.

그림으로 개념 잡기

같은 자리 수끼리 계산해.

참고

· 백의 자리부터 빼는 방법

$386-241$

① $300-200=100$
② $80-40=40$
③ $6-1=5$
➔ $100+40+5=145$

· 일의 자리부터 빼는 방법

$386-241$

① $6-1=5$
② $80-40=40$
③ $300-200=100$
➔ $6+40+100=145$

---

4 (세 자리 수)−(세 자리 수) (1)

받아내림이 없는 세 자리 수의 뺄셈 결과를 어림하고 계산 원리를 이해하여 계산할 수 있습니다.

생각 열기

원숭이들이 바나나 365개 중 124개를 먹었어요.

· 남아 있는 바나나가 몇 개인지 구하는 식을 써 보세요.

➔ 예 $365-124(=241)$

· 남아 있는 바나나가 약 몇 개인지 어림해 보세요.

365를 400으로, 124를 100 으로 어림하면 약 ......

예 약 300개

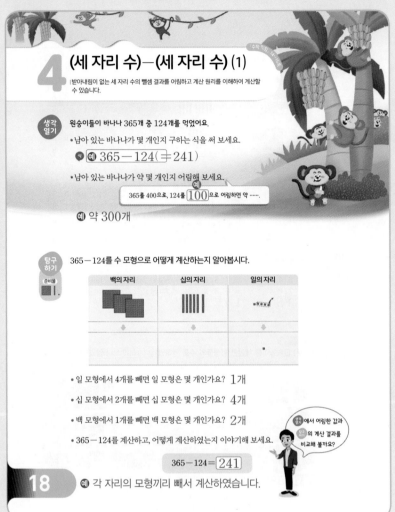

탐구 하기
준비물 |

$365-124$를 수 모형으로 어떻게 계산하는지 알아봅시다.

백의 자리	십의 자리	일의 자리
↓	↓	↓
		▪

· 일 모형에서 4개를 빼면 일 모형은 몇 개인가요? 1개
· 십 모형에서 2개를 빼면 십 모형은 몇 개인가요? 4개
· 백 모형에서 1개를 빼면 백 모형은 몇 개인가요? 2개
· $365-124$를 계산하고, 어떻게 계산하였는지 이야기해 보세요.

$365-124=$ 241

생각 에서 어림한 값과 의 계산 결과를 비교해 볼까요?

18

예 각 자리의 모형끼리 빼서 계산하였습니다.

교과서 개념 완성

탐구하기 수 모형으로 $365-124$의 계산 방법 탐구하기

· 일 모형 5개에서 4개를 빼면 일 모형은 1개입니다.
· 십 모형 6개에서 2개를 빼면 십 모형은 4개입니다.
· 백 모형 3개에서 1개를 빼면 백 모형은 2개입니다.
· $365-124=241$입니다.

학부모 코칭 Tip

수 모형을 이용하여 계산해 보는 활동을 할 때 반드시 일 모형, 십 모형, 백 모형의 순서로 할 필요는 없습니다. 수 모형을 자유롭게 놓고 여러 가지 방법으로 계산 방법을 살펴보는 과정을 통하여 학생들이 계산 원리를 스스로 발견할 수 있게 합니다.

확인하기 받아내림이 없는

(세 자리 수)−(세 자리 수)의 계산 익히기

```
   7 4 8        5 4 7        9 3 6
 − 4 3 5      − 4 3 2      − 3 2 4
   3 1 3        1 1 5        6 1 2
```

생각 솔솔 덧셈으로 뺄셈 결과 확인하기

뺄셈 결과를 확인하려면 계산 결과와 빼는 수를 더하여 빼지는 수가 나오는지 확인하면 됩니다.

학부모 코칭 Tip

덧셈과 뺄셈의 관계를 이해할 수 있게 합니다.

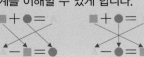

정리하기

• 365−124를 계산하는 방법을 정리해 봅시다.

백의 자리	십의 자리	일의 자리
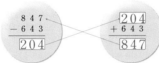		

$$\begin{array}{r} 3\ 6\ 5 \\ -\ 1\ 2\ 4 \\ \hline 1 \end{array}$$

↓

$$\begin{array}{r} 3\ 6\ 5 \\ -\ 1\ 2\ 4 \\ \hline 4\ 1 \end{array}$$

↓

$$\begin{array}{r} 3\ 6\ 5 \\ -\ 1\ 2\ 4 \\ \hline 2\ 4\ 1 \end{array}$$

 확인하기　계산해 보세요.

$$\begin{array}{r} 3\ 7\ 5 \\ -\ 2\ 2\ 1 \\ \hline 1\ 5\ 4 \end{array}$$
$$\begin{array}{r} 7\ 4\ 8 \\ -\ 4\ 3\ 5 \\ \hline 3\ 1\ 3 \end{array}$$

547−432
=115

936−324
=612

 생각 솔솔　🔗 의사소통

◯ 안에 알맞은 수를 써넣고, 덧셈으로 뺄셈 결과를 확인하는 방법을 이야기해 보세요.

$$\begin{array}{r} 8\ 4\ 7 \\ -\ 6\ 4\ 3 \\ \hline 2\ 0\ 4 \end{array}$$
$$\begin{array}{r} \boxed{2\ 0\ 4} \\ +\ 6\ 4\ 3 \\ \hline \boxed{8\ 4\ 7} \end{array}$$

예 847−643=204입니다. 이때 뺄셈 결과가 바른지 확인하려면 계산 결과와 빼는 수를 더하였을 때 빼지는 수가 되는지 확인하면 됩니다. 즉, 204+643=847이므로 뺄셈 결과가 맞습니다.

19

이런 문제가 서술형으로 나와요

어떤 수에 156을 더하였더니 587이 되었습니다. 어떤 수는 얼마인지 풀이 과정을 쓰고, 답을 구해 보세요.

| 풀이 과정 |

❶ 어떤 수를 ◯라 하고 계산식 세우기

어떤 수 ◯와 156의 합이 587인 덧셈식을 세웁니다.

➜ ◯+156=587

❷ 어떤 수 구하기

◯+156=587, ◯=587−156=431이므로 어떤 수는 431입니다.

답 431

수학 교과 역량　🔗 의사소통

덧셈으로 뺄셈 결과 확인하기

덧셈과 뺄셈의 관계를 이해하고 뺄셈 결과를 확인하는 방법을 이야기해 보는 과정을 통하여 의사소통 능력을 기를 수 있습니다.

개념 확인 문제　정답 및 풀이 195쪽

1 계산해 보세요.

(1)
$$\begin{array}{r} 5\ 3\ 2 \\ -\ 2\ 1\ 1 \\ \hline \end{array}$$

(2)
$$\begin{array}{r} 8\ 4\ 5 \\ -\ 3\ 2\ 4 \\ \hline \end{array}$$

(3) 714−211

(4) 476−262

2 계산 결과를 비교하여 ◯ 안에 >, =, <를 알맞게 써넣으세요.

(1) 658−240 ◯ 579−156

(2) 487−135 ◯ 658−325

3 붙임딱지를 성은이는 437장 모았고, 민지는 314장 모았습니다. 성은이가 모은 붙임딱지는 민지가 모은 붙임딱지보다 몇 장 더 많은가요?

(　　　　　　　　)

5 | (세 자리 수) − (세 자리 수) (2)

학습 목표

받아내림이 한 번 있는 세 자리 수의 뺄셈 결과를 어림하고 계산 원리를 이해하여 계산할 수 있습니다.

그림으로 개념 잡기

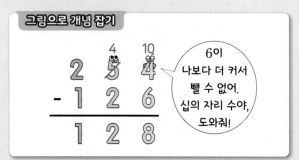

```
      4   10
    2  5   4
  - 1  2   6
  ─────────
    1  2   8
```

6이 나보다 더 커서 뺄 수 없어. 십의 자리 수야, 도와줘!

어휘 받아내림 | 뺄셈을 하는 과정에서 같은 자리끼리 뺄 수 없으면 바로 윗자리에서 10을 가져와서 계산하는 방법입니다.

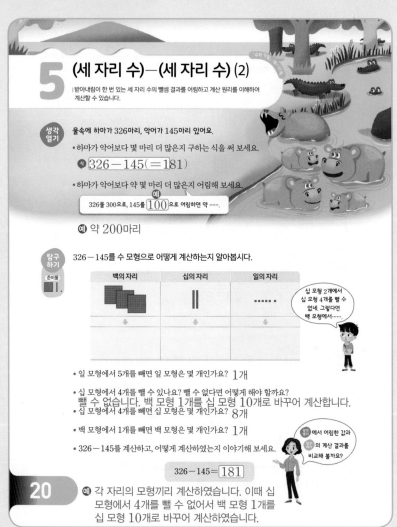

생각 열기

5 (세 자리 수) − (세 자리 수) (2)

받아내림이 한 번 있는 세 자리 수의 뺄셈 결과를 어림하고 계산 원리를 이해하여 계산할 수 있습니다.

물속에 하마가 326마리, 악어가 145마리 있어요.

• 하마가 악어보다 몇 마리 더 많은지 구하는 식을 써 보세요.

답 326 − 145 (= 181)

• 하마가 악어보다 약 몇 마리 더 많은지 어림해 보세요.

예 326을 300으로, 145를 [100]으로 어림하면 약 ……

답 약 200마리

탐구 하기

준비물 수 모형

326 − 145를 수 모형으로 어떻게 계산하는지 알아봅시다.

백의 자리	십의 자리	일의 자리

십 모형 2개에서 십 모형 4개를 뺄 수 없네. 그렇다면 백 모형에서……

• 일 모형에서 5개를 빼면 일 모형은 몇 개인가요? 1개

• 십 모형에서 4개를 뺄 수 있나요? 뺄 수 없다면 어떻게 해야 할까요?
뺄 수 없습니다. 백 모형 1개를 십 모형 10개로 바꾸어 계산합니다.

• 십 모형에서 4개를 빼면 십 모형은 몇 개인가요? 8개

• 백 모형에서 1개를 빼면 백 모형은 몇 개인가요? 1개

• 326 − 145를 계산하고, 어떻게 계산하였는지 이야기해 보세요.

답 에서 어림한 값과 의 계산 결과를 비교해 볼까요?

326 − 145 = [181]

20

예 각 자리의 모형끼리 계산하였습니다. 이때 십 모형에서 4개를 뺄 수 없어서 백 모형 1개를 십 모형 10개로 바꾸어 계산하였습니다.

교과서 개념 완성

탐구하기 수 모형으로 326 − 145의 계산 방법 탐구하기

• 일 모형 6개에서 5개를 빼면 일 모형은 1개입니다.

• 십 모형 2개에서 4개를 뺄 수 없습니다. 백 모형 1개를 십 모형 10개로 바꾸어 계산합니다.

• 원래 있던 십 모형 2개와 받아내림한 십 모형 10개를 더한 십 모형 12개에서 4개를 빼면 십 모형은 8개입니다.

• 남아 있는 백 모형 2개에서 1개를 빼면 백 모형은 1개입니다.

• 326 − 145 = 181입니다.

확인하기 받아내림이 한 번 있는
(세 자리 수) − (세 자리 수)의 계산 익히기

가로 계산을 세로 계산으로 바꾸어 계산할 때에는 각 자리의 수를 맞추어 쓰고, 각 자리의 수끼리 계산합니다.

```
      3 10              4 10              7 10
    7 4  2            5 0  7            8 2  8
  − 4 3  5          − 4 6  2          − 2 6  5
  ─────────         ─────────         ─────────
    3 0  7              4  5            5 6  3
```

생각 솔솔 잘못 계산한 부분을 찾고 바르게 계산하기

잘못된 계산식에서 십의 자리 계산 결과인 1은 3에서 2를 뺀 결과인 것 같습니다.

정리하기 • 326-145를 계산하는 방법을 정리해 봅시다.

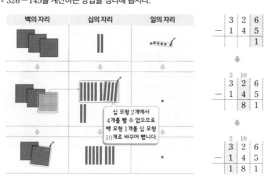

백의 자리	십의 자리	일의 자리

십 모형 2개에서 4개를 뺄 수 없으므로 백 모형 1개를 십 모형 10개로 바꾸어 뺍니다.

```
    3 2 6
 -  1 4 5
        1
```

```
  2 10
    3 2 6
 -  1 4 5
      8 1
```

```
  2 10
    3 2 6
 -  1 4 5
    1 8 1
```

확인하기 계산해 보세요.

```
    6 3 7
 -  1 8 3
    4 5 4
```

```
    7 4 2
 -  4 3 5
    3 0 7
```

507-462 =45

828-265 =563

생각 솔솔 🚲추론 🚲의사소통
해윤이는 528-237을 다음과 같이 계산하였습니다. 잘못 계산한 곳을 찾아 이유를 쓰고, 바르게 계산해 보세요.

잘못된 계산
```
    5 2 8
 -  2 3 7
    3 1 1
```
→
바르게 계산하기
```
    5 2 8
 -  2 3 7
    2 9 1
```

이유 예 십의 자리 계산을 12-3=9로 해야 하는데 3-2=1로 하여 잘못 계산하였습니다.

21

🧑‍🏫 이런 문제가 서술형으로 나와요

도서관에 책이 853권 있었습니다. 학생들이 빌려 간 책이 216권일 때, 도서관에 남아 있는 책은 몇 권인지 풀이 과정을 쓰고, 답을 구해 보세요.

| 풀이 과정 |

❶ 도서관에 남아 있는 책의 수를 구하는 식 세우기
학생들이 빌려 가서 책이 줄어들었으므로 도서관에 있던 책의 수에서 빌려 긴 책의 수를 뺍니다.
→ 853-216

❷ 뺄셈을 하여 도서관에 남아 있는 책의 수 구하기
853-216=637이므로 도서관에 남아 있는 책은 637권입니다.

답 637권

◀ 수학 교과 역량 ▶ 🚲추론 🚲의사소통

잘못 계산한 부분을 찾고 바르게 계산하기
잘못 계산한 부분을 찾고 바르게 계산하는 방법을 이야기해 보는 과정을 통하여 추론 능력과 의사소통 능력을 기를 수 있습니다.

개념 확인 문제　정답 및 풀이 195쪽

1 계산해 보세요.

(1)
```
    7 7 2
 -  2 5 5
```

(2)
```
    9 4 8
 -  6 7 4
```

(3) 683-119

(4) 538-161

2 오늘 민강이네 가족이 과수원에서 딴 사과는 432개입니다. 배는 사과보다 151개 더 적게 땄다면 민강이네 가족이 딴 배는 몇 개인가요?

(　　　　　　　　)

3 잘못 계산한 곳을 찾아 바르게 계산해 보세요.

```
    4 3 6
 -  2 9 3    →
    2 4 3
```

6 (세 자리 수) − (세 자리 수) (3)

학습 목표

받아내림이 두 번 있는 세 자리 수의 뺄셈 결과를 어림하고 계산 원리를 이해하여 계산할 수 있습니다.

그림으로 개념 잡기

각 자리끼리 뺄 수 없을 때 일의 자리는 십의 자리, 십의 자리는 백의 자리에서 도와줘.

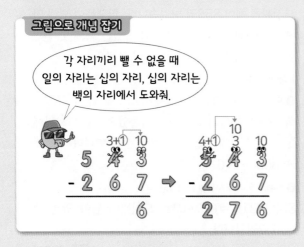

참고 세 자리 수의 뺄셈을 할 때 일의 자리끼리 뺄 수 없을 때에는 십의 자리, 십의 자리끼리 뺄 수 없을 때에는 백의 자리에서 받아내림하여 계산합니다.

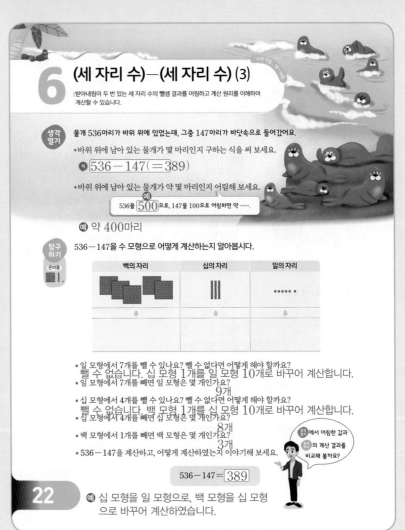

6 (세 자리 수) − (세 자리 수) (3)

받아내림이 두 번 있는 세 자리 수의 뺄셈 결과를 어림하고 계산 원리를 이해하여 계산할 수 있습니다.

생각 열기 물개 536마리가 바위 위에 있었는데, 그중 147마리가 바닷속으로 들어갔어요.

*바위 위에 남아 있는 물개가 몇 마리인지 구하는 식을 써 보세요.
답 536−147(=389)

*바위 위에 남아 있는 물개가 약 몇 마리인지 어림해 보세요.
예 536을 500으로, 147을 100으로 어림하면 약 ......

예 약 400마리

탐구 하기 536−147을 수 모형으로 어떻게 계산하는지 알아봅시다.

백의 자리	십의 자리	일의 자리
↓	↓	↓

• 일 모형에서 7개를 뺄 수 있나요? 뺄 수 없다면 어떻게 해야 할까요?
뺄 수 없습니다. 십 모형 1개를 일 모형 10개로 바꾸어 계산합니다.
• 일 모형에서 7개를 빼면 일 모형은 몇 개인가요?
9개
• 십 모형에서 4개를 뺄 수 있나요? 뺄 수 없다면 어떻게 해야 할까요?
뺄 수 없습니다. 백 모형 1개를 십 모형 10개로 바꾸어 계산합니다.
• 십 모형에서 4개를 빼면 십 모형은 몇 개인가요?
8개
• 백 모형에서 1개를 빼면 백 모형은 몇 개인가요?
3개
• 536−147을 계산하고, 어떻게 계산하였는지 이야기해 보세요.

536−147=389

예 십 모형을 일 모형으로, 백 모형을 십 모형으로 바꾸어 계산하였습니다.

22

교과서 개념 완성

탐구하기 수 모형으로 536−147의 계산 방법 탐구하기

• 일 모형 6개에서 7개를 뺄 수 없습니다. 십 모형 1개를 일 모형 10개로 바꾸어 계산합니다.
• 일 모형 16개에서 7개를 빼면 일 모형은 9개입니다.
• 남아 있는 십 모형 2개에서 4개를 뺄 수 없습니다. 백 모형 1개를 십 모형 10개로 바꾸어 계산합니다.
• 십 모형 12개에서 4개를 빼면 십 모형은 8개입니다.
• 남아 있는 백 모형 4개에서 1개를 빼면 백 모형은 3개입니다.
• 536−147=389입니다.

확인하기 받아내림이 두 번 있는 (세 자리 수) − (세 자리 수)의 계산 익히기

십의 자리 위에는 일의 자리로 받아내림하고 남은 수와 백의 자리에서 받아내림한 수를 씁니다.

$$\begin{array}{r} {}^{6}\!\!\!\!7\ {}^{\overset{10}{1}}\!\!\!\!2\ {}^{10}\!\!\!\!6 \\ -\ 2\ \ 8\ \ 9 \\ \hline 4\ \ 3\ \ 7 \end{array}$$

$$\begin{array}{r} {}^{5}\!\!\!\!6\ {}^{\overset{10}{0}}\!\!\!\!1\ {}^{10}\!\!\!\!3 \\ -\ 4\ \ 3\ \ 6 \\ \hline 1\ \ 7\ \ 7 \end{array}$$

$$\begin{array}{r} {}^{4}\!\!\!\!5\ {}^{\overset{10}{1}}\!\!\!\!2\ {}^{10}\!\!\!\!4 \\ -\ 4\ \ 6\ \ 5 \\ \hline 5\ \ 9 \end{array}$$

$$\begin{array}{r} {}^{7}\!\!\!\!8\ {}^{\overset{10}{3}}\!\!\!\!4\ {}^{10}\!\!\!\!3 \\ -\ 6\ \ 7\ \ 5 \\ \hline 1\ \ 6\ \ 8 \end{array}$$

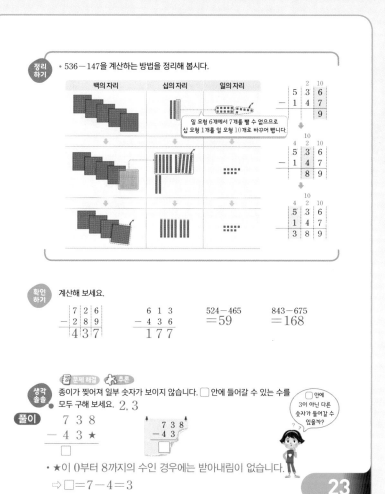

정리하기 • 536−147을 계산하는 방법을 정리해 봅시다.

| 백의 자리 | 십의 자리 | 일의 자리 |

일 모형 6개에서 7개를 뺄 수 없으므로
십 모형 1개를 일 모형 10개로 바꾸어 뺍니다.

확인하기 계산해 보세요.

$$
\begin{array}{r} 7\ 2\ 6 \\ -\ 2\ 8\ 9 \\ \hline 4\ 3\ 7 \end{array}
\qquad
\begin{array}{r} 6\ 1\ 3 \\ -\ 4\ 3\ 6 \\ \hline 1\ 7\ 7 \end{array}
\qquad 524-465 \\ =59
\qquad 843-675 \\ =168
$$

생각솔솔 📘 문제 해결 ✚ 추론

종이가 찢어져 일부 숫자가 보이지 않습니다. □ 안에 들어갈 수 있는 수를 모두 구해 보세요. 2, 3

풀이
$$
\begin{array}{r} 7\ 3\ 8 \\ -\ 4\ 3\ ★ \\ \hline □ \end{array}
$$

 □ 안에 3이 아닌 다른 숫자가 들어갈 수 있을까?

• ★이 0부터 8까지의 수인 경우에는 받아내림이 없습니다.
  ⇨ □=7−4=3
• ★이 9인 경우에는 받아내림이 있습니다. ⇨ □=6−4=2

23

이런 문제가 **서술형**으로 나와요

기차에 543명의 사람이 타고 있었습니다. 이번 역에서 185명이 내리고, 137명이 더 탔다면 지금 기차에 타고 있는 사람은 몇 명인지 풀이 과정을 쓰고, 답을 구해 보세요.

| 풀이 과정 |

❶ 185명이 내린 후 기차에 남은 사람 수 구하기

기차에 타고 있던 사람 수에서 내린 사람 수를 뺍니다.

➡ 543−185=358(명)

❷ 137명이 더 탄 후 기차에 타고 있는 사람 수 구하기

185명이 내린 후 남은 사람 수와 더 탄 사람 수를 더합니다.

➡ 358+137=495(명)

답 495명

수학 교과 역량 📘 문제 해결 ✚ 추론

계산식에서 일부 숫자가 보이지 않을 때 □ 안에 들어갈 수 있는 수 찾기

일부 숫자가 보이지 않는 식에서 주어진 정보를 파악하고 적절한 해결 전략을 세워 문제를 해결하는 과정을 통하여 문제 해결 능력과 추론 능력을 기를 수 있습니다.

개념 확인 문제   성답 및 풀이 195쪽

1 계산해 보세요.

(1)
$$
\begin{array}{r} 3\ 6\ 5 \\ -\ 1\ 9\ 8 \\ \hline \end{array}
$$
(2)
$$
\begin{array}{r} 4\ 9\ 5 \\ -\ 1\ 9\ 7 \\ \hline \end{array}
$$

(3) 754−568   (4) 523−267

2 □ 안에 알맞은 수를 써넣으세요.

554 ⟍ □

933

3 뺄셈식이 적혀 있는 종이가 찢어져 일부 숫자가 보이지 않습니다. □ 안에 들어갈 수 있는 수를 모두 구해 보세요.

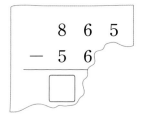

$$
\begin{array}{r} 8\ 6\ 5 \\ -\ \ 5\ 6 \\ \hline □ \end{array}
$$

(   )

7 | (세 자리 수)−(세 자리 수) (4)

학습 목표

빼지는 수의 십의 자리 수가 0인, 받아내림이 두 번 있는 세 자리 수의 뺄셈 결과를 어림하고 계산 원리를 이해하여 계산할 수 있습니다.

그림으로 개념 잡기

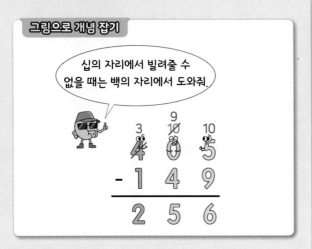

십의 자리에서 빌려줄 수 없을 때는 백의 자리에서 도와줘.

참고

받아내림이 두 번 있는 세 자리 수의 뺄셈에서 빼지는 수의 십의 자리의 수가 0일 때에는 백의 자리에서 십의 자리로 받아내림한 후, 다시 십의 자리에서 일의 자리로 받아내림하여 계산합니다.

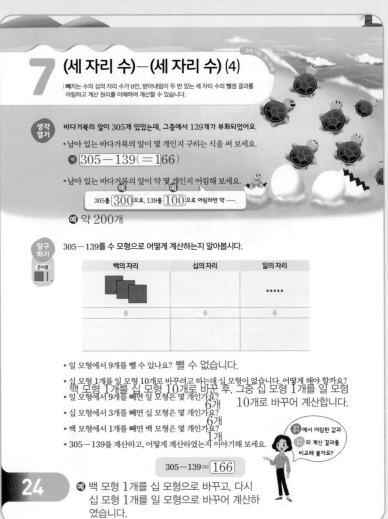

7 (세 자리 수)−(세 자리 수) (4)

빼지는 수의 십의 자리 수가 0인, 받아내림이 두 번 있는 세 자리 수의 뺄셈 결과를 어림하고 계산 원리를 이해하여 계산할 수 있습니다.

생각 열기

바다거북의 알이 305개 있었는데, 그중에서 139개가 부화되었어요.

• 남아 있는 바다거북의 알이 몇 개인지 구하는 식을 써 보세요.
➡ 305−139(=166)

• 남아 있는 바다거북의 알이 약 몇 개인지 어림해 보세요.
305를 300으로, 139를 100으로 어림하면 약 ……
약 200개

탐구 하기

305−139를 수 모형으로 어떻게 계산하는지 알아봅시다.

백의 자리	십의 자리	일의 자리

• 일 모형에서 9개를 뺄 수 있나요? 뺄 수 없습니다.
• 십 모형 1개를 일 모형 10개로 바꾸려고 하는데 십 모형이 없었나요. 어떻게 해야 할까요?
백 모형 1개를 십 모형 10개로 바꾼 후, 그중 십 모형 1개를 일 모형 10개로 바꾸어 계산합니다.
• 일 모형에서 9개를 빼면 일 모형은 몇 개인가요? 6개
• 십 모형에서 3개를 빼면 십 모형은 몇 개인가요? 6개
• 백 모형에서 1개를 빼면 백 모형은 몇 개인가요? 1개
• 305−139를 계산하고, 어떻게 계산하였는지 이야기해 보세요.
305−139=166

에서 어림한 값과 의 계산 결과를 비교해 볼까요?

예 백 모형 1개를 십 모형으로 바꾸고, 다시 십 모형 1개를 일 모형으로 바꾸어 계산하였습니다.

24

교과서 개념 완성

탐구하기 수 모형으로 305−139의 계산 방법 탐구하기

• 일 모형 5개에서 9개를 뺄 수 없습니다.

• 백 모형 1개를 십 모형 10개로 바꾼 후, 그중 십 모형 1개를 다시 일 모형 10개로 바꾸어 계산합니다.

• 일 모형 15개에서 9개를 빼면 일 모형은 6개입니다.

• 남아 있는 십 모형 9개에서 3개를 빼면 십 모형은 6개이고, 남아 있는 백 모형 2개에서 1개를 빼면 백 모형은 1개입니다.

• 305−139=166입니다.

확인하기 빼지는 수의 십의 자리 수가 0인, 받아내림이 두 번 있는 (세 자리 수)−(세 자리 수)의 계산 익히기

백의 자리에서 받아내림한 10을 십의 자리 위에 쓰고 난 후, 일의 자리로 받아내림합니다.

$$\begin{array}{r} \overset{4}{\cancel{5}}\,\overset{\overset{9}{\cancel{10}}}{0}\,\overset{10}{4} \\ -\;1\;4\;7 \\ \hline 3\;5\;7 \end{array}$$

$$\begin{array}{r} \overset{6}{\cancel{7}}\,\overset{\overset{9}{\cancel{10}}}{0}\,\overset{10}{6} \\ -\;4\;2\;7 \\ \hline 2\;7\;9 \end{array}$$

$$\begin{array}{r} \overset{8}{\cancel{9}}\,\overset{\overset{9}{\cancel{10}}}{0}\,\overset{10}{2} \\ -\;2\;0\;7 \\ \hline 6\;9\;5 \end{array}$$

$$\begin{array}{r} \overset{3}{\cancel{4}}\,\overset{\overset{9}{\cancel{10}}}{0}\,\overset{10}{1} \\ -\;2\;1\;5 \\ \hline 1\;8\;6 \end{array}$$

정리하기

• 305−139를 계산하는 방법을 정리해 봅시다.

백의 자리	십의 자리	일의 자리

$$
\begin{array}{r}
{\scriptstyle 2}\ {\scriptstyle 10}\ \ \\
3\ 0\ 5\\
-\ 1\ 3\ 9\\
\hline
\end{array}
$$

$$
\begin{array}{r}
{\scriptstyle 9}\\
{\scriptstyle 2}\ {\scriptstyle 10}\ {\scriptstyle 10}\\
3\ 0\ 5\\
-\ 1\ 3\ 9\\
\hline
\end{array}
$$

$$
\begin{array}{r}
{\scriptstyle 9}\\
{\scriptstyle 2}\ {\scriptstyle 10}\ {\scriptstyle 10}\\
3\ 0\ 5\\
-\ 1\ 3\ 9\\
\hline
1\ 6\ 6
\end{array}
$$

확인하기

계산해 보세요.

$$
\begin{array}{r}
5\ 0\ 4\\
-\ 1\ 4\ 7\\
\hline
3\ 5\ 7
\end{array}
\qquad
\begin{array}{r}
7\ 0\ 6\\
-\ 4\ 2\ 7\\
\hline
2\ 7\ 9
\end{array}
$$

$$902-207=695 \qquad 401-215=186$$

생각 솔솔 (추론 / 창의·융합)

가인이는 500−234를 다음과 같은 방법으로 계산하였습니다.

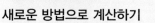

$$
\begin{array}{r}
4\ 9\ 9\\
-\ 2\ 3\ 4\\
\hline
2\ 6\ 5
\end{array}
\rightarrow 265+1=266
\quad\Rightarrow\quad
\begin{array}{r}
5\ 0\ 0\\
-\ 2\ 3\ 4\\
\hline
2\ 6\ 6
\end{array}
$$

700−468을 위와 같은 방법으로 계산해 보세요.

$$
\begin{array}{r}
6\ 9\ 9\\
-\ 4\ 6\ 8\\
\hline
2\ 3\ 1
\end{array}
\rightarrow 231+1=232
\quad\Rightarrow\quad
\begin{array}{r}
7\ 0\ 0\\
-\ 4\ 6\ 8\\
\hline
2\ 3\ 2
\end{array}
$$

25

이런 문제가 서술형으로 나와요

길이가 8 m인 색 테이프 중 254 cm를 사용하였습니다. 사용하고 남은 색 테이프의 길이는 몇 cm 인지 풀이 과정을 쓰고, 답을 구해 보세요.

| 풀이 과정 |

❶ 8 m는 몇 cm인지 구하기

1 m＝100 cm이므로 8 m＝800 cm입니다.

❷ 남은 색 테이프의 길이는 몇 cm인지 구히기

800−254＝546이므로 남은 색 테이프의 길이는 546 cm입니다.

답 546 cm

수학 교과 역량 (추론 / 창의·융합)

새로운 방법으로 계산하기

(세 자리 수)−(세 자리 수)의 계산을 새로운 방법으로 해결하는 과정을 통하여 추론 능력과 창의·융합 능력을 기를 수 있습니다.

개념 확인 문제

정답 및 풀이 195~196쪽

1 계산해 보세요.

$$
(1)\quad
\begin{array}{r}
7\ 0\ 3\\
-\ 2\ 6\ 5\\
\hline
\end{array}
\qquad
(2)\quad
\begin{array}{r}
5\ 0\ 0\\
-\ 1\ 6\ 3\\
\hline
\end{array}
$$

(3) 406−118　　(4) 900−456

2 두 수의 차를 구하여 빈칸에 써넣으세요.

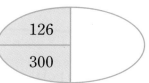

126

300

3 어떤 수에서 237을 빼야 하는데 잘못하여 더하였더니 600이 되었습니다. 어떤 수를 구해 보세요.

(　　　　　　　)

10 차시

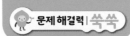 문제 해결력 | 쑥쑥 — 두 사람 사이에는 몇 명이 있을까요

학습 목표
그림 그리기 전략을 이용하여 세 자리 수의 덧셈과 뺄셈에 대한 문제를 해결할 수 있습니다.

문제 해결 전략 그림 그리기 전략

수학 교과 역량 문제 해결 정보 처리

두 사람 사이에는 몇 명이 있을까요

· 문제의 조건을 확인하고 문제 해결에 적절한 전략을 선택하여 문제를 해결하는 과정을 통하여 문제 해결 능력을 기를 수 있습니다.

· 문제 해결을 위한 조건을 확인하고 문제 해결에 필요한 조건을 선택하는 과정을 통하여 정보 처리 능력을 기를 수 있습니다.

문제 해결 Tip 주어진 조건을 이용하여 새롬이 앞과 바름이 뒤에 각각 몇 명이 서 있는지 그림으로 나타내어 봅니다. 이때 새롬이와 바름이는 새롬이와 바름이 사이에 서 있는 사람 수에 포함되지 않습니다.

문제 해결력 | 쑥쑥 — 두 사람 사이에는 몇 명이 있을까요

문제 해결 정보 처리

420명이 놀이공원에 입장하기 위해 한 줄로 서 있습니다. 새롬이 앞에는 140명이 서 있고, 바름이 뒤에는 210명이 서 있습니다. 새롬이가 바름이보다 앞에 있을 때, 새롬이와 바름이 사이에 서 있는 사람은 몇 명일까요?

문제 이해하기 · 구하려고 하는 것은 무엇인가요?
새롬이와 바름이 사이에 서 있는 사람 수입니다.

· 알고 있는 것은 무엇인가요?
· 모두 420명의 사람이 한 줄로 서 있습니다.
· 새롬이 앞에는 140명이 서 있습니다.
· 바름이 뒤에는 210명이 서 있습니다.
· 새롬이가 바름이보다 앞에 있습니다.

계획 세우기 · 어떤 방법으로 문제를 해결할 수 있을지 계획을 세워 보세요.

> 전체 사람 수에서 새롬이 앞에 있는 사람의 수와 바름이 뒤에 있는 사람의 수를 더한 값을 빼면 알 수 있을 것 같아.

> 새롬이와 바름이도 빼야 하나? 그림을 그려서 나타내 보자!

26

예 새롬이 앞과 바름이 뒤에 각각 몇 명이 있는지 그림으로 나타내어 보면 좋겠습니다.

교과서 개념 완성

문제 이해하기

>> **구하려고 하는 것**
새롬이와 바름이 사이에 서 있는 사람 수입니다.

>> **알고 있는 것**
· 모두 420명의 사람이 한 줄로 서 있습니다.
· 새롬이 앞에는 140명, 바름이 뒤에는 210명이 서 있습니다.
· 새롬이가 바름이보다 앞에 있습니다.

학부모 코칭 Tip
해결 과정을 식이나 그림, 표 등 다양한 방식으로 표현할 수 있도록 합니다.

계획 세우기

전체 사람 수에서 새롬이 앞에 서 있는 사람 수와 바름이 뒤에 서 있는 사람 수를 더한 값을 빼면 알 수 있을 것 같습니다. 이때 새롬이와 바름이도 빼야 할 것 같습니다.

계획대로 풀기

새롬이 앞에 서 있는 사람 수와 바름이 뒤에 서 있는 사람 수를 더하면 모두 $140+210=350$(명)입니다. 따라서 새롬이와 바름이 사이에 서 있는 사람은 새롬이와 바름이를 뺀 $420-350-2=70-2=68$(명)입니다.

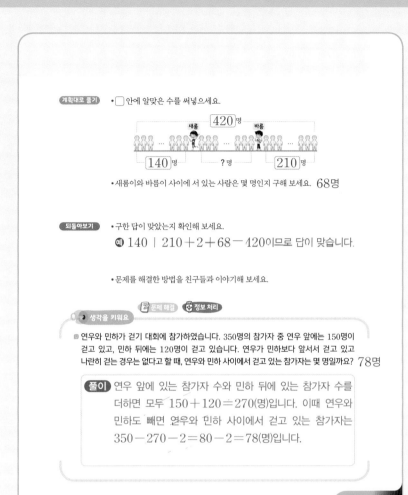

계획대로 풀기 • □안에 알맞은 수를 써넣으세요.

새롬 420명 바름

140명 ?명 210명

• 새롬이와 바름이 사이에 서 있는 사람은 몇 명인지 구해 보세요. **68명**

되돌아보기 • 구한 답이 맞았는지 확인해 보세요.

예 140 | 210＋2＋68－420이므로 답이 맞습니다.

• 문제를 해결한 방법을 친구들과 이야기해 보세요.

생각을 키워요 문제 해결 정보 처리

연우와 민하가 걷기 대회에 참가하였습니다. 350명의 참가자 중 연우 앞에는 150명이 걷고 있고, 민하 뒤에는 120명이 걷고 있습니다. 연우가 민하보다 앞서서 걷고 있고 나란히 걷는 경우는 없다고 할 때, 연우와 민하 사이에서 걷고 있는 참가자는 몇 명일까요? **78명**

풀이 연우 앞에 있는 참가자 수와 민하 뒤에 있는 참가자 수를 더하면 모두 $150＋120＝270$(명)입니다. 이때 연우와 민하도 빼면 연우와 민하 사이에서 걷고 있는 참가자는 $350－270－2＝80－2＝78$(명)입니다.

27

생각을 키워요  문제 해결 정보 처리

문제 이해하기

≫ **구하려고 하는 것**

연우와 민하 사이에서 걷고 있는 참가자 수입니다.

≫ **알고 있는 것**

• 참가자는 350명입니다.

• 연우 앞에는 150명, 민하 뒤에는 120명의 참가자가 걷고 있습니다.

• 연우가 민하보다 앞서서 걷고 있습니다.

• 나란히 걷는 경우는 없습니다.

계획 세우기

전체 참가자 수에서 연우 앞에서 걷고 있는 참가자 수와 민하 뒤에서 걷고 있는 참가자 수를 더한 값을 빼면 알 수 있을 것 같습니다. 이때 연우와 민하도 빼야 할 것 같습니다.

계획대로 풀기

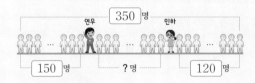

연우 350명 민하

150명 ?명 120명

되돌아보기

$150＋120＋2＋78＝350$이므로 답이 맞습니다.

 문제 해결력 문제 정답 및 풀이 196쪽

1 놀이공원에 입장하기 위해 유정이의 앞에는 120명, 유정이의 뒤에는 124명이 한 줄로 서 있습니다. 물음에 답해 보세요.

(1) 유정이의 앞에 서 있는 사람과 뒤에 서 있는 사람은 몇 명인가요?

( )

(2) 놀이공원에 입장하기 위해 서 있는 사람은 모두 몇 명인가요?

( )

2 극장에 입장하기 위해 현수의 앞에는 138명, 현수의 뒤에는 182명이 한 줄로 서 있습니다. 서 있는 사람은 모두 몇 명인가요?

( )

3 박물관에 입장하기 위해 300명이 줄을 서 있습니다. 선주의 앞에 179명이 서 있다면 선주의 뒤에는 몇 명이 서 있을까요?

( )

📝 **문제 해결**

세 자리 수의 덧셈과 뺄셈 계산하기
▶자습서 12~15쪽, 18~21쪽

학부모 코칭 Tip

계산할 때 가로 계산은 세로로 식을 쓰게 한 후 일의 자리부터 차례로 계산하게 합니다.

📝 **문제 해결**

세 자리 수의 덧셈과 뺄셈 계산하기
▶자습서 10~13쪽, 18~19쪽, 22~23쪽

십의 자리에서 받아내림이 있는 세 자리 수의 뺄셈에서 빼지는 수의 십의 자리의 수가 0일 때, 백의 자리에서 십의 자리로 받아내림한 후, 다시 십의 자리에서 일의 자리로 받아내림하여 계산합니다.

📝 **문제 해결** **추론**

조건에 맞는 세 자리 수를 구해서 덧셈 계산하기
▶자습서 14~15쪽, 20~21쪽

학부모 코칭 Tip

설명하는 수를 수나 식으로 바르게 나타낼 수 있는지 확인한 후 계산 과정을 살펴봅니다.

---

1 계산해 보세요.
15, 17
21, 23쪽

$$\begin{array}{r} 4\ 8\ 1 \\ +\ 3\ 2\ 7 \\ \hline 8\ 0\ 8 \end{array}$$

$$\begin{array}{r} 4\ 8\ 7 \\ -\ 2\ 9\ 1 \\ \hline 1\ 9\ 6 \end{array}$$

$587+369=956$

$512-257=255$

풀이

$$\begin{array}{r} 1 \\ 4\ 8\ 1 \\ +\ 3\ 2\ 7 \\ \hline 8\ 0\ 8 \end{array}$$

$$\begin{array}{r} 3\ 10 \\ 4\!\!\!/\ 8\!\!\!/\ 7 \\ -\ 2\ 9\ 1 \\ \hline 1\ 9\ 6 \end{array}$$

$$\begin{array}{r} 1\ 1 \\ 5\ 8\ 7 \\ +\ 3\ 6\ 9 \\ \hline 9\ 5\ 6 \end{array}$$

$$\begin{array}{r} 10 \\ 4\ 0\ 10 \\ 5\!\!\!/\ 1\!\!\!/\ 2 \\ -\ 2\ 5\ 7 \\ \hline 2\ 5\ 5 \end{array}$$

2 빈칸에 알맞은 수를 써넣으세요.
13, 15
21, 25쪽

	$+$	
353	402	755
182	275	457
171	127	

풀이

$$\begin{array}{r} 3\ 5\ 3 \\ +\ 4\ 0\ 2 \\ \hline 7\ 5\ 5 \end{array}$$

$$\begin{array}{r} 1 \\ 1\ 8\ 2 \\ +\ 2\ 7\ 5 \\ \hline 4\ 5\ 7 \end{array}$$

$$\begin{array}{r} 2\ 10 \\ 3\!\!\!/\ 5\ 3 \\ -\ 1\ 8\ 2 \\ \hline 1\ 7\ 1 \end{array}$$

$$\begin{array}{r} 9 \\ 3\ 10\ 10 \\ 4\!\!\!/\ 0\!\!\!/\ 2 \\ -\ 2\ 7\ 5 \\ \hline 1\ 2\ 7 \end{array}$$

3 대화를 읽고 물음에 답해 보세요.
17, 23쪽

내가 생각한 수는 백 모형이 4개, 십 모형이 19개, 일 모형이 7개인 수야. 민슬

내가 생각한 수는 517보다 228 더 작은 수야. 시훈

· 민슬이가 생각한 수는 어떤 수인가요? (597)

· 시훈이가 생각한 수는 어떤 수인가요? (289)

· 민슬이와 시훈이가 생각한 수의 합을 구해 보세요. (886)

풀이 · 민슬이가 생각한 수는 백 모형이 4개, 십 모형이 19개, 일 모형이 7개인 수이므로 $400+190+7=597$입니다.
· 시훈이가 생각한 수는 517보다 228 더 작은 수이므로 $517-228=289$입니다.
· 민슬이와 시훈이가 생각한 수의 합은 $597+289=886$입니다.

28

4 토요일과 일요일에 영화관과 과학관을 방문한 사람 수입니다. 물음에 답해 보세요.

15, 21쪽

	영화관	과학관
토요일	211명	232명
일요일	219명	287명

• 토요일과 일요일에 영화관을 방문한 사람이 모두 몇 명인지 어림하고 계산해 보세요.

예 약 400명 / 430명

• 토요일과 일요일에 과학관을 방문한 사람이 모두 몇 명인지 어림하고 계산해 보세요.

예 약 500명 / 519명

• 토요일과 일요일에 영화관과 과학관 중 어느 곳을 몇 명이 더 많이 방문하였나요?

(과학관)을 (89)명이 더 많이 방문하였습니다.

풀이 • 211을 200으로, 219를 200으로 어림하면 토요일과 일요일에 영화관을 방문한 사람은 약 400명입니다.
토요일과 일요일에 영화관을 방문한 사람은 모두 $211+219=430$(명)입니다.
• 232를 200으로, 287을 300으로 어림하면 토요일과 일요일에 과학관을 방문한 사람은 약 500명입니다.
토요일과 일요일에 과학관을 방문한 사람은 모두 $232+287=519$(명)입니다.
• $519-430=89$이므로 토요일과 일요일에 과학관을 방문한 사람이 영화관을 방문한 사람 보다 89명 더 많습니다.

 생각을 넓혀요 문제 해결 추론 의사소통

5 ㉠과 ㉡에 알맞은 수를 각각 구하려고 합니다. 풀이 과정을 쓰고, 답을 구해 보세요.

17쪽

$$\begin{array}{r} 5\ 8\ ㉠ \\ +\ 1\ ㉡\ 6 \\ \hline 7\ 4\ 0 \end{array}$$

풀이 예 일의 자리 계산에서 $㉠+6=10$이 되어야 하므로 $㉠=4$입니다.

십의 자리 계산에서 $1+8+㉡=14$가 되어야 하므로 $㉡=5$입니다.

답 ㉠ (4), ㉡ (5)

풀이 • 일의 자리 계산에서 $㉠+6=0$이 될 수 없으므로 일의 자리 계산에서 받아올림이 있음을 알 수 있습니다. 즉, $㉠+6=10$에서 $㉠=4$입니다.
• 십의 자리 계산에서 $1+8+㉡=4$가 될 수 없으므로 십의 자리 계산에서 받아올림이 있음을 알 수 있습니다. 즉, $1+8+㉡=14$, $9+㉡=14$에서 $㉡=5$입니다.

의사소통

세 자리 수의 덧셈의 계산 결과를 어림하고 확인하기
▶자습서 12~13쪽, 18~19쪽

학부모 코칭 Tip

몇백으로 어림하는 것과 몇백몇 십으로 어림하는 것을 살펴보면 서 어림한 값과 계산 결과와의 차이를 줄이기 위한 전략을 생 각해 보게 합니다.

문제 해결 추론 의사소통

세 자리 수의 덧셈식에서 ㉠, ㉡에 알맞은 수 구하기
▶자습서 14~15쪽

학부모 코칭 Tip

받아올림에 주의하여 덧셈식에서 모르는 수를 구해 보게 합니다.

• 놀이 속으로 | 풍덩 • 이야기로 키우는 | 생각

놀이 속으로 | 풍덩
빙고 놀이로 덧셈과 뺄셈을 해 볼까요 함께하는 활동

놀이 방법

1 1부터 9까지의 수를 각 칸에 자유롭게 써넣어요.

2 한 명씩 돌아가면서 1부터 9까지의 수 중 한 가지 수를 말하고, 그 수에 ○표 해요.

3 ○ 표시한 줄을 ─, |, ＼, ／ 모양으로 두 줄을 먼저 만든 사람이 빙고라고 말해요.

4 빙고라고 말한 사람은 두 줄 중 한 줄에 있는 세 개의 수로 가장 큰 세 자리 수와 가장 작은 세 자리 수를 만들어요.

5 만든 두 수의 합과 차를 구해요.

6 빙고라고 말한 사람이 계산하고, 바르게 계산하였는지 짝이 확인해요.

※ 남아 있는 빙고판에 빙고 놀이를 한번 더 해 보세요.

가장 큰 수	가장 작은 수
예 821	예 128

➡ 두 수의 합과 차를 각각 구해 보세요.

821 + 128 = 949
821 − 128 = 693

두 수의 합 949, 두 수의 차 693

교과서 개념 완성

놀이 속으로 | 풍덩

1 준비물 확인 및 놀이 방법 살펴보기

• 준비물이 모두 준비되었는지 확인합니다.

• 놀이 방법을 읽어 보고 이해합니다.

• 놀이 방법이 잘 이해되지 않으면 각 단계를 하나하나 따라가면서 해 봅니다.

학부모 코칭 Tip
놀이 방법을 잘 이해하지 못하는 경우에는 한 단계 한 단계 시범을 보이면서 함께 해 봅니다.

2 실제 친구와 놀이하기

예

가장 큰 수: 752

가장 작은 수: 257

두 수의 합: 752 + 257 = 1009

두 수의 차: 752 − 257 = 495

친구가 만든 덧셈식과 뺄셈식도 함께 계산해 봅니다.

학부모 코칭 Tip
• 놀이를 통하여 즐겁게 덧셈과 뺄셈을 하면서 수학에 대한 자신감과 흥미를 가질 수 있게 합니다.
• 계산하기 쉬운 덧셈식과 뺄셈식만 만들지 않게 합니다.

❸ 새로운 놀이 규칙을 생각하여 놀이하기

세 자리 수의 덧셈식과 뺄셈식으로 새로운 규칙을 만들어 볼 수도 있습니다.

⑩ • 합이 더 큰 사람이 이기는 규칙을 만듭니다.
　• 차가 더 작은 사람이 이기는 규칙을 만듭니다.

🔹 수학 교과 역량　😊 창의·융합　👍 태도 및 실천

놀이 방법을 익힌 후 규칙을 재미있게 창의적으로 만드는 활동을 통하여 창의·융합 능력을 기를 수 있습니다. 또한 놀이를 통하여 세 자리 수의 덧셈과 뺄셈을 익힘으로써 계산에 대한 자신감과 수학에 대한 흥미를 가질 수 있습니다.

😊 **이야기로 키우는 생각**

우리나라 멸종 위기 야생 생물

우리나라의 멸종 위기 야생 생물은 모두 267종이고, 멸종 위험도에 따라 1급과 2급으로 구분됩니다. 1급 멸종 위기 야생 생물은 개체 수가 크게 줄어들어 멸종 위기에 처한 야생 생물을 말하고, 2급 멸종 위기 야생 생물은 현재의 위협 요인이 제거되거나 완화되지 않을 경우 가까운 장래에 멸종 위기에 처할 우려가 있는 야생 생물을 말합니다. 멸종 위기 야생 동물 중 포유류는 1급이 늑대, 반달가슴곰, 수달, 호랑이 등 모두 12종이고, 2급이 담비, 물개, 삵, 하늘다람쥐 등 모두 8종입니다.

[출처] 환경부 국립생물자원관

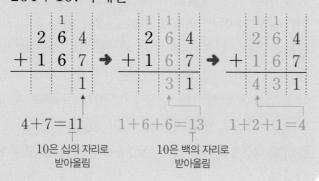

개념 ÷ 확인

교과서 개념과 확인 문제를 풀면서 단원을 마무리해 보아요.

개념

받아올림이 없는 (세 자리 수)+(세 자리 수)

· 121+158의 계산

```
  1 2 1        1 2 1        1 2 1
+ 1 5 8   →  + 1 5 8   →  + 1 5 8
      9          7 9        2 7 9
```

각 자리의 수를 맞추어 쓰고 난 후, 일의 자리부터 차례로 계산합니다.

받아올림이 한 번 있는 (세 자리 수)+(세 자리 수)

· 126+138의 계산

```
    1            1            1
  1 2 6        1 2 6        1 2 6
+ 1 3 8   →  + 1 3 8   →  + 1 3 8
      4          6 4        2 6 4
```

6+8=14   1+2+3=6   1+1=2

10은 십의 자리로
받아올림

받아올림이 두 번 또는 세 번 있는 (세 자리 수)+(세 자리 수)

· 264+167의 계산

```
    1          1 1          1 1
  2 6 4        2 6 4        2 6 4
+ 1 6 7   →  + 1 6 7   →  + 1 6 7
      1          3 1        4 3 1
```

4+7=11   1+6+6=13   1+2+1=4

10은 십의 자리로   10은 백의 자리로
받아올림   받아올림

확인 문제

1 다음 수를 구해 보세요.

> 147보다 342만큼 더 큰 수

( )

2 계산해 보세요.

(1)
```
    4 8 6
  + 3 0 8
```

(2)
```
    5 7 4
  + 2 8 3
```

3 ☐ 안의 1은 실제로 얼마를 나타내는지 써 보세요.

```
    1
  7 4 2
+ 1 8 4
  9 2 6
```

( )

4 크기를 비교하여 ◯ 안에 >, =, <를 알맞게 써넣으세요.

385+536 ◯ 918

→ 정답 및 풀이 196쪽

개념

받아내림이 없는 (세 자리 수)−(세 자리 수)

· 438−122의 계산

$$
\begin{array}{r} 4\ 3\ 8 \\ -1\ 2\ 2 \\ \hline 6 \end{array}
\rightarrow
\begin{array}{r} 4\ 3\ 8 \\ -1\ 2\ 2 \\ \hline 1\ 6 \end{array}
\rightarrow
\begin{array}{r} 4\ 3\ 8 \\ -1\ 2\ 2 \\ \hline 3\ 1\ 6 \end{array}
$$

각 자리의 수를 맞추어 쓰고 난 후, 일의 자리부터 차례로 계산합니다.

받아내림이 한 번 있는 (세 자리 수)−(세 자리 수)

· 549−163의 계산

$$
\begin{array}{r} 5\ 4\ 9 \\ -1\ 6\ 3 \\ \hline 6 \end{array}
\rightarrow
\begin{array}{r} \overset{4}{\cancel{5}}\ ^{10}4\ 9 \\ -1\ 6\ 3 \\ \hline 8\ 6 \end{array}
\rightarrow
\begin{array}{r} \overset{4}{\cancel{5}}\ ^{10}4\ 9 \\ -1\ 6\ 3 \\ \hline 3\ 8\ 6 \end{array}
$$

9−3=6   10+4−6=8   4−1=3

받아내림이 두 번 있는 (세 자리 수)−(세 자리 수)

· 535−278의 계산

$$
\begin{array}{r} 5\ 3\ 5 \\ -2\ 7\ 8 \\ \hline 7 \end{array}
\rightarrow
\begin{array}{r} 5\ 3\ 5 \\ -2\ 7\ 8 \\ \hline 5\ 7 \end{array}
\rightarrow
\begin{array}{r} 5\ 3\ 5 \\ -2\ 7\ 8 \\ \hline 2\ 5\ 7 \end{array}
$$

10+5−8=7   10+2−7=5   4−2=2

빼지는 수의 십의 자리 수가 0인 세 자리 수의 뺄셈

· 405−129의 계산

$$
\begin{array}{r} 4\ 0\ 5 \\ -1\ 2\ 9 \\ \hline 6 \end{array}
\rightarrow
\begin{array}{r} 4\ 0\ 5 \\ -1\ 2\ 9 \\ \hline 7\ 6 \end{array}
\rightarrow
\begin{array}{r} 4\ 0\ 5 \\ -1\ 2\ 9 \\ \hline 2\ 7\ 6 \end{array}
$$

10+5−9=6   9−2=7   3−1=2

확인 문제

5 362−239를 몇백몇십으로 어림하여 계산하려고 합니다. ☐ 안에 알맞은 수를 써넣으세요.

362를 ☐ (으)로, 239를 ☐ (으)로 어림하면 362−239는 약 ☐ (으)로 어림할 수 있습니다.

6 계산해 보세요.

(1)
$$
\begin{array}{r} 5\ 4\ 8 \\ -2\ 3\ 1 \\ \hline \end{array}
$$

(2)
$$
\begin{array}{r} 8\ 2\ 7 \\ -6\ 0\ 9 \\ \hline \end{array}
$$

(3)
$$
\begin{array}{r} 9\ 2\ 8 \\ -1\ 7\ 6 \\ \hline \end{array}
$$

(4)
$$
\begin{array}{r} 6\ 3\ 5 \\ -2\ 5\ 7 \\ \hline \end{array}
$$

7 잘못 계산한 사람의 이름을 써 보세요.

세영 538−273=265
은주 872−589=383

(   )

8 가장 큰 수와 가장 작은 수의 차를 구해 보세요.

| 863 | 275 | 518 | 904 |

(   )

1-1 야구장에 오전에는 281명이 입장했고, 오후에는 오전보다 179명 더 많이 입장했습니다. 오전과 오후에 야구장에 입장한 사람은 모두 몇 명인지 풀이 과정을 쓰고, 답을 구해 보세요. [8점]

풀이

❶ 오후에 입장한 사람은

$281 + \boxed{} = \boxed{}$ (명)입니다.

❷ 오전과 오후에 입장한 사람은 모두

$281 + \boxed{} = \boxed{}$ (명)입니다.

답 ....

1-2 쌍둥이

수족관에 오전에는 274명이 입장했고, 오후에는 오전보다 188명 더 많이 입장했습니다. 오전과 오후에 수족관에 입장한 사람은 모두 몇 명인지 풀이 과정을 쓰고, 답을 구해 보세요. [12점]

풀이

답 ....

1-3 유사

수홍이네 집에서 문구점까지의 거리는 657 m이고, 문구점에서 학교까지의 거리는 수홍이네 집에서 문구점까지의 거리보다 174 m 더 가깝습니다. 수홍이네 집에서 문구점을 거쳐 학교까지의 거리는 몇 m인지 풀이 과정을 쓰고, 답을 구해 보세요. [15점]

풀이

답 ....

1-4 실전

도서관에 만화책이 148권 있습니다. 위인전은 만화책보다 164권 더 많고, 동화책은 위인전보다 189권 더 적습니다. 도서관에 있는 만화책, 위인전, 동화책은 모두 몇 권인지 풀이 과정을 쓰고, 답을 구해 보세요. [15점]

풀이

답 ....

공부한 날 　월　　일

→ 정답 및 풀이 196~197쪽

2-1 어떤 수에 453을 더했더니 842가 되었습니다. 어떤 수에서 157을 빼면 얼마인지 풀이 과정을 쓰고, 답을 구해 보세요.

[8점]

풀이

❶ 어떤 수를 라고 하면 +453=842

　이므로 =842− ☐ = ☐

　입니다.

❷ 어떤 수에서 157을 빼면

　☐ −157= ☐ 입니다.

답 ....

2-2 쌍둥이 어떤 수에 382를 더했더니 740이 되었습니다. 어떤 수에서 174를 빼면 얼마인지 풀이 과정을 쓰고, 답을 구해 보세요.

[12점]

풀이

답 ....

2-3 유사 어떤 수에 258을 더해야 할 것을 잘못하여 뺐더니 514가 되었습니다. 바르게 계산한 값은 얼마인지 풀이 과정을 쓰고, 답을 구해 보세요. [15점]

풀이

답 ....

2-4 실전 어떤 수에서 174를 빼야 할 것을 잘못하여 더했더니 853이 되었습니다. 바르게 계산한 값에 376을 더하면 얼마인지 풀이 과정을 쓰고, 답을 구해 보세요. [15점]

풀이

답 ....

| (세 자리 수)+(세 자리 수) (1), (세 자리 수)−(세 자리 수) (1) |

01 계산해 보세요.
하
(1)
$$\begin{array}{r} 6\ 5\ 3 \\ +\ 2\ 4\ 3 \\ \hline \end{array}$$

(2)
$$\begin{array}{r} 7\ 6\ 9 \\ -\ 5\ 1\ 4 \\ \hline \end{array}$$

| (세 자리 수)+(세 자리 수) (2) |

02 빈칸에 알맞은 수를 써넣으세요.
하

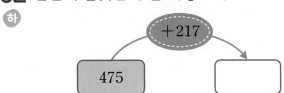

| (세 자리 수)−(세 자리 수) (2) |

03 ☐ 안에 알맞은 수를 써넣으세요.
하

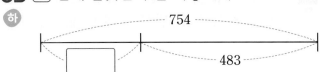

| (세 자리 수)+(세 자리 수) (3), (세 자리 수)−(세 자리 수) (3) |

04 두 수의 합과 차를 각각 구해 보세요.
하

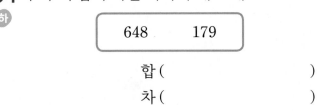

합 (   )

차 (   )

| (세 자리 수)+(세 자리 수) (2), (세 자리 수)−(세 자리 수) (4) |

05 계산 결과를 비교하여 ◯ 안에 >, =, <를 알맞게 써넣으세요.
중

| 236+154 | ◯ | 704−317 |

| (세 자리 수)−(세 자리 수) (2), (3) |

06 계산 결과를 찾아 선으로 이어 보세요.
중

| 354−245 | | 875−697 |

| 178 | | 128 | | 109 |

| (세 자리 수)−(세 자리 수) (4) |

07 400−265를 보기 와 같은 방법으로 계산해 보세요.
중

보기

· 300−127의 계산
$$\begin{array}{r} 2\ 9\ 9 \\ -\ 1\ 2\ 7 \\ \hline 1\ 7\ 2 \end{array} \rightarrow 172+1=173$$

→ 300−127=173

· 400−265의 계산

| (세 자리 수)＋(세 자리 수) ⑵ |

08 과일 가게에 사과가 532개 있었는데 사과
중 190개를 더 들여왔습니다. 과일 가게에 있는
사과는 모두 몇 개인가요?

(　　　　　　　)

| (세 자리 수)＋(세 자리 수) ⑶ |

09 ☐인에 알맞은 수를 써넣으세요.
중

$$
\begin{array}{r}
4\ 8\ 5 \\
+\ 1\ 9\ \boxed{} \\
\hline
\boxed{}\ 8\ 3
\end{array}
$$

| (세 자리 수)－(세 자리 수) ⑶ |

10 잘못 계산한 곳을 찾아 이유를 쓰고, 바르게
중 계산해 보세요.

$$
\begin{array}{r}
8\ 4\ 3 \\
-\ 2\ 7\ 6 \\
\hline
6\ 7\ 7
\end{array}
$$ →

이유

| (세 자리 수)＋(세 자리 수) ⑶ |

11 선아가 집에서 출발하여 편의점까지 갔다가
중 같은 길로 집에 걸어서 돌아왔습니다. 선아
가 걸은 거리는 모두 몇 m인가요?

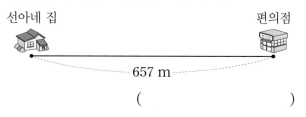

선아네 집　　　　　　　　　　편의점

657 m

(　　　　　　　)

| (세 자리 수)－(세 자리 수) ⑷ |　서술형

12 민강이는 미술시간에 길이가 5 m인 끈 중
중 에서 284 cm를 사용했습니다. 사용하고 남
은 끈의 길이는 몇 cm인지 풀이 과정을 쓰
고, 답을 구해 보세요.

풀이

답 ....

| (세 자리 수)－(세 자리 수) ⑵ |

13 어떤 수에서 158을 빼야 할 것을 잘못하여
중 더하였더니 483이 되었습니다. 어떤 수를
구해 보세요.

(　　　　　　　)

| (세 자리 수)＋(세 자리 수) ⑶, (세 자리 수)－(세 자리 수) ⑶ |

14 ★과 ◆의 합을 구해 보세요.
중

$$
589＋★＝832
$$
$$
◆－276＝489
$$

(　　　　　　　)

| (세 자리 수)−(세 자리 수) (3) |　　　　　　　　서술형

15 세 자리 수가 적혀 있는 종이 2장이 있습니
중　다. 그중 한 장이 찢어져서 일의 자리 숫자만
　　보입니다. 종이에 적혀 있는 두 수의 합이
　　875일 때, 두 수의 차는 얼마인지 구하는 풀
　　이 과정을 쓰고, 답을 구해 보세요.

$$9 \qquad 4\,7\,6$$

풀이

답

| (세 자리 수)+(세 자리 수) (3) |

16 숫자 카드를 한 번씩만 사용하여 세 자리 수
중　를 만들려고 합니다. 만들 수 있는 가장 큰 세
　　자리 수와 가장 작은 세 자리 수의 합을 구해
　　보세요.

（　　　　　　　　　）

| (세 자리 수)+(세 자리 수) (2) |

17 민수는 어제 줄넘기를 462회 하였고, 오늘
중　은 어제보다 143회 더 많이 하였습니다. 민
　　수가 어제와 오늘 한 줄넘기는 모두 몇 회인
　　가요?

（　　　　　　　　　）

| (세 자리 수)+(세 자리 수) (1) |

18 다음 중에서 두 수를 골라 합이 가장 크게 되
상　는 덧셈식을 만들어 보세요.

$$458 \qquad 275 \qquad 501 \qquad 384$$

$$\boxed{}+\boxed{}=\boxed{}$$

| (세 자리 수)−(세 자리 수) (2) |

19 0부터 9까지의 숫자 중 ☐ 안에 들어갈 수
상　있는 숫자를 모두 구해 보세요.

$$36\boxed{}+507 < 872$$

（　　　　　　　　　）

| (세 자리 수)+(세 자리 수) (3), (세 자리 수)−(세 자리 수) (2) |　서술형

20 기차에 958명이 타고 있었습니다. 이번 역
상　에서 470명이 내린 후 383명이 더 탔다면
　　지금 기차에 타고 있는 사람은 몇 명인지 풀
　　이 과정을 쓰고, 답을 구해 보세요.

풀이

답

물건값을 어림해도 될까요?

2 평면도형

이전에 배운 내용	이번에 배울 내용	다음에 배울 내용
2-1 2. 여러 가지 도형 • 원, 삼각형, 사각형 알아보기 • 꼭짓점, 변을 알고 찾기 • 오각형, 육각형을 알고 구별하기	• 선분, 반직선, 직선을 알고 구별하기 • 도형으로서의 각 알아보기 • 직각 알아보기 • 직각삼각형 알아보기 • 직사각형 알아보기 • 정사각형 알아보기	**4-2** 2. 삼각형 • 이등변삼각형, 정삼각형, 예각삼각형, 둔각삼각형 알아보기 **4-2** 4. 사각형 • 수직과 수선, 평행과 평행선 알아보기 • 사다리꼴, 평행사변형, 마름모 알아보기 **4-2** 6. 다각형 • 다각형, 정다각형 알아보기

• 친구들이 여러 문화재가 있는 경주의 모습을 내려다보면서 다양한 모습을 살펴보고 있습니다.
• 위에서 내려다본 다양한 모습에서 찾은 여러 가지 모양의 도형들의 이름이 무엇인지 궁금해하고 있습니다.

그림 속 상황

자/기/주/도/학/습

1 차시 준비 팡팡

'무엇을 알고 있나요'와 '함께 생각해 볼까요'를 통하여 단원을 준비할 수 있습니다.

💿 **민영이와 준수가 나뭇조각으로 만든 강아지 인형 찾기**

① 얼굴이 원 모양인 강아지 인형을 찾습니다.

➡ 1번, 2번, 3번

② 눈이 원 모양인 강아지 인형을 찾습니다.

➡ 2번, 3번, 4번

③ 귀가 삼각형 모양인 강아지 인형을 찾습니다.

➡ 2번, 3번, 4번

④ 다리와 꼬리가 삼각형 모양인 강아지 인형을 찾습니다.

➡ 1번, 3번, 4번

⑤ 위 설명을 모두 만족하는 강아지 인형을 찾습니다.

➡ 3번

⑥ 민영이와 준수가 만든 강아지 인형은 3번입니다.

🧒 교과서 개념 완성 | 배운 것을 다시 생각하기

➡ 원 알아보기

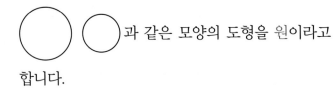 과 같은 모양의 도형을 **원**이라고 합니다.

➡ 삼각형과 사각형 알아보기

삼각형	사각형
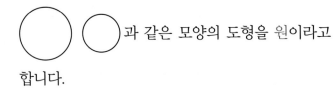	

➡ 삼각형과 사각형의 특징 알아보기

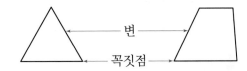

• 삼각형은 변이 3개, 꼭짓점이 3개입니다.
• 사각형은 변이 4개, 꼭짓점이 4개입니다.

➡ 오각형과 육각형 알아보기

도형	오각형	육각형
변의 개수	5개	6개
꼭짓점의 개수	5개	6개

1 굽은 선을 그으면서 보물 상자가 있는 곳까지 가 보세요.

2 점선을 따라 곧은 선을 그으면서 사다리 타기 놀이를 하고, 번호 순서대로 나온 글자로 문장을 만들어 보세요. 경주야 반가워

사다리 타기 놀이 방법
① 위에서 아래로 내려가다가 만나는 선이 있으면 방향을 바꿔요.
② 아래와 옆으로만 이동할 수 있어요.

37

굽은 선을 그으면서 보물 상자가 있는 곳까지 가기

보물 상자가 있는 목적지까지 길을 찾아가며 굽은 선을 그어 봅니다.

학부모 코칭 Tip

보물 상자가 있는 목적지까지 길을 찾아가며 굽은 선을 그어 보는 활동을 해 봄으로써 굽은 선을 이해하는 기회를 가지게 합니다.

점선을 따라 곧은 선을 그으면서 사다리 타기 놀이를 하고, 번호 순서대로 나온 글자로 문장 만들기

1	2	3	4	5	6
↓	↓	↓	↓	↓	↓
경	주	야	반	가	워

사다리 타기 놀이를 하여 번호 순서대로 나온 글자로 문장을 만들어 보면 '**경주야 반가워**'입니다.

학부모 코칭 Tip

사다리 타기 놀이를 하며 점선을 따라 곧은 선을 그어 보는 활동을 해 봄으로써 곧은 선을 이해하는 기회를 가지게 합니다.

개념 확인 문제   정답 및 풀이 199쪽

| 2-1 2. 여러 가지 도형 |

1 우리 주변에서 볼 수 있는 원 모양의 물건을 3가지 써 보세요.

(   )

| 2-1 2. 여러 가지 도형 |

2 ☐ 안에 알맞은 말을 써넣으세요.

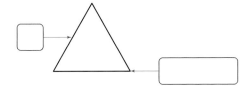

| 2-1 2. 여러 가지 도형 |

3 칠교판에서 삼각형 모양 조각과 사각형 모양 조각을 각각 모두 찾아 번호를 써 보세요.

삼각형 모양 조각	사각형 모양 조각

2차시

1 | 선분, 반직선, 직선

선분, 반직선, 직선을 알고 구별할 수 있습니다.

그림으로 개념 잡기

내가 선분을 그어 볼게.

어? 선분은 두 점을 곧게 이은 선이야.

| 어휘 | 선분 線 (줄 선) 分 (나눌 분) | 두 점을 곧게 이은 선 입니다. |

---

1 선분, 반직선, 직선

| 선분, 반직선, 직선을 알고 구별할 수 있습니다.

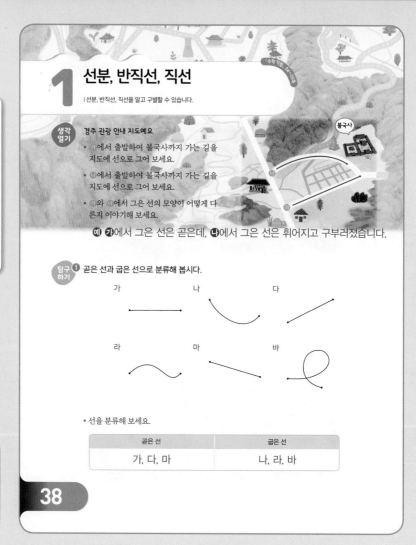

생각 열기

경주 관광 안내 지도예요.

• ㉮에서 출발하여 불국사까지 가는 길을 지도에 선으로 그어 보세요.

• ㉯에서 출발하여 불국사까지 가는 길을 지도에 선으로 그어 보세요.

• ㉮와 ㉯에서 그은 선의 모양이 어떻게 다른지 이야기해 보세요.

예 ㉮에서 그은 선은 곧은데, ㉯에서 그은 선은 휘어지고 구부러졌습니다.

탐구하기 1 곧은 선과 굽은 선으로 분류해 봅시다.

가   나   다

라   마   바

• 선을 분류해 보세요.

곧은 선	굽은 선
가, 다, 마	나, 라, 바

38

교과서 개념 완성

탐구하기 1 곧은 선과 굽은 선 알아보기

• 곧은 선의 모양
  ➡ 구부러지거나 휘어지지 않고 반듯하게 쭉 뻗어 있습니다.

• 굽은 선의 모양
  ➡ 부드럽게 휘어져 있습니다.
  ➡ 구부러져 있습니다.

학부모 코칭 Tip

곧은 선과 굽은 선을 구별하여 이해할 수 있도록 자, 동전 등 생활 속 물건을 이용하여 직접 그어 보게 합니다.

확인하기 선분을 그어 북두칠성 모양 완성하기

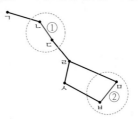

① 점 ㄴ과 점 ㄷ을 곧은 선으로 잇습니다. 이 선분을 선분 ㄴㄷ 또는 선분 ㄷㄴ이라고 합니다.

② 점 ㅁ과 점 ㅂ을 곧은 선으로 잇습니다. 이 선분을 선분 ㅁㅂ 또는 선분 ㅂㅁ이라고 합니다.

학부모 코칭 Tip

두 점을 찍고 자를 이용하여 곧은 선을 그어 보는 활동을 통하여 선분의 개념을 이해하게 합니다.

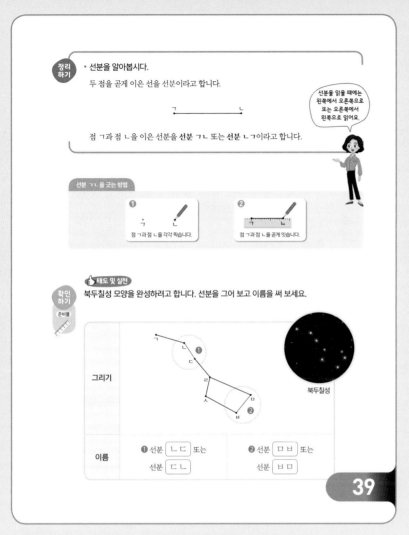

정리하기
• 선분을 알아봅시다.
두 점을 곧게 이은 선을 선분이라고 합니다.

선분을 읽을 때에는 왼쪽에서 오른쪽으로 또는 오른쪽에서 왼쪽으로 읽어요

점 ㄱ과 점 ㄴ을 이은 선분을 **선분 ㄱㄴ** 또는 **선분 ㄴㄱ**이라고 합니다.

선분 ㄱㄴ을 긋는 방법
① 점 ㄱ과 점 ㄴ을 각각 찍습니다.
② 점 ㄱ과 점 ㄴ을 곧게 잇습니다.

태도 및 실천
확인하기
북두칠성 모양을 완성하려고 합니다. 선분을 그어 보고 이름을 써 보세요.

준비물

그리기

북두칠성

이름
① 선분 ㄴㄷ 또는   ② 선분 ㅁㅂ 또는
선분 ㄷㄴ   선분 ㅂㅁ

39

이런 문제가 서술형으로 나와요

두 점을 이어 그을 수 있는 선분은 모두 몇 개인지 풀이 과정을 쓰고, 답을 구해 보세요.

| 풀이 과정 |

❶ 그을 수 있는 선분 모두 찾기
두 점을 이어 그을 수 있는 선분은 선분 ㄱㄴ, 선분 ㄱㄷ, 선분 ㄱㄹ, 선분 ㄴㄷ, 선분 ㄴㄹ, 선분 ㄷㄹ입니다.

❷ 그을 수 있는 선분은 모두 몇 개인지 구하기
그을 수 있는 선분은 모두 6개입니다.

답 6개

수학 교과 역량   태도 및 실천
선분을 그어 북두칠성 모양 완성하기
실생활과 사회 및 자연 현상과 관련지어 곧은 선의 의미를 알아보며 태도 및 실천 능력을 기를 수 있습니다.

개념 확인 문제   정답 및 풀이 199쪽

1 곧은 선과 굽은 선으로 분류해 보세요.

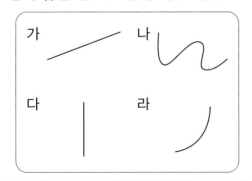

곧은 선	굽은 선

2 도형의 이름을 써 보세요.

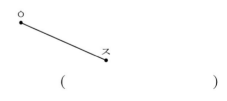

(   )

3 선분 ㄱㄴ, 선분 ㄷㄹ을 각각 그어 보세요.

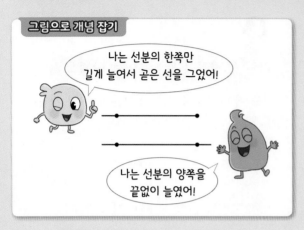

나는 선분의 한쪽만 길게 늘여서 곧은 선을 그었어!

나는 선분의 양쪽을 끝없이 늘였어!

참고 선분과 직선을 읽을 때에는 이은 두 점 중 어느 점을 먼저 읽어도 상관없습니다. 하지만 반직선을 읽을 때에는 반드시 시작하는 점을 먼저 읽어야 합니다.

어휘

반직선

half line

한 점에서 시작하여 한쪽으로 끝없이 곧게 뻗어 나가는 선입니다.

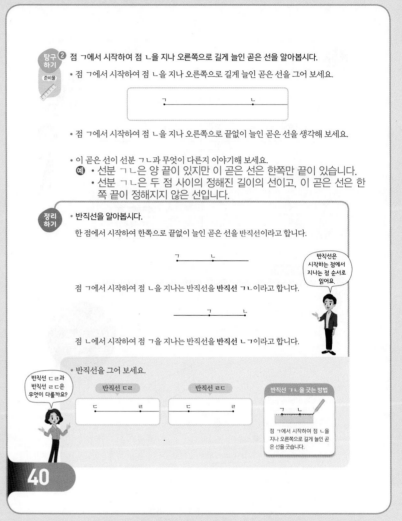

탐구하기 ② 점 ㄱ에서 시작하여 점 ㄴ을 지나 오른쪽으로 길게 늘인 곧은 선을 알아봅시다.

준비물 • 점 ㄱ에서 시작하여 점 ㄴ을 지나 오른쪽으로 길게 늘인 곧은 선을 그어 보세요.

ㄱ   ㄴ

• 점 ㄱ에서 시작하여 점 ㄴ을 지나 오른쪽으로 끝없이 늘인 곧은 선을 생각해 보세요.

• 이 곧은 선이 선분 ㄱㄴ과 무엇이 다른지 이야기해 보세요.
  예 • 선분 ㄱㄴ은 양 끝이 있지만 이 곧은 선은 한쪽만 끝이 있습니다.
  • 선분 ㄱㄴ은 두 점 사이의 정해진 길이의 선이고, 이 곧은 선은 한쪽 끝이 정해지지 않은 선입니다.

정리하기 • 반직선을 알아봅시다.
한 점에서 시작하여 한쪽으로 끝없이 늘인 곧은 선을 반직선이라고 합니다.

ㄱ   ㄴ

점 ㄱ에서 시작하여 점 ㄴ을 지나는 반직선을 **반직선 ㄱㄴ**이라고 합니다.

ㄱ   ㄴ

점 ㄴ에서 시작하여 점 ㄱ을 지나는 반직선을 **반직선 ㄴㄱ**이라고 합니다.

반직선은 시작하는 점에서 지나는 점 순서로 읽어요.

• 반직선을 그어 보세요.

반직선 ㄷ ㄹ과 반직선 ㄹ ㄷ은 무엇이 다를까요?

반직선 ㄷㄹ	반직선 ㄹㄷ
ㄷ ㄹ	ㄷ ㄹ

반직선 ㄱㄴ을 긋는 방법

ㄱ   ㄴ

점 ㄱ에서 시작하여 점 ㄴ을 지나 오른쪽으로 길게 늘인 곧은 선을 긋습니다.

40

교과서 개념 완성

정리하기 반직선, 직선 알아보기

• 한 점에서 시작하여 한쪽으로 끝없이 늘인 곧은 선을 반직선이라고 합니다.

ㄱ   ㄴ →반직선 ㄱㄴ

ㄱ   ㄴ →반직선 ㄴㄱ

반직선 ㄱㄴ과 반직선 ㄴㄱ은 끝없이 늘인 방향이 다르므로 서로 다른 반직선입니다.

• 선분을 양쪽으로 끝없이 늘인 곧은 선을 직선이라고 합니다.

ㄱ   ㄴ →직선 ㄱㄴ 또는 직선 ㄴㄱ

확인하기 선분, 반직선, 직선 구별하기

• 점 ㄱ에서 시작하여 점 ㄴ을 지나 한쪽으로 끝없이 늘인 곧은 선입니다. ➡ 반직선 ㄱㄴ

• 점 ㄷ과 점 ㄹ을 곧게 이은 선입니다.
  ➡ 선분 ㄷㄹ 또는 선분 ㄹㄷ

• 선분 ㅁㅂ을 양쪽으로 끝없이 늘인 곧은 선입니다.
  ➡ 직선 ㅁㅂ 또는 직선 ㅂㅁ

반직선과 직선의 다른 점

참고
• 반직선은 시작하는 점이 있지만 직선은 시작하는 점이 없습니다.

• 반직선은 한쪽으로만 끝없이 늘어나지만 직선은 양쪽으로 끝없이 늘어납니다.

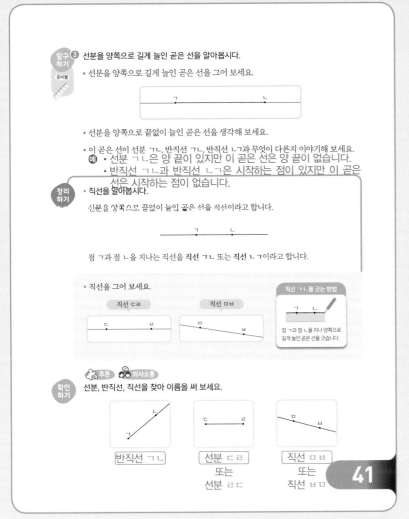

41

이런 문제가 서술형으로 나와요

영진이가 도형의 이름을 다음과 같이 읽었습니다.
잘못 읽은 이유를 쓰고, 바르게 고쳐 보세요.

> 영진: 이 도형의 이름은 반직선 ㄴㄱ이야.

| 이유 |

❶ 예 반직선은 시작하는 점에서 지나는 점 순서로 읽
어야 하는데 시작하는 점부터 읽지 않았습니다.

| 바르게 고치기 |

❷ 예 이 도형의 이름은 반직선 ㄱㄴ이야.

◀ 수학 교과 역량 ▶ 추론 / 의사소통

선분, 반직선, 직선을 찾고 이름 쓰기
선분, 반직선, 직선을 구별하고 그 이름을 써 보는 과정
에서 추론 능력과 의사소통 능력을 기를 수 있습니다.

개념 확인 문제　　정답 및 풀이 199쪽

1 반직선을 찾아 ○표 하세요.

2 직선을 찾아 ○표 하세요.

3 도형의 이름을 써 보세요.

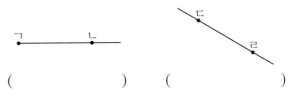

(　　　　)　　(　　　　)

4 반직선 ㅁㅂ, 직선 ㅅㅇ을 각각 그어 보세요.

학습 목표

- 각을 알고, 여러 가지 각을 그릴 수 있습니다.
- 생활 주변에서 각을 찾을 수 있습니다.

그림으로 개념 잡기

시곗바늘 2개로 각을 만들었어.

어휘

각

angle

角 (뿔 각)

한 점에서 갈리어 나간 두 개의 반직선이 이루는 도형입니다.

2 각

각을 알고, 여러 가지 각을 그릴 수 있습니다.
생활 주변에서 각을 찾을 수 있습니다.

생각 열기 위에서 본 길의 모습이에요.
- 빨간색 점에서 시작하여 점선을 따라 곧은 선을 그어 보세요.

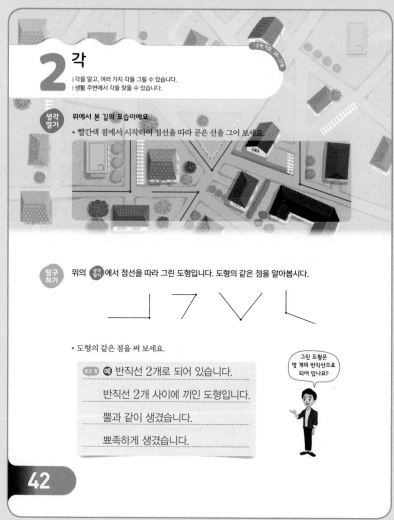

탐구 하기 위의 **생각 열기** 에서 점선을 따라 그린 도형입니다. 도형의 같은 점을 알아봅시다.

- 도형의 같은 점을 써 보세요.

맞은 것 **예** 반직선 2개로 되어 있습니다.
반직선 2개 사이에 끼인 도형입니다.
뿔과 같이 생겼습니다.
뾰족하게 생겼습니다.

그린 도형은 몇 개의 반직선으로 되어 있나요?

42

교과서 개념 완성

탐구하기 그린 도형의 같은 점 알아보기

- 각은 한 점에서 그은 두 반직선으로 이루어진 도형입니다.
- 각의 꼭짓점은 두 반직선이 시작되는 점입니다.

주의 각도 도형임에 주의합니다.

학부모 코칭 Tip

- 각을 읽을 때에는 시계 방향으로 읽거나 시계 반대 방향으로 읽을 수도 있습니다.
- 각을 읽을 때에는 각의 꼭짓점이 가운데에 오도록 읽어야 한다는 것을 주의하게 합니다.

확인하기 각을 그려 보고, 각 찾아보기

1. 각 그려 보기

각의 꼭짓점을 먼저 찾은 후 꼭짓점에서 시작하는 반직선을 긋습니다.

참고 각은 한 점에서 그은 두 반직선으로 이루어진 도형이지만 실제로는 선분으로 나타내는 경우가 많음에 유의합니다.

2. 교실 속 여러 가지 물건에서 각 찾아보기

예

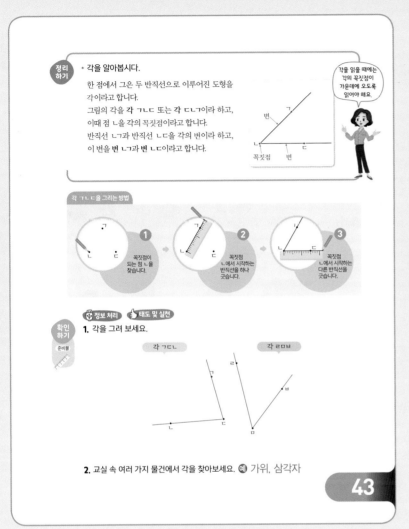

정리
하기

• 각을 알아봅시다.

한 점에서 그은 두 반직선으로 이루어진 도형을
각이라고 합니다.
그림의 각을 **각 ㄱㄴㄷ** 또는 **각 ㄷㄴㄱ**이라 하고,
이때 점 ㄴ을 각의 꼭짓점이라고 합니다.
반직선 ㄴㄱ과 반직선 ㄴㄷ을 각의 변이라 하고,
이 변을 **변 ㄴㄱ**과 **변 ㄴㄷ**이라고 합니다.

각을 읽을 때에는
각의 꼭짓점이
가운데에 오도록
읽어야 해요.

확인
하기

🌀 정보 처리　👍 태도 및 실천

1. 각을 그려 보세요.

각 ㄱㄷㄴ　　　각 ㄹㅁㅂ

2. 교실 속 여러 가지 물건에서 각을 찾아보세요. **예** 가위, 삼각자

43

이런 문제가 서술형으로 나와요

각의 개수가 많은 도형부터 차례로 기호를 쓰려고
합니다. 풀이 과정을 쓰고, 답을 구해 보세요.

| 풀이 과정 |

❶ 도형의 각의 개수 각각 구하기

각의 개수는 각각 ㉠ 4개, ㉡ 5개, ㉢ 3개입니다.

❷ 각의 개수가 많은 도형부터 차례로 쓰기

5>4>3이므로 각의 개수가 많은 도형부터 차례
로 쓰면 ㉡, ㉠, ㉢입니다.

답 ㉡, ㉠, ㉢

◀ 수학 교과 역량 ▶　🌀 정보 처리　👍 태도 및 실천

교실 속 여러 가지 물건에서 각 찾아보기
일상생활에서 사용하는 물건을 살펴보고 각을 찾아보는
활동을 통하여 정보 처리 능력과 태도 및 실천 능력을
기를 수 있습니다.

👧 **개념 확인 문제**　　정답 및 풀이 199쪽 ⦿

1 각을 모두 찾아 기호를 써 보세요.

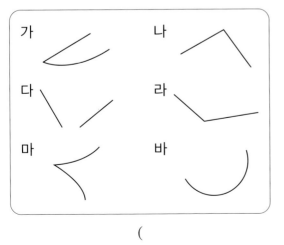

가　　　나
다　　　라
마　　　바

(　　　　　　　)

2 ☐ 안에 알맞은 말을 써넣으세요.

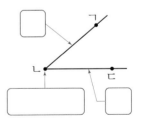

3 각을 읽어 보세요.

(　　　　　　　)

3 | 직각

학습 목표
직각을 알고, 생활 주변에서 직각을 찾을 수 있습니다.

그림으로 개념 잡기

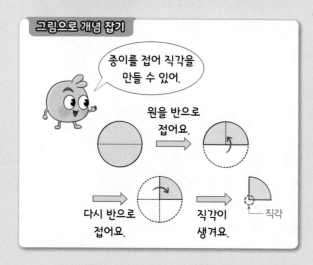

종이를 접어 직각을 만들 수 있어.

원을 반으로 접어요.

다시 반으로 접어요.

직각이 생겨요.

직각

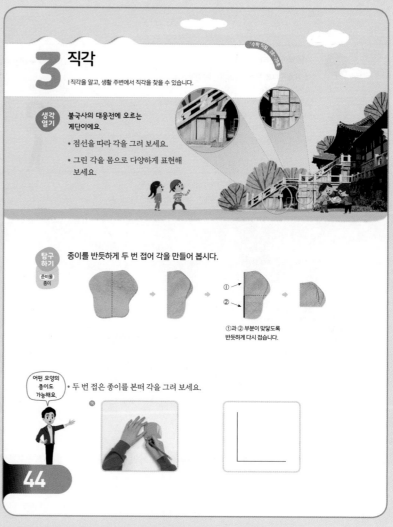

3 직각

직각을 알고, 생활 주변에서 직각을 찾을 수 있습니다.

생각 열기
불국사의 대웅전에 오르는 계단이에요.
• 점선을 따라 각을 그려 보세요.
• 그린 각을 몸으로 다양하게 표현해 보세요.

탐구하기
준비물 종이

종이를 반듯하게 두 번 접어 각을 만들어 봅시다.

① ②

①과 ②부분이 맞닿도록 반듯하게 다시 접습니다.

어떤 모양의 종이도 가능해요.

• 두 번 접은 종이를 본떠 각을 그려 보세요.

44

교과서 개념 완성

탐구하기 종이를 반듯하게 두 번 접어 직각 만들기

종이를 반듯하게 두 번 접어 각을 만들어 봅니다.

➡ 어떤 모양의 종이를 사용하더라도 두 번 접기를 하면 직각을 만들 수 있습니다.

➡ 두 개의 곧은 선으로 이루어진 각이 생겼습니다.

참고 삼각자의 직각 부분

확인하기 직각 찾아보기

1. 도형에서 직각 찾아보기
   도형에 삼각자의 직각 부분을 직접 대어 보며 찾습니다.

2. 교실 속 여러 가지 물건에서 직각 찾아보기
   칠판, 수학책, 사물함, 교실 문, 창문, 청소함 등에서 직각을 찾습니다.

생각 솔솔 여러 조각으로 나눈 케이크에서 직각의 개수 구하기

삼각자의 직각 부분을 케이크의 각에 직접 대어 보면 직각은 모두 3개입니다.

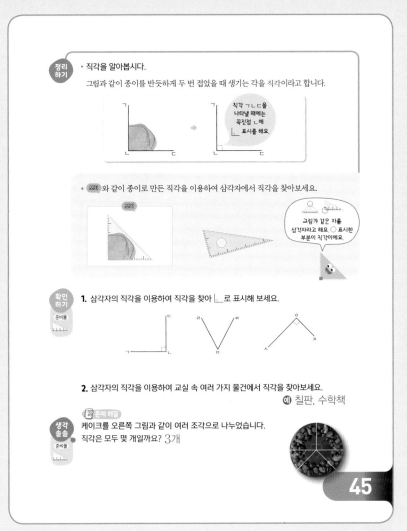

정리
하기
• 직각을 알아봅시다.

그림과 같이 종이를 반듯하게 두 번 접었을 때 생기는 각을 직각이라고 합니다.

 직각 ㄱㄴㄷ을 나타낼 때에는 꼭짓점 ㄴ에 ⌐ 표시를 해요.

• 보기 와 같이 종이로 만든 직각을 이용하여 삼각자에서 직각을 찾아보세요.

그림과 같은 자를 삼각자라고 해요. ○ 표시한 부분이 직각이에요.

확인
하기
준비물
1. 삼각자의 직각을 이용하여 직각을 찾아 ⌐로 표시해 보세요.

2. 삼각자의 직각을 이용하여 교실 속 여러 가지 물건에서 직각을 찾아보세요.
예 칠판, 수학책

생각
솔솔
준비물
문제 해결
케이크를 오른쪽 그림과 같이 여러 조각으로 나누었습니다. 직각은 모두 몇 개일까요? 3개

45

이런 문제가 서술형으로 나와요

세 도형에서 찾을 수 있는 직각은 모두 몇 개인지 풀이 과정을 쓰고, 답을 구해 보세요.

| 풀이 과정 |

❶ 세 도형에서 찾을 수 있는 직각의 개수 각각 구하기

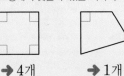

➜4개   ➜1개   ➜2개

❷ 세 도형에서 찾을 수 있는 직각은 모두 몇 개인지 구하기

세 도형에서 찾을 수 있는 직각은 모두
$4+1+2=7$(개)입니다.

답 7개

수학 교과 역량 문제 해결

여러 조각으로 나눈 케이크에서 직각의 개수 구하기
여러 조각으로 나눈 케이크에서 직각을 찾기 위해 적절한 해결 전략을 선택하여 문제를 해결하는 과정에서 문제 해결 능력을 기를 수 있습니다.

 개념 확인 문제   정답 및 풀이 200쪽

1 직각이 있는 도형을 모두 찾아 ○표 하세요.

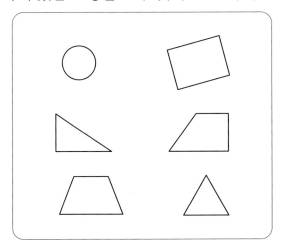

2 직각을 모두 찾아 ⌐ 로 표시해 보세요.

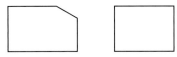

3 직각을 찾아 써 보세요.

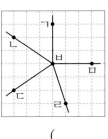

(   )

5 차시

4 | 직각삼각형

학습 목표

- 분류 활동을 통하여 직각삼각형을 알고, 직각삼각형을 그릴 수 있습니다.
- 생활 주변에서 직각삼각형을 찾을 수 있습니다.

그림으로 개념 잡기

이 삼각형에는 직각이 몇 개 있을까?

1개 있어!

• 직각삼각형 그리기

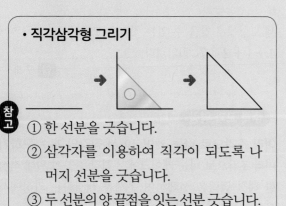

참고

① 한 선분을 긋습니다.

② 삼각자를 이용하여 직각이 되도록 나머지 선분을 긋습니다.

③ 두 선분의 양 끝점을 잇는 선분 긋습니다.

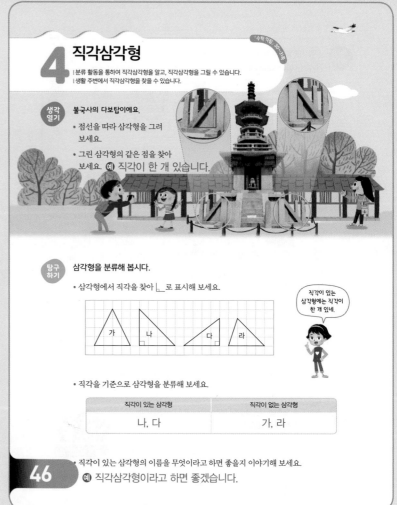

4 직각삼각형

| 분류 활동을 통하여 직각삼각형을 알고, 직각삼각형을 그릴 수 있습니다.
| 생활 주변에서 직각삼각형을 찾을 수 있습니다.

생각 열기

불국사의 다보탑이에요.

- 점선을 따라 삼각형을 그려 보세요.
- 그린 삼각형의 같은 점을 찾아 보세요. 예 직각이 한 개 있습니다.

탐구 하기

삼각형을 분류해 봅시다.

- 삼각형에서 직각을 찾아 ∟ 로 표시해 보세요.

직각이 있는 삼각형에는 직각이 한 개 있네.

- 직각을 기준으로 삼각형을 분류해 보세요.

직각이 있는 삼각형	직각이 없는 삼각형
나, 다	가, 라

- 직각이 있는 삼각형의 이름을 무엇이라고 하면 좋을지 이야기해 보세요.
  예 직각삼각형이라고 하면 좋겠습니다.

46

교과서 개념 완성

탐구하기 기준에 따라 삼각형 분류하기

- 삼각형에서 직각을 찾아 ∟ 로 표시해 봅니다.

- 직각을 기준으로 삼각형을 분류해 봅니다.
  ➡ 직각이 있는 삼각형과 직각이 없는 삼각형으로 분류할 수 있습니다.

  직각이 있는 삼각형: 나, 다

  직각이 없는 삼각형: 가, 라

참고 직각삼각형에는 각이 3개 있고, 그중 직각인 각이 1개 있습니다.

확인하기 도형판에 직각삼각형 모양 만들어 보기

- 도형판에 주어진 직각삼각형을 만들어 봅니다.
  ➡ 똑같은 직각삼각형을 도형판에 만들어 보면서 도형판의 사용 방법을 익힙니다.

- 크기와 모양이 다른 직각삼각형을 여러 개 만들어 봅니다.

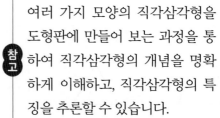

참고 여러 가지 모양의 직각삼각형을 도형판에 만들어 보는 과정을 통하여 직각삼각형의 개념을 명확하게 이해하고, 직각삼각형의 특징을 추론할 수 있습니다.

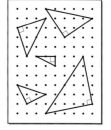

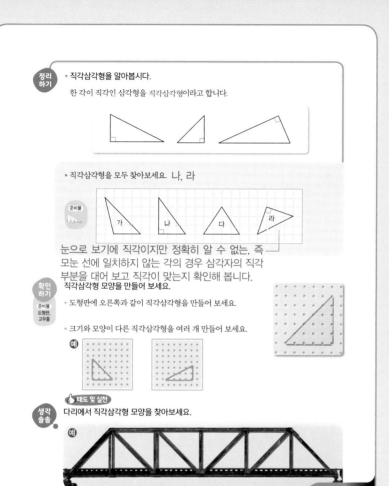

정리
하기

• 직각삼각형을 알아봅시다.
한 각이 직각인 삼각형을 직각삼각형이라고 합니다.

• 직각삼각형을 모두 찾아보세요. 나, 라

준비물

가   나   다   라

눈으로 보기에 직각이지만 정확히 알 수 없는, 즉
모눈 선에 일치하지 않는 각의 경우 삼각자의 직각
부분을 대어 보고 직각이 맞는지 확인해 봅니다.

확인
하기

준비물
도형판,
고무줄

직각삼각형 모양을 만들어 보세요.

• 도형판에 오른쪽과 같이 직각삼각형을 만들어 보세요.

• 크기와 모양이 다른 직각삼각형을 여러 개 만들어 보세요.

예

태도 및 실천

생각
솔솔

다리에서 직각삼각형 모양을 찾아보세요.

예

이런 문제가 서술형으로 나와요

다음 도형이 직각삼각형이 아닌 이유를 쓰고, 직각
삼각형이 되도록 그려 보세요.

   →

| 이유 |

❶ 예 한 각이 직각인 삼각형이 아니기 때문입니다.

| 그리기 |

❷ 예

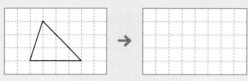 수학 교과 역량   태도 및 실천

다리에서 직각삼각형 찾아보기
생활 주변에서 직각삼각형 모양을 찾아보면서 수학의
필요성과 유용성을 알고 수학에 대한 흥미를 가지게 되
는 과정에서 태도 및 실천 능력을 기를 수 있습니다.

47

 개념 확인 문제   정답 및 풀이 200쪽

1 도형을 보고 ☐ 안에 알맞은 말을 써넣으세요.

한 각이 ☐ 인 삼각형을
직각삼각형이라고 합니다.

2 직각삼각형을 모두 찾아 기호를 써 보세요.

가   나   다   라

(   )

3 직각삼각형에 대한 설명으로 옳은 것에 ○표,
틀린 것에 ×표 하세요.
(1) 직각이 1개 있습니다.   (   )
(2) 꼭짓점이 1개 있습니다.   (   )

4 점 종이에 모양과 크기가 다른 직각삼각형을
2개 그려 보세요.

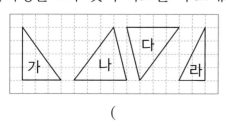

5 | 직사각형

학습 목표

- 분류 활동을 통하여 직사각형을 알고, 직사각형을 그릴 수 있습니다.
- 생활 주변에서 직사각형을 찾을 수 있습니다.

그림으로 개념 잡기

사각형 모양의 칠판이야.

응, 그리고 네 개의 각이 모두 직각이야.

직사각형

| 어휘 | 直 (곧을 직)
四 (넉 사)
角 (뿔 각)
形 (모양 형) | 네 각이 모두 직각인 사각형입니다. |

---

5 직사각형

| 분류 활동을 통하여 직사각형을 알고, 직사각형을 그릴 수 있습니다.
| 생활 주변에서 직사각형을 찾을 수 있습니다.

생각 열기 불국사의 석가탑이에요.
- 점선을 따라 사각형을 그려 보세요.
- 그린 사각형의 같은 점을 찾아보세요.
예 네 각이 모두 직각입니다.

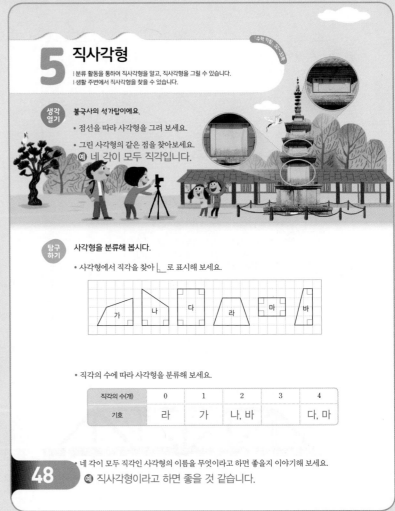

탐구 하기 사각형을 분류해 봅시다.

- 사각형에서 직각을 찾아 ⌐ 로 표시해 보세요.

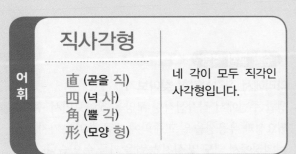
가 나 다 라 마 바

- 직각의 수에 따라 사각형을 분류해 보세요.

직각의 수(개)	0	1	2	3	4
기호	라	가	나, 바		다, 마

- 네 각이 모두 직각인 사각형의 이름을 무엇이라고 하면 좋을지 이야기해 보세요.
예 직사각형이라고 하면 좋을 것 같습니다.

48

교과서 개념 완성

탐구하기 기준에 따라 사각형 분류하기

학부모 코칭 Tip

- 직각이 3개만 있는 사각형은 어떠한 경우에도 존재하지 않습니다.
- 한 각이 직각인 삼각형을 직각삼각형이라 하고, 네 각이 모두 직각인 사각형은 직사각형이라고 하는 것에 주의하게 합니다.

확인하기 직사각형을 완성해 보고, 직사각형 찾아보기

1. 직사각형 완성해 보기

   주어진 선분과 직각이 되는 선분을 그어서 직사각형을 완성합니다.

2. 교실 속 여러 가지 물건에서 직사각형 찾아보기

   수학책, 칠판, 사물함, 창문 등에서 직사각형을 찾아봅니다.

생각 솔솔 직사각형 안에 선분을 그어 여러 개의 직사각형을 만들고 색칠해 보기

네 각이 모두 직각인 직사각형을 만들고 색칠해 봅니다.

예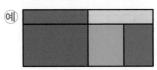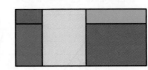

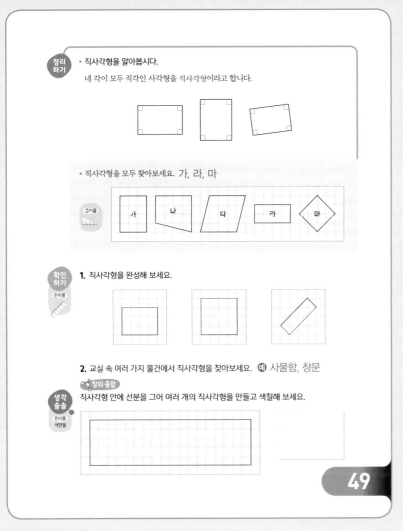

정리
하기

• 직사각형을 알아봅시다.

네 각이 모두 직각인 사각형을 직사각형이라고 합니다.

• 직사각형을 모두 찾아보세요. 가, 라, 마

준비물

확인
하기

1. 직사각형을 완성해 보세요.

2. 교실 속 여러 가지 물건에서 직사각형을 찾아보세요. 예 사물함, 창문

생각
솔솔
창의·융합
준비물
색연필

직사각형 안에 선분을 그어 여러 개의 직사각형을 만들고 색칠해 보세요.

49

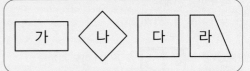

이런 문제가 서술형으로 나와요

다음 사각형 중 직사각형이 아닌 것을 찾아 기호를 쓰고, 직사각형이 아닌 이유를 써 보세요.

가 나 다 라

| 직사각형이 아닌 것 찾기 |

❶ 직사각형이 아닌 것은 라입니다.

| 이유 |

❷ 예 네 각이 모두 직각인 사각형이 아니기 때문입니다.

수학 교과 역량 창의·융합

직사각형 안에 선분을 그어 여러 개의 직사각형을 만들고 색칠해 보기

직사각형 안에 선분을 그어 여러 개의 직사각형을 만들고 색칠해 보며 창의·융합 능력을 기를 수 있습니다.

개념 확인 문제
성답 및 풀이 200쪽

1 세 사각형에 대한 설명입니다. ☐ 안에 알맞은 도형의 이름을 써넣으세요.

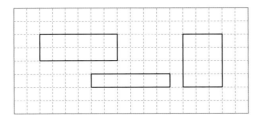

세 사각형은 네 각이 모두 직각이므로

☐ 입니다.

2 오른쪽 색종이를 점선을 따라 잘랐을 때 만들어지는 직사각형은 모두 몇 개인가요?

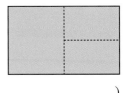

(   )

3 점 종이에 모양과 크기가 다른 직사각형을 2개 그려 보세요.

6 | 정사각형

분류 활동을 통하여 정사각형을 알고, 정사각형을 그릴 수 있습니다.

그림으로 개념 잡기

내가 만든 시계는 네 각이 모두 직각이야!

내가 만든 시계는 네 변의 길이도 모두 같아!

정사각형

어휘	正 (바를 정) 四 (넉 사) 角 (뿔 각) 形 (모양 형)	네 각이 모두 직각이고 네 변의 길이가 모두 같은 사각형입니다.

---

6 정사각형

| 분류 활동을 통하여 정사각형을 알고, 정사각형을 그릴 수 있습니다.

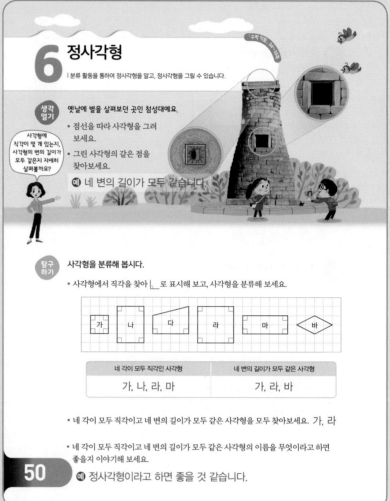

생각 열기

옛날에 별을 살펴보던 곳인 첨성대예요.

사각형에 직각이 몇 개 있는지, 사각형의 변의 길이가 모두 같은지 자세히 살펴볼까요?

• 점선을 따라 사각형을 그려 보세요.

• 그린 사각형의 같은 점을 찾아보세요.

예 네 변의 길이가 모두 같습니다.

탐구 하기

사각형을 분류해 봅시다.

• 사각형에서 직각을 찾아 ⌐ 로 표시해 보고, 사각형을 분류해 보세요.

가 나 다 라 마 바

네 각이 모두 직각인 사각형	네 변의 길이가 모두 같은 사각형
가, 나, 라, 마	가, 라, 바

• 네 각이 모두 직각이고 네 변의 길이가 모두 같은 사각형을 모두 찾아보세요. 가, 라

• 네 각이 모두 직각이고 네 변의 길이가 모두 같은 사각형의 이름을 무엇이라고 하면 좋을지 이야기해 보세요.

50

예 정사각형이라고 하면 좋을 것 같습니다.

교과서 개념 완성

탐구하기 사각형을 분류하여 정사각형 알아보기

• 네 각이 모두 직각인 사각형을 찾아봅니다.

➡ 가, 나, 라, 마

• 네 변의 길이가 모두 같은 사각형을 찾아봅니다.

➡ 가, 라, 바

• 네 각이 모두 직각이고 네 변의 길이가 모두 같은 사각형을 모두 찾아봅니다. ➡ 가, 라

확인하기 정사각형 완성해 보기

주어진 선분과 직각이 되고 네 변의 길이가 모두 같은 선분을 그어 정사각형을 완성합니다.

생각 솔솔 직사각형 모양의 종이를 잘라 정사각형 만들기

펼친 도형이 정사각형임을 확인하기 위해서는 다음과 같은 두 가지 조건을 만족해야 합니다.

① 네 각이 모두 직각입니다.

② 네 변의 길이가 모두 같습니다.

참고

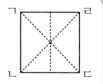

사각형 ㄱㄴㄷㄹ을 ⟍과 ⟋을 접는 선으로 하여 접으면 만나는 각과 변이 각각 정확히 겹쳐지므로 네 각이 모두 직각이고 네 변의 길이가 모두 같습니다.

따라서 사각형 ㄱㄴㄷㄹ은 정사각형입니다.

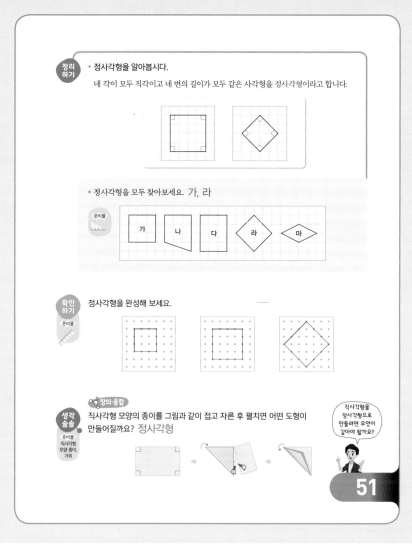

정리하기 · 정사각형을 알아봅시다.

네 각이 모두 직각이고 네 변의 길이가 모두 같은 사각형을 정사각형이라고 합니다.

· 정사각형을 모두 찾아보세요. 가, 라

준비물

확인하기 · 정사각형을 완성해 보세요.

준비물

생각 솔솔 창의·융합

준비물
직사각형
모양 종이,
가위

직사각형 모양의 종이를 그림과 같이 접고 자른 후 펼치면 어떤 도형이 만들어질까요? 정사각형

직사각형을 정사각형으로 만들려면 무엇이 같아야 할까요?

51

이런 문제가 서술형으로 나와요

한 변의 길이가 8 cm인 정사각형의 네 변의 길이의 합은 몇 cm인지 풀이 과정을 쓰고, 답을 구해 보세요.

| 풀이 과정 |

❶ 정사각형의 네 변의 길이의 합 구하는 방법 알기

정사각형은 네 변의 길이가 모두 같으므로 네 변의 길이의 합은 한 변의 길이에 4를 곱하여 구합니다.

❷ 정사각형의 네 변의 길이의 합 구하기

$8 \times 4 = 32$이므로 정사각형의 네 변의 길이의 합은 32 cm입니다.

답 32 cm

수학 교과 역량   창의·융합

직사각형 모양의 종이를 잘라 정사각형 만들기

직사각형 모양의 종이를 접고 자른 후 펼친 도형이 정사각형임을 아는 과정에서 창의·융합 능력을 기를 수 있습니다.

개념 확인 문제   정답 및 풀이 200쪽

1 두 사각형에 대한 설명입니다. ☐ 안에 알맞은 도형의 이름을 써넣으세요.

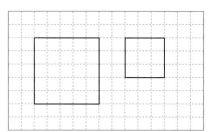

두 사각형은 네 각이 모두 직각이고 네 변의 길이가 모두 같으므로 [   ]입니다.

2 점 종이에 크기가 다른 정사각형을 2개 그려 보세요.

3 오른쪽 도형은 정사각형입니다. ☐ 안에 알맞은 수를 써넣으세요.

[   ] cm   7 cm

8 차시 문제 해결력 | 쑥쑥 — 직사각형은 모두 몇 개일까요

학습 목표
표 만들기 전략을 이용하여 평면도형에 대한 문제를 해결할 수 있습니다.

문제 해결 전략 표 만들기 전략

수학 교과 역량 문제 해결 의사소통 정보 처리

직사각형은 모두 몇 개일까요
· 문제의 조건을 확인하고 문제 해결에 적절한 전략을 선택하여 문제를 해결하는 과정을 통하여 문제 해결 능력을 기를 수 있습니다.
· 문제 해결을 위한 조건을 확인하고 선택하는 과정을 통하여 주어진 정보를 수집, 분석, 활용하는 정보 처리 능력을 기를 수 있습니다.
· 수학 용어나 수식, 그림, 표 등의 수학적 표현을 사용하여 문제를 해결한 방법을 친구들과 이야기해 보는 과정을 통하여 의사소통 능력을 기를 수 있습니다.

문제 해결 Tip 이 문제를 해결하기 위해 반드시 알아야 하는 용어는 '직사각형'입니다. 찾을 수 있는 직사각형의 크기에 따라 개수를 세어 보고 표로 정리해 봅니다.

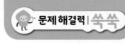 문제 해결력 | 쑥쑥 **직사각형은 모두 몇 개일까요**

문제 해결 의사소통 정보 처리

🔵 그림에서 찾을 수 있는 직사각형은 모두 몇 개인지 구해 보세요.

문제 이해하기
· 구하려고 하는 것은 무엇인가요?
그림에서 찾을 수 있는 직사각형의 개수입니다.

· 알고 있는 것은 무엇인가요?
· 큰 직사각형을 똑같이 네 칸으로 나누었습니다.
· 작은 직사각형 두 개를 합치면 보다 큰 직사각형이 나옵니다.
· 크기에 따라 여러 종류의 직사각형이 나옵니다.

계획 세우기
· 어떤 방법으로 문제를 해결할 수 있을지 계획을 세워 보세요.

한눈에 봐도 4개인 것 같아요.

더 큰 직사각형도 있지 않을까요?

모든 직사각형을 빠짐없이 세기 위해 표로 정리해서 세어 볼까요?

52

예 직사각형의 크기에 따라 개수를 세어 더합니다.

 ## 교과서 개념 완성

문제 이해하기

>> **구하려고 하는 것**
그림에서 찾을 수 있는 직사각형의 개수입니다.

>> **알고 있는 것**
· 큰 직사각형을 똑같이 네 칸으로 나누었습니다.
· 작은 직사각형을 합치면 보다 큰 직사각형이 나오고, 크기에 따라 여러 종류의 직사각형이 나옵니다.

계획 세우기
· 직사각형의 크기에 따라 개수를 세어 봅니다.
· 빠짐없이 세기 위해 표로 정리해 봅니다.

계획대로 풀기

크기가 다른 직사각형의 개수를 세어 표를 완성해 봅니다.

①	②	③	④

· 한 칸으로 이루어진 직사각형:
①, ②, ③, ④ ➡ 4개
· 두 칸으로 이루어진 직사각형:
①＋②, ②＋③, ③＋④ ➡ 3개
· 세 칸으로 이루어진 직사각형:
①＋②＋③, ②＋③＋④ ➡ 2개
· 네 칸으로 이루어진 직사각형:
①＋②＋③＋④ ➡ 1개

계획대로 풀기
• 크기가 다른 직사각형의 개수를 세어 표를 완성해 보세요.

직사각형의 크기	개수
한 칸( )으로 이루어진 것	4
두 칸( )으로 이루어진 것	3
세 칸( )으로 이루어진 것	2
네 칸( )으로 이루어진 것	1

• 직사각형이 모두 몇 개인지 구해 보세요. 10개

되돌아보기
• 구한 답이 맞았는지 확인해 보세요.

• 문제를 해결한 방법을 친구들과 이야기해 보세요.

문제 해결 의사소통 정보 처리

생각을 키워요
▣ 그림에서 찾을 수 있는 직사각형은 모두 몇 개인지 구해 보세요. 9개

풀이	직사각형의 크기	개수
	한 칸으로 이루어진 것	4
	두 칸으로 이루어진 것	4
	네 칸으로 이루어진 것	1

그림에서 찾을 수 있는 직사각형은 모두
4+4+1=9(개)입니다.

53

생각을 키워요

문제 해결   의사소통   정보 처리

문제 이해하기

≫ **구하려고 하는 것**
그림에서 찾을 수 있는 직사각형의 개수입니다.

≫ **알고 있는 것**
큰 직사각형을 네 개의 작은 직사각형으로 나누었고, 작은 직사각형을 합치면 보다 큰 직사각형이 나옵니다.

계획 세우기
직사각형의 크기에 따라 개수를 세어 봅니다.

계획대로 풀기
• 한 칸으로 이루어진 직사각형

• 두 칸으로 이루어진 직사각형

• 네 칸으로 이루어진 직사각형

문제 해결력 문제   정답 및 풀이 200~201쪽

1 그림에서 찾을 수 있는 정사각형은 모두 몇 개인지 구하려고 합니다. ☐ 안에 알맞은 수를 써넣으세요.

한 칸짜리 정사각형은 ☐개, 네 칸짜리 정사각형은 ☐개이므로 찾을 수 있는 정사각형은 모두 ☐개입니다.

2 그림에서 찾을 수 있는 직사각형은 모두 몇 개인지 구해 보세요.

(   )

3 그림에서 찾을 수 있는 직각삼각형은 모두 몇 개인지 구해 보세요.

(   )

39, 40, 41쪽

의사소통

선분, 반직선, 직선 알아보기
▶자습서 42~45쪽
반직선의 경우 시작하는 점에 주의하여 이름을 바르게 씁니다.

1 선분, 반직선, 직선을 찾아 이름을 써 보세요.

(반직선 ㄱㄴ   )   (선분 ㄷㄹ   )   (직선 ㅁㅂ   )
                                         또는 선분 ㄹㄷ   또는 직선 ㅂㅁ

풀이 • 점 ㄱ에서 시작하여 점 ㄴ을 지나 한쪽으로 끝없이 늘인 곧은 선이므로 반직선 ㄱㄴ입니다.
       • 점 ㄷ과 점 ㄹ을 곧게 이은 선이므로 선분 ㄷㄹ 또는 선분 ㄹㄷ입니다.
       • 선분 ㅁㅂ을 양쪽으로 끝없이 늘인 곧은 선이므로 직선 ㅁㅂ 또는 직선 ㅂㅁ입니다.

의사소통

각 알아보기
▶자습서 46~47쪽
각을 읽을 때에는 각의 꼭짓점이 가운데에 오도록 읽습니다.

2 자유롭게 각을 그리고, ▢ 안에 알맞은 기호를 써넣으세요.

43쪽

준비물

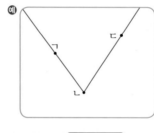
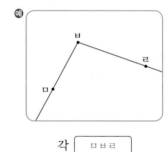

각 [ㄱㄴㄷ]   각 [ㅁㅂㄹ]
또는 각 ㄷㄴㄱ   또는 각 ㄹㅂㅁ

풀이 • 점 ㄴ이 각의 꼭짓점이므로 각 ㄱㄴㄷ 또는 각 ㄷㄴㄱ입니다.
       • 점 ㅂ이 각의 꼭짓점이므로 각 ㅁㅂㄹ 또는 각 ㄹㅂㅁ입니다.

추론 **정보 처리**

직각 알아보기
▶자습서 48~49쪽

학부모 코칭 Tip

모눈종이를 이용하여 제시된 도형에서 직각을 찾지 못할 때에는 삼각자의 직각 부분을 이용하여 찾아보게 합니다.

3 도형에 있는 직각의 개수를 써 보세요.

45쪽

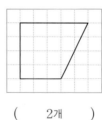
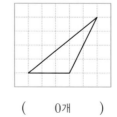
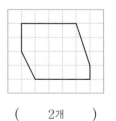

(2개   )   (0개   )   (2개   )

풀이 모눈종이의 직각 부분을 이용하여 도형에서 직각을 찾아 세어 봅니다.

54

4 직각삼각형을 모두 찾아 기호를 써 보세요.

47쪽

준비물

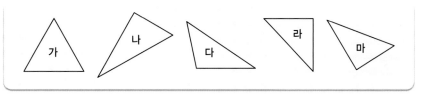

(나, 라, 마   )

풀이 한 각이 직각인 삼각형을 모두 찾으면 나, 라. 마입니다.

추론

직각삼각형 알아보기
▶자습서 50~51쪽

학부모 코칭 Tip
직각과 직각삼각형을 이해하고 있는지 확인한 다음, 이를 이용하여 문제를 해결해 보게 합니다.

5 보기 의 사각형 중에서 새롬이가 설명하고 있는 도형을 찾아 기호를 써 보세요.

51쪽

이 사각형은 직각이 네 개이고, 네 변의 길이가 모두 같은 사각형이야.

새롬

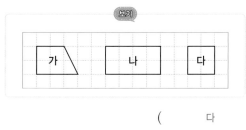

보기

가   나   다

(다   )

풀이 직각이 네 개이고, 네 변의 길이가 모두 같은 사각형은 정사각형입니다.
보기에서 정사각형을 찾으면 다입니다.

추론   정보 처리

정사각형 알아보기
▶자습서 54~55쪽

학부모 코칭 Tip
직사각형과 정사각형에 대한 이해가 부족하여 답을 바르게 찾지 못하는 경우에는 각각의 개념을 다시 살펴보고 문제를 해결해 보게 합니다.

생각을 넓혀요   문제 해결   의사소통

6 주어진 도형을 직사각형으로 만들려고 합니다. 꼭짓점을 한 개만 옮겨 직사각형이 되도록 빈 곳에 그려 보고, 그린 도형이 직사각형이 되는 이유를 써 보세요.

49쪽

준비물

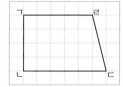
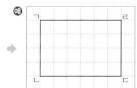

이유 예 네 각이 모두 직각이므로 직사각형입니다.

풀이 꼭짓점 ㄹ을 오른쪽으로 한 칸 이동하거나 꼭짓점 ㄷ을 왼쪽으로 한 칸 이동하여 직사각형이 되도록 그립니다.

문제 해결   의사소통

직사각형 알아보기
▶자습서 52~53쪽

학부모 코칭 Tip
직사각형은 네 각이 모두 직각인 사각형이므로 직각이 아닌 각을 직각이 되도록 꼭짓점을 바르게 옮겼는지 확인합니다.

55

10 차시 • 그림 속으로 쓱쓱 • 이야기로 키우는 생각

그림 속으로 쓱쓱

칠교놀이를 하며 여러 가지 모양을 만들고 이야기를 만들어 볼까요

준비물
준비물 ④
칠교판

칠교놀이란 정사각형 모양의 나무판을 삼각형 5개와 사각형 2개가 되도록 잘라 낸 조각으로 이리저리 움직여 여러 가지 모양을 만드는 놀이를 말합니다. 삼각형은 모두 직각삼각형이고 사각형 중 1개는 정사각형입니다.
이 판이 7개의 조각으로 이루어져서 칠교판이라고 합니다.

함께하는 활동

칠교판

🐾 칠교판으로 강아지, 비행기, 집, 탑을 만들고, 완성된 그림을 보고 친구들과 함께 이야기를 만들어 보세요.

비행기

탑

강아지

집

56 57

교과서 개념 완성

그림 속으로 쓱쓱

1 준비물 확인 및 놀이 방법 살펴보기

· 놀이 준비물은 모두 준비되었는지 확인합니다.

· 칠교판을 구성하는 모양 조각 살펴보기

➡ 칠교판은 모두 7개의 조각으로 이루어져 있음을 확인합니다.

➡ 칠교판은 직각삼각형 5개, 정사각형 1개, 정사각형이 아닌 사각형 1개가 있음을 확인합니다.

2 실제 놀이하기

칠교판으로 강아지, 집, 비행기, 탑을 만들어 봅니다.

예

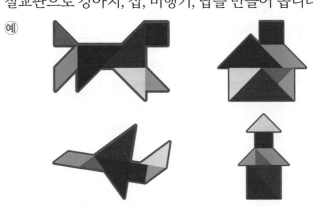

학부모 코칭 Tip

칠교판 조각으로 여러 가지 모양을 만드는 과정을 통하여 도형을 자연스럽게 이해하게 합니다.

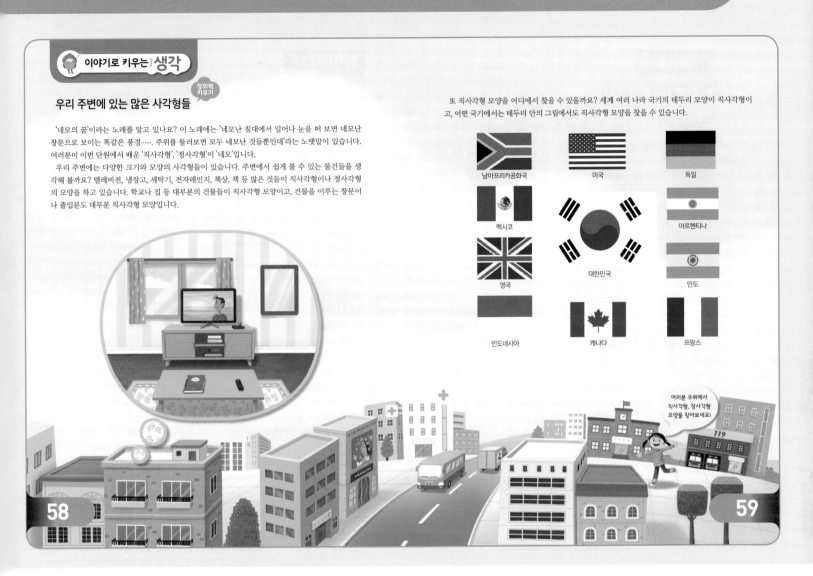

이야기로 키우는 생각

우리 주변에 있는 많은 사각형들

'네모의 꿈'이라는 노래를 알고 있나요? 이 노래에는 '네모난 침대에서 일어나 눈을 떠 보면 네모난 창문으로 보이는 똑같은 풍경…… 주위를 둘러보면 모두 네모난 것들뿐인데'라는 노랫말이 있습니다. 여러분이 이번 단원에서 배운 '직사각형', '정사각형'이 '네모'입니다.

우리 주변에는 다양한 크기와 모양의 사각형들이 있습니다. 주변에서 쉽게 볼 수 있는 물건들을 생각해 볼까요? 텔레비전, 냉장고, 세탁기, 전자레인지, 책상, 책 등 많은 것들이 직사각형이나 정사각형의 모양을 하고 있습니다. 학교나 집 등 대부분의 건물들이 직사각형 모양이고, 건물을 이루는 창문이나 출입문도 대부분 직사각형 모양입니다.

또 직사각형 모양을 어디에서 찾을 수 있을까요? 세계 여러 나라 국기의 테두리 모양이 직사각형이고, 어떤 국기에서는 테두리 안의 그림에서도 직사각형 모양을 찾을 수 있습니다.

남아프리카공화국　미국　독일
멕시코　아르헨티나
영국　대한민국　인도
인도네시아　캐나다　프랑스

여러분 주위에서 직사각형, 정사각형 모양을 찾아보세요!

58　59

---

3 완성된 그림을 보고 이야기 만들어 보기

상상력을 발휘하여 이야기를 만들어 봅니다.
예 나무, 새, 나비, 오리, 강아지가 알록달록 칠교 마을에 오손도손 살고 있습니다.

수학 교과 역량 창의·융합 태도 및 실천

칠교판을 구성하는 모양 조각을 이용하여 창의적으로 모양을 만들어 보고, 완성된 그림을 보고 상상력을 발휘해 이야기를 만들어 보는 과정을 통하여 창의·융합 능력을 기를 수 있고, 수학적 의사소통 과정에서 타인을 배려하고 존중하며 협력하는 태도를 기를 수 있습니다.

이야기로 키우는 생각

여러 가지 모양이 사용된 국기

· 삼각형 모양이 사용된 국기

가이아나　바하마　자메이카

· 원 모양이 사용된 국기

브라질　라오스　방글라데시

개념

⊙ 곧은 선과 굽은 선

· 구부러지지 않고 반듯한 선을 곧은 선이라 하고, 구부러지거나 휘어진 선을 굽은 선이라고 합니다.

곧은 선	굽은 선

⊙ 선분, 반직선, 직선

· 두 점을 곧게 이은 선을 선분이라고 합니다.

ㄱ   ㄴ

➜ 점 ㄱ과 점 ㄴ을 이은 선분을 선분 ㄱㄴ 또는 선분 ㄴㄱ이라고 합니다.

· 한 점에서 시작하여 한쪽으로 끝없이 늘인 곧은 선을 반직선이라고 합니다.

ㄱ   ㄴ

➜ 점 ㄱ에서 시작하여 점 ㄴ을 지나는 반직선을 반직선 ㄱㄴ이라고 합니다.

ㄱ   ㄴ

➜ 점 ㄴ에서 시작하여 점 ㄱ을 지나는 반직선을 반직선 ㄴㄱ이라고 합니다.

주의 반직선 ㄱㄴ과 반직선 ㄴㄱ은 시작하는 점이 다릅니다.

· 선분을 양쪽으로 끝없이 늘인 곧은 선을 직선이라고 합니다.

ㄱ   ㄴ

➜ 점 ㄱ과 점 ㄴ을 지나는 직선을 직선 ㄱㄴ 또는 직선 ㄴㄱ이라고 합니다.

확인 문제

1 곧은 선에 ○표, 굽은 선에 △표 하세요.

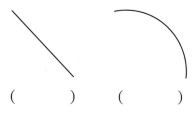

(   )   (   )

2 도형의 이름을 찾아 선으로 이어 보세요.

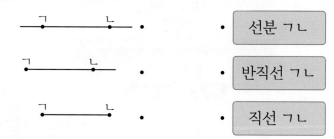

·   · 선분 ㄱㄴ

·   · 반직선 ㄱㄴ

·   · 직선 ㄱㄴ

3 바르게 설명한 것을 찾아 기호를 써 보세요.

> ㉠ 직선은 선분을 양쪽으로 끝없이 늘인 굽은 선입니다.
> ㉡ 반직선 ㄱㄴ과 반직선 ㄴㄱ은 같습니다.
> ㉢ 선분은 끝이 있는 곧은 선입니다.

(   )

4 반직선 ㄷㄱ을 그어 보세요.

ㄴ

ㄱ

ㄷ

개념

각, 직각

· 한 점에서 그은 두 반직선으로 이루어진 도형을 각이라고 합니다.

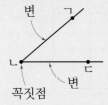

각 ㄱㄴㄷ 또는 각 ㄷㄴㄱ
➜ 각의 꼭짓점: 점 ㄴ
➜ 각의 변: 변 ㄴㄱ과 변 ㄴㄷ

· 그림과 같이 종이를 반듯하게 두 번 접었을 때 생기는 각을 직각이라고 합니다.

참고 직각을 나타낼 때에는 ⌐ 로 표시합니다.

직각삼각형

· 한 각이 직각인 삼각형을 직각삼각형이라고 합니다.

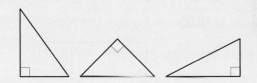

직사각형, 정사각형

· 네 각이 모두 직각인 사각형을 직사각형이라고 합니다.

· 네 각이 모두 직각이고 네 변의 길이가 모두 같은 사각형을 정사각형이라고 합니다.

직사각형　　　　　　정사각형

확인 문제

5 도형을 보고 물음에 답해 보세요.

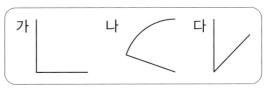

(1) 각을 모두 찾아 기호를 써 보세요.

(　　　　　)

(2) 직각을 찾아 기호를 써 보세요.

(　　　　　)

6 각의 변을 써 보세요.

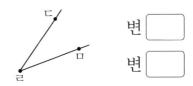

변 [　　]
변 [　　]

7 직각삼각형을 모두 찾아 기호를 써 보세요.

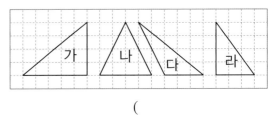

(　　　　　)

8 그림을 보고 물음에 답해 보세요.

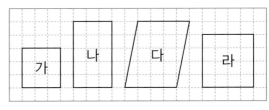

(1) 직사각형을 모두 찾아 기호를 써 보세요.

(　　　　　)

(2) 정사각형은 모두 몇 개인가요?

(　　　　　)

단계별로
서술형 문제 해결하기

과정 중심 평가 내용: 직사각형과 정사각형을 이해하고 찾을 수 있는가?

1-1 그림에서 찾을 수 있는 정사각형은 모두 몇 개인지 풀이 과정을 쓰고, 답을 구해 보세요. [8점]

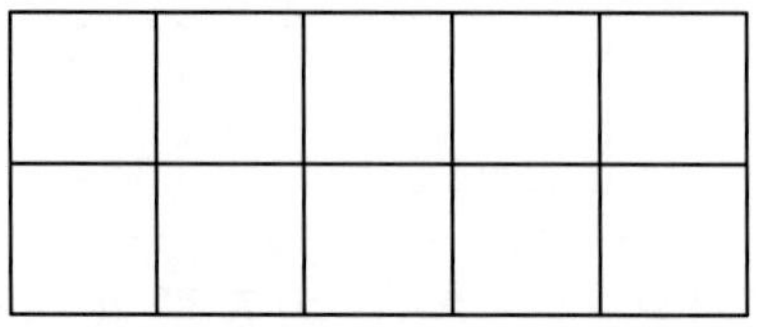

풀이

❶ 한 칸짜리 정사각형: □개

네 칸짜리 정사각형: □개

❷ 그림에서 찾을 수 있는 정사각형은 모두

□+□=□(개)입니다.

답

1-2 쌍둥이

그림에서 찾을 수 있는 정사각형은 모두 몇 개인지 풀이 과정을 쓰고, 답을 구해 보세요. [12점]

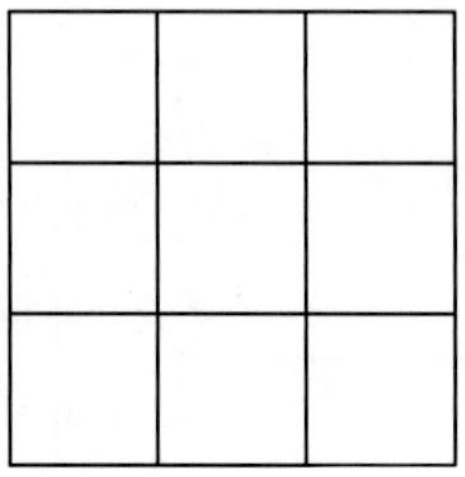

풀이

답

1-3 유사

그림에서 찾을 수 있는 직사각형은 모두 몇 개인지 풀이 과정을 쓰고, 답을 구해 보세요. [15점]

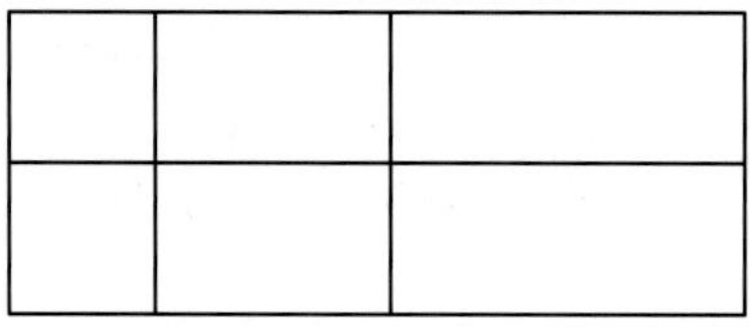

풀이

답

1-4 실전

그림에서 찾을 수 있는 직사각형은 모두 몇 개인지 풀이 과정을 쓰고, 답을 구해 보세요. [15점]

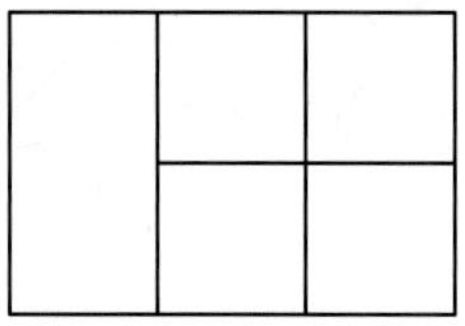

풀이

답

공부한 날 　월　　일

→ 정답 및 풀이 201~202쪽

2-1 네 변의 길이의 합이 24 cm인 정사각형입니다. 이 정사각형의 한 변의 길이는 몇 cm인지 풀이 과정을 쓰고, 답을 구해 보세요. [8점]

풀이

❶ 정사각형은 네 변의 길이가 모두 같으므로 한 변의 길이는 네 변의 길이의 합을 □(으)로 나누어 구합니다.

❷ □÷□=□이므로 정사각형의 한 변의 길이는 □cm입니다.

답

2-2 쌍둥이 네 변의 길이의 합이 36 cm인 정사각형입니다. 이 정사각형의 한 변의 길이는 몇 cm인지 풀이 과정을 쓰고, 답을 구해 보세요. [12점]

풀이

답

2-3 유사 다음과 같은 길이의 철사를 겹치지 않게 남김없이 사용하여 정사각형을 한 개 만들었습니다. 만든 정사각형의 한 변의 길이는 몇 cm인지 풀이 과정을 쓰고, 답을 구해 보세요. [15점]

─── 56 cm ───

풀이

답

2-4 실전 정사각형 2개를 겹치지 않게 붙여서 만든 직사각형입니다. 만든 직사각형의 네 변의 길이의 합이 42 cm일 때, 정사각형의 한 변의 길이는 몇 cm인지 풀이 과정을 쓰고, 답을 구해 보세요. [15점]

풀이

답

단원 평가

| 선분, 반직선, 직선 |

01 선분 ㄱㄴ을 찾아 기호를 써 보세요.
하

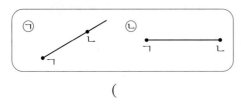

( )

| 선분, 반직선, 직선 |

02 도형의 이름을 써 보세요.
하

( )

| 각 |

03 도형에서 각은 모두 몇 개인지 구해 보세요.
하

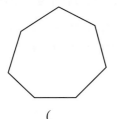

( )

| 직사각형 |

04 오른쪽과 같이 네 각이 모두 직각인 사각형의 이름을 써 보세요.
하

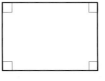

( )

| 선분, 반직선, 직선 |

05 점을 이용하여 선분 ㄱㄴ, 반직선 ㄹㄷ, 직선 ㅁㅂ을 각각 그어 보세요.
중

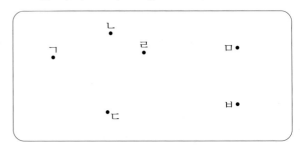

| 선분, 반직선, 직선 |

06 도형에서 선분은 모두 몇 개인지 구해 보세요.
중

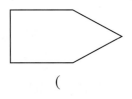

( )

| 선분, 반직선, 직선 | 서술형

07 도형이 반직선 ㅁㅂ이 아닌 이유를 쓰고, 도형의 이름을 바르게 써 보세요.
중

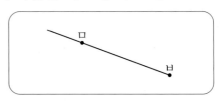

이유

_____

_____

도형의 이름 ( )

| 각 |

08 각을 보고 물음에 답해 보세요.
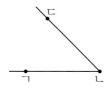

(1) 각을 읽어 보세요.

(   )

(2) 각의 변을 읽어 보세요.

(   ), (   )

| 직각 |

09 점 ㄱ에서 직각을 그리려고 할 때, 지나가야 하는 점을 찾아 써 보세요.
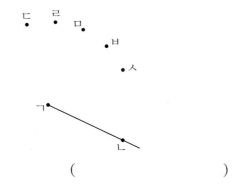

(   )

| 직각 |

10 그림에서 찾을 수 있는 직각은 모두 몇 개인 지 구해 보세요.
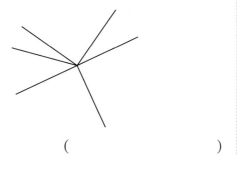

(   )

| 직각삼각형 |

11 설명하는 도형의 이름을 써 보세요.

- 3개의 선분으로 둘러싸여 있습니다.
- 꼭짓점이 3개 있습니다.
- 직각이 1개 있습니다.

(   )

| 직각삼각형 |

12 칠교판의 조각 중에서 직각삼각형 모양 조각은 모두 몇 개인지 구해 보세요.

(   )

| 직사각형, 정사각형 |

13 직사각형과 정사각형을 각각 모두 찾아 기호를 써 보세요.
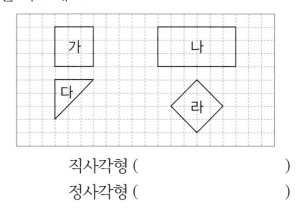

직사각형 (   )

정사각형 (   )

| 직사각형, 정사각형 |

14 점 종이 위에 직사각형과 정사각형을 각각
중 1개씩 그려 보세요.

| 직사각형 |

15 직사각형에 대한 설명으로 옳은 것을 모두
중 찾아 기호를 써 보세요.

> ㉠ 변이 4개 있습니다.
> ㉡ 직각이 1개 있습니다.
> ㉢ 꼭짓점이 2개 있습니다.
> ㉣ 네 각이 모두 직각입니다.

(   )

| 정사각형 |

16 그림은 정사각형입니다. ☐ 안에 알맞은 수를
중 써넣으세요.

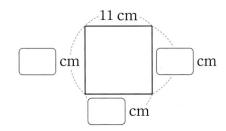

| 직사각형, 정사각형 |

17 주어진 사각형의 안쪽에 선분을 한 개만 그
중 어 정사각형을 만들어 보세요.

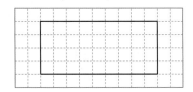

| 정사각형 |

18 네 변의 길이의 합이 80 cm인 정사각형 모
상 양의 딱지를 만들었습니다. 딱지의 한 변의
길이는 몇 cm인지 구해 보세요.

(   )

| 정사각형 | 서술형

19 오른쪽 그림에서 찾을 수 있
상 는 정사각형은 모두 몇 개인
지 풀이 과정을 쓰고, 답을
구해 보세요.

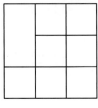

풀이

답 _____

| 직사각형, 정사각형 | 서술형

20 가는 직사각형이고, 나는 정사각형입니다.
상 가와 나 중에서 네 변의 길이의 합이 더 긴
도형은 어느 것인지 풀이 과정을 쓰고, 답을
구해 보세요.

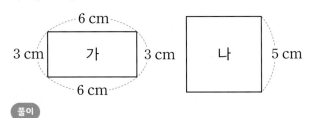

풀이

답 _____

직각이 있는 도형은 언제 사용할까요?

3

나눗셈

• 학생들이 학교 텃밭에서 수확한 채소를 똑같이 나누고 있습니다.
• 당근 24개를 4명이 어떻게 하면 똑같이 나누어 가질 수 있을지 궁금해하고 있습니다.

그림 속 상황

자/기/주/도/학/습

1 차시

준비 팡팡

학습 목표

'무엇을 알고 있나요'와 '함께 생각해 볼까요'를 통하여 단원을 준비할 수 있습니다.

◆ ☐ 안에 알맞은 수에 해당하는 채소를 찾아 바구니에 붙이기

① 하민이 바구니에 알맞은 채소를 찾습니다.

➡ $5 \times 7 = \boxed{35}$ 이므로 ＿＿＿＿ 입니다.

➡ $8 \times \boxed{9} = 72$ 이므로 ＿＿＿＿ 입니다.

➡ $\boxed{8} \times 5 = 40$ 이므로 ＿＿＿＿ 입니다.

② 주용이 바구니에 알맞은 채소를 찾습니다.

➡ $6 \times 4 = \boxed{24}$ 이므로 ＿＿＿＿ 입니다.

➡ $3 \times \boxed{3} = 9$ 이므로 ＿＿＿＿ 입니다.

➡ $\boxed{7} \times 7 = 49$ 이므로 ＿＿＿＿ 입니다.

학부모 코칭 Tip

곱셈구구를 이해하고 있는지를 확인하고 곱셈구구가 능숙하지 않다면 틈틈이 곱셈구구를 복습하게 합니다.

교과서 개념 완성 | 배운 것을 다시 생각하기

➡ 2, 5의 단 곱셈구구

×	1	2	3	4	5	6	7	8	9
2	2	4	6	8	10	12	14	16	18

×	1	2	3	4	5	6	7	8	9
5	5	10	15	20	25	30	35	40	45

➡ 3, 6의 단 곱셈구구

×	1	2	3	4	5	6	7	8	9
3	3	6	9	12	15	18	21	24	27

×	1	2	3	4	5	6	7	8	9
6	6	12	18	24	30	36	42	48	54

➡ 4, 8의 단 곱셈구구

×	1	2	3	4	5	6	7	8	9
4	4	8	12	16	20	24	28	32	36

×	1	2	3	4	5	6	7	8	9
8	8	16	24	32	40	48	56	64	72

➡ 7, 9의 단 곱셈구구

×	1	2	3	4	5	6	7	8	9
7	7	14	21	28	35	42	49	56	63

×	1	2	3	4	5	6	7	8	9
9	9	18	27	36	45	54	63	72	81

👦 함께 생각해 볼까요

1 같은 과자 12개를 친구들과 나누어 가졌습니다. 나눈 방법을 각각 이야기해 보세요.

📝 같은 과자 12개를 3명이 각각 5개, 3개, 4개로 나누어 가졌습니다.

📝 같은 과자 12개를 3명이 똑같이 4개씩 나누어 가졌습니다.

2 공 24개를 4개씩 묶어 보세요.

┌ 남은 딸기가 없을 때까지 나누어야 합니다.

3 딸기 15개를 접시 3개에 똑같이 나누어 담으려고 합니다. 그림과 같이 똑같이 나누어 보세요.

63

🔷 **같은 과자 12개를 나눈 방법 이야기해 보기**
· 왼쪽 그림은 같은 과자 12개를 3명이 각각 5개, 3개, 4개로 나누어 가졌습니다.
· 오른쪽 그림은 같은 과자 12개를 3명이 똑같이 4개씩 나누어 가졌습니다.

🔷 **공 24개를 4개씩 묶어 보기**
공 24개를 4개씩 묶어 봅니다.

🔷 **딸기 15개를 접시 3개에 똑같이 나누어 담기**

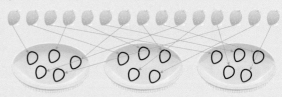

학부모 코칭 Tip

일상생활에서 '나누기'는 다양한 분할 상황을 담지만 수학에서의 '나누기'는 나눌 수 없을 때까지 똑같이 나누는 것입니다. 나눗셈을 배우기에 앞서 어떻게 나누어야 하는지에 대해 생각해 보게 합니다.

👩 개념 확인 문제　　정답 및 풀이 204쪽

| 2-1 6. 곱셈 |

1 사탕이 모두 몇 개인지 구하는 곱셈식을 완성해 보세요.

$3 \times \boxed{} = \boxed{}$

| 2-2 2. 곱셈구구 |

2 ☐ 안에 알맞은 수를 써넣으세요.

$6 \times 4 = 8 \times \boxed{}$

| 2-2 2. 곱셈구구 |

3 빈칸에 알맞은 수를 써넣으세요.

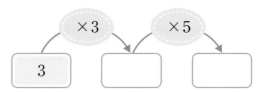

| 2-2 2. 곱셈구구 |

4 ㉠과 ㉡에 알맞은 두 수의 곱을 구해 보세요.

$5 \times ㉠ = 35,\ ㉡ \times 8 = 48$

(　　　　　)

1 | 똑같이 나누기(1)

똑같이 덜어 내는 활동을 통하여 나눗셈을 이해하고, 나눗셈식으로 나타낼 수 있습니다.

그림으로 개념 잡기

귤 18개를 한 접시에 3개씩 담아 줘!

그럼 접시는 몇 개 필요해요?

$18-3-3-3-3-3-3=0$

➡ 18에서 3을 6번 빼면 0이 됩니다.
└─ 필요한 접시의 수

어휘	나눗셈식 式 (법 식)	몇 개의 수나 식 따위를 나누어 계산하거나 셈하는 식을 말합니다.

---

1 똑같이 나누기 (1)

똑같이 덜어 내는 활동을 통하여 나눗셈을 이해하고, 나눗셈식으로 나타낼 수 있습니다.

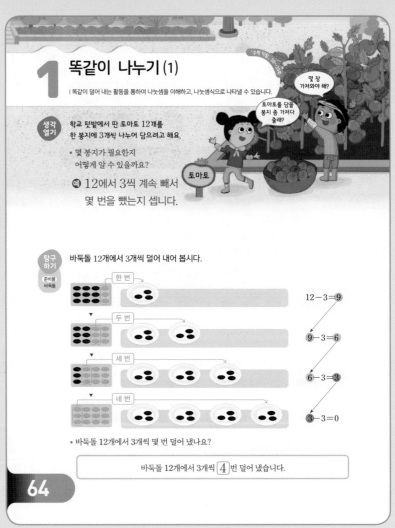

생각 열기 학교 텃밭에서 딴 토마토 12개를 한 봉지에 3개씩 나누어 담으려고 해요.

• 몇 봉지가 필요한지 어떻게 알 수 있을까요?

예 12에서 3씩 계속 빼서 몇 번을 뺐는지 셉니다.

탐구하기
준비물 바둑돌

바둑돌 12개에서 3개씩 덜어 내어 봅시다.

한 번	$12-3=9$
두 번	$9-3=6$
세 번	$6-3=3$
네 번	$3-3=0$

• 바둑돌 12개에서 3개씩 몇 번 덜어 냈나요?

바둑돌 12개에서 3개씩 **4** 번 덜어 냈습니다.

교과서 개념 완성

탐구하기 바둑돌 12개에서 3개씩 덜어 내기

• 바둑돌 12개에서 3개씩 한 번 덜어 내면 바둑돌은 $12-3=9$(개)가 남습니다.

• 바둑돌 12개에서 3개씩 두 번 덜어 내면 바둑돌은 $9-3=6$(개)가 남습니다.

• 바둑돌 12개에서 3개씩 세 번 덜어 내면 바둑돌은 $6-3=3$(개)가 남습니다.

• 바둑돌 12개에서 3개씩 네 번 덜어 내면 바둑돌은 $3-3=0$(개)가 남습니다.

• 바둑돌 12개에서 3개씩 다섯 번 덜어 낼 수는 없으므로 바둑돌 12개에서 3개씩 4번 덜어 냈습니다.

정리하기 똑같이 덜어 내는 상황을 나눗셈식으로 나타내기

구슬 6개를 2개씩 3번 덜어 냈습니다.

뺄셈식 $6-2-2-2=0$

나눗셈식 $6÷2=3$ ➡ '6 나누기 2는 3과 같습니다.'

몫 3

학부모 코칭 Tip

'전체의 수', '한 묶음의 수', '묶음의 개수'를 찾아보고 나눗셈식에서 나누어지는 수, 나누는 수, 몫과의 관련성을 이해하게 합니다.

$$18 ÷ 6 = 3$$

전체의 수	한 묶음의 수	묶음의 개수
나누어지는 수	나누는 수	몫

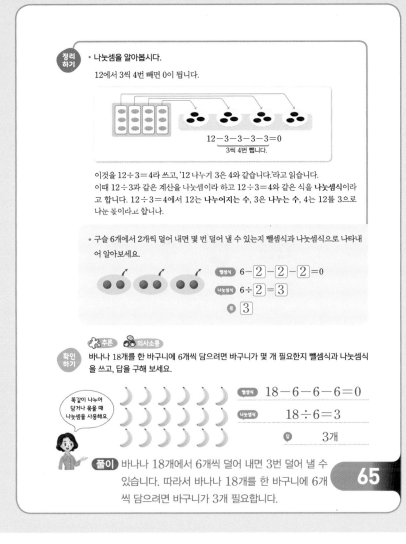

정리하기 • 나눗셈을 알아봅시다.

12에서 3씩 4번 빼면 0이 됩니다.

$$12-3-3-3-3=0$$
3씩 4번 뺍니다.

이것을 $12÷3=4$라 쓰고, '12 나누기 3은 4와 같습니다.'라고 읽습니다.
이때 $12÷3$과 같은 계산을 **나눗셈**이라 하고 $12÷3=4$와 같은 식을 **나눗셈식**이라고 합니다. $12÷3=4$에서 12는 **나누어지는 수**, 3은 **나누는 수**, 4는 12를 3으로 나눈 **몫**이라고 합니다.

• 구슬 6개에서 2개씩 덜어 내면 몇 번 덜어 낼 수 있는지 뺄셈식과 나눗셈식으로 나타내어 알아보세요.

뺄셈식 $6-\boxed{2}-\boxed{2}-\boxed{2}=0$

나눗셈식 $6÷\boxed{2}=\boxed{3}$

몫 $\boxed{3}$

추론 의사소통

확인하기 바나나 18개를 한 바구니에 6개씩 담으려면 바구니가 몇 개 필요한지 뺄셈식과 나눗셈식을 쓰고, 답을 구해 보세요.

똑같이 나누어 담거나 묶을 때 나눗셈을 사용해요.

뺄셈식 $18-6-6-6=0$

나눗셈식 $18÷6=3$

답 3개

풀이 바나나 18개에서 6개씩 덜어 내면 3번 덜어 낼 수 있습니다. 따라서 바나나 18개를 한 바구니에 6개씩 담으려면 바구니가 3개 필요합니다.

65

이런 문제가 서술형으로 나와요

영민이는 36쪽짜리 책을 하루에 6쪽씩 매일 읽습니다. 영진이가 이 책을 모두 읽으려면 며칠이 걸리는지 뺄셈식과 나눗셈식을 이용하여 구하려고 합니다. 풀이 과정을 쓰고, 답을 구해 보세요.

| 풀이 과정 |

❶ 뺄셈식을 이용하여 식으로 나타내기

$$36-6-6-6-6-6-6=0$$

❷ 나눗셈식으로 나타내어 답 구하기

36에서 6을 6번 빼면 0이므로 $36÷6=6$입니다.
따라서 6일이 걸립니다.

답 6일

• 수학 교과 역량 추론 의사소통

똑같이 덜어 내는 상황을 뺄셈식과 나눗셈식으로 나타내고 몫 구하기

똑같이 덜어 내는 나눗셈 상황을 이해하고 뺄셈식과 나눗셈식으로 나타내어 보는 활동을 통하여 추론 능력과 의사소통 능력을 기를 수 있습니다.

개념 확인 문제 정답 및 풀이 204쪽

1 나눗셈식을 읽어 보세요.

$$63÷7=9$$

🔊 읽기 $\boxed{}$ 나누기 $\boxed{}$ 은 $\boxed{}$ 와 같습니다.

2 몫이 6인 나눗셈식을 찾아 기호를 써 보세요.

㉠ $30÷6=5$ ㉡ $30÷5=6$

(   )

3 뺄셈식을 보고 나눗셈식으로 나타내어 보세요.

$$32-8-8-8-8=0 ➡ 32÷8=\boxed{}$$

4 쿠키 15개를 한 바구니에 5개씩 담으려면 바구니가 몇 개 필요한지 뺄셈식과 나눗셈식을 쓰고, 답을 구해 보세요.

뺄셈식 $15-5-\boxed{}-\boxed{}=0$

나눗셈식 $15÷\boxed{}=\boxed{}$

답

3 차시

2 | 똑같이 나누기(2)

똑같이 나누어 가지는 활동을 통하여 나눗셈을 이해하고, 나눗셈식으로 나타낼 수 있습니다.

그림으로 개념 잡기

사과 18개를 6명에게 똑같이 나누어 주기

⇨ 18 ÷ 6 = 3

한 명에게 3개씩
나누어 줄 수 있어.

주의 사과 18개를 6명에게 똑같이 나누어 줄 때 한 명에게 1개씩 번갈아 가면서 줄 수도 있고, 한 명에게 한 번에 2개나 3개씩 번갈아 가면서 줄 수도 있습니다. 이때 한 번에 1개가 아닌 2개, 3개씩 주더라도 한 명에게 똑같은 개수를 주어야 함에 주의합니다.

2 똑같이 나누기 (2)

똑같이 나누어 가지는 활동을 통하여 나눗셈을 이해하고, 나눗셈식으로 나타낼 수 있습니다.

생각 열기 학교 텃밭에서 수확한 여러 가지 채소를 담은 상자가 모두 12개 있어요.

• 상자 12개를 똑같은 개수로 나누어 세 곳의 복지 시설에 기부하려고 합니다. 한 복지 시설에 몇 상자씩 기부할 수 있을까요?

예 상자 12개를 한 곳에 1개씩 번갈아 가면서 주면 한 복지 시설에 4상자씩 기부할 수 있습니다.

탐구하기 **준비물 바둑돌** 바둑돌 12개를 3명이 똑같이 나누어 가져 봅시다.

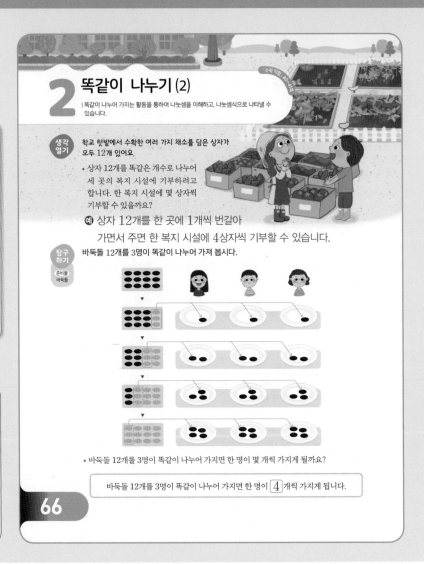

• 바둑돌 12개를 3명이 똑같이 나누어 가지면 한 명이 몇 개씩 가지게 될까요?

바둑돌 12개를 3명이 똑같이 나누어 가지면 한 명이 [4]개씩 가지게 됩니다.

66

교과서 개념 완성

탐구하기 바둑돌 12개를 3명이 똑같이 나누어 가지기

• 바둑돌 12개를 3명이 똑같이 1개씩 나누어 가지기
  ➡ 9개가 남습니다.

• 남은 바둑돌을 똑같이 1개씩 나누어 가지기
  ➡ 한 명이 2개씩 가지게 되고 6개가 남습니다.

• 남은 바둑돌을 똑같이 1개씩 나누어 가지기
  ➡ 한 명이 3개씩 가지게 되고 3개가 남습니다.

• 남은 바둑돌을 똑같이 1개씩 나누어 가지기
  ➡ 한 명이 4개씩 가지게 되고 남는 바둑돌은 없습니다.

확인하기 똑같이 나누어 가지는 상황을 나눗셈식으로 나타내고 몫 구하기

사과 8개를 4명이 똑같이 나누어 가지면 한 명이 2개씩 가지게 됩니다.

(한 명이 가지게 되는 사과의 수)
= (전체 사과의 수) ÷ (사람 수) = 8 ÷ 4 = 2(개)

➡ **나눗셈식** 8 ÷ 4 = 2   **답** 2개

참고 똑같이 나누어 가질 때에도 나눗셈을 사용합니다.

학부모 코칭 Tip

사과 8개를 4명이 똑같이 나누어 가지는 상황도 8 - 4 - 4 = 0으로 나타낼 수 있습니다. 이전 차시와 엄밀히 구분하기보다는 학생들이 나누는 상황에서 몫이 가지는 의미를 이해할 수 있게 합니다.

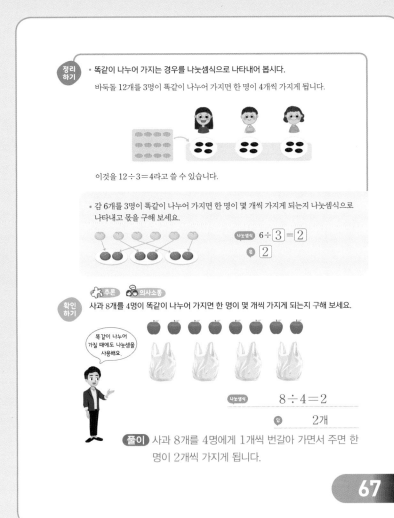

67

 이런 문제가 서술형으로 나와요

공책 56권을 8명이 똑같이 나누어 가지면 한 명이 몇 권씩 가지게 되는지 나눗셈식을 이용하여 구하려고 합니다. 풀이 과정을 쓰고, 답을 구해 보세요.

| 풀이 과정 |

❶ 공책 56권을 8명이 1권씩 번갈아 가면서 나누어 가지면 한 명이 몇 권씩 가지게 되는지 알기

공책 56권을 8명이 1권씩 번갈아 가면서 나누어 가지면 한 명이 7권씩 가지게 됩니다.

❷ 나눗셈식으로 나타내어 답 구하기

$56 \div 8 = 7$이므로 한 명이 7권씩 가지게 됩니다.

답 7권

• 수학 교과 역량 추론 의사소통

똑같이 나누어 가지는 상황을 나눗셈식으로 나타내고 몫 구하기

똑같이 나누어 가지는 나눗셈 상황을 이해하고 나눗셈식으로 나타내어 보는 활동을 통하여 추론 능력과 의사소통 능력을 기를 수 있습니다.

개념 확인 문제 정답 및 풀이 204쪽

1 사과 16개를 접시 4개에 똑같이 나누어 담으려고 합니다. 접시 한 개에 몇 개씩 담아야 하는지 ☐ 안에 알맞은 수를 써넣으세요.

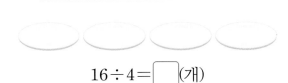

$16 \div 4 = $ ☐ (개)

2 ☐ 안에 알맞은 수를 써넣으세요.

사탕 24개를 3명이 똑같이 나누어 가지면 한 명이 ☐ 개씩 가지게 됩니다. → $24 \div 3 = $ ☐ (개)

3 붙임딱지 20개를 4명이 똑같이 나누어 가지면 한 명이 몇 개씩 가지게 되는지 구해 보세요.

나눗셈식 ┄┄┄┄┄┄┄┄┄┄┄┄┄┄┄┄┄┄

답 ┄┄┄┄┄┄┄┄┄┄┄┄┄┄┄┄┄┄┄

4 차시

3 | 곱셈과 나눗셈의 관계

학습 목표

곱셈식을 나눗셈식으로, 나눗셈식을 곱셈식으로 바꿀 수 있습니다.

그림으로 개념 잡기

우리 둘을 곱하면 15가 돼.

$$15 \div 3 = 5$$

$$3 \times 5 = 15$$

나를 3으로 나누면 5,
5로 나누면 3이야.

참고
나눗셈식은 곱셈식 2개로, 곱셈식은 나눗셈식 2개로 나타낼 수 있습니다.

어휘
사칙연산
덧셈, 뺄셈, 곱셈, 나눗셈을 이용하여 하는 셈을 말합니다.

3 곱셈과 나눗셈의 관계

곱셈식을 나눗셈식으로, 나눗셈식을 곱셈식으로 바꿀 수 있습니다.

생각
열기
학교 텃밭에 모종을 15포기 심었어요.

• 심은 모종을 보고 떠오르는 곱셈식을 써 보세요.

곱셈식 예 $5 \times 3 = 15$

• 심은 모종을 보고 떠오르는 나눗셈식을 써 보세요.

나눗셈식 예 $15 \div 5 = 3$

탐구
하기
곱셈과 나눗셈의 관계를 알아봅시다.

• 그림을 보고 곱셈식과 나눗셈식으로 나타내어 보세요.

곱셈식	나눗셈식
모종이 5포기씩 3줄 있으므로 모두 15포기입니다. ➡ $5 \times \boxed{3} = \boxed{15}$	모종 15포기를 한 줄에 5포기씩 심으면 3줄이 됩니다. ➡ $15 \div \boxed{5} = \boxed{3}$
모종이 3포기씩 5줄 있으므로 모두 15포기입니다. ➡ $3 \times \boxed{5} = \boxed{15}$	모종 15포기를 한 줄에 3포기씩 심으면 5줄이 됩니다. ➡ $15 \div \boxed{3} = \boxed{5}$

• $5 \times 3 = 15$를 나눗셈식 2개로 나타내어 보세요.
$15 \div 5 = 3, \ 15 \div 3 = 5$

• $15 \div 5 = 3$을 곱셈식 2개로 나타내어 보세요.
$5 \times 3 = 15, \ 3 \times 5 = 15$

68

교과서 개념 완성

탐구하기 정리하기 **그림을 보고 곱셈식과 나눗셈식으로 나타내기**

• 모종이 5포기씩 3줄 있으므로 모두 15포기입니다.
➜ $5 \times 3 = 15$

• 모종이 3포기씩 5줄 있으므로 모두 15포기입니다.
➜ $3 \times 5 = 15$

• 모종 15포기를 한 줄에 5포기씩 심으면 3줄이 됩니다. ➜ $15 \div 5 = 3$

• 모종 15포기를 한 줄에 3포기씩 심으면 5줄이 됩니다. ➜ $15 \div 3 = 5$

• $5 \times 3 = 15$를 나눗셈식 2개로 나타낼 수 있습니다.

$5 \times 3 = 15 \qquad 5 \times 3 = 15$

$15 \div 5 = 3 \qquad 15 \div 3 = 5$

• $15 \div 5 = 3$을 곱셈식 2개로 나타낼 수 있습니다.

$15 \div 5 = 3 \qquad 15 \div 5 = 3$

$5 \times 3 = 15 \qquad 3 \times 5 = 15$

확인하기 **곱셈식을 나눗셈식으로, 나눗셈식을 곱셈식으로 나타내기**

곱셈과 나눗셈의 관계는 덧셈과 뺄셈의 관계와 비슷합니다.

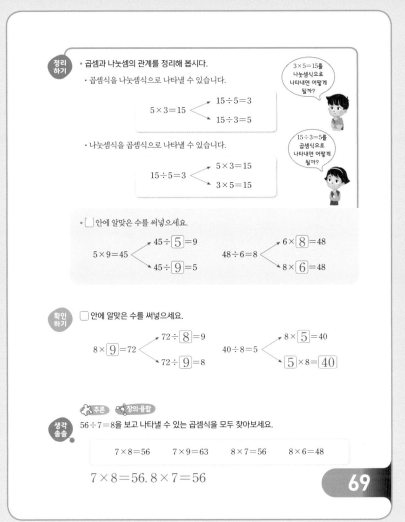

정리하기

• 곱셈과 나눗셈의 관계를 정리해 봅시다.

• 곱셈식을 나눗셈식으로 나타낼 수 있습니다.

$$5 \times 3 = 15$$

$$15 \div 5 = 3$$
$$15 \div 3 = 5$$

3×5=15를 나눗셈식으로 나타내면 어떻게 될까?

• 나눗셈식을 곱셈식으로 나타낼 수 있습니다.

$$15 \div 5 = 3$$

$$5 \times 3 = 15$$
$$3 \times 5 = 15$$

15÷3=5를 곱셈식으로 나타내면 어떻게 될까?

• 안에 알맞은 수를 써넣으세요.

$$5 \times 9 = 45$$

$$45 \div \boxed{5} = 9$$
$$45 \div \boxed{9} = 5$$

$$48 \div 6 = 8$$

$$6 \times \boxed{8} = 48$$
$$8 \times \boxed{6} = 48$$

확인하기 안에 알맞은 수를 써넣으세요.

$$8 \times \boxed{9} = 72$$

$$72 \div \boxed{8} = 9$$
$$72 \div \boxed{9} = 8$$

$$40 \div 8 = 5$$

$$8 \times \boxed{5} = 40$$
$$\boxed{5} \times 8 = \boxed{40}$$

생각 쑥쑥 ★추론 ●창의·융합

56÷7=8을 보고 나타낼 수 있는 곱셈식을 모두 찾아보세요.

| $7 \times 8 = 56$ | $7 \times 9 = 63$ | $8 \times 7 = 56$ | $8 \times 6 = 48$ |

$$7 \times 8 = 56, 8 \times 7 = 56$$

69

이런 문제가 서술형으로 나와요

그림을 보고 곱셈식과 나눗셈식으로 나타내고, 전체를 4묶음으로 나누었을 때 한 묶음에는 구슬이 몇 개인지 풀이 과정을 쓰고, 답을 구해 보세요.

| 풀이 과정 |

❶ 곱셈식과 나눗셈식으로 나타내기

곱셈식: $7 \times 4 = 28$

나눗셈식: $28 \div 7 = 4$, $28 \div 4 = 7$

❷ 한 묶음에는 구슬이 몇 개인지 구하기

$28 \div 4 = 7$이므로 4묶음으로 나누면 한 묶음에 7개입니다.   **답** 7개

수학 교과 역량 ★추론 ●창의·융합

나눗셈식을 보고 나타낼 수 있는 곱셈식 찾기

곱셈과 나눗셈의 관계를 탐구하고 곱셈식을 나눗셈식으로, 나눗셈식을 곱셈식으로 바꾸는 활동을 통하여 추론 능력과 창의·융합 능력을 기를 수 있습니다.

 개념 확인 문제   정답 및 풀이 204쪽

1 그림을 보고 곱셈식과 나눗셈식으로 나타내어 보세요.

$$8 \times 2 = \boxed{}$$

$$16 \div \boxed{} = 2$$

2 36÷4=9를 곱셈식으로 바르게 나타낸 것에 ○표 하세요.

$$4 \times 9 = 36 \qquad\qquad 3 \times 9 = 27$$

(   )   (   )

3 곱셈식을 나눗셈식으로, 나눗셈식을 곱셈식으로 나타내어 보세요.

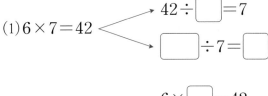

(1) $6 \times 7 = 42$

$$42 \div \boxed{} = 7$$
$$\boxed{} \div 7 = \boxed{}$$

(2) $42 \div 6 = 7$

$$6 \times \boxed{} = 42$$
$$\boxed{} \times 6 = \boxed{}$$

4 | 나눗셈의 몫 구하기

학습 목표

곱셈식을 이용하여 나눗셈의 몫을 구할 수 있습니다.

그림으로 개념 잡기

몫을 구하려면 6의 단 곱셈구구를 이용해.

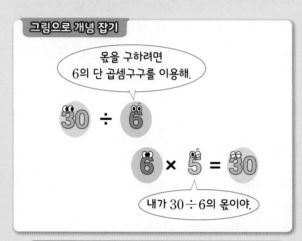

$30 \div 6$

$6 \times 5 = 30$

내가 $30 \div 6$의 몫이야.

■ $30 \div 6$의 몫 구하기

×	1	2	3	4	5	6	7	8	9
4	4	8	12	16	20	24	28	32	36
5	5	10	15	20	25	30	35	40	45
6	6	12	18	24	30	36	42	48	54

참고

① 6의 단 곱셈구구에서 곱이 30인 곱셈식을 찾습니다. ➡ $6 \times 5 = 30$

② $6 \times 5 = 30$이므로 $30 \div 6$의 몫은 5입니다.

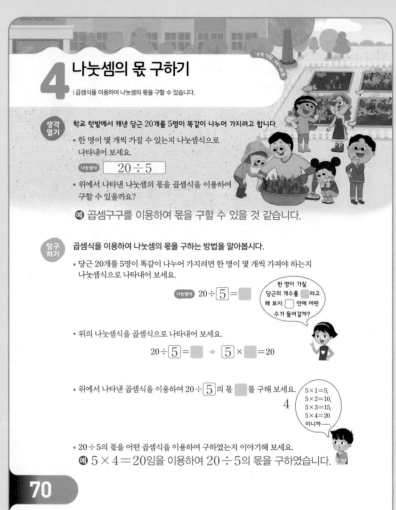

4 나눗셈의 몫 구하기

곱셈식을 이용하여 나눗셈의 몫을 구할 수 있습니다.

생각 열기

학교 텃밭에서 캐낸 당근 20개를 5명이 똑같이 나누어 가지려고 합니다.

• 한 명이 몇 개씩 가질 수 있는지 나눗셈식으로 나타내어 보세요.

나눗셈식 $20 \div 5$

• 위에서 나타낸 나눗셈의 몫을 곱셈식을 이용하여 구할 수 있을까요?

예 곱셈구구를 이용하여 몫을 구할 수 있을 것 같습니다.

탐구 하기

곱셈식을 이용하여 나눗셈의 몫을 구하는 방법을 알아봅시다.

• 당근 20개를 5명이 똑같이 나누어 가지려면 한 명이 몇 개씩 가져야 하는지 나눗셈식으로 나타내어 보세요.

나눗셈식 $20 \div 5 = \square$

한 명이 가질 당근의 개수를 □라고 해 보자. □ 안에 어떤 수가 들어갈까?

• 위의 나눗셈식을 곱셈식으로 나타내어 보세요.

$20 \div 5 = \square$ ➡ $5 \times \square = 20$

• 위에서 나타낸 곱셈식을 이용하여 $20 \div 5$의 몫 $\square$을 구해 보세요.

4

$5 \times 1 = 5,$
$5 \times 2 = 10,$
$5 \times 3 = 15,$
$5 \times 4 = 20$
이니까……

• $20 \div 5$의 몫을 어떤 곱셈식을 이용하여 구하였는지 이야기해 보세요.

예 $5 \times 4 = 20$임을 이용하여 $20 \div 5$의 몫을 구하였습니다.

70

 교과서 개념 완성

탐구하기 **정리하기** **곱셈식을 이용하여 나눗셈의 몫을 구하는 방법 알아보기**

• 당근 20개를 5명이 똑같이 나누어 가질 때, 한 명이 ★개씩 가져야 한다고 하면 나눗셈식은 $20 \div 5 = ★$입니다.

• 5명이 ★개씩 20개를 모두 나누어 가졌으므로 $20 \div 5 = ★$을 곱셈식으로 나타내면 $5 \times ★ = 20$ 입니다.

• 5의 단 곱셈구구를 이용하면 $5 \times 4 = 20$이므로 $20 \div 5$의 몫 ★은 4입니다. 즉, $20 \div 5 = 4$입니다.

학부모 코칭 Tip

나눗셈식을 곱셈식으로 나타내고, 곱셈식에서 나누어지는 수, 나누는 수, 몫을 찾아보고 (나누는 수)×(몫)=(나누어지는 수)로 나타낼 수 있음을 이해하게 합니다.

확인하기 **곱셈식을 이용하여 나눗셈의 몫 구하기**

• $32 \div 4$ ➡ $4 \times 8 = 32,$ 몫 8
• $42 \div 6$ ➡ $6 \times 7 = 42,$ 몫 7
• $49 \div 7$ ➡ $7 \times 7 = 49,$ 몫 7
• $21 \div 3$ ➡ $3 \times 7 = 21,$ 몫 7
• $45 \div 5$ ➡ $5 \times 9 = 45,$ 몫 9
• $54 \div 9$ ➡ $9 \times 6 = 54,$ 몫 6

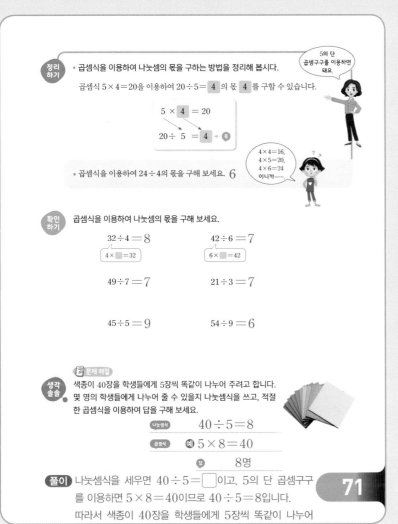

정리
하기
· 곱셈식을 이용하여 나눗셈의 몫을 구하는 방법을 정리해 봅시다.

5의 단 곱셈구구를 이용하면 돼요

곱셈식 $5 \times 4 = 20$을 이용하여 $20 \div 5 = 4$ 의 몫 4 를 구할 수 있습니다.

$$5 \times 4 = 20$$
$$20 \div 5 = 4 \leftarrow 몫$$

$4 \times 4 = 16,$
$4 \times 5 = 20,$
$4 \times 6 = 24$
이니까......

· 곱셈식을 이용하여 $24 \div 4$의 몫을 구해 보세요. 6

확인
하기
곱셈식을 이용하여 나눗셈의 몫을 구해 보세요.

$32 \div 4 = 8$ $42 \div 6 = 7$
$4 \times \boxed{} = 32$ $6 \times \boxed{} = 42$

$49 \div 7 = 7$ $21 \div 3 = 7$

$45 \div 5 = 9$ $54 \div 9 = 6$

생각
솔솔   🔑 문제 해결
색종이 40장을 학생들에게 5장씩 똑같이 나누어 주려고 합니다. 몇 명의 학생들에게 나누어 줄 수 있을지 나눗셈식을 쓰고, 적절한 곱셈식을 이용하여 답을 구해 보세요.

나눗셈식 $40 \div 5 = 8$
곱셈식   예 $5 \times 8 = 40$
답   8명

풀이 나눗셈식을 세우면 $40 \div 5 = \boxed{}$이고, 5의 단 곱셈구구를 이용하면 $5 \times 8 = 40$이므로 $40 \div 5 = 8$입니다.
따라서 색종이 40장을 학생들에게 5장씩 똑같이 나누어 주면 8명에게 나누어 줄 수 있습니다.

71

이런 문제가 서술형으로 나와요

리본 1개로 선물 7개를 포장할 수 있습니다. 선물 42개를 포장하려면 리본 몇 개가 필요한지 풀이 과정을 쓰고, 답을 구해 보세요.

| 풀이 과정 |

❶ 답을 구하기 위한 곱셈식 찾기

7의 단 곱셈구구에서 42를 만드는 곱셈식은 $7 \times 6 = 42$입니다.

❷ 선물 42개를 포장하려면 리본 몇 개가 필요한지 구하기

$7 \times 6 = 42$ ➡ $42 \div 7 = \boxed{6}$

따라서 리본 6개가 필요합니다.

답 6개

◀ 수학 교과 역량 🔑 문제 해결

곱셈식을 이용하여 나눗셈의 몫을 구해 문제 해결하기
곱셈식을 이용하여 문제를 해결하는 과정을 통하여 문제 해결 능력을 기를 수 있습니다.

 개념 확인 문제 정답 및 풀이 205쪽

1 $45 \div 9$의 몫을 구하기 위해 필요한 곱셈식으로 알맞은 것에 ○표 하세요.

$9 \times 4 = 36$ $9 \times 5 = 45$

2 6의 단 곱셈구구를 이용하여 몫을 구할 수 있는 나눗셈을 말한 친구의 이름을 써 보세요.

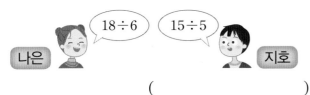

$18 \div 6$ $15 \div 5$

나은   지호

(   )

3 나눗셈의 몫을 구해 보세요.
(1) $14 \div 7$ (2) $30 \div 6$
(3) $24 \div 3$ (4) $81 \div 9$

4 샌드위치 27개를 한 명에게 3개씩 나누어 주려고 합니다. 몇 명에게 줄 수 있는지 나눗셈식을 쓰고, 곱셈식을 이용하여 답을 구해 보세요.

나눗셈식   곱셈식
....

답
....

7 차시 | 문제 해결력 | 쑥쑥 | 몇 그루의 나무를 심어야 할까요

학습 목표

그림 그리기 전략을 이용하여 나눗셈에 대한 문제를 해결할 수 있습니다.

문제 해결 전략 그림 그리기 전략

수학 교과 역량 문제 해결 추론

몇 그루의 나무를 심어야 할까요

- 문제의 조건을 확인하고 문제 해결에 적절한 전략을 선택하여 문제를 해결하는 과정을 통하여 문제 해결 능력을 기를 수 있습니다.
- 그림을 그려서 세운 식이 적절하지 않음을 살펴보고 추측과 정당화하는 과정을 통하여 추론 능력을 기를 수 있습니다.

문제 해결 Tip
이 문제를 해결할 때의 핵심은 길의 시작점과 끝점에도 나무를 심는다는 것입니다. 간단한 그림을 그려 보고 어떻게 구할지 생각해 봅니다.

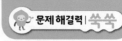

문제 해결 추론

길이가 36 m인 길에 6 m 간격으로 나무를 심으려고 합니다. 길의 시작점과 끝점에도 나무를 심는다면 몇 그루의 나무를 심어야 하는지 구해 보세요.

문제 이해하기
- 구하려고 하는 것은 무엇인가요?
  6 m 간격으로 나무를 심을 때 필요한 나무의 수입니다.
- 알고 있는 것은 무엇인가요?
  - 길의 길이가 36 m이고, 6 m 간격으로 나무를 심어야 합니다.
  - 길의 시작점과 끝점에도 나무를 심어야 합니다.

계획 세우기
- 어떤 방법으로 문제를 해결할 수 있을지 계획을 세워 보세요.

36을 6으로 나누면 될까?

글쎄, 그림을 그려 보면 어떻게 구할지 알 수 있을 것 같아.

72

교과서 개념 완성

문제 이해하기

>> **구하려고 하는 것**

6 m 간격으로 나무를 심을 때 필요한 나무의 수입니다.

>> **알고 있는 것**

- 길의 길이가 36 m이고, 6 m 간격으로 나무를 심어야 합니다.
- 길의 시작점과 끝점에도 나무를 심어야 합니다.

학부모 코칭 Tip
간단한 그림을 그려 문제를 어떻게 해결할 수 있을지 살펴보는 과정에서 $36 \div 6$의 몫을 답으로 하면 안 되는 이유를 이해하게 합니다.

계획 세우기

- 길의 시작점과 끝점에도 나무를 심어야 하므로 $36 \div 6$의 몫을 답으로 하면 안 될 것 같습니다.
- 길을 선분으로, 나무를 점이나 다른 방법으로 하여 간단히 그림으로 나타내어 보면 어떻게 구할 수 있을지 알 수 있을 것 같습니다.

계획대로 풀기

|← 6 m →|← 6 m →|← 6 m →|← 6 m →|← 6 m →|← 6 m →|
←———————— 36 m ————————→

$36 \div 6 = 6$이고, 길의 시작점과 끝점에도 나무를 심어야 하므로 모두 7그루를 심어야 합니다.

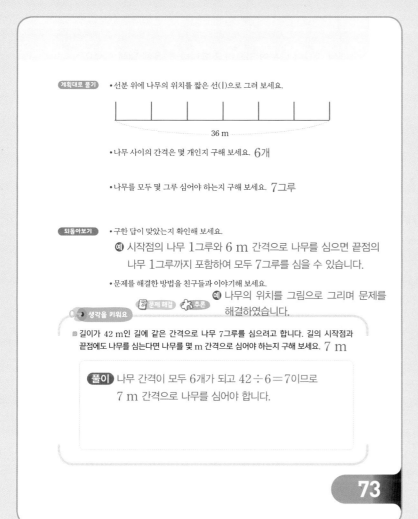

계획대로 풀기
• 선분 위에 나무의 위치를 짧은 선(l)으로 그려 보세요.

36 m

• 나무 사이의 간격은 몇 개인지 구해 보세요. 6개

• 나무를 모두 몇 그루 심어야 하는지 구해 보세요. 7그루

되돌아보기
• 구한 답이 맞았는지 확인해 보세요.
예 시작점의 나무 1그루와 6 m 간격으로 나무를 심으면 끝점의 나무 1그루까지 포함하여 모두 7그루를 심을 수 있습니다.

• 문제를 해결한 방법을 친구들과 이야기해 보세요.
예 나무의 위치를 그림으로 그리며 문제를 해결하였습니다.

생각을 키워요　　문제 해결　추론

🖉 길이가 42 m인 길에 같은 간격으로 나무 7그루를 심으려고 합니다. 길의 시작점과 끝점에도 나무를 심는다면 나무를 몇 m 간격으로 심어야 하는지 구해 보세요. 7 m

풀이 나무 간격이 모두 6개가 되고 42÷6=7이므로 7 m 간격으로 나무를 심어야 합니다.

73

생각을 키워요
문제 해결　추론

문제 이해하기
》 구하려고 하는 것
같은 간격으로 나무 7그루를 심을 때 나무 사이의 간격입니다.

》 알고 있는 것
• 길의 길이가 42 m이고, 같은 간격으로 나무 7그루를 심어야 합니다.
• 길의 시작점과 끝점에도 나무를 심어야 합니다.

계획 세우기
• 42를 어떤 수로 나누어야 하는지 그림을 그려 보면 알 수 있을 것 같습니다.
• 42를 간격의 수로 나누면 될 것 같습니다.

계획대로 풀기

7 m　7 m　7 m　7 m　7 m　7 m
42 m

나무 간격이 모두 6개가 되므로 42÷6=7입니다. 따라서 7 m 간격으로 나무를 심어야 합니다.

되돌아보기
길의 시작점부터 시작하여 7 m 간격으로 나무를 그려 보면 모두 7그루를 심을 수 있음을 알 수 있습니다.

문제 해결력 문제
정답 및 풀이 205쪽

1 길이가 40 m인 길에 처음부터 끝까지 5 m 간격으로 나무를 심었습니다. 심은 나무는 모두 몇 그루인가요?

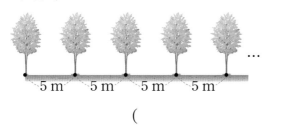

5 m　5 m　5 m　5 m

(　　　　　)

2 길이가 72 m인 길에 처음부터 끝까지 8 m 간격으로 나무를 심었습니다. 심은 나무는 모두 몇 그루인가요?

(　　　　　)

3 길이가 56 m인 도로의 양쪽에 처음부터 끝까지 8 m 간격으로 나무를 심었습니다. 심은 나무는 모두 몇 그루인가요?

(　　　　　)

 추론  의사소통

똑같이 덜어 내는 나눗셈을 이해하여 나눗셈식으로 나타내고 몫 구하기

▶ 자습서 74~75쪽

학부모 코칭 Tip

식이나 몫을 쓰지 못한 경우에는 자두를 4개씩 묶은 후 묶음의 수를 세어 보고 나눗셈의 몫이 4인지 7인지 생각해 보게 합니다.

1 자두 28개를 한 명이 4개씩 똑같이 나누어 먹으려고 합니다. 물음에 답해 보세요.

65쪽

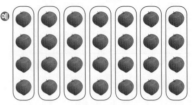
예

(1) 자두를 몇 명이 먹을 수 있는지 나눗셈식으로 나타내어 보세요. $28 \div 4 = 7$

(2) 위의 (1)에서 나타낸 나눗셈의 몫은 얼마인가요? 7

(3) 자두를 몇 명이 먹을 수 있을까요? 7명

풀이 자두 28개를 4개씩 묶으면 7묶음이 됩니다. 이것을 나눗셈식으로 나타내면
$28 \div 4 = 7$이고, 이때 몫은 7입니다.
따라서 자두를 4개씩 7명이 나누어 먹을 수 있습니다.

추론 의사소통

똑같이 나누어 가지는 나눗셈을 이해하여 나눗셈식으로 나타내고 몫 구하기

▶ 자습서 76~77쪽

학부모 코칭 Tip

나눗셈식을 $18 \div 6 = 3$으로 쓴 경우에는 문제 상황을 다시 살펴보고 나눗셈식을 바르게 써 보게 합니다.

2 참외 18개를 3봉지에 똑같이 나누어 담으려고 합니다. 물음에 답해 보세요.

67쪽

예

(1) 참외를 한 봉지에 몇 개씩 담을 수 있는지 나눗셈식으로 나타내어 보세요. $18 \div 3 = 6$

(2) 위의 (1)에서 나타낸 나눗셈의 몫은 얼마인가요? 6

(3) 참외를 한 봉지에 몇 개씩 담을 수 있을까요? 6개

풀이 참외 18개를 3묶음으로 똑같이 나누면 한 묶음에 6개가 됩니다. 이것을 나눗셈식으로 나타내면
$18 \div 3 = 6$이고, 이때 몫은 6입니다.
따라서 참외를 한 봉지에 6개씩 담을 수 있습니다.

74

3 그림을 보고 곱셈식과 나눗셈식을 써 보세요.
69쪽

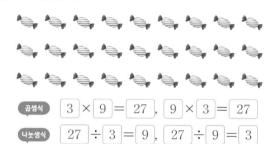

곱셈식 $3 \times 9 = 27$, $9 \times 3 = 27$

나눗셈식 $27 \div 3 = 9$, $27 \div 9 = 3$

풀이 ・사탕이 3개씩 9줄 있습니다. ⇨ $3 \times 9 = 27$
・사탕이 9개씩 3줄 있습니다. ⇨ $9 \times 3 = 27$
・사탕 27개를 3개씩 묶으면 9묶음이 됩니다. ⇨ $27 \div 3 = 9$
・사탕 27개를 9개씩 묶으면 3묶음이 됩니다. ⇨ $27 \div 9 = 3$

4 $48 \div 6$의 몫을 구할 때 필요한 곱셈식을 찾아 ○표 하고, 몫을 구해 보세요.
71쪽

| 6×6 | 6×7 | 6×8 |
| (　) | (　) | (○) |

$$48 \div 6 = 8$$

풀이 6과 곱하여 48이 되는 수를 찾습니다.
즉, $48 \div 6 = \boxed{}$ 에서 $6 \times \boxed{} = 48$이고, $6 \times \boxed{8} = 48$입니다.
따라서 필요한 곱셈식은 6×8이고 몫은 8입니다.

생각을 넓혀요 　문제 해결 　추론

5 나눗셈의 몫을 구하고, 몫이 나온 식에 맞는 각 글자를 아래 빈칸에 써넣어 문장을 만들어 보세요.
71쪽

누 $30 \div 6 = 5$ 　복 $24 \div 3 = 8$ 　행 $56 \div 8 = 7$

나 $16 \div 4 = 4$ 　면 $24 \div 4 = 6$ 　해 $63 \div 7 = 9$

몫	4	5	6	7	8	9
글자	나	누	면	행	복	해

풀이 $6 \times 5 = 30$ ⇨ $30 \div 6 = 5$, $3 \times 8 = 24$ ⇨ $24 \div 3 = 8$, $8 \times 7 = 56$ ⇨ $56 \div 8 = 7$,
$4 \times 4 = 16$ ⇨ $16 \div 4 = 4$, $4 \times 6 = 24$ ⇨ $24 \div 4 = 6$, $7 \times 9 = 63$ ⇨ $63 \div 7 = 9$

추론 　창의·융합

곱셈과 나눗셈의 관계 이해하기
▶자습서 78~79쪽

학부모 코칭 **Tip**
・두 가지 방법으로 묶어 세어 보고 관련된 곱셈식을 써 보게 합니다.
3개씩 9묶음 ⇨ $3 \times 9 = 27$
9개씩 3묶음 ⇨ $9 \times 3 = 27$
・두 가지 방법으로 나누어 보는 상황에서 나눗셈식을 각각 써 보게 합니다.
27개를 9개씩 묶으면 3묶음
⇨ $27 \div 9 = 3$
27개를 3개씩 묶으면 9묶음
⇨ $27 \div 3 = 9$

추론

곱셈식을 이용하여 나눗셈의 몫 구하기
▶자습서 80~81쪽

학부모 코칭 **Tip**
곱셈과 나눗셈의 관계를 이용하여 나눗셈식을 곱셈식으로 나타내어 보게 합니다.

 문제 해결 　추론

나눗셈의 몫 구하기
▶자습서 80~81쪽

75

교과서 개념 완성

 놀이 속으로 **풍덩**

1 **놀이 방법 살펴보기**

· 삼각형 모양 카드에 있는 세 수의 관계 살펴보기
→ 삼각형 모양 카드에 있는 세 수의 관계를 이해하고, 규칙에 따라 카드 안에 알맞은 수와 곱셈식, 나눗셈식을 써 봅니다.

· 사각형 모양 카드에 있는 수의 관계 살펴보기
→ 사각형 모양 카드에 있는 수의 관계를 이해한 후 규칙에 따라 빈칸을 채워 봅니다.

2 **실제 놀이하기 – 삼각형 마을**

· 규칙 에 있는 삼각형 모양 카드에서 알 수 있는 것
→ 꼭짓점에 세 수가 있고, 삼각형 모양 카드 안에 곱셈식 2개, 나눗셈식 2개가 있습니다.

· 삼각형 모양 카드 완성하기
→ 꼭짓점에 두 수를 적고, 꼭짓점에 있는 세 수로 곱셈식과 나눗셈식을 만들어 봅니다.
  예 $3 \times 6 = 18, 6 \times 3 = 18$
  $18 \div 3 = 6, 18 \div 6 = 3$

> 참고
> 곱셈식과 나눗셈식이 항상 4개는 아닙니다. 예를 들어 6, 6, 36으로 만들면 곱셈식 1개, 나눗셈식 1개로 만들 수 있는 식은 모두 2개입니다.

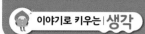

나눗셈의 짝꿍은 뺄셈! ^{창의력 키우기}

나눗셈과 뺄셈은 둘도 없는 짝꿍이랍니다. 떼려야 뗄 수 없는 사이죠. 주어진 수에서 어떤 수를 여러 번 빼는 것을 나눗셈으로 나타낼 수 있습니다.

예를 들어 '21−3−3−3−3−3−3−3=0'은 '21에서 3씩 7번 빼면 0이 된다.'라는 뜻입니다. 이것을 '21÷3=7'과 같이 나눗셈식으로 간단히 나타낼 수 있습니다.

어느 산속 마을에 더하기, 빼기, 곱하기, 나누기 요정들과 여섯 명의 농부가 함께 살고 있습니다. 이 마을에는 크고 멋있는 복숭아나무가 있습니다. 여섯 명의 농부는 함께 복숭아나무를 키웠고, 어느덧 나무에는 탐스러운 복숭아들이 주렁주렁 열렸답니다.

맛있는 복숭아들을 우리 똑같이 나누어 가져요!

여섯 명의 농부는 복숭아를 똑같이 나누어 갖기로 하였고, 나누는 것을 도와주기 위해 요정들이 모였습니다.

복숭아나무에 복숭아가 모두 몇 개 열렸지?

먼저 더하기 요정이 나무에 열린 복숭아의 수를 모두 더하였습니다. 복숭아는 모두 54개였습니다.

이번에는 빼기 요정이 복숭아를 한 개씩 따서 여섯 농부의 바구니에 하나씩 번갈아 가며 놓기 시작하였습니다. 그런데 빼기 요정의 힘으로는 복숭아 54개를 한 개씩 옮기기가 무척 힘들었습니다. 빼기 요정이 지친 모습으로 말하였습니다.

한 사람이 몇 개씩 가져가는지만 알면 함께 힘을 합쳐 간단히 나눌 수 있을 텐데……

이 말을 들은 나누기 요정과 곱하기 요정이 말하였습니다.

54÷6=9이니까 농부 한 사람당 복숭아를 9개씩 가져가면 되지.

나누기 요정 말이 맞아. 6×9=54 이니까 9개씩 가져가면 딱 맞네!

귀여운 더하기, 빼기, 곱하기, 나누기 요정들 덕분에 농부들은 쉽게 똑같이 복숭아를 나누어 가질 수 있었답니다.

78 | **79**

---

③ 실제 놀이하기 – 사각형 마을

- 규칙에 있는 사각형 모양 카드에서 알 수 있는 것
  - ➡ 오른쪽 두 칸에 있는 수를 곱하면 가장 왼쪽에 있는 수가 됩니다.
  - ➡ 아래쪽 두 칸에 있는 수를 곱하면 가장 위쪽에 있는 수가 됩니다.
  - ➡ 첫 번째 칸에 있는 수를 두 번째 칸의 수로 나누면 몫이 세 번째 칸에 있는 수가 됩니다.
  - ➡ 맨 위 칸에 있는 수를 그 아래 칸의 수로 나누면 몫이 맨 아래 칸에 있는 수가 됩니다.
- 사각형 모양 카드 완성하기
  - ➡ 곱셈과 나눗셈의 관계를 이용하여 사각형 모양 카드를 완성합니다.

이야기로 키우는 생각

곱셈 기호(×)의 유래

영국의 수학자 오트레드(Oughtred, W., 1574~1660)의 저서 『수학의 열쇠』에서 처음 사용하였습니다. 어떻게 해서 이런 기호가 만들어졌는지에 대해서 전해지는 유래는 없으나, 교회 십자가에서 힌트를 얻어 만들게 되었다는 이야기가 있습니다.

나눗셈 기호(÷)의 유래

스위스의 수학자 란(Rahn, J. H., 1622~1676)이 그의 저서 『대수학』에서 처음 사용하였습니다. 비율을 나타내는 기호 ':'에서 유래되었다고 합니다.

[출처] EBS Math

개념

똑같이 나누기(1)

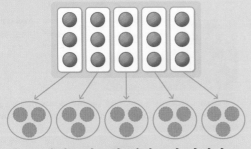

15에서 3씩 5번 빼면 0이 됩니다.

$$15-3-3-3-3-3=0$$

이것을 $15÷3=5$라 쓰고, '15 나누기 3은 5와 같습니다.'라고 읽습니다.

이때 $15÷3$과 같은 계산을 나눗셈이라 하고 $15÷3=5$와 같은 식을 나눗셈식이라고 합니다.

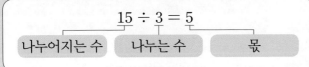

$$15 ÷ 3 = 5$$

| 나누어지는 수 | 나누는 수 | 몫 |

똑같이 나누기(2)

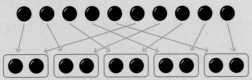

바둑돌 10개를 5명이 똑같이 나누어 가지면 한 명이 2개씩 가지게 됩니다.

이것을 $10÷5=2$라고 쓸 수 있습니다.

나눗셈식 $10÷5=2$ 몫 2

확인 문제

1 사탕 20개를 4개씩 덜어 내려고 합니다. 물음에 답해 보세요.

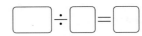

(1) 사탕 20개를 4개씩 묶어 보세요.

(2) 몇 번 덜어 내면 0이 되는지 뺄셈식을 완성해 보세요.

$$20-4-4-\boxed{}-\boxed{}-\boxed{}=0$$

(3) 나눗셈식으로 나타내어 보세요.

$$\boxed{}÷\boxed{}=\boxed{}$$

2 다음을 나눗셈식으로 나타내어 보세요.

> 72 나누기 8은 9와 같습니다.

→ ....

3 과자 12개를 4명에게 똑같이 나누어 주려고 합니다. 한 명에게 과자를 몇 개씩 줄 수 있는지 ☐ 안에 알맞은 수를 써넣으세요.

$$12÷4=\boxed{}(개)$$

4 바둑돌 9개를 접시 3개에 똑같이 나누어 놓을 때, 한 접시에 몇 개씩 놓을 수 있나요?

나눗셈식   답

....

→ 정답 및 풀이 205쪽

개념

⚙ 곱셈과 나눗셈의 관계

· 20개를 5개씩 묶으면 4묶음입니다.

$5 \times 4 = 20$

$20 \div 5 = 4$

· 20개를 4개씩 묶으면 5묶음입니다.

$4 \times 5 = 20$

$20 \div 4 = 5$

· 곱셈식을 나눗셈식으로 나타낼 수 있습니다.

$4 \times 5 = 20 \Big\langle \begin{array}{l} 20 \div 4 = 5 \\ 20 \div 5 = 4 \end{array}$

· 나눗셈식을 곱셈식으로 나타낼 수 있습니다.

$20 \div 4 = 5 \Big\langle \begin{array}{l} 4 \times 5 = 20 \\ 5 \times 4 = 20 \end{array}$

⚙ 나눗셈의 몫 구하기

곱셈식을 이용하여 나눗셈의 몫을 구할 수 있습니다.

나눗셈 $18 \div 3$

3의 단 곱셈구구에서 곱이 18인 곱셈식을 찾습니다.

➡ $3 \times 6 = 18$

따라서 $18 \div 3 = 6$입니다.

확인 문제

5 곱셈식을 나눗셈식으로 나타내려고 합니다. ☐ 안에 알맞은 수를 써넣으세요.

$9 \times 6 = \boxed{} \Big\langle \begin{array}{l} 54 \div 9 = \boxed{} \\ 54 \div 6 = \boxed{} \end{array}$

6 나눗셈식을 곱셈식으로 나타내려고 합니다. ☐ 안에 알맞은 수를 써넣으세요.

$56 \div 8 = 7 \Big\langle \begin{array}{l} 8 \times \boxed{} = \boxed{} \\ 7 \times \boxed{} = \boxed{} \end{array}$

7 관계있는 것끼리 선으로 어어 보세요.

| $45 \div 9 = 5$ | · | · | $9 \times 3 = 27$ |
| $27 \div 9 = 3$ | · | · | $9 \times 5 = 45$ |

8 빈칸에 알맞은 수를 써넣으세요.

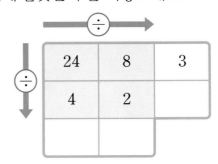

단계별로

서술형 문제 해결하기

과정 중심 평가 내용: 나눗셈의 몫을 구할 수 있는가?

1-1 감 28개는 7개의 봉지에 똑같이 나누어 담고, 토마토 20개는 4개의 봉지에 똑같이 나누어 담았습니다. 감과 토마토 중에서 한 봉지에 더 많이 담은 것은 무엇인지 풀이 과정을 쓰고, 답을 구해 보세요. [8점]

풀이

❶ (한 봉지에 담은 감의 수)

$=28\div\square=\square$(개)

(한 봉지에 담은 토마토의 수)

$=20\div\square=\square$(개)

❷ $4<5$이므로 한 봉지에 더 많이 담은 것은 ☐입니다.

답

1-2 쌍둥이

쿠키 49개는 7개의 바구니에 똑같이 나누어 담고, 마카롱 48개는 8개의 바구니에 똑같이 나누어 담았습니다. 쿠키와 마카롱 중에서 한 바구니에 더 많이 담은 것은 무엇인지 풀이 과정을 쓰고, 답을 구해 보세요. [12점]

풀이

답

1-3 유사

오전에 딴 사과 25개와 오후에 딴 사과 29개를 6상자에 똑같이 나누어 담았습니다. 한 상자에 사과를 몇 개씩 담았는지 풀이 과정을 쓰고, 답을 구해 보세요. [15점]

풀이

답

1-4 실전

진우는 초코맛 쿠키 12개와 딸기맛 쿠키 20개를 만들어 8개의 바구니에 똑같이 나누어 담았습니다. 민수는 쿠키 35개를 만들어 7개의 바구니에 똑같이 나누어 담았습니다. 한 바구니에 더 많은 쿠키를 담은 사람은 누구인지 풀이 과정을 쓰고, 답을 구해 보세요. [15점]

풀이

답

→ 정답 및 풀이 206~207쪽

2-1 1부터 9까지의 자연수 중에서 ★에 알맞은 수를 모두 구하려고 합니다. 풀이 과정을 쓰고, 답을 구해 보세요. [8점]

$$54 \div 9 < \star$$

풀이

❶ $54 \div 9 = \boxed{}$

❷ $\boxed{} < \star$ 이므로 ★에 알맞은 수는 1부터 9까지의 자연수 중에서 $\boxed{}$ 보다 큰 수인 $\boxed{}$, $\boxed{}$, $\boxed{}$ 입니다.

답 ⋯⋯⋯⋯⋯⋯⋯⋯⋯⋯⋯⋯⋯⋯⋯

2-2 쌍둥이 1부터 9까지의 자연수 중에서 ★에 알맞은 수를 모두 구하려고 합니다. 풀이 과정을 쓰고, 답을 구해 보세요. [12점]

$$56 \div 8 < \star$$

풀이

답 ⋯⋯⋯⋯⋯⋯⋯⋯⋯⋯⋯⋯⋯⋯⋯

2-3 유사 1부터 9까지의 자연수 중에서 ◆에 알맞은 수를 모두 구하려고 합니다. 풀이 과정을 쓰고, 답을 구해 보세요. [15점]

$$15 \div 3 > \blacklozenge$$

풀이

답 ⋯⋯⋯⋯⋯⋯⋯⋯⋯⋯⋯⋯⋯⋯⋯

2-4 실전 1부터 9까지의 자연수 중에서 ☐ 안에 공통으로 들어갈 수 있는 수를 구하려고 합니다. 풀이 과정을 쓰고, 답을 구해 보세요. [15점]

$$25 \div 5 < \boxed{}$$
$$14 \div 2 > \boxed{}$$

풀이

답 ⋯⋯⋯⋯⋯⋯⋯⋯⋯⋯⋯⋯⋯⋯⋯

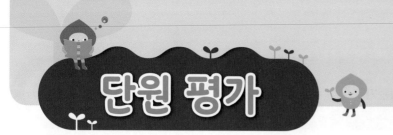
| 똑같이 나누기⑴ |

01 그림을 보고 □ 안에 알맞은 수를 써넣으세요.
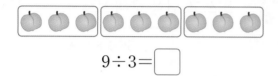

$$9 \div 3 = \boxed{}$$

| 똑같이 나누기⑴ |

02 나눗셈식을 읽어 보세요.

$$56 \div 7 = 8$$

→ 56 나누기 □은 □과 같습니다.

| 똑같이 나누기⑴ |

03 뺄셈식을 보고 나눗셈식으로 나타내어 보세요.

$$21 - 7 - 7 - 7 = 0$$

→ _____

| 똑같이 나누기⑵ |

04 귤 30개를 접시 6개에 똑같이 나누어 담으려고 합니다. 한 접시에 귤을 몇 개씩 담을 수 있는지 접시 위에 ○를 그려 보세요.
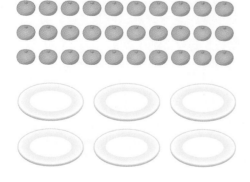

| 똑같이 나누기⑵ |

05 축구공 8개를 같은 모양의 상자에 똑같이 나누어 담으려고 합니다. 가와 나 중 어느 상자에 담아야 하는지 기호를 써 보세요.
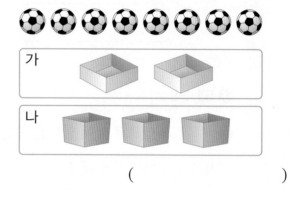

(   )

| 똑같이 나누기⑴ |

06 민희가 81쪽짜리 동화책을 하루에 9쪽씩 매일 읽으려고 합니다. 민희가 이 동화책을 모두 읽으려면 며칠이 걸리는지 구해 보세요.

(   )

| 똑같이 나누기⑵ |

07 마카롱 18개를 6봉지에 똑같이 나누어 담으려고 합니다. 한 봉지에 마카롱을 몇 개씩 담아야 하는지 구해 보세요.

(   )

| 곱셈과 나눗셈의 관계 |

08 곱셈식을 나눗셈식 2개로 나타내어 보세요.

$$8 \times 5 = 40 \Bigg\langle \begin{array}{l} \rule{3cm}{0.4pt} \\ \rule{3cm}{0.4pt} \end{array}$$

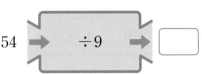
| 곱셈과 나눗셈의 관계 |

09 나눗셈식을 곱셈식 2개로 나타내어 보세요.
중

$$36 \div 4 = 9 \Big\langle$$

| 곱셈과 나눗셈의 관계 |

10 그림을 보고 곱셈식과 나눗셈식으로 나타내
중 어 보세요.

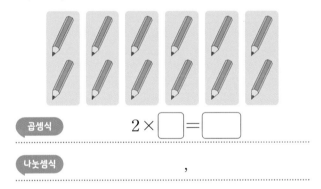

곱셈식　　　$2 \times \boxed{} = \boxed{}$

나눗셈식　　　　　　　，

| 나눗셈의 몫 구하기 |

11 $42 \div 7$의 몫을 구할 때 필요한 곱셈구구는
중 어느 것인지 기호를 써 보세요.

> ㉠ 4의 단 곱셈구구
> ㉡ 5의 단 곱셈구구
> ㉢ 7의 단 곱셈구구

(　　　　　　　)

| 나눗셈의 몫 구하기 |

12 빈칸에 알맞은 수를 써넣으세요.
중

$$54 \Rightarrow \boxed{\div 9} \Rightarrow \boxed{}$$

| 나눗셈의 몫 구하기 |

13 나눗셈의 몫을 찾아 선으로 이어 보세요.
중

$\boxed{24 \div 3}$ •

$\boxed{49 \div 7}$ •

• $\boxed{6}$

• $\boxed{7}$

• $\boxed{8}$

| 나눗셈의 몫 구하기 |

14 나눗셈의 몫을 구한 후, 크기를 비교하여 ◯
중 안에 >, =, <를 알맞게 써넣으세요.

$$40 \div 8 \ \bigcirc \ 6$$

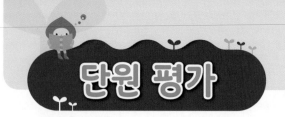

→ 정답 및 풀이 207~208쪽

| 나눗셈의 몫 구하기 |

15 나눗셈의 몫이 큰 것부터 차례로 기호를 써 **중** 보세요.

> ㉠ 48÷8   ㉡ 32÷4   ㉢ 63÷9

(   )

| 곱셈과 나눗셈의 관계, 나눗셈의 몫 구하기 |

16 두 나눗셈의 몫이 같을 때, ☐ 안에 알맞은 **중** 수를 구해 보세요.

> 64÷8   24÷☐

(   )

| 나눗셈의 몫 구하기 | 서술형

17 다음 수 중에서 가장 큰 수를 가장 작은 수로 **중** 나눈 몫은 얼마인지 풀이 과정을 쓰고, 답을 구해 보세요.

> 63   9   12   7   45

풀이

답 _____

| 나눗셈의 몫 구하기 |

18 민지는 54쪽인 동화책을 6일 동안 매일 똑 **상** 같이 나누어 모두 읽었습니다. 민지가 하루 에 동화책을 몇 쪽씩 읽었는지 구해 보세요.

(   )

| 곱셈과 나눗셈의 관계, 나눗셈의 몫 구하기 | 서술형

19 ☐ 안에 알맞은 수가 가장 작은 것을 찾아 **상** 기호를 쓰려고 합니다. 풀이 과정을 쓰고, 답 을 구해 보세요.

> ㉠ 12÷2=☐   ㉡ 27÷☐=3
> ㉢ 32÷8=☐   ㉣ 35÷☐=7

풀이

답 _____

| 나눗셈의 몫 구하기 | 서술형

20 감자를 오전에 24개, 오후에 18개 수확하였 **상** 습니다. 수확한 감자를 6상자에 똑같이 나 누어 담으려면 한 상자에 몇 개씩 담아야 하 는지 풀이 과정을 쓰고, 답을 구해 보세요.

풀이

답 _____

쿠키를 똑같이 나누려면
어떻게 해야 하나요?

땅!

숙

자! 쿠키가 다 구워졌네.

와~

엄마가 만든 쿠키 9개와 내가 만든 쿠키 3개 모두 친구들에게 나누어 줄래요.

그래. 친구가 몇 명인데?

4명이요.

친구 4명에게 똑같이 나누어 주려면 몇 개씩 주면 될까?

12÷4＝3이니까, 한 명에게 3개씩 나누어 주면 될 거 같아요.

내 쿠키는 왜 이렇게 못생겼어?

아... 내가 만든 건데 너한테 다 갔네....

하 하 하

4
곱셈

• 환경 보호 체험 행사장에 모인 사람들이 다양한 체험을 하고 있습니다.
• 환경 보호 그림 그리기 대회에 참가한 학생 수를 어떻게 구할 수 있을지 궁금해하고 있습니다.

그림 속 상황

자/기/주/도/학/습

1 차시

준비 팡팡

'무엇을 알고 있나요'와 '함께 생각해 볼까요'를 통하여 단원을 준비할 수 있습니다.

곱셈구구 계산 결과에 맞게 붙임딱지 붙이기

곱셈구구를 이용하여 계산을 하고, 계산 결과에 맞게 붙임딱지를 붙여서 그림을 완성합니다.

➔ $6 \times 8 = 48$, $7 \times 5 = 35$, $2 \times 8 = 16$,
$6 \times 4 = 24$, $3 \times 9 = 27$, $9 \times 4 = 36$,
$4 \times 3 = 12$, $8 \times 8 = 64$, $5 \times 2 = 10$

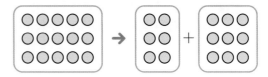

교과서 개념 완성 | 배운 것을 다시 생각하기

곱셈구구 알아보기

■의 단 곱셈구구에서 곱하는 수가 1씩 커지면 그 곱은 ■씩 커집니다.

×	1	2	3	4	5	6	7	8	9
1	1	2	3	4	5	6	7	8	9
2	2	4	6	8	10	12	14	16	18
3	3	6	9	12	15	18	21	24	27
4	4	8	12	16	20	24	28	32	36
5	5	10	15	20	25	30	35	40	45
6	6	12	18	24	30	36	42	48	54
7	7	14	21	28	35	42	49	56	63
8	8	16	24	32	40	48	56	64	72
9	9	18	27	36	45	54	63	72	81

(어떤 수) × 0, 0 × (어떤 수)

어떤 수에 0을 곱한 결과는 0입니다.

$$(어떤 수) \times 0 = 0, \ 0 \times (어떤 수) = 0$$

곱셈구구를 이용하여 다양한 방법으로 계산하기

3×5는 3×2와 3×3을 더해서 구할 수 있습니다.

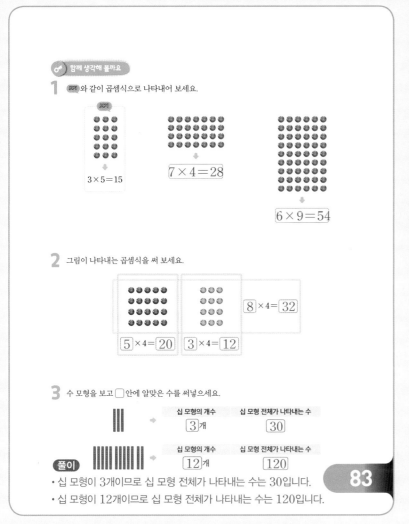

🔑 함께 생각해 볼까요?

1 보기 와 같이 곱셈식으로 나타내어 보세요.

보기

$3 \times 5 = 15$

$7 \times 4 = 28$

$6 \times 9 = 54$

2 그림이 나타내는 곱셈식을 써 보세요.

$8 \times 4 = 32$

$5 \times 4 = 20$ $3 \times 4 = 12$

3 수 모형을 보고 ☐ 안에 알맞은 수를 써넣으세요.

	십 모형의 개수	십 모형 전체가 나타내는 수
	3개	30
	12개	120

풀이
• 십 모형이 3개이므로 십 모형 전체가 나타내는 수는 30입니다.
• 십 모형이 12개이므로 십 모형 전체가 나타내는 수는 120입니다.

83

🔵 그림을 보고 곱셈식으로 나타내기

■개씩 ▲줄 ➡ ■ × ▲

풀이
• 파란색 구슬이 가로 한 줄에 7개씩 4줄 있습니다.
  ⇨ $7 \times 4 = 28$
• 파란색 구슬이 가로 한 줄에 6개씩 9줄 있습니다.
  ⇨ $6 \times 9 = 54$

🟦 그림이 나타내는 곱셈식 쓰기

■개씩 ▲줄과 ★개씩 ▲줄은
(■＋★)개씩 ▲줄입니다.

풀이
• 분홍색 구슬이 가로 한 줄에 5개씩 4줄 있습니다.
  ⇨ $5 \times 4 = 20$
• 초록색 구슬이 가로 한 줄에 3개씩 4줄 있습니다.
  ⇨ $3 \times 4 = 12$
• 구슬이 한 줄에 8개씩 4줄 있습니다.
  ⇨ $8 \times 4 = 32$

🔵 수 모형을 보고 수 모형의 개수와 수 모형이 나타내는 수 쓰기

십 모형 1개가 나타내는 수가 10이라는 것을 이용하여 십 모형의 개수와 십 모형이 나타내는 수의 관계를 생각해 봅니다.

👧 개념 확인 문제
정답 및 풀이 208쪽

| 2-2 2. 곱셈구구 |

1 그림을 보고 ☐ 안에 알맞은 수를 써넣으세요.

$2 \times \boxed{} = \boxed{}$

| 2-2 2. 곱셈구구 |

2 계산 결과를 비교하여 ◯ 안에 >, <를 알맞게 써넣으세요.

$7 \times 7 \bigcirc 6 \times 8$

| 2-2 2. 곱셈구구 |

3 곱이 같은 것끼리 선으로 이어 보세요.

8×3 •   • 9×2

2×9 •   • 4×6

| 2-2 2. 곱셈구구 |

4 쌓기나무가 한 줄에 9개씩 4줄로 놓여 있습니다. 쌓기나무는 모두 몇 개일까요?

(   )

1 | (몇십) × (몇)

학습 목표

(몇십) × (몇)의 계산 원리를 이해하고 계산할 수 있습니다.

그림으로 개념 잡기

우리 셋을 간단히 나타내어 보자.

참고 ■0 × ▲에서 ■0을 십 모형이 ■개인 수로 생각하면 ■ × ▲가 되므로 곱셈구구를 이용하여 구할 수 있습니다.

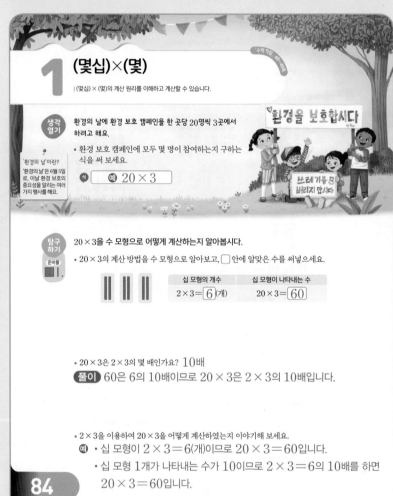

 교과서 개념 완성

탐구하기 **수 모형으로 20 × 3의 계산 방법 탐구하기**

· 십 모형이 2개씩 3묶음 있으므로 2 × 3 = 6(개)입니다. 십 모형 6개는 60을 나타냅니다.

· 십 모형 2개는 20을 나타내고, 십 모형 2개가 3묶음 있으므로 십 모형이 나타내는 수는 20 × 3 = 60입니다.

· 60은 6의 10배이므로 20 × 3은 2 × 3의 10배입니다.

$$20 \times 3 = 60$$
$$2 \times 3 = 6$$

확인하기 **(몇십) × (몇)의 계산 익히기**

몇과 몇의 곱을 십의 자리에 쓰고, 일의 자리에 0을 씁니다.

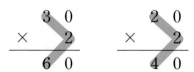

학부모 코칭 Tip

(몇십) × (몇)의 계산은 (몇) × (몇)의 계산 결과에 0을 한 개 붙인 것과 같음을 알게 합니다.

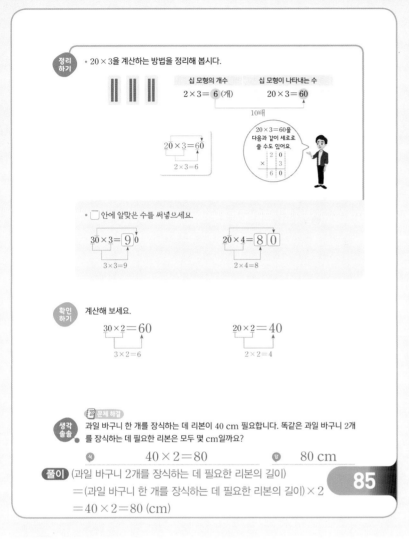

정리하기 • 20×3을 계산하는 방법을 정리해 봅시다.

십 모형의 개수
$2×3=6$(개)

십 모형이 나타내는 수
$20×3=60$
10배

$20×3=60$을 다음과 같이 세로로 쓸 수도 있어요.

$20×3=60$
$2×3=6$

• □ 안에 알맞은 수를 써넣으세요.

$30×3=90$
$3×3=9$

$20×4=80$
$2×4=8$

확인하기 계산해 보세요.

$30×2=60$
$3×2=6$

$20×2=40$
$2×2=4$

문제 해결
생각 솔솔 과일 바구니 한 개를 장식하는 데 리본이 40 cm 필요합니다. 똑같은 과일 바구니 2개를 장식하는 데 필요한 리본은 모두 몇 cm일까요?

식 $40×2=80$ 답 80 cm

풀이 (과일 바구니 2개를 장식하는 데 필요한 리본의 길이)
＝(과일 바구니 한 개를 장식하는 데 필요한 리본의 길이)×2
＝$40×2=80$ (cm)

85

이런 문제가 서술형으로 나와요

한 봉지에 사탕 5개와 초콜릿 15개가 들어 있습니다. 3봉지에 들어 있는 사탕과 초콜릿은 모두 몇 개인지 풀이 과정을 쓰고, 답을 구해 보세요.

| 풀이 과정 |

❶ 한 봉지에 들어 있는 사탕과 초콜릿 수 구하기
한 봉지에 사탕 5개와 초콜릿 15개가 들어 있으므로 모두 $5+15=20$(개)입니다.

❷ 3봉지에 들어 있는 사탕과 초콜릿 수 구하기
한 봉지에 들어 있는 사탕과 초콜릿은 20개이므로 3봉지에 들어 있는 사탕과 초콜릿은 모두 $20×3=60$(개)입니다.

답 60개

• 수학 교과 역량   문제 해결

곱셈을 활용하여 실생활 문제 해결하기
(몇십) × (몇)을 활용하여 실생활 문제를 해결하는 과정을 통하여 수학의 유용성을 알고 문제 해결 능력을 기를 수 있습니다.

 개념 확인 문제   정답 및 풀이 208쪽

1 계산해 보세요.
(1) $30×3$ (2) $60×1$

2 빈칸에 알맞은 수를 써넣으세요.

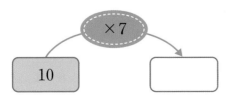

3 가장 큰 수와 가장 작은 수의 곱을 구해 보세요.

| 10 | 2 | 30 |

(   )

4 현수는 하루에 20분씩 4일 동안 책을 읽었습니다. 현수가 책을 읽은 시간은 모두 몇 분인가요?

(   )

3 차시

2 | (몇십몇) × (몇) (1)

학습 목표

올림이 없는 (몇십몇)×(몇)의 계산 결과를 어림하고, 계산 원리를 이해하여 계산할 수 있습니다.

그림으로 개념 잡기

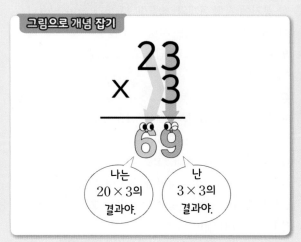

$$\begin{array}{r} 2\,3 \\ \times \quad 3 \\ \hline 6\,9 \end{array}$$

나는 20×3의 결과야.

난 3×3의 결과야.

어휘

어림 (approximation)

대강 짐작으로 헤아리거나 계산을 하는 것을 말합니다.

---

2 (몇십몇)×(몇) (1)

| 올림이 없는 (몇십몇)×(몇)의 계산 결과를 어림하고, 계산 원리를 이해하여 계산할 수 있습니다.

생각 열기

환경 보호 체험 행사에 개인용 컵을 가져온 23명의 사람에게 한 사람당 면 손수건을 3장씩 주려고 해요.

• 면 손수건이 모두 몇 장 필요한지 구하는 식을 써 보세요.

답 예 23×3

• 면 손수건이 모두 약 몇 장 필요한지 어림해 보세요.

23을 20으로 어림한 후 20의 3배를 하면 약 ......

예 약 60장

탐구 하기

준비물 □

23×3을 수 모형으로 어떻게 계산하는지 알아봅시다.

• 23×3의 계산 방법을 수 모형으로 알아보고, □ 안에 알맞은 수를 써넣으세요.

일 모형의 개수	일 모형이 나타내는 수
$3 \times 3 = \boxed{9}$(개)	$3 \times 3 = \boxed{9}$

십 모형의 개수	십 모형이 나타내는 수
$2 \times 3 = \boxed{6}$(개)	$20 \times 3 = \boxed{60}$

• 23×3이 얼마인지 알아보세요.

23×3 ⟨ $3 \times 3 = \boxed{9}$ / $20 \times 3 = \boxed{60}$ / 합 $\boxed{69}$

$$\begin{array}{r} 2\,3 \\ \times \quad 3 \\ \hline 9 \leftarrow 3 \times 3 \\ 6\,0 \leftarrow 20 \times 3 \\ \hline 6\,9 \end{array}$$

생각열기에서 어림한 값과 탐구하기의 계산 결과를 비교해 볼까요?

• 23×3을 어떻게 계산하였는지 이야기해 보세요.

예 • 23을 20과 3으로 가른 후 20×3과 3×3을 계산해 더하였습니다.

• 일의 자리 수 3과 3의 곱 9를 일의 자리에 쓰고, 십의 자리 수 2와 3의 곱 6을 십의 자리에 써서 계산하였습니다.

86

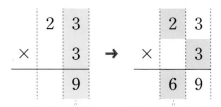

교과서 개념 완성

정리하기 23×3의 계산 방법 정리하기

$$\begin{array}{r} 2\,3 \\ \times \quad 3 \\ \hline 9 \end{array} \rightarrow \begin{array}{r} 2\,3 \\ \times \quad 3 \\ \hline 6\,9 \end{array}$$

일의 자리 수 3과 3의 곱 9를 일의 자리에 씁니다.

십의 자리 수 2와 3의 곱 6을 십의 자리에 씁니다.

학부모 코칭 Tip

20×3을 2×3을 이용하여 구하였으므로 23×3은 곱셈구구 2×3과 3×3을 이용할 수 있음을 알게 합니다.

확인하기 올림이 없는 (몇십몇)×(몇)의 계산 익히기

① 곱해지는 수의 일의 자리 수와 곱하는 수의 곱은 일의 자리에 씁니다.

② 곱해지는 수의 십의 자리 수와 곱하는 수의 곱은 십의 자리에 씁니다.

$$\begin{array}{r} 2\,1 \\ \times \quad 4 \\ \hline 4 \\ 8\,0 \\ \hline 8\,4 \end{array} \qquad \begin{array}{r} 3\,2 \\ \times \quad 3 \\ \hline 6 \\ 9\,0 \\ \hline 9\,6 \end{array} \qquad \begin{array}{r} 4\,2 \\ \times \quad 2 \\ \hline 4 \\ 8\,0 \\ \hline 8\,4 \end{array} \qquad \begin{array}{r} 1\,1 \\ \times \quad 8 \\ \hline 8 \\ 8\,0 \\ \hline 8\,8 \end{array}$$

정리하기 · 23×3을 계산하는 방법을 정리해 봅시다.

	2	3
×		3
		9	← 3×3
6	0		← 20×3
6	9	

일의 자리 수 3과 3을 곱합니다.

십의 자리 수 2와 3을 곱합니다.

* □ 안에 알맞은 수를 써넣으세요.

	2	1
×		3
		3
6	0	
6	3	

→

	2	1
×		3
6	3	

	1	3
×		2
		6
2	0	
2	6	

→

	1	3
×		2
2	6	

확인하기 계산해 보세요.

	2	1
×		4
8	4	

	3	2
×		3
9	6	

$42 × 2 = 84$ $11 × 8 = 88$

생각 솔솔 〔문제 해결〕 생수병이 한 묶음에 12병씩 모두 4묶음이 있습니다. 생수병은 모두 몇 병일까요?

식 $12 × 4 = 48$ 답   48병

풀이 (4묶음의 생수병의 수)

= (한 묶음의 생수병의 수) × 4

= $12 × 4 = 48$(병)

87

이런 문제가 서술형으로 나와요

색종이 50장을 한 명당 13장씩 3명이 사용하였습니다. 사용하고 남은 색종이는 몇 장인지 풀이 과정을 쓰고, 답을 구해 보세요.

| 풀이 과정 |

❶ 3명이 사용한 색종이의 수 구하기

한 명당 13장씩 3명이 사용하였으므로 사용한 색종이는 $13 × 3 = 39$(장)입니다.

❷ 사용하고 남은 색종이의 수 구하기

색종이 50장 중에서 39장을 사용하였으므로 남은 색종이는 $50 - 39 = 11$(장)입니다.

답 11장

수학 교과 역량 〔문제 해결〕

곱셈을 활용하여 실생활 문제 해결하기

올림이 없는 (몇십몇) × (몇)을 활용하여 실생활 문제를 해결하는 과정을 통하여 수학의 유용성을 알고 문제 해결 능력을 기를 수 있습니다.

개념 확인 문제   정답 및 풀이 209쪽

1 □ 안에 알맞은 수를 써넣으세요.

$24 × 2$ ⟨ $4 × 2 =$ □

$20 × 2 =$ □

합 □

2 계산해 보세요.

(1)
	1	2
×		4

(2)
	3	3
×		3

3 곱이 더 큰 것에 ○표 하세요.

$31 × 2$	$22 × 3$
( )	( )

4 구슬이 한 상자에 42개씩 들어 있습니다. 2상자에 들어 있는 구슬은 모두 몇 개일까요?

(   )

3 | (몇십몇)×(몇) (2)

십의 자리에서 올림이 있는 (몇십몇)×(몇)의 계산 결과를 어림하고, 계산 원리를 이해하여 계산할 수 있습니다.

그림으로 개념 잡기

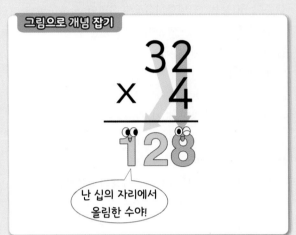

$$\begin{array}{r} 32 \\ \times\ 4 \\ \hline 128 \end{array}$$

난 십의 자리에서 올림한 수야!

3 (몇십몇)×(몇) (2)

십의 자리에서 올림이 있는 (몇십몇)×(몇)의 계산 결과를 어림하고, 계산 원리를 이해하여 계산할 수 있습니다.

생각 열기

바람개비 만들기 체험 행사에 사용할 빈 페트병을 모았더니 한 상자에 32병씩 4상자가 나왔어요.

• 모은 페트병이 모두 몇 병인지 구하는 식을 써 보세요.

식 예 32×4

• 모은 페트병이 모두 약 몇 병인지 어림해 보세요.

32를 30으로 어림한 후 30의 4배를 하면 약 ......

예 약 120병

탐구 하기

준비물

32×4를 수 모형으로 어떻게 계산하는지 알아봅시다.

• 32×4가 얼마인지 알아보세요.

$$32 \times 4 \begin{cases} 2 \times 4 = \boxed{8} \\ 30 \times 4 = \boxed{120} \\ \text{합} \boxed{128} \end{cases}$$

$$\begin{array}{r} 3\ 2 \\ \times \quad 4 \\ \hline 8 \quad \leftarrow 2\times4 \\ 1\ 2\ 0 \quad \leftarrow 30\times4 \\ \hline 1\ 2\ 8 \end{array}$$

에서 어림한 값과 의 계산 결과를 비교해 볼까요?

• 32×4를 어떻게 계산하였는지 이야기해 보세요.

88

예 • 32를 30과 2로 가른 후 30×4와 2×4를 계산해 더하였습니다.
• 32의 십의 자리 수와 일의 자리 수에 각각 4를 곱하고 더하였습니다.

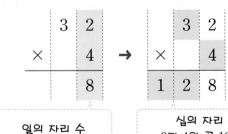

교과서 개념 완성

정리하기 32×4의 계산 방법 정리하기

$$\begin{array}{r} 3\ 2 \\ \times \quad 4 \\ \hline 8 \end{array} \rightarrow \begin{array}{r} 3\ 2 \\ \times \quad 4 \\ \hline 1\ 2\ 8 \end{array}$$

일의 자리 수
2와 4의 곱 8을
일의 자리에 씁니다.

십의 자리 수
3과 4의 곱 12에서
2는 십의 자리에 쓰고,
1은 백의 자리에 씁니다.

주의 십의 자리에서 올림한 수는 백의 자리에 쓰도록 합니다.

확인하기 십의 자리에서 올림이 있는 (몇십몇)×(몇)의 계산 익히기

$$\begin{array}{r} 8\ 4 \\ \times \quad 2 \\ \hline 8 \\ 1\ 6\ 0 \\ \hline 1\ 6\ 8 \end{array}$$

$$\begin{array}{r} 5\ 1 \\ \times \quad 7 \\ \hline 7 \\ 3\ 5\ 0 \\ \hline 3\ 5\ 7 \end{array}$$

$$\begin{array}{r} 6\ 3 \\ \times \quad 3 \\ \hline 9 \\ 1\ 8\ 0 \\ \hline 1\ 8\ 9 \end{array}$$

$$\begin{array}{r} 5\ 2 \\ \times \quad 2 \\ \hline 4 \\ 1\ 0\ 0 \\ \hline 1\ 0\ 4 \end{array}$$

주의 52×2에서 십의 자리의 계산 $5 \times 2 = 10$과 같이 계산이 0으로 끝나는 경우 계산 결과의 자리를 바르게 맞추어 쓰도록 합니다.

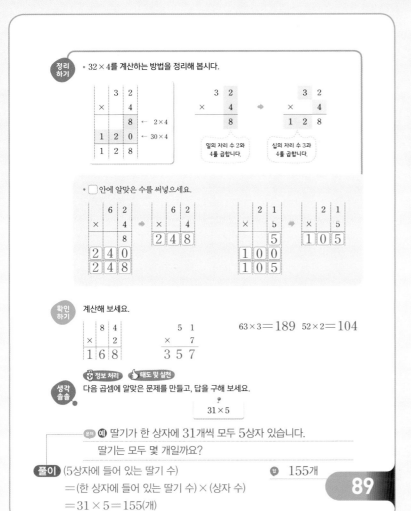

정리
하기　• 32×4를 계산하는 방법을 정리해 봅시다.

		3	2
×			4
			8	← 2×4
1	2	0		← 30×4
1	2	8	

일의 자리 수 2와 4를 곱합니다.

십의 자리 수 3과 4를 곱합니다.

• ☐ 안에 알맞은 수를 써넣으세요.

확인
하기　계산해 보세요.

		8	4
×			2
	1	6	8

		5	1
×			7
	3	5	7

63×3＝189　52×2＝104

정보 처리　태도 및 실천

생각
솔솔　다음 곱셈에 알맞은 문제를 만들고, 답을 구해 보세요.

?
31×5

예 딸기가 한 상자에 31개씩 모두 5상자 있습니다.
　딸기는 모두 몇 개일까요?

풀이 (5상자에 들어 있는 딸기 수)　　답 155개
＝(한 상자에 들어 있는 딸기 수)×(상자 수)
＝31×5＝155(개)

89

이런 문제가 서술형으로 나와요

10이 8개, 1이 3개인 수를 3배 한 수는 얼마인지 풀이 과정을 쓰고, 답을 구해 보세요.

| 풀이 과정 |

❶ 10이 8개, 1이 3개인 수 구하기

10이 8개이면 80, 1이 3개이면 3이므로 83입니다.

❷ 10이 8개, 1이 3개인 수를 3배 한 수 구하기

10이 8개, 1이 3개인 수는 83이므로 83을 3배 한 수는 83×3＝249입니다.

답 249

• **수학 교과 역량**　정보 처리　태도 및 실천

곱셈에 알맞은 실생활 문제 만들고 해결하기

주어진 곱셈에 알맞은 실생활 문제를 만들고, 해결하는 활동을 통하여 정보 처리 능력과 태도 및 실천 능력을 기를 수 있습니다.

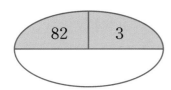
개념 확인 문제　　정답 및 풀이 209쪽

1 ☐ 안에 알맞은 수를 써넣으세요.

(1)
		2	1
×			9

(2)
		4	2
×			4

2 빈 곳에 두 수의 곱을 써넣으세요.

82	3

3 곱이 가장 큰 것을 찾아 기호를 써 보세요.

㉠ 31×6	㉡ 52×4	㉢ 43×3

(　　　　　　　　)

4 유진이가 종이학을 하루에 31개씩 접는다면 일주일 동안 접는 종이학은 모두 몇 개일까요?

(　　　　　　　　)

4 | (몇십몇) × (몇) (3)

학습 목표

일의 자리에서 올림이 있는 (몇십몇) × (몇)의 계산 결과를 어림하고, 계산 원리를 이해하여 계산할 수 있습니다.

그림으로 개념 잡기

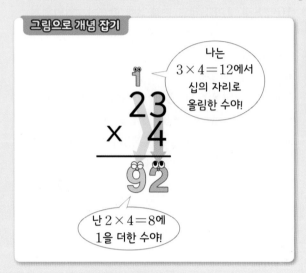

나는
$3 \times 4 = 12$에서
십의 자리로
올림한 수야!

난 $2 \times 4 = 8$에
1을 더한 수야!

어휘	계산 (calculation)	수나 식을 +, −, ×, ÷ 등의 규칙에 따라 처리하여 수치를 구하는 일입니다.

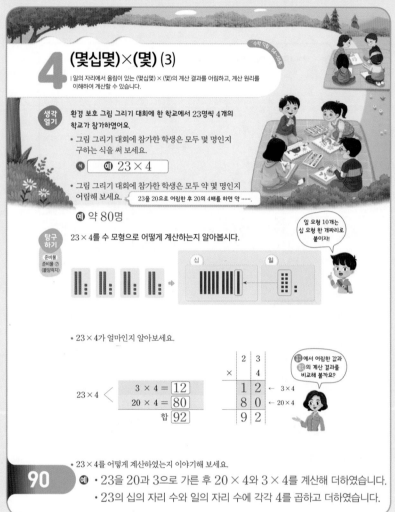

4 (몇십몇)×(몇) (3)

일의 자리에서 올림이 있는 (몇십몇) × (몇)의 계산 결과를 어림하고, 계산 원리를 이해하여 계산할 수 있습니다.

생각열기 환경 보호 그림 그리기 대회에 한 학교에서 23명씩 4개의 학교가 참가하였어요.

• 그림 그리기 대회에 참가한 학생은 모두 몇 명인지 구하는 식을 써 보세요.

식 **예** 23×4

• 그림 그리기 대회에 참가한 학생은 모두 약 몇 명인지 어림해 보세요.

23을 20으로 어림한 후 20의 4배를 하면 약 ……

예 약 80명

탐구하기 23×4를 수 모형으로 어떻게 계산하는지 알아봅시다.

일 모형 10개는 십 모형 한 개짜리로 붙이자!

• 23×4가 얼마인지 알아보세요.

23×4
$3 \times 4 = \boxed{12}$
$20 \times 4 = \boxed{80}$
합 $\boxed{92}$

탐구에서 어림한 값과 의 계산 결과를 비교해 볼까요?

• 23×4를 어떻게 계산하였는지 이야기해 보세요.

예 • 23을 20과 3으로 가른 후 20×4와 3×4를 계산해 더하였습니다.
• 23의 십의 자리 수와 일의 자리 수에 각각 4를 곱하고 더하였습니다.

90

교과서 개념 완성

정리하기 23×4의 계산 방법 정리하기

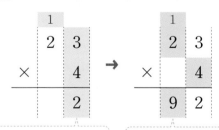

3과 4의 곱 12에서 2는 일의 자리에 쓰고, 1은 십의 자리로 올려 씁니다.

2와 4의 곱 8에 올림한 수 1을 더하여 십의 자리에 씁니다.

확인하기 일의 자리에서 올림이 있는 (몇십몇) × (몇)의 계산 익히기

곱해지는 수의 일의 자리 수와 곱하는 수의 곱이 ■▲일 때, ■는 십의 자리 위에 작게 쓰고, ▲는 일의 자리에 씁니다. 이때 ■는 곱해지는 수의 십의 자리 수와 곱하는 수의 곱에 더하여 계산합니다.

	1			2			2			1	
	2	4		1	4		1	8		4	9
×		4	×		6	×		3	×		2
	9	6		8	4		5	4		9	8

정리하기

23×4를 계산하는 방법을 정리해 봅시다.

```
    2 3
  ×   4
  ─────
    1 2  ← 3×4
    8 0  ← 20×4
  ─────
    9 2
```

 3×4=12에서 2를 일의 자리에 쓰고, 1을 십의 자리 위에 작게 씁니다.

```
      1
    2 3
  ×   4
  ─────
      2
```

→

```
      1
    2 3
  ×   4
  ─────
    9 2
```

일의 자리 수 3과 4를 곱합니다.

십의 자리 2와 4를 곱한 값에 1을 더합니다.

□ 안에 알맞은 수를 써넣으세요.

```
    2 7
  ×   3
  ─────
    2 1
    6 0
  ─────
    8 1
```

→

```
    ②
    2 7
  ×   3
  ─────
    8 1
```

```
    1 4
  ×   7
  ─────
    2 8
    7 0
  ─────
    9 8
```

→

```
    ②
    1 4
  ×   7
  ─────
    9 8
```

확인하기

계산해 보세요.

```
    2 4
  ×   4
  ─────
    9 6
```

```
    1 4
  ×   6
  ─────
    8 4
```

$18 \times 3 = 54$ $49 \times 2 = 98$

생각 솔솔 문제 해결

길이가 25 cm인 나무 막대 3개를 겹치지 않게 이어 놓으면 나무 막대 전체 길이는 몇 cm일까요?

식 $25 \times 3 = 75$ 답 75 cm

풀이 (나무 막대 전체 길이)=(나무 막대 한 개의 길이)×3
$= 25 \times 3 = 75$ (cm)

91

이런 문제가 **서술형**으로 나와요

긴 철사가 있었습니다. 이 철사를 19 cm씩 3도막으로 잘랐더니 8 cm가 남았습니다. 처음 철사의 길이는 몇 cm였는지 풀이 과정을 쓰고, 답을 구해 보세요.

| 풀이 과정 |

❶ 자른 철사 3도막의 길이의 합 구하기

한 도막에 19 cm씩 잘랐으므로 3도막의 길이의 합은 $19 \times 3 = 57$ (cm)입니다.

❷ 처음 철사의 길이 구하기

자른 철사 3도막의 길이의 합은 57 cm이고, 남은 철사의 길이는 8 cm이므로 처음 철사의 길이는 $57 + 8 = 65$ (cm)입니다.

답 65 cm

수학 교과 역량 문제 해결

곱셈을 활용하여 실생활 문제 해결하기

일의 자리에서 올림이 있는 (몇십몇)×(몇)을 활용하여 실생활 문제를 해결하는 과정을 통하여 수학의 유용성을 알고 문제 해결 능력을 기를 수 있습니다.

 개념 확인 문제   정답 및 풀이 209쪽

1 오른쪽 계산에서 □ 안의 1은 실제로 얼마를 나타내나요?

```
    ①
    3 6
  ×   2
  ─────
    7 2
```

(   )

2 계산해 보세요.

(1)
```
    2 7
  ×   3
  ─────
```

(2)
```
    1 9
  ×   4
  ─────
```

3 계산 결과를 비교하여 ○ 안에 >, =, <를 알맞게 써넣으세요.

$28 \times 3 \bigcirc 15 \times 6$

4 길이가 13 cm인 색 테이프 7장을 겹치지 않게 길게 이어 붙이려고 합니다. 이어 붙인 색 테이프의 전체 길이는 몇 cm일까요?

(   )

5 | (몇십몇)×(몇) (4)

십의 자리와 일의 자리에서 올림이 있는 (몇십몇)×(몇)의 계산 결과를 어림하고, 계산 원리를 이해하여 계산할 수 있습니다.

그림으로 개념 잡기

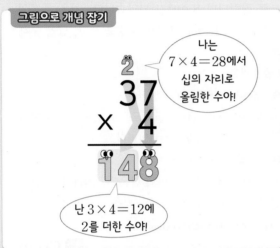

나는 7×4=28에서 십의 자리로 올림한 수야!

난 3×4=12에 2를 더한 수야!

어휘	결과 (result)	어떤 원인으로 인하여 결말이 생기는 것입니다.

---

5 (몇십몇)×(몇) (4)

| 십의 자리와 일의 자리에서 올림이 있는 (몇십몇)×(몇)의 계산 결과를 어림하고, 계산 원리를 이해하여 계산할 수 있습니다.

생각 열기

환경 보호 음악 공연이 열리는 야외 공연장 좌석은 37명씩 4줄로 앉을 수 있어요.

• 공연장에 모두 몇 명이 앉을 수 있는지 구하는 식을 써 보세요.

답 　예 37×4

• 공연장에 모두 약 몇 명이 앉을 수 있는지 어림해 보세요.

예 약 160명　｜37을 40으로 어림한 후 40의 4배를 하면 약 ······

탐구 하기

준비물 준비물 ⑦ (붙임딱지)

37×4를 수 모형으로 어떻게 계산하는지 알아봅시다.

• 37×4가 얼마인지 알아보세요.

$$37×4 \begin{cases} 7 × 4 = \boxed{28} \\ 30 × 4 = \boxed{120} \\ 합 \boxed{148} \end{cases}$$

		3	7
×			4
		2	8	← 7×4
	1	2	0	← 30×4
	1	4	8

생각열기에서 어림한 값과 탐구하기의 계산 결과를 비교해 볼까요?

• 37×4를 어떻게 계산하였는지 이야기해 보세요.

예 37의 십의 자리 수와 일의 자리 수에 각각 4를 곱하고 더하였습니다.

92

교과서 개념 완성

정리하기 37×4의 계산 방법 정리하기

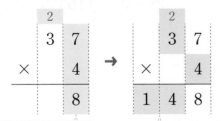

	2	
	3	7
×		4
		8

→

	2	
	3	7
×		4
1	4	8

7과 4의 곱 28에서 8은 일의 자리에 쓰고, 2는 십의 자리로 올려 씁니다.

3과 4의 곱 12에 올림한 수 2를 더하여 4는 십의 자리에 쓰고, 1은 백의 자리에 씁니다.

학부모 코칭 Tip

일의 자리에서 올림한 수는 십의 자리의 계산에 더한 다음 자리에 맞추어 쓰고, 십의 자리에서 올림한 수는 백의 자리에 쓰도록 합니다.

확인하기 십의 자리와 일의 자리에서 올림이 있는 (몇십몇)×(몇)의 계산 익히기

십의 자리와 일의 자리에서 올림한 수에 주의하여 계산합니다.

	3				4				4				2	
	3	4			5	7			4	8			7	9
×		8		×		6		×		5		×		3
2	7	2		3	4	2		2	4	0		2	3	7

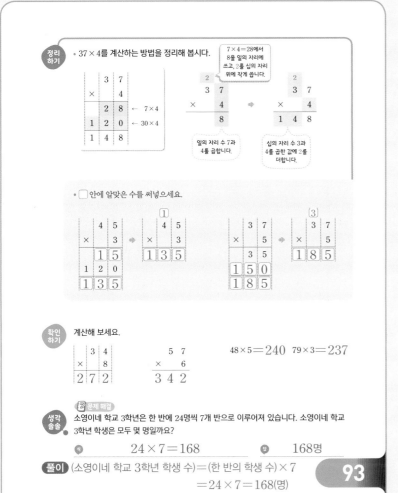

정리 하기

• 37×4를 계산하는 방법을 정리해 봅시다.

7×4=28에서 8을 일의 자리에 쓰고, 2를 십의 자리 위에 작게 씁니다.

일의 자리 수 7과 4를 곱합니다.

십의 자리 수 3과 4를 곱한 값에 2를 더합니다.

• □ 안에 알맞은 수를 써넣으세요.

확인 하기

계산해 보세요.

$48 \times 5 = 240$　$79 \times 3 = 237$

생각 솔솔　📘문제 해결

소영이네 학교 3학년은 한 반에 24명씩 7개 반으로 이루어져 있습니다. 소영이네 학교 3학년 학생은 모두 몇 명일까요?

식　$24 \times 7 = 168$　답　168명

풀이 (소영이네 학교 3학년 학생 수)=(한 반의 학생 수)×7
= $24 \times 7 = 168$(명)

93

이런 문제가 서술형으로 나와요

한 상자에 축구공 17개와 야구공 29개가 들어 있습니다. 6상자에 들어 있는 공은 모두 몇 개인지 풀이 과정을 쓰고, 답을 구해 보세요.

| 풀이 과정 |

❶ 한 상자에 들어 있는 공의 수 구하기

한 상자에 축구공 17개와 야구공 29개가 들어 있으므로 모두 $17 + 29 = 46$(개)입니다.

❷ 6상자에 들어 있는 공의 수 구하기

공이 한 상자에 46개씩 6상자 있으므로 공은 모두 $46 \times 6 = 276$(개)입니다.

답 276개

• 수학 교과 역량 　📘문제 해결

곱셈을 활용하여 실생활 문제 해결하기

십의 자리와 일의 자리에서 올림이 있는 (몇십몇)×(몇)을 활용하여 실생활 문제를 해결하는 과정을 통하여 수학의 유용성을 알고 문제 해결 능력을 기를 수 있습니다.

 개념 확인 문제　정답 및 풀이 209쪽

1 계산해 보세요.

(1)
```
    3 6
×     4
```

(2)
```
    6 5
×     7
```

2 빈칸에 알맞은 수를 써넣으세요.

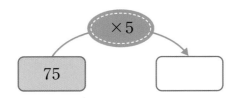

3 계산 결과를 찾아 선으로 이어 보세요.

47×9	·	· 232
58×4	·	· 345
		· 423

4 주호네 학교 3학년 학생들이 4대의 버스를 타고 박물관에 갔습니다. 버스 한 대에 28명의 학생이 탔다면 박물관에 간 3학년 학생은 모두 몇 명일까요?

(　　　　　　　)

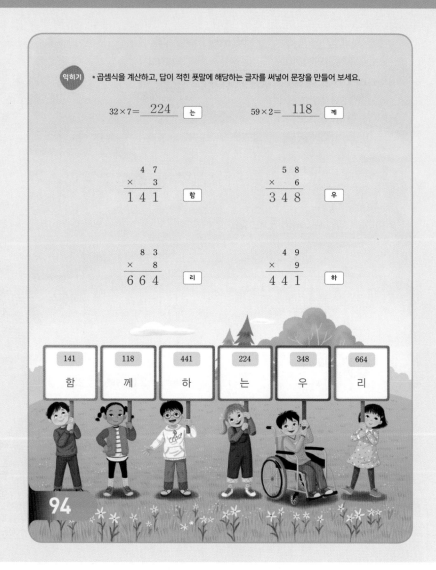

풀이

```
    3 2
  ×   7
  ─────
    1 4
  2 1 0
  ─────
  2 2 4
```

```
    5 9
  ×   2
  ─────
    1 8
  1 0 0
  ─────
  1 1 8
```

```
    4 7
  ×   3
  ─────
    2 1
  1 2 0
  ─────
  1 4 1
```

```
    5 8
  ×   6
  ─────
    4 8
  3 0 0
  ─────
  3 4 8
```

```
    8 3
  ×   8
  ─────
    2 4
  6 4 0
  ─────
  6 6 4
```

```
    4 9
  ×   9
  ─────
    8 1
  3 6 0
  ─────
  4 4 1
```

익히기 • 곱셈식을 계산하고, 답이 적힌 푯말에 해당하는 글자를 써넣어 문장을 만들어 보세요.

$32 \times 7 = \underline{224}$ 는

$59 \times 2 = \underline{118}$ 께

```
    4 7
  ×   3
  ─────
  1 4 1
```
함

```
    5 8
  ×   6
  ─────
  3 4 8
```
우

```
    8 3
  ×   8
  ─────
  6 6 4
```
리

```
    4 9
  ×   9
  ─────
  4 4 1
```
하

141	118	441	224	348	664
함	께	하	는	우	리

94

교과서 개념 완성

익히기 십의 자리와 일의 자리에서 올림이 있는 (몇십몇) × (몇)의 계산 익히기

```
    1
    3 2
  ×   7
  ─────
  2 2 4
```

```
    1
    5 9
  ×   2
  ─────
  1 1 8
```

```
    2
    4 7
  ×   3
  ─────
  1 4 1
```

```
    4
    5 8
  ×   6
  ─────
  3 4 8
```

```
    2
    8 3
  ×   8
  ─────
  6 6 4
```

```
    8
    4 9
  ×   9
  ─────
  4 4 1
```

➡ 함께하는 우리

적용 십의 자리와 일의 자리에서 올림이 있는 (몇십몇) × (몇)을 활용하여 문제 해결하기

• 종원이가 5일 동안 수영 연습을 한 시간 구하기

➡ 45분의 5배이므로 $45 \times 5 = 225$(분)입니다.

• 수빈이가 7일 동안 읽은 책의 쪽수 구하기

➡ 38쪽의 7배이므로 $38 \times 7 = 266$(쪽)입니다.

도전 $29 \times \boxed{} > 175$의 $\boxed{}$ 안에 들어갈 수 있는 수를 모두 구하기

29를 30으로 어림하면 $30 \times 6 = 180$이므로 $\boxed{}$ 안에 들어갈 수 있는 수는 6과 같거나 큰 수로 예상할 수 있습니다.

적용
• 종원이는 하루에 수영 연습을 45분 동안 합니다. 종원이가 5일 동안 수영 연습을 하였다면 수영 연습을 한 시간은 모두 몇 분일까요?

식 $45 \times 5 = 225$ 답   225분

풀이 (종원이가 5일 동안 수영 연습을 한 시간)
 = (하루에 수영을 연습하는 시간) × 5
 = $45 \times 5 = 225$(분)

• 수빈이는 하루에 38쪽씩 책을 읽습니다. 수빈이가 7일 동안 책을 읽었다면 모두 몇 쪽을 읽었을까요?

식 $38 \times 7 = 266$ 답   266쪽

풀이 (수빈이가 7일 동안 읽은 책의 쪽수)
 = (하루에 읽는 책의 쪽수) × 7
 = $38 \times 7 = 266$(쪽)

창의·융합
도전
• 1부터 9까지의 수 중에서 ◯ 안에 들어갈 수 있는 수를 모두 구해 보세요.   7, 8, 9

$29 \times ◯ > 175$

풀이 $29 \times 6 = 174$이므로 175보다 작습니다.
$29 \times 7 = 203$이므로 175보다 큽니다.
$29 \times 7 = 203$, $29 \times 8 = 232$, $29 \times 9 = 261$이므로
◯ 안에 들어갈 수 있는 수는 7, 8, 9입니다.

95

이런 문제가 서술형으로 나와요

1부터 9까지의 수 중에서 ◯ 안에 들어갈 수 있는 가장 큰 수는 얼마인지 풀이 과정을 쓰고, 답을 구해 보세요.

$46 \times ◯ < 319$

| 풀이 과정 |

❶ 46을 어림하여 계산하기

46을 50으로 어림하면 $50 \times 7 = 350$이므로 ◯ 안에는 7과 같거나 작은 수가 들어갈 수 있습니다.

❷ ◯ 안에 들어갈 수 있는 가장 큰 수 구하기

◯=7일 때 $46 \times 7 = 322$,
◯=6일 때 $46 \times 6 = 276$, …
따라서 ◯ 안에 들어갈 수 있는 수는 6, 5, …, 1이므로 이 중에서 가장 큰 수는 6입니다.

답 6

수학 교과 역량 창의·융합

조건을 이용하여 ◯의 값 구하기
여러 가지 전략을 이용하여 문제를 해결하는 과정을 통하여 창의·융합 능력을 기를 수 있습니다.

개념 확인 문제
정답 및 풀이 210쪽

1 계산해 보세요.

(1) 5 2
   ×   6

(2) 8 7
   ×   5

2 빈칸에 알맞은 수를 써넣으세요.

14 → ×3 → □ → ×8 → □

3 미술관에 오전에 입장한 사람은 84명이고, 오후에 입장한 사람은 오전에 입장한 사람 수의 3배입니다. 이 미술관에 오후에 입장한 사람은 몇 명일까요?

(   )

4 □ 안에 알맞은 수를 써넣으세요.

   □ 3
×   5
----
3 6 5

8차시

문제 해결력 | 쏙쏙   몇 문제를 맞혔을까요

학습 목표
표 만들기 전략을 이용하여 곱셈에 대한 문제를 해결할 수 있습니다.

문제 해결 전략   표 만들기 전략

수학 교과 역량   📝 문제 해결   ⚙ 정보 처리

몇 문제를 맞혔을까요

· 문제의 조건을 확인하고 적절한 문제 해결 전략을 선택하여 해결하는 과정을 통하여 문제 해결 능력을 기를 수 있습니다.
· 문제를 해결하는 과정에서 얻은 정보를 표로 만들고 정리하는 과정을 통하여 정보 처리 능력을 기를 수 있습니다.

문제 해결 Tip
표를 만들어 ▲에 0부터 차례대로 넣으면서 ▲가 될 수 있는 수를 찾아봅니다.

📝 문제 해결   ⚙ 정보 처리

슬비가 수학 퀴즈 대회에 참가하였습니다. 이 대회에서는 문제를 맞히면 한 문제당 5점을 얻습니다. 슬비가 문제를 풀고 얻은 점수는 슬비가 맞힌 문제 수에 100점을 더한 것과 같았습니다. 아래 ●와 ▲에 알맞은 숫자를 찾아 슬비가 맞힌 문제 수를 구해 보세요.

●	▲	맞힌 문제 수
×	5	
1	● ▲	얻은 점수

(단, 같은 기호는 같은 숫자를 나타냅니다.)

문제 이해하기
· 구하려고 하는 것은 무엇인가요?
  슬비가 맞힌 문제의 수입니다.

· 알고 있는 것은 무엇인가요?
  · 문제를 맞히면 한 문제당 5점을 얻습니다.
  · 슬비가 문제를 풀고 얻은 점수는 슬비가 맞힌 문제 수에 100점을 더한 것과 같습니다.

계획 세우기
· 어떤 방법으로 문제를 해결할 수 있을지 계획을 세워 보세요.

어떤 수에 5를 곱하면 곱의 일의 자리의 수는 0 또는 5이니까 ▲를 쉽게 구할 수 있을 것 같아.

표를 이용하여 ▲에 0부터 차례대로 넣으면서 ▲를 구한 다음 ●를 구해 보자.

96

교과서 개념 완성

문제 이해하기

>> **구하려고 하는 것**
슬비가 맞힌 문제의 수입니다.

>> **알고 있는 것**
· 문제를 맞히면 한 문제당 5점을 얻습니다.
· 슬비가 문제를 풀고 얻은 점수는 슬비가 맞힌 문제 수에 100점을 더한 것과 같습니다.
· 슬비가 맞힌 문제 수가 ●▲일 때, 슬비가 얻은 점수는 ●▲×5＝1●▲입니다. 이때 같은 기호는 같은 숫자를 나타냅니다.

계획 세우기
· 어떤 수에 5를 곱하면 곱의 일의 자리의 수는 0 또는 5이므로 ▲를 먼저 구합니다.
· ▲가 될 수 있는 숫자에 따라 표를 만들어 ●를 구합니다.

계획대로 풀기
· ▲에 5를 곱하였을 때 곱의 일의 자리의 수는 0 또는 5이므로 ▲가 될 수 있는 숫자는 0과 5입니다.
· 조건에 맞게 표를 만들어 보면 ▲＝5, ●＝2이므로 슬비가 맞힌 문제는 25문제입니다.

되돌아보기
$25 × 5 ＝ 125$이므로 답이 맞습니다.

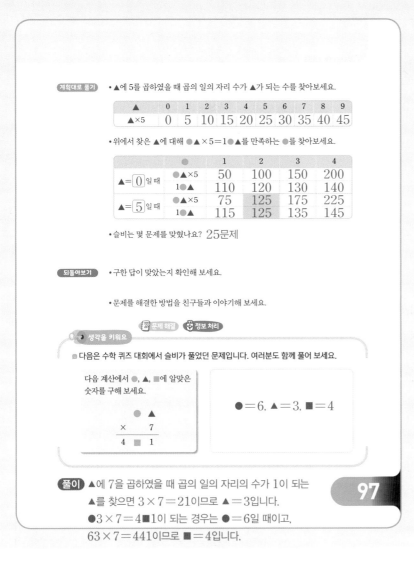

생각을 키워요　📖문제 해결　🔷정보 처리

문제 이해하기

≫ **구하려고 하는 것**

●, ▲, ■에 알맞은 숫자입니다.

≫ **알고 있는 것**

●▲×7＝4■1입니다.

계획 세우기

▲에 7을 곱하였을 때 곱의 일의 자리의 수가 1이 되는 ▲를 먼저 구한 다음 ●, ■를 구합니다.

계획대로 풀기

▲에 7을 곱하였을 때 곱의 일의 자리의 수가 1이 되는 경우는 3×7＝21이므로 ▲＝3입니다.

조건에 맞게 표를 만들어 보면 다음과 같습니다.

●	…	5	6	7	…
●3×7	…	371	441	511	…

따라서 ●＝6, ▲＝3, ■＝4입니다.

되돌아보기

63×7＝441이므로 답이 맞습니다.

문제 해결력 문제　정답 및 풀이 210쪽

1 도로의 한쪽에 나무 7그루를 16 m 간격으로 처음부터 끝까지 심었습니다. 나무를 심은 도로의 길이는 몇 m인지 구하려고 합니다. 물음에 답해 보세요. (단, 나무의 두께는 생각하지 않습니다.)

(1) 나무와 나무 사이의 간격 수는 몇 군데일까요?

(　　　　　)

(2) 도로의 길이는 몇 m일까요?

(　　　　　)

2 도로의 한쪽에 가로등 5개를 32 m 간격으로 처음부터 끝까지 세웠습니다. 가로등을 세운 도로의 길이는 몇 m인지 구해 보세요. (단, 가로등의 두께는 생각하지 않습니다.)

(　　　　　)

3 산책로의 양쪽에 나무 18그루를 24 m 간격으로 처음부터 끝까지 심었습니다. 나무를 심은 산책로의 길이는 몇 m인지 구해 보세요. (단, 나무의 두께는 생각하지 않습니다.)

(　　　　　)

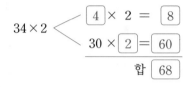

추론

올림이 없는 (몇십몇)×(몇),
일의 자리에서 올림이 있는
(몇십몇)×(몇)의 계산 원리 이해
하기

▶자습서 102~103쪽, 106~107쪽
(두 자리 수)×(한 자리 수)의 계
산은 곱하는 수의 일의 자리와 십
의 자리를 각각 계산한 다음, 그
곱을 더하여 계산합니다.

1 ☐안에 알맞은 수를 써넣으세요.
87, 91쪽

$$34 \times 2 \begin{cases} \boxed{4} \times 2 = \boxed{8} \\ 30 \times \boxed{2} = \boxed{60} \\ \hline \text{합} \quad \boxed{68} \end{cases}$$

$$29 \times 2 \begin{cases} \boxed{9} \times 2 = \boxed{18} \\ 20 \times \boxed{2} = \boxed{40} \\ \hline \text{합} \quad \boxed{58} \end{cases}$$

추론

(몇십)×(몇), (몇십몇)×(몇)
계산하기

▶자습서 100~103쪽, 106~111쪽

학부모 코칭 Tip
계산 결과를 자리에 맞추어 썼
는지 확인하고, 올림한 수에 주
의하여 계산할 수 있게 합니다.

2 계산해 보세요.
85, 87,
91, 93쪽

$$30 \times 3 = 90 \qquad 43 \times 2 = 86$$

$$\begin{array}{r} 1\ 8 \\ \times\quad 2 \\ \hline 3\ 6 \end{array} \qquad \begin{array}{r} 5\ 2 \\ \times\quad 6 \\ \hline 3\ 1\ 2 \end{array}$$

문제 해결 · 추론 · 창의·융합

십의 자리에서 올림이 있는
(몇십몇)×(몇) 활용하기

▶자습서 104~105쪽

42권씩 4상자는 42의 4배이므로
42×4입니다.

3 한 상자에 동화책이 42권씩 들어 있습니다. 4상자에는
89쪽 동화책이 모두 몇 권 들어 있는지 구해 보세요.

식 $42 \times 4 = 168$

답   168권

풀이 동화책이 한 상자에 42권씩 4상자가 있으므로 4상자에
들어 있는 동화책은 모두 42×4=168(권)입니다.

98

4 수연이와 지우가 가지고 있는 구슬은 각각 몇 개인지 구해 보세요.
87, 93쪽

나는 구슬을 12개 가지고 있어.

내 구슬의 개수는 하윤이가 가진 개수의 4배야.

나는 수연이가 가진 개수의 3배를 가지고 있어.

하윤   수연   지우

수연 (48개   ), 지우 (144개   )

풀이 (수연이가 가지고 있는 구슬의 수)=(하윤이가 가지고 있는 구슬의 수)×4=12×4=48(개)
(지우가 가지고 있는 구슬의 수)=(수연이가 가지고 있는 구슬의 수)×3=48×3=144(개)

◆ 추론 ◆ 의사소통

(몇십몇)×(몇) 활용하기
▶자습서 102~103쪽, 108~111쪽
■의 ▲배 ➔ ■ × ▲

5 곱셈식의 ○ 안에 어떤 수를 넣어 그 곱이 400에 가장 가깝게 되도록 만들려고 합니다. ○ 안에 어떤 수를 넣어야 하는지 구해 보세요. 8
93쪽

4 8
×   ○
☐ ☐ ☐

풀이 48을 50으로 어림하면 50×8=400이므로 ○ 안에 8을 넣어 계산해 봅니다.
48×8=384, 48×9=432이고, 384는 400보다 16 작은 수이고, 432는 400보다 32 큰 수이므로 400에 가장 가까운 곱셈식은 48×8=384입니다.
따라서 ○ 안에 8을 넣어야 합니다.

◆ 문제 해결 ◆ 추론

조건에 알맞은 수 구하기
▶자습서 108~111쪽
48을 50으로 어림하여 조건에 알맞은 수를 찾아봅니다.

생각을 넓혀요 ◆ 추론 ◆ 정보 처리

6 숫자 카드 3장을 한 번씩만 사용하여 (두 자리 수)×(한 자리 수)의 곱셈식을 만들려고 합니다. 곱이 가장 크게 되도록 곱셈식을 만들고, 계산해 보세요. 54×7=378
93쪽

4   5   7

풀이 곱이 가장 큰 곱셈을 ㉠㉡×㉢이라고 할 때, 십의 자리 계산인 ㉠×㉢의 결과가 가장 커야 하므로 ㉠과 ㉢에 알맞은 수는 각각 5 또는 7이고, ㉡에 알맞은 수는 4입니다.
따라서 54×7=378, 74×5=370이므로 곱이 가장 큰 곱셈식은 54×7=378입니다.

◆ 추론 ◆ 정보 처리

숫자 카드로 조건에 맞는 곱셈식 만들고, 계산하기
▶자습서 108~111쪽
(두 자리 수)×(한 자리 수)의 곱이 가장 크려면 십의 자리 계산 결과가 가장 크게 되는 곱셈을 만들어야 합니다.

99

•놀이 속으로| 풍덩 •이야기로 키우는|생각

 교과서 개념 완성

 놀이 속으로| 풍덩

1 주사위의 눈의 수 2, 3, 5로 곱셈식 만들기

$$\begin{array}{r} 1 \\ 2\ 3 \\ \times\quad 5 \\ \hline 1\ 1\ 5 \end{array}$$
$$\begin{array}{r} 1 \\ 3\ 2 \\ \times\quad 5 \\ \hline 1\ 6\ 0 \end{array}$$
$$\begin{array}{r} 1 \\ 2\ 5 \\ \times\quad 3 \\ \hline 7\ 5 \end{array}$$

$$\begin{array}{r} 5\ 2 \\ \times\quad 3 \\ \hline 1\ 5\ 6 \end{array}$$
$$\begin{array}{r} 1 \\ 3\ 5 \\ \times\quad 2 \\ \hline 7\ 0 \end{array}$$
$$\begin{array}{r} 5\ 3 \\ \times\quad 2 \\ \hline 1\ 0\ 6 \end{array}$$

2 주사위의 눈의 수로 곱이 200에 가장 가까운 곱셈식 만들기

예 나: → $$\begin{array}{r} 1 \\ 6\ 5 \\ \times\quad 3 \\ \hline 1\ 9\ 5 \end{array}$$

친구: → $$\begin{array}{r} 5\ 2 \\ \times\quad 4 \\ \hline 2\ 0\ 8 \end{array}$$

195와 200의 차는 5이고, 208과 200의 차는 8이므로 195와 200 중에서 200에 더 가까운 수는 195입니다. 따라서 이긴 사람은 나입니다.

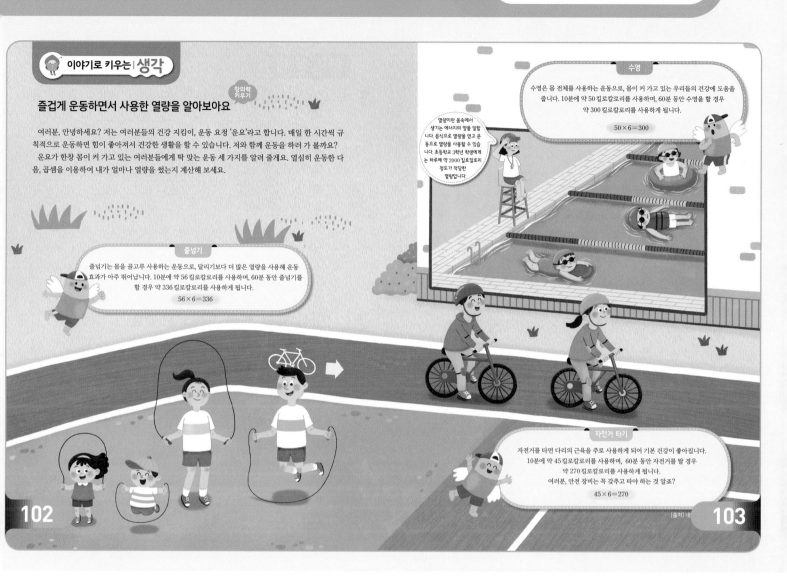

이야기로 키우는 생각

즐겁게 운동하면서 사용한 열량을 알아보아요

여러분, 안녕하세요? 저는 여러분들의 건강 지킴이, 운동 요정 '운요'라고 합니다. 매일 한 시간씩 규칙적으로 운동하면 힘이 좋아져서 건강한 생활을 할 수 있습니다. 저와 함께 운동을 하러 가 볼까요? 운요가 한창 몸이 커 가고 있는 여러분들에게 딱 맞는 운동 세 가지를 알려 줄게요. 열심히 운동한 다음, 곱셈을 이용하여 내가 얼마나 열량을 썼는지 계산해 보세요.

줄넘기

줄넘기는 몸을 골고루 사용하는 운동으로, 달리기보다 더 많은 열량을 사용해 운동 효과가 아주 뛰어납니다. 10분에 약 56킬로칼로리를 사용하며, 60분 동안 줄넘기를 할 경우 약 336킬로칼로리를 사용하게 됩니다.

$56 \times 6 = 336$

수영

수영은 몸 전체를 사용하는 운동으로, 몸이 커 가고 있는 우리들의 건강에 도움을 줍니다. 10분에 약 50킬로칼로리를 사용하며, 60분 동안 수영을 할 경우 약 300킬로칼로리를 사용하게 됩니다.

$50 \times 6 = 300$

열량이란 몸속에서 생기는 에너지의 양을 말합니다. 음식으로 열량을 얻고 운동으로 열량을 사용할 수 있습니다. 초등학교 3학년 학생에게는 하루에 약 2000 밀로칼로리 정도가 적당한 열량입니다.

자전거 타기

자전거를 타면 다리의 근육을 주로 사용하게 되어 기본 건강이 좋아집니다. 10분에 약 45킬로칼로리를 사용하며, 60분 동안 자전거를 탈 경우 약 270킬로칼로리를 사용하게 됩니다. 여러분, 안전 장비는 꼭 갖추고 타야 하는 것 알죠?

$45 \times 6 = 270$

102   103   [출처] 내

이야기로 키우는 생각

물놀이 안전 수칙

· 수영 전에는 충분한 준비 운동으로 몸을 풀어 줍니다.
· 심장에서 먼 부분(다리, 팔, 얼굴, 가슴 등의 순서)부터 물을 적신 후 물에 들어갑니다.
· 배가 고프거나 식사 후에는 물놀이를 자제합니다.
· 물속에 오래 있을 경우 저체온증에 걸리기 쉬우므로 약 30분 수영 후 물 밖에서 10분간 휴식합니다.
· 물놀이가 끝나면 즉시 수건으로 몸의 물기를 닦고 몸을 따뜻하게 합니다.
· 물에 빠진 사람을 발견하면 주위에 소리쳐 알리고 즉시 119에 신고합니다.

자전거 타기 안전 수칙

· 자전거는 몸에 맞아야 하고 안장에 앉았을 때 발이 땅에 닿는 것이 적당합니다.
· 핸들, 바퀴의 공기, 체인, 브레이크 등에 이상이 있는지 자주 확인합니다.
· 안전모와 보호대 등 보호 장비를 반드시 착용합니다.
· 핸들을 양손으로 잡고 바른 자세로 탑니다.
· 반드시 자전거 전용 도로에서 탑니다.
· 내리막길에서는 가속되어 위험하므로 자전거에서 내려서 걷습니다.

[출처] 행정안전부 재난 대비 국민 행동 요령

개념 ÷ 확인

교과서 개념과 확인 문제를 풀면서 단원을 마무리해 보아요.

개념

☀ (몇십) × (몇)의 계산

· 30 × 2 계산하기

$$30 \times 2 = 60$$
$$3 \times 2 = 6$$

$$\begin{array}{r} 3\ 0 \\ \times\ \ \ 2 \\ \hline 6\ 0 \end{array}$$

> (몇십) × (몇)은 (몇) × (몇)의 계산 결과에 0을 한 개 붙입니다.

☀ 올림이 없는 (몇십몇) × (몇)의 계산

· 24 × 2 계산하기

$$\begin{array}{r} 2\ 4 \\ \times\ \ \ 2 \\ \hline 8 \end{array}$$
➡
$$\begin{array}{r} 2\ 4 \\ \times\ \ \ 2 \\ \hline 4\ 8 \end{array}$$

$$\begin{array}{r} 4\ 0 \\ \hline 4\ 8 \end{array}$$

> 일의 자리 수와의 곱
> 4 × 2 = 8은 일의 자리에 쓰고,
> 십의 자리 수와의 곱
> 2 × 2 = 4는 십의 자리에 씁니다.

☀ 십의 자리에서 올림이 있는 (몇십몇) × (몇)의 계산

· 42 × 3 계산하기

$$\begin{array}{r} 4\ 2 \\ \times\ \ \ 3 \\ \hline 6 \end{array}$$
➡
$$\begin{array}{r} 4\ 2 \\ \times\ \ \ 3 \\ \hline 1\ 2\ 6 \end{array}$$

$$\begin{array}{r} 1\ 2\ 0 \\ \hline 1\ 2\ 6 \end{array}$$

> 일의 자리 수와의 곱
> 2 × 3 = 6은 일의 자리에 쓰고,
> 십의 자리 수와의 곱
> 4 × 3 = 12에서 2는 십의 자리에,
> 1은 백의 자리에 씁니다.

주의 십의 자리에서 올림한 수는 백의 자리에 쓰 도록 합니다.

확인 문제

1 두 수의 곱을 구해 보세요.

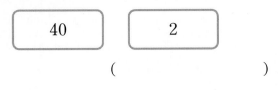

( )

2 ☐ 안에 알맞은 수를 써넣으세요.

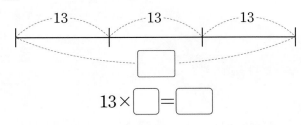

$$13 \times \boxed{} = \boxed{}$$

3 크기를 비교하여 ◯ 안에 >, =, <를 알맞게 써넣으세요.

210 ◯ 51 × 4

4 가현이는 사과를 오전에 93개 수확하였고, 오후에 오전의 2배만큼 수확하였습니다. 가현 이가 오후에 수확한 사과는 몇 개인지 구해 보 세요.

( )

→ 정답 및 풀이 210쪽

개념

일의 자리에서 올림이 있는 (몇십몇) × (몇)의 계산

· 16 × 4 계산하기

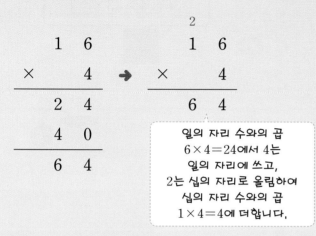

일의 자리 수와의 곱
6×4=24에서 4는
일의 자리에 쓰고,
2는 십의 자리로 올림하여
십의 자리 수와의 곱
1×4=4에 더합니다.

주의 일의 자리에서 올림한 수는 십의 자리 계산에 반드시 더하도록 합니다.

십의 자리와 일의 자리에서 올림이 있는 (몇십몇) × (몇)의 계산

· 47 × 3 계산하기

```
    4 7          4 7
  ×   3    →   ×   3
    2 1          1 4 1
  1 2 0
  1 4 1
```

일의 자리 수와의 곱
7×3=21에서 1은
일의 자리에 쓰고,
2는 십의 자리를 올림하여
십의 자리 수와의 곱
4×3=12에 더합니다.

주의 계산 결과를 자리에 바르게 맞추어 쓰도록 합니다.

확인 문제

5 빈칸에 알맞은 수를 써넣으세요.

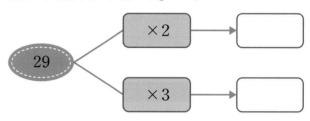

6 계산 결과를 찾아 선으로 이어 보세요.

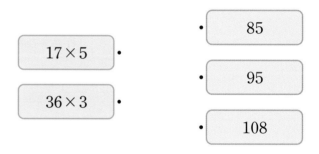

7 가장 큰 수와 가장 작은 수의 곱을 구해 보세요.

| 36 | 5 | 84 |

(   )

8 민우가 집에서 학교까지 갔다 오는 거리는 몇 m인지 구해 보세요.

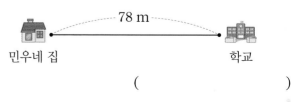

(   )

과정 중심 평가 내용

곱셈에서 계산 결과를 어림하여 □가 있는 곱셈식에서 □를 구할 수 있는가?

1-1 1부터 9까지의 수 중에서 ㉠에 알맞은 수를 모두 구하려고 합니다. 풀이 과정을 쓰고, 답을 구해 보세요.   [8점]

$$28 \times ㉠ > 41 \times 4$$

풀이

❶ $41 \times 4 = $ ⬜ 이므로

  $28 \times ㉠ > $ ⬜ 입니다.

❷ 28을 30으로 어림하면 $30 \times 5 = $ ⬜,

  $30 \times 6 = $ ⬜ 입니다. 따라서 ㉠ = 6

  일 때 $28 \times 6 = $ ⬜ 이므로 ㉠에 알맞

  은 수는 ⬜, ⬜, ⬜, ⬜ 입니다.

답

1-2 쌍둥이

1부터 9까지의 수 중에서 □ 안에 들어갈 수 있는 수를 모두 구하려고 합니다. 풀이 과정을 쓰고, 답을 구해 보세요.   [12점]

$$36 \times 4 > 43 \times ⬜$$

풀이

답

1-3 유사

1부터 9까지의 수 중에서 □ 안에 들어갈 수 있는 수는 모두 몇 개인지 풀이 과정을 쓰고, 답을 구해 보세요.   [15점]

$$19 \times ⬜ < 25 \times 3$$

풀이

답

1-4 실전

1부터 9까지의 수 중에서 □ 안에 들어갈 수 있는 가장 작은 수는 얼마인지 풀이 과정을 쓰고, 답을 구해 보세요.   [15점]

$$37 \times 7 < 58 \times ⬜$$

풀이

답

→ 정답 및 풀이 210~212쪽

2-1 그림과 같이 길이가 17 cm인 색 테이프 5장을 4 cm씩 겹쳐서 이어 붙였습니다. 이어 붙인 색 테이프의 전체 길이는 몇 cm인지 풀이 과정을 쓰고, 답을 구해 보세요. [8점]

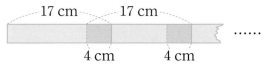

풀이 ❶ 색 테이프 5장의 길이의 합은

17 × 5 = ☐ (cm)입니다.

❷ 겹쳐진 부분은 5 − ☐ = ☐ (군데)

이므로 겹쳐진 부분의 길이의 합은

4 × ☐ = ☐ (cm)입니다.

❸ 이어 붙인 색 테이프의 전체 길이는

☐ − ☐ = ☐ (cm)입니다.

답

2-2 쌍둥이 그림과 같이 길이가 32 cm인 색 테이프 7장을 6 cm씩 겹쳐서 이어 붙였습니다. 이어 붙인 색 테이프의 전체 길이는 몇 cm인지 풀이 과정을 쓰고, 답을 구해 보세요.
[12점]

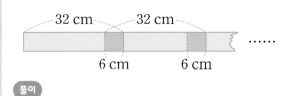

풀이

답

2-3 유사 그림과 같이 길이가 41 cm인 색 테이프 6장을 같은 길이만큼 겹쳐서 이어 붙였습니다. 이어 붙인 색 테이프의 전체 길이가 206 cm일 때, 몇 cm씩 겹친 것인지 풀이 과정을 쓰고, 답을 구해 보세요. [15점]

풀이

답

2-4 실전 그림과 같이 길이가 같은 색 테이프 8장을 6 cm씩 겹쳐서 이어 붙였습니다. 이어 붙인 색 테이프의 전체 길이가 182 cm일 때, 색 테이프 한 장의 길이는 몇 cm인지 풀이 과정을 쓰고, 답을 구해 보세요.
[15점]

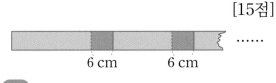

풀이

답

| (몇십)×(몇) |

01 그림을 보고 ☐ 안에 알맞은 수를 써넣으세요.

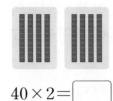

$40 \times 2 =$ ☐

| (몇십)×(몇), (몇십몇)×(몇) (1) |

02 계산해 보세요.

(1)
$$\begin{array}{r} 3\,0 \\ \times \quad 3 \\ \hline \end{array}$$

(2)
$$\begin{array}{r} 2\,2 \\ \times \quad 3 \\ \hline \end{array}$$

| (몇십몇)×(몇) (1) |

03 ☐ 안에 알맞은 수를 써넣으세요.

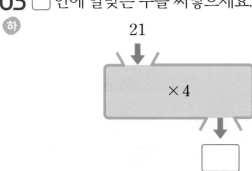

| (몇십몇)×(몇) (2) |

04 ☐ 안에 알맞은 수를 써넣으세요.

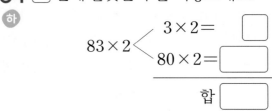

83×2 {
$3 \times 2 =$ ☐
$80 \times 2 =$ ☐

합 ☐

| (몇십몇)×(몇) (3) |

05 잘못 계산한 곳을 찾아 바르게 계산해 보세요.

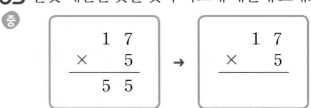

$$\begin{array}{r} 1\,7 \\ \times \quad 5 \\ \hline 5\,5 \end{array}$$
→
$$\begin{array}{r} 1\,7 \\ \times \quad 5 \\ \hline \end{array}$$

| (몇십몇)×(몇) (3) |

06 계산 결과를 비교하여 ◯ 안에 >, =, <를 알맞게 써넣으세요.

19×5 ◯ 24×4

| (몇십몇)×(몇) (4) |

07 길이가 38 cm인 나무 막대 4개를 겹치는 부분 없이 길게 이어 붙였습니다. 이어 붙인 나무 막대의 전체 길이는 몇 cm일까요?

( )

| (몇십몇)×(몇) (2), (3), (4) |

08 계산 결과를 찾아 선으로 이어 보세요.
중

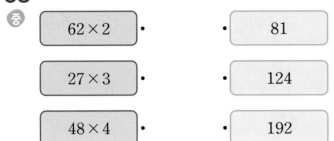

| (몇십)×(몇), (몇십몇)×(몇) (3), (4) |

12 계산 결과가 큰 것부터 차례대로 기호를 써 보세요.
중

㉠ 40×6   ㉡ 74×3
㉢ 29×3   ㉣ 59×4

(   )

| (몇십몇)×(몇) (3), (4) |

09 빈칸에 알맞은 수를 써넣으세요.
중

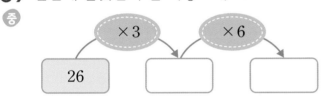

| (몇십)×(몇) |

13 지호의 나이는 10살입니다. 삼촌의 나이는 지호 나이의 3배이고, 아버지의 나이는 삼촌의 나이보다 8살 더 많습니다. 아버지의 나이는 몇 살일까요?
중

(   )

| (몇십몇)×(몇) (4) |

10 감자가 한 상자에 63개씩 들어 있습니다. 6상자에 들어 있는 감자는 모두 몇 개일까요?
중

(   )

| (몇십몇)×(몇) (3) | 서술형

14 귤 100개를 바구니 한 개에 16개씩 담았습니다. 바구니 5개에 담고 남은 귤은 몇 개인지 풀이 과정을 쓰고, 답을 구해 보세요.
중

풀이

| (몇십몇)×(몇) (4) |

11 가장 큰 수와 가장 작은 수의 곱을 구해 보세요.
중

16   7   8   58

(   )

답

4. 곱셈 • **123**

| (몇십몇)×(몇) (4) |

15 □ 안에 알맞은 수를 써넣으세요.
중

$$
\begin{array}{r}
3\,\square \\
\times\quad 8 \\
\hline
2\;7\;2
\end{array}
$$

| (몇십몇)×(몇) (4) |

16 1부터 9까지의 수 중에서 □ 안에 들어갈 수
중 있는 가장 큰 수를 구해 보세요.

$$78 \times \square < 430$$

(   )

| (몇십몇)×(몇) (3), (4) |

17 수민이네 학교 3학년은 한 반에 23명씩 4반
중 이 있습니다. 3학년 학생 한 명에게 공책을
6권씩 나누어 주려면 공책은 모두 몇 권이
필요할까요?

(   )

| (몇십몇)×(몇) (4) |

18 노란색 구슬은 한 묶음에 28개씩 8묶음이
상 있고, 초록색 구슬은 한 묶음에 43개씩 4묶
음이 있습니다. 노란색 구슬과 초록색 구슬
중 어느 색 구슬이 몇 개 더 많은지 구해 보
세요.

(   ), (   )

| (몇십몇)×(몇) (4) | **서술형**

19 숫자 카드 3장을 한 번씩만 사용하여 (몇십
상 몇)×(몇)을 만들려고 합니다. 만들 수 있는
곱이 가장 작은 식의 곱은 얼마인지 풀이 과
정을 쓰고, 답을 구해 보세요.

| 7 | 4 | 6 |

풀이

답
·········

| (몇십몇)×(몇) (3), (4) | **서술형**

20 어떤 수에 7을 곱해야 할 것을 잘못하여 나누
상 었더니 12가 되었습니다. 바르게 계산하면 얼
마인지 풀이 과정을 쓰고, 답을 구해 보세요.

풀이

답
·········

곱셈 기호(×)는 언제부터 사용하였을까요?

표정이 왜 그래? 점수 때문에 그래?

아니, '이 곱셈이라는 것은 언제 생겨서 나를 힘들게 할까?' 라고 생각하고 있었어.

하하, 곱셈이 없었으면 같은 수를 여러 번 더해야 하는데, 더 힘들지 않을까?

그렇구나. 그럼 이 곱셈 기호는 언제부터 사용한 걸까?

나도 얼마 전에 책에서 봤는데,

1631년 영국의 수학자 윌리엄 오트레드가 쓴 『수학의 열쇠』에서 처음 사용하였어.

윌리엄 오트레드

내가 곱셈을 만들었지.

왜?

그 이유는 정확하게 알려지지 않았어. 그런데 영어 알파벳 X와 비슷하게 생겨서 처음엔 잘 사용하지 않았다고 해.

그러고 보니 우리 형은 곱하기를 *으로 사용하더라.

맞아. 수학자 라이프니츠가 알파벳 X와 구분하기 위해 처음 *을 사용하였는데, 요즘은 X와 *을 모두 사용해.

이야~. 완전 수학자인걸!

5. 길이와 시간

• 자연 생태 공원에서 곤충의 길이를 재거나 종이비행기를 날리는 활동 등 여러 가지 체험 활동을 하고 있습니다.
• 장수풍뎅이의 길이를 얼마라고 해야 하는지, 산책로의 전체 길이가 얼마나 되는지, 1분이 안 되는 시간을 어떻게 말할지 궁금해하고 있습니다.

그림 속 상황

공부할 준비가 되었나요?

자/기/주/도/학/습

1 차시

준비 팡팡

준비 팡팡

학습 목표

'무엇을 알고 있나요'와 '함께 생각해 볼까요'를 통하여 단원을 준비할 수 있습니다.

🔖 **여러 가지 활동을 체험하는 데 걸리는 시간 구하기**

· 먹이 주기
→ 1시간 30분은 60분에서 30분이 더 지난 시간이므로 90분입니다.

· 생태 체험관 관람
→ 60분에서 40분이 더 지난 시간이 100분이므로 100분은 1시간 40분입니다.

· 억새 젓가락 만들기
→ 1시간이 60분이므로 2시간은 120분입니다.

🔖 **여러 가지 활동을 체험하는 데 이용 가능한 키를 구하기**

· 짚라인 타기
→ 1 m가 100 cm이므로 1 m 10 cm는 110 cm입니다.

· 생태 놀이터 체험
→ 130＝100＋30이므로 130 cm는 1 m 30 cm입니다.

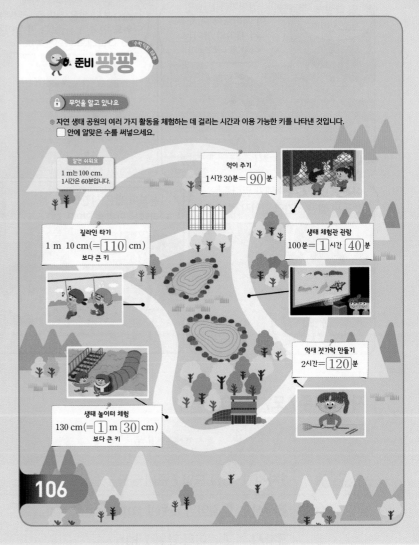

🔒 무엇을 알고 있나요

✿ 자연 생태 공원의 여러 가지 활동을 체험하는 데 걸리는 시간과 이용 가능한 키를 나타낸 것입니다.
☐ 안에 알맞은 수를 써넣으세요.

알면 쉬워요
1 m는 100 cm,
1시간은 60분입니다.

먹이 주기
1시간 30분＝ 90 분

짚라인 타기
1 m 10 cm(＝ 110 cm)
보다 큰 키

생태 체험관 관람
100분＝ 1 시간 40 분

억새 젓가락 만들기
2시간＝ 120 분

생태 놀이터 체험
130 cm(＝ 1 m 30 cm)
보다 큰 키

106

👦 **교과서 개념 완성** | 배운 것을 다시 생각하기

➡ **cm보다 더 큰 단위 알아보기**

· 100 cm는 1 m와 같습니다. 1 m는 1 미터라고 읽습니다.

$$100 \text{ cm}＝1 \text{ m}$$

· 130 cm는 1 m보다 30 cm 더 깁니다.
130 cm를 1 m 30 cm라고도 씁니다.
1 m 30 cm를
1 미터 30 센티미터라고 읽습니다.

$$130 \text{ cm}＝1 \text{ m } 30 \text{ cm}$$

➡ **몇 시 몇 분 알아보기**

· 시계의 긴바늘이 가리키는 숫자가 1이면 5분, 2이면 10분, 3이면 15분, …을 나타냅니다.

→ 오른쪽 시계가 나타내는 시각은 7시 25분입니다.

· 시계에서 긴바늘이 가리키는 작은 눈금 한 칸은 1분을 나타냅니다.

→ 오른쪽 시계가 나타내는 시각은 6시 13분입니다.

1 컵의 긴 쪽의 길이가 약 몇 cm인지 어림해 보세요.

(예 약 7 cm)

풀이 컵의 긴 쪽의 길이는 7 cm보다 길고 8 cm보다 짧은데 7 cm에 더 가까우므로 약 7 cm입니다.

2 지우개의 길이를 이용하여 연필과 색연필의 길이를 어림해 보세요.

· 연필의 길이는 지우개의 길이의 약 3 배입니다.
· 색연필의 길이는 지우개의 길이의 약 4 배입니다.

3 점심시간이 시작한 시각과 끝난 시각이 다음과 같습니다. 점심시간에 해당하는 부분을 시간 띠에 색칠해 보세요.

시작한 시각 → 끝난 시각

| 12시 | 10분 | 20분 | 30분 | 40분 | 50분 | 1시 | 10분 | 20분 | 30분 | 40분 | 50분 | 2시 |

풀이 점심시간이 시작한 시각인 12시 20분부터 점심시간이 끝난 시각인 1시 10분까지 5칸 색칠합니다.

107

🔷 **컵의 긴 쪽의 길이 어림하기**

물건의 길이를 어림할 때 길이가 자의 cm 단위 눈금 사이에 있을 경우 눈금과 가까운 쪽에 있는 숫자를 읽고, 숫자 앞에 '약'을 붙여 읽습니다.

🔷 **지우개의 길이를 이용하여 연필과 색연필의 길이 어림하기**

지우개를 일렬로 몇 개 놓으면 연필과 색연필의 길이와 같게 될지 생각해 봅니다.

🔷 **점심시간에 해당하는 부분을 시간 띠에 색칠하기**

점심시간에 해당하는 부분을 시간 띠에 색칠할 때 점심시간이 시작한 시각과 끝난 시각의 시와 분을 잘 확인할 수 있도록 화살표로 표시하고 알아봅니다.

개념 확인 문제

정답 및 풀이 213쪽

| 2-2 3. 길이 재기 |

1 ☐ 안에 알맞은 수를 써넣으세요.

(1) 2 m 35 cm = ☐ cm

(2) 307 cm = ☐ m ☐ cm

| 2-2 3. 길이 재기 |

2 길이가 5 m 36 cm인 철사와 2 m 24 cm인 철사를 겹치지 않게 이었습니다. 이은 철사의 길이는 몇 m 몇 cm인가요?

( )

| 2-2 4. 시각과 시간 |

3 시각을 읽어 보세요.

☐ 시 ☐ 분

| 2-2 4. 시각과 시간 |

4 지현이는 9시 15분 전에 학교에 도착하였습니다. 지현이가 학교에 도착한 시각은 몇 시 몇 분인가요?

( )

❷ 차시 | **1** | 길이의 단위 1 mm

cm와 mm의 관계를 알고, 몇 cm 몇 mm와 몇 mm로 나타낼 수 있습니다.

그림으로 개념 잡기

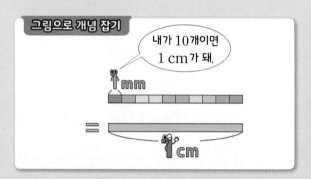

내가 10개이면 1 cm가 돼.

참고

10 mm=1 cm

어휘

길이
length

한쪽 끝에서 다른 한쪽 끝까지의 거리입니다.

---

1 길이의 단위 1 mm

cm와 mm의 관계를 알고, 몇 cm 몇 mm와 몇 mm로 나타낼 수 있습니다.

생각 열기 자연 생태 공원의 생태 습지에서 발견한 장수풍뎅이에요.

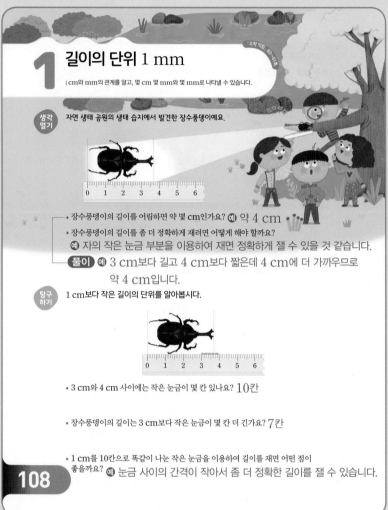

• 장수풍뎅이의 길이를 어림하면 약 몇 cm인가요? **예** 약 4 cm
• 장수풍뎅이의 길이를 좀 더 정확하게 재려면 어떻게 해야 할까요?
  예 자의 작은 눈금 부분을 이용하여 재면 정확하게 잴 수 있을 것 같습니다.
  풀이 **예** 3 cm보다 길고 4 cm보다 짧은데 4 cm에 더 가까우므로
  약 4 cm입니다.

탐구 하기 1 cm보다 작은 길이의 단위를 알아봅시다.

• 3 cm와 4 cm 사이에는 작은 눈금이 몇 칸 있나요? **10칸**

• 장수풍뎅이의 길이는 3 cm보다 작은 눈금이 몇 칸 더 긴가요? **7칸**

• 1 cm를 10칸으로 똑같이 나눈 작은 눈금을 이용하여 길이를 재면 어떤 점이
  좋을까요? **예** 눈금 사이의 간격이 작아서 좀 더 정확한 길이를 잴 수 있습니다.

108

 교과서 개념 완성

탐구하기 **1 cm보다 작은 길이의 단위 알아보기**
자의 1 cm에는 작은 눈금이 10칸 있습니다.

정리하기 **1 mm 알아보기**

· 1 cm를 10칸으로 똑같이 나누었을 때 작은 눈금 한 칸의 길이를 1 mm라 쓰고 1 밀리미터라고 읽습니다.

· 1 cm보다 3 mm 더 긴 것을 1 cm 3 mm라 쓰고 1 센티미터 3 밀리미터라고 읽습니다.

> 1 cm 3 mm=13 mm

학부모 코칭 Tip

3 cm 7 mm=37 mm와 같이 길이를 표현하는 두 가지 방법을 모두 알고 상황에 따라 나타낼 수 있도록 합니다.

확인하기 **물건의 길이 재어 보기**

1. 연필과 색연필의 길이 재어 보기
   ➔ 연필: 작은 눈금 7칸만큼이므로 7 mm입니다.
   ➔ 색연필: 4 cm보다 2 mm 더 길므로
     4 cm 2 mm입니다.
     4 cm 2 mm=40 mm+2 mm=42 mm
2. 교실에 있는 물건의 길이 재어 보기
   ➔ 교과서의 짧은 쪽의 길이, 지우개의 길이 등을 재어 봅니다.

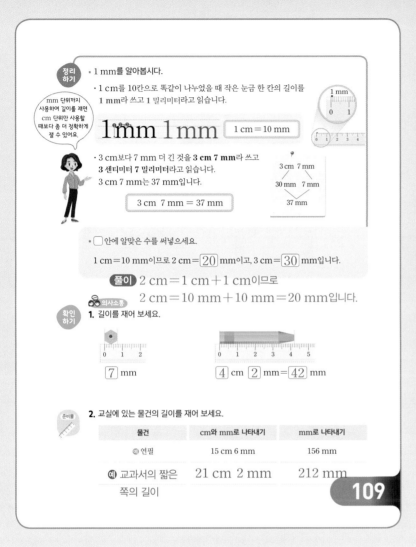

이런 문제가 서술형으로 나와요

수민이의 손의 길이는 97 mm이고, 우진이의 손의 길이는 9 cm 5 mm입니다. 수민이와 우진이 중에서 누구의 손이 더 긴지 풀이 과정을 쓰고, 답을 구해 보세요.

| 풀이 과정 |

❶ 수민이의 손의 길이를 몇 cm 몇 mm로 나타내기

10 mm＝1 cm이므로 수민이의 손의 길이는 97 mm＝90 mm＋7 mm＝9 cm 7 mm입니다.

❷ 누구의 손이 더 긴지 구하기

9 cm 7 mm＞9 cm 5 mm이므로 수민이의 손이 더 깁니다.

답 수민

수학 교과 역량 의사소통

길이를 재어 보며 단위 이해하기

길이를 직접 재어 몇 cm 몇 mm와 몇 mm로 나타내고, 자신이 측정한 길이를 발표하는 과정을 통하여 의사소통 능력을 기를 수 있습니다.

개념 확인 문제
정답 및 풀이 213쪽

1 ☐ 안에 알맞은 수를 써넣으세요.

(1) 2 cm 7 mm ＝ ☐ mm

(2) 82 mm ＝ ☐ cm ☐ mm

2 자석의 길이를 자로 재어 ☐ 안에 알맞은 수를 써넣으세요.

S   N

☐ cm ☐ mm ＝ ☐ mm

3 길이를 비교하여 ◯ 안에 ＞, ＝, ＜를 알맞게 써넣으세요.

7 cm 6 mm ◯ 73 mm

4 필통의 길이는 15 cm보다 7 mm 더 깁니다. 필통의 길이는 몇 mm인지 구해 보세요.

(   )

3 차시

2 | 길이의 단위 1 km

km와 m의 관계를 알고, 몇 km 몇 m와 몇 m로 나타낼 수 있습니다.

그림으로 개념 잡기

나는 긴 거리를 나타내! 집에서 학교까지의 거리가 500 m야.

난 더 먼 거리를 나타낸다고! 서울에서 부산까지의 거리가 500 km야.

참고

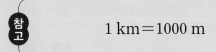

$$1 \text{ km} = 1000 \text{ m}$$

어휘

단위

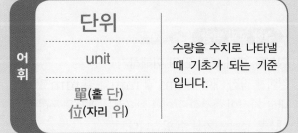

unit

單(홑 단)
位(자리 위)

수량을 수치로 나타낼 때 기초가 되는 기준입니다.

---

2 길이의 단위 1 km

km와 m의 관계를 알고, 몇 km 몇 m와 몇 m로 나타낼 수 있습니다.

생각 열기

자연 생태 공원 입구에 있는 이정표예요.

공원 산책로

갈대 정원
장미 정원
현재 위치

· 현재 위치~갈대 정원 1000 m
· 현재 위치~장미 정원 2500 m

m 앞의 수가 너무 큰데, 간단하게 나타낼 수 있는 방법이 없을까?

• 현재 위치에서 갈대 정원까지의 산책로 길이를 간단히 나타내려면 어떻게 해야 할까요?

예 cm보다 큰 단위인 m가 있듯이 m보다 큰 길이의 단위로 나타내면 될 것 같습니다.

탐구하기 1 m보다 큰 길이의 단위를 알아봅시다.

• 100 m는 1 m를 몇 개 이은 길이일까요? 100개

• 1000 m는 1 m를 몇 개 이은 길이일까요? 1000개

• 1000 m를 나타내는 새로운 단위를 만들면 어떤 점이 좋을까요?
예 길이나 거리를 간단하게 나타낼 수 있습니다.

110

교과서 개념 완성

탐구하기 1 m보다 큰 길이의 단위 알아보기

· 100 m는 1 m가 100개입니다.
· 1000 m는 1 m가 1000개입니다.
　➡ 1000 m를 나타내는 새로운 단위를 알아봅니다.

정리하기 1 km 알아보기

· 1000 m를 1 km라 쓰고 1 킬로미터라고 읽습니다.
· 1 km보다 300 m 더 긴 것을 1 km 300 m라 쓰고 1 킬로미터 300 미터라고 읽습니다.

$$1 \text{ km } 300 \text{ m} = 1300 \text{ m}$$

확인하기 산의 높이를 단위에 맞게 나타내기

1000 m = 1 km임을 이용하여 산의 높이를 몇 km 몇 m, 몇 m로 나타냅니다.

생각 솔솔 학교에서 1 km 떨어진 곳에 무엇이 있는지 알아보기

그림지도 또는 인터넷 지도를 활용하여 우리 학교에서 1 km 떨어진 곳에 무엇이 있는지 알아봅니다.

학부모 코칭 Tip

실생활에서 km를 쓰는 경우를 조사해 보고, 긴 거리는 km로 나타내는 것이 편리하다는 것을 알게 합니다. 또한 실제로 1 km가 얼마나 먼 거리인지 인식할 수 있도록 학생들이 실생활에서 다니는 길을 중심으로 거리를 제시하여 1 km에 대한 양감을 갖게 합니다.

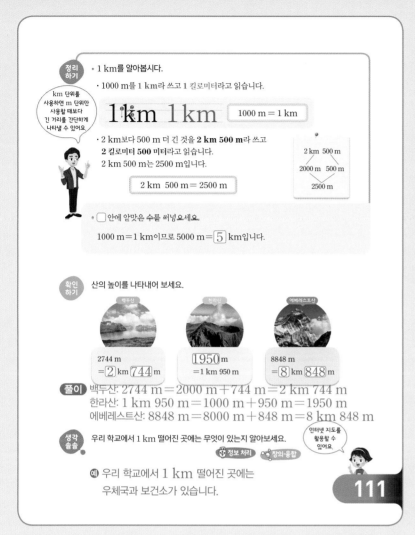

정리
하기

- 1 km를 알아봅시다.
- 1000 m를 1 km라 쓰고 1 킬로미터라고 읽습니다.

km 단위를 사용하면 m 단위만 사용할 때보다 긴 거리를 간단하게 나타낼 수 있어요.

1 km 1 km   1000 m = 1 km

- 2 km보다 500 m 더 긴 것을 **2 km 500 m**라 쓰고 **2 킬로미터 500 미터**라고 읽습니다.
2 km 500 m는 2500 m입니다.

2 km 500 m = 2500 m

2 km 500 m
2000 m 500 m
2500 m

- □안에 알맞은 수를 써넣으세요.

1000 m = 1 km이므로 5000 m = 5 km입니다.

확인
하기 산의 높이를 나타내어 보세요.

2744 m = 2 km 744 m
1950 m = 1 km 950 m
8848 m = 8 km 848 m

풀이
백두산: 2744 m = 2000 m + 744 m = 2 km 744 m
한라산: 1 km 950 m = 1000 m + 950 m = 1950 m
에베레스트산: 8848 m = 8000 m + 848 m = 8 km 848 m

생각
솔솔 우리 학교에서 1 km 떨어진 곳에는 무엇이 있는지 알아보세요.

인터넷 지도를 활용할 수 있어요.

정보 처리 창의·융합

예 우리 학교에서 1 km 떨어진 곳에는 우체국과 보건소가 있습니다.

111

이런 문제가 서술형으로 나와요

희진이네 집에서 기차역까지의 거리는 458 m의 10배입니다. 희진이네 집에서 기차역까지의 거리는 몇 km 몇 m인지 풀이 과정을 쓰고, 답을 구해 보세요.

| 풀이 과정 |

❶ 희진이네 집에서 기차역까지의 거리가 몇 m인지 구하기
458의 10배는 4580이므로 희진이네 집에서 기차역까지의 거리는 4580 m입니다.

❷ 몇 km 몇 m인지 구하기
4580 m = 4000 m + 580 m = 4 km 580 m

답 4 km 580 m

수학 교과 역량 정보 처리 창의·융합

생활 속에서 1 km 떨어진 곳 찾아 이야기하기
자료(그림지도나 인터넷 지도)를 이용하여 학교에서 1 km 떨어진 곳에 무엇이 있는지 알아보고, 친구들과 함께 새롭고 의미 있는 아이디어를 다양하게 산출하는 과정을 통하여 정보 처리 능력 및 창의·융합 능력을 기를 수 있습니다.

개념 확인 문제

정답 및 풀이 214쪽

1 □안에 알맞은 수를 써넣으세요.

(1) 3 km 270 m = [   ] m

(2) 5108 m = [ ] km [   ] m

2 그림을 보고 □안에 알맞은 수를 써넣으세요.

7 km   8 km

[ ] km [   ] m

3 거리기 더 짧은 쪽에 ○표 하세요.

4 km 82 m	4105 m
( )	( )

4 승민이네 집에서 할머니 댁까지의 거리는 1058 m입니다. 승민이네 집에서 할머니 댁까지의 거리는 몇 km 몇 m인가요?

(   )

3 | 길이와 거리를 어림하고 재어 보기

학습 목표

길이를 어림하고 재어 확인할 수 있습니다.
거리를 어림할 수 있습니다.

그림으로 개념 잡기

벽시계의 길이가 내 손끝에서 팔꿈치까지의 길이와 비슷하니까 약 20 cm일 것 같아.

참고 곤충의 길이를 재는 방법은 종에 따라 조금씩 다릅니다. 보통은 잠자리의 길이와 같이 몸통의 길이를 재지만 나비는 펼친 날개의 길이를 잽니다.

어휘

거리

distance

距(떨어질 거)
離(떼놓을 리)

두 개의 물건이나 장소 따위가 공간적으로 떨어진 길이입니다.

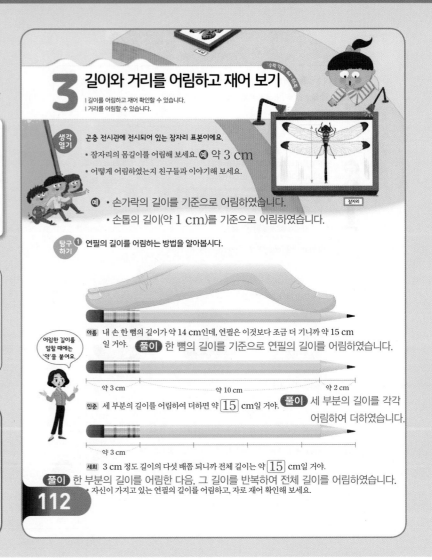

교과서 개념 완성

탐구하기 1 **정리하기** **길이를 어림하는 방법**

· 알고 있는 길이를 이용하여 어림하기

· 전체 길이를 몇 개의 부분으로 나눈 뒤, 각 부분을 어림하여 더하기

· 한 부분의 길이를 어림한 다음, 그 길이를 반복하여 전체 길이를 어림하기

· 풀의 길이를 여러 가지 방법으로 어림해 보기

➡ 내 손가락 폭의 길이가 약 1 cm 인데 8번 들어가므로 풀의 길이는 약 8 cm입니다.

➡ 풀을 3부분으로 나누어 각각 어림하면 약 2 cm, 약 5 cm, 약 1 cm이므로 모두 더하면 약 8 cm입니다.

➡ 풀의 전체 길이는 뚜껑 부분의 길이인 약 2 cm의 4배쯤 되므로 약 8 cm입니다.

확인하기 **물건의 길이를 어림하고 자로 재어 확인해 보기**

1. 주변에 있는 물건의 길이를 어림하고, 자로 재어 확인해 봅니다.

2. 주어진 길이에 알맞은 물건을 예상하고, 자로 재어 확인해 봅니다.

정리
하기
• 길이를 어림하는 방법을 정리해 봅시다.
• 알고 있는 길이를 이용하여 어림하기
• 전체 길이를 몇 개의 부분으로 나눈 뒤, 각 부분을 어림하여 더하기
• 한 부분의 길이를 어림한 다음, 그 길이를 반복하여 전체 길이 어림하기

• 풀의 길이를 여러 가지 방법으로 어림해 보세요.

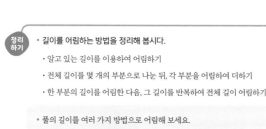

예 내 손가락 폭의 길이가 약 1 cm인데 8번 들어가므로
폭의 길이는 약 8 cm입니다.

확인
하기

의사소통

준비물

1. 주변에 있는 물건의 길이를 어림하고, 자로 재어 확인해 보세요.

물건	어림한 길이	잰 길이
예 칫솔	약 16 cm	18 cm 3 mm
예 지우개	약 6 cm	5 cm 4 mm
예 색연필	약 9 cm	10 cm 5 mm

2. 길이에 알맞은 물건을 예상하고, 자로 재어 확인해 보세요.

길이	예상한 물건	잰 길이
예 6 mm	연필심	5 mm
25 cm	예 동화책의 긴 쪽의 길이	27 cm
15 cm	예 숟가락	14 cm 7 mm

113

이런 문제가 서술형으로 나와요

지민이는 색 테이프의 길이를 약 3 cm로 어림하
였습니다. 잘못된 부분을 찾아 바르게 어림하고, 그
이유를 설명해 보세요.

| 바르게 어림하기 |
❶ 잘못된 부분을 찾아 바르게 어림하기
색 테이프의 길이는 약 4 cm입니다.
| 이유 |
❷ 이유 설명하기
색 테이프의 한쪽은 눈금 0에 맞추어져 있고 다른
한쪽은 3과 4 사이에 있습니다. 이때 4에 더 가까
우므로 색 테이프의 길이는 약 4 cm입니다.

수학 교과 역량 의사소통

길이를 어림하고 이야기하기
길이를 여러 가지 방법으로 어림하고 설명해 보는 활동
을 통하여 의사소통 능력을 기를 수 있습니다.

개념 확인 문제 정답 및 풀이 214쪽

1 연필의 길이는 약 몇 cm인지 어림해 보세요.

3 cm

약 ( )

2 ⬜ 안에 cm와 mm 중 알맞은 단위를 써넣
으세요.

(1) 내 손의 길이는 약 120 ⬜ 입니다.

(2) 수학책의 짧은 쪽의 길이는 약 20 ⬜ 입
니다.

3 물체의 길이를 나타낸 것입니다. 단위가 적당
하지 않은 것의 기호를 써 보세요.

㉠ 지우개의 길이 4 cm ㉡ 동생의 키 1 m
㉢ 동전의 두께 2 mm ㉣ 학교의 높이 5 cm

( )

4 수수깡의 길이는 약 몇 cm인지 어림해 보고,
자로 재어 확인해 보세요.

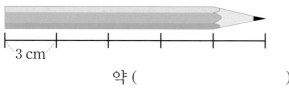

어림한 길이 ( )
자로 잰 길이 ( )

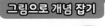

서울에서 부산까지의 거리는 서울에서 대전까지의 거리의 약 3배쯤 돼.

서울
대전
부산

참고 **■ 어림 전략**

· 1 cm, 5 cm, 10 cm, 20 cm 정도의 길이가 되는 사물이나 신체의 부분을 알고 있다면, 이것을 이용하여 길이를 어림합니다.

· 재어야 할 전체 길이를 몇 개의 부분으로 나눈 뒤 각 부분을 어림하여 총합을 구합니다.

· 어림해야 하는 전체 길이 가운데 일부를 단위로 선택하여 어림한 후 전체가 몇 단위로 구성되어 있는지를 생각하여 전체 길이를 어림합니다.

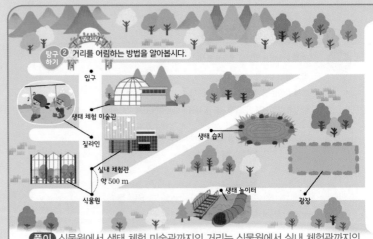

탐구하기 ② 거리를 어림하는 방법을 알아봅시다.

입구

생태 체험 미술관

짚라인

실내 체험관
약 500 m

식물원

생태 습지

생태 놀이터

광장

풀이 식물원에서 생태 체험 미술관까지의 거리는 식물원에서 실내 체험관까지의 거리의 약 3배이므로 500 m를 3번 반복하여 더합니다.

· 식물원에서 실내 체험관까지의 거리는 약 500 m입니다. 식물원에서 생태 체험 미술관까지의 거리는 약 얼마일까요? **예** 약 1500 m 또는 약 1 km 500 m

· 식물원에서 약 2 km 500 m 떨어진 곳에는 어떤 장소가 있는지 어림하여 말해 보세요.

풀이 식물원에서 실내 체험관까지의 거리의 5배 정도 **예** 생태 습지 떨어진 곳을 지도에서 찾으면 생태 습지입니다.

· 식물원에서 광장까지의 거리는 약 얼마일까요? **예** 약 4000 m 또는 약 4 km

풀이 식물원에서 광장까지의 거리는 식물원에서 실내 체험관까지의 거리의 약 8배이므로 500 m를 8번 반복하여 더하면 약 4000 m 또는 약 4 km입니다.

정리하기 · 거리를 어림하는 방법을 정리해 봅시다.

· 알고 있는 거리를 이용하여 어림하기

· 전체 거리를 몇 개의 부분으로 나눈 뒤, 각 부분을 어림하여 더하기

· 한 부분의 거리를 어림한 다음, 그 거리를 반복하여 전체 거리 어림하기

114

 교과서 개념 완성

탐구하기2 **정리하기** **거리를 어림하는 방법**

· 알고 있는 거리를 이용하여 어림하기

· 전체 거리를 몇 개의 부분으로 나눈 뒤, 각 부분을 어림하여 더하기

· 한 부분의 거리를 어림한 다음, 그 거리를 반복하여 전체 거리 어림하기

학부모 코칭 Tip

학생들이 실생활에서 km 단위로 거리를 어림하는 일은 다소 어려울 수 있습니다. 따라서 km 단위로 거리를 어림하는 활동은 인터넷 지도를 이용하여 알고 있는 익숙한 장소를 기준으로 어림할 수 있도록 합니다.

확인하기 **거리 어림하기**

1. 그림을 보고 안내소에서 튤립 정원, 안내소에서 갈대 정원까지의 거리를 각각 어림해 보기

   ➡ 안내소에서 각 장소까지의 거리는 안내소에서 먹이 주기 체험장까지의 거리의 몇 배인지 어림합니다.

2. 알맞은 단위를 골라 ☐ 안에 써넣기

   ➡ 서울에서 부산까지의 거리는 1 km보다 먼 거리이므로 약 326 km입니다.

   ➡ 기차의 총 길이는 1 m보다 길고 1 km보다 짧으므로 약 380 m입니다.

   ➡ 휴대 전화의 긴 쪽의 길이는 1 cm보다 길고 1 m보다 짧으므로 약 15 cm입니다.

115

이런 문제가 서술형으로 나와요

기차역에서 우체국까지의 거리는 250 m입니다. 기차역에서 거리가 약 1 km인 곳은 어디인지 풀이 과정을 쓰고, 답을 구해 보세요.

250 m

병원   소방서   공원   학교   우체국   기차역

| 풀이 과정 |

❶ 1 km는 250 m씩 몇 번인지 알아보기

1 km는 250 m씩 4번입니다.

❷ 기차역에서 거리가 약 1 km인 곳 찾기

기차역에서 우체국까지의 거리의 4배인 곳은 소방서이므로 기차역에서 거리가 약 1 km인 곳은 소방서입니다.   답 소방서

수학 교과 역량   의사소통

거리를 어림하고 이야기하기

거리를 여러 가지 방법으로 어림하는 과정에서 어림하는 방법의 중요함을 알고, 친구들에게 설명하는 활동을 통하여 의사소통 능력을 기를 수 있습니다.

개념 확인 문제   정답 및 풀이 214쪽

1 □ 안에 알맞은 단위를 써넣으세요.

(1) 서울에서 대구까지의 거리는 약 250 □ 입니다.

(2) 칠판의 긴 쪽의 길이는 약 8 □ 입니다.

2 알맞은 길이를 골라 문장을 완성해 보세요.

5 cm 8 mm, 1 m 2 cm, 1 km 150 m

집에서 공원까지의 거리는
약 □ 입니다.

[3~4] 민준이네 마을의 지도 중 일부를 나타낸 것입니다. 물음에 답해 보세요.

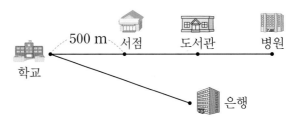

500 m   서점   도서관   병원   학교   은행

3 학교에서 은행까지의 거리를 어림해 보세요.

(   )

4 학교에서 병원까지의 거리를 어림해 보세요.

(   )

4 | 시간의 단위 1초

학습 목표

초와 분의 관계를 알고, 초 단위까지 시각을 읽을 수 있습니다.

그림으로 개념 잡기

눈 깜짝할 사이에 아이스크림이 떨어졌어.

이런! 1초 만에 아이스크림이 사라지다니….

참고

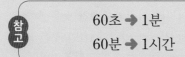

60초 → 1분
60분 → 1시간

어휘

초	
second	한 시간의 3600분의 1에 해당하는 시간입니다.
秒(분초 초)	

4 시간의 단위 1초

1초와 분의 관계를 알고, 초 단위까지 시각을 읽을 수 있습니다.

생각 열기

자연 생태 공원 광장에서 친구들이 종이비행기를 날리고 있어요.

7초가 얼마만큼이지?

종이비행기가 7초 날았습니다.

• 선생님께서 말씀하시는 7초가 얼마만큼의 시간일까요?
예 • 아주 짧은 시간입니다.
• 1분보다 짧은 시간일 것 같습니다.

탐구 하기
준비물 모형 시계

1분보다 작은 시간의 단위를 알아봅시다.

• 가장 빨리 움직이는 바늘은 1분 동안 작은 눈금 몇 칸을 움직였나요? 60칸

• 1분보다 작은 시간을 어떻게 잴 수 있을까요?
예 작은 눈금을 가리키는 초바늘을 사용하면 1분보다 짧은 시간을 잴 수 있습니다.

시계에서 가장 빨리 움직이는 바늘이 초바늘입니다.
긴바늘은 '분'을 나타냅니다.
짧은바늘은 '시'를 나타냅니다.
초바늘은 '초'를 나타냅니다.

• 초바늘을 사용하여 시간을 재면 어떤 점이 좋을까요?
예 초바늘을 사용하여 시간을 재면 시간을 정확하게 잴 수 있고 시각을 정확하게 나타낼 수 있습니다.

116

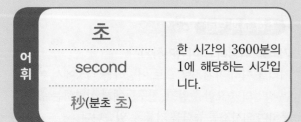

교과서 개념 완성

탐구하기 1분보다 작은 시간의 단위 알아보기

시계를 자세히 관찰하고, 관찰한 내용을 알아봅니다.
• 시계에는 시간을 나타내는 바늘이 3개 있습니다.
• 시간을 나타내는 바늘의 길이가 모두 다릅니다.
• 시간을 나타내는 바늘이 움직이는 속도가 모두 다릅니다.

정리하기 1초 알아보기

• 1초: 초바늘이 작은 눈금 한 칸을 가는 동안 걸리는 시간
• 60초: 초바늘이 시계를 한 바퀴 도는 데 걸리는 시간

학부모 코칭 Tip

초바늘이 한 바퀴 도는 동안에 긴바늘이 얼마만큼 움직이는지 관찰하게 하여 1분과 1초의 관계를 이해할 수 있게 합니다.

확인하기 초 단위의 시각 읽기

시계에서 짧은바늘은 '시', 긴바늘은 '분', 초바늘은 '초'를 나타냅니다.

생각 솔솔 초 단위의 양감 기르기

• 시계를 보며 초바늘이 움직일 때마다 손뼉을 치면서 1초를 알아봅니다.
• 눈을 감고 5초만큼의 시간이 지났다고 생각할 때 손을 듭니다.

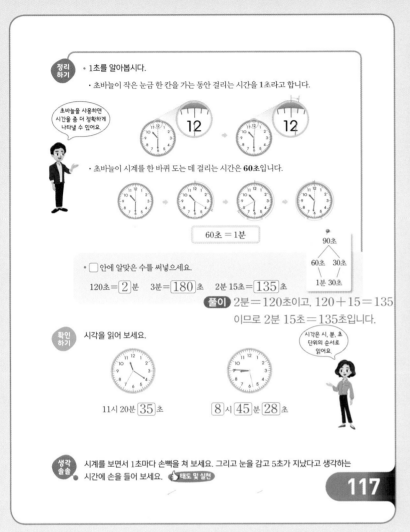

117

이런 문제가 서술형으로 나와요

500 m 달리기를 하는 데 성민이는 153초, 하준이는 2분 28초 걸렸습니다. 더 빨리 달린 사람은 누구인지 풀이 과정을 쓰고, 답을 구해 보세요.

| 풀이 과정 |

❶ 성민이의 기록을 몇 분 몇 초로 나타내기

60초=1분이므로 성민이의 기록은
153초=120초+33초=2분 33초입니다.

❷ 더 빨리 달린 사람 찾기

2분 28초가 2분 33초보다 더 짧은 시간이므로 더 빨리 달린 사람은 하준이입니다.

답 하준

수학 교과 역량   태도 및 실천

생활 속에서 초 단위 경험하기

'초'라는 수학적 요소를 실생활 상황과 관련지어 활동하면서 수학의 필요성과 유용성을 알고 수학의 역할과 가치를 인식할 수 있습니다.

개념 확인 문제   정답 및 풀이 214쪽

1 시각을 읽어 보세요.

□시 □분 □초

2 □ 안에 알맞은 수를 써넣으세요.

(1) 350초= □분 □초

(2) 3분 17초= □초

3 시간이 더 긴 쪽에 ○표 하세요.

4분 35초	265초
( )	( )

4 정윤이가 블록 쌓기를 하는 데 517초가 걸렸습니다. 정윤이가 블록 쌓기를 한 시간은 몇 분 몇 초인지 구해 보세요.

(   )

5 | 시간의 덧셈과 뺄셈(1)

학습 목표

받아올림과 받아내림이 없는 시간의 덧셈과 뺄셈을 할 수 있습니다.

그림으로 개념 잡기

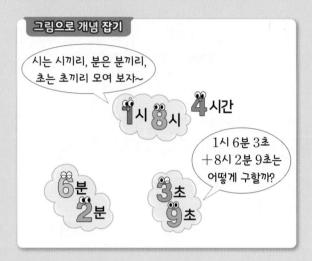

시는 시끼리, 분은 분끼리, 초는 초끼리 모여 보자~

1시 **8**시 **4**시간

6분 **2**분

3초 **9**초

1시 6분 3초 +8시 2분 9초는 어떻게 구할까?

어휘	시간
	hour
	時(때 시) 間(사이 간)
	어떤 시각에서 어떤 시각까지의 사이를 말합니다.

5 시간의 덧셈과 뺄셈 (1)

| 받아올림과 받아내림이 없는 시간의 덧셈과 뺄셈을 할 수 있습니다.

생각 열기

오전 9시 30분에 집에서 출발하여 1시간 20분 후 자연 생태 공원에 도착하였어요. 그리고 오전 11시 10분부터 오후 12시 20분까지 식물원을 관람하였어요.

• 자연 생태 공원에 도착한 시각을 어떻게 구할 수 있을까요?
  예 출발한 시각에 걸린 시간을 더하면 될 것 같습니다.
• 식물원을 관람하는 데 걸린 시간을 어떻게 구할 수 있을까요?
  예 11시 10분과 12시 20분 사이의 시간을 구하면 될 것 같습니다.

시간을 더하거나 빼는 방법을 알아봅시다.

탐구 하기

준비물 모형 시계

활동 1 시, 분 단위의 시간의 덧셈과 뺄셈

• 자연 생태 공원에 도착한 시각을 구해 보세요.

9시 30분+1시간 20분=**10**시 **50**분

	9	시	30	분
+	1	시간	20	분
	10	시	**50**	분

• 식물원을 몇 시간 몇 분 동안 관람하였는지 구해 보세요.

12시 20분−11시 10분=**1**시간 **10**분

	12	시	20	분
−	11	시	10	분
	1	시간	**10**	분

118

교과서 개념 완성

탐구하기 받아올림과 받아내림이 없는 시, 분 또는 분, 초 단위의 시간의 덧셈과 뺄셈 방법 알아보기

활동 1 시는 시끼리, 분은 분끼리 더하거나 빼면 됩니다.
활동 2 분은 분끼리, 초는 초끼리 더하거나 빼면 됩니다.

정리하기 받아올림과 받아내림이 없는 시간의 덧셈과 뺄셈 방법 정리하기

시간의 덧셈과 뺄셈은 시는 시끼리, 분은 분끼리, 초는 초끼리 더하거나 뺍니다.

	6시	40분
+	2시간	10분
	8시	50분

	55분	30초
−	20분	10초
	35분	20초

확인하기 받아올림과 받아내림이 없는 시간의 덧셈과 뺄셈 계산 익히기

1. 받아올림과 받아내림이 없는 시간의 덧셈과 뺄셈을 식으로 계산하기
   시는 시끼리, 분은 분끼리, 초는 초끼리 더하거나 빼서 계산합니다.
2. 미술관에 도착하는 시각 구하기
   미술관에 도착하는 시각은 집에서 출발한 시각에 집에서 미술관까지 가는 데 걸린 시간을 더하면 됩니다.

생각 솔솔 동화책을 읽기 시작한 시각 구하기

동화책을 읽기 시작한 시각은 동화책을 읽고 난 후의 시각에서 동화책을 읽은 시간을 빼면 됩니다.

119

활동 2 분, 초 단위의 시간의 덧셈과 뺄셈

곤충의 한살이 / 식물의 한살이

곤충의 한살이 영상 시간 4분 20초
식물의 한살이 영상 시간 3분 10초

• 위는 식물원에서 본 영상입니다. 두 가지 영상을 모두 보는 데 시간이 얼마나 걸렸나요?

4분 20초 5분 20초 6분 20초 7분 20초 ┤ 7 분 30 초
1분 1분 1분 10초

4분 20초＋3분 10초＝ 7 분 30 초

```
  4 분 20 초
+ 3 분 10 초
  7 분 30 초
```

• '곤충의 한살이'는 '식물의 한살이'보다 영상 시간이 얼마나 더 긴가요?

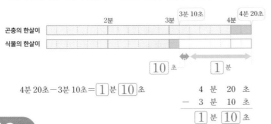

2분 3분 3분 10초 4분 4분 20초
곤충의 한살이
식물의 한살이
10 초   1 분

4분 20초－3분 10초＝ 1 분 10 초

```
  4 분 20 초
- 3 분 10 초
  1 분 10 초
```

120

정리하기

• 시간의 덧셈과 뺄셈을 하는 방법을 정리해 봅시다.

시는 시끼리, 분은 분끼리, 초는 초끼리 더하거나 뺍니다.

• ☐ 안에 알맞은 수를 써넣으세요.

```
  2 시간 30 분        40 분 30 초
+ 3 시간 20 분      - 30 분 10 초
  5 시간 50 분        10 분 20 초
```

확인하기

1. ☐ 안에 알맞은 수를 써넣으세요.

```
  4 시간 20 분 35 초        3 시 10 분 50 초
+ 1 시간 15 분 10 초      -     5 분 13 초
  5 시간 35 분 45 초        3 시 5 분 37 초
```

2. 집에서 미술관까지 버스로 1시간 10분 걸립니다. 집에서 오후 1시 30분에 출발하면 미술관에 도착하는 시각은 오후 몇 시 몇 분일까요? 오후 2시 40분

풀이 (미술관에 도착하는 시각)
＝(출발한 시각)＋(집에서 미술관까지 가는 데 걸리는 시간)
＝1시 30분＋1시간 10분＝2시 40분

생각 솔솔 1시간 15분 동안 동화책을 읽고 난 후 시계를 보았더니 오후 5시 35분이었습니다. 동화책을 읽기 시작한 시각은 오후 몇 시 몇 분이었을까요? 오후 4시 20분

풀이 (동화책을 읽기 시작한 시각)
＝(동화책을 읽고 난 후의 시각)－(동화책을 읽은 시간)
＝5시 35분－1시간 15분＝4시 20분

개념 확인 문제

정답 및 풀이 214~215쪽

1 ☐ 안에 알맞은 수를 써넣으세요.

```
  5 시   25 분 17 초
+ 1 시간 20 분 22 초
  ☐ 시   ☐ 분 ☐ 초
```

2 계산해 보세요.
(1) 32분 26초＋14분 33초
(2) 7시 50분 38초－3시간 15분 20초

3 더 긴 시간에 ○표 하세요.

7분 32초	5분 12초＋2분 22초

(   )   (   )

4 영화가 시작한 시각과 끝난 시각입니다. 영화 상영 시간은 몇 시간 몇 분인지 구해 보세요.

오후 03 : 25   오후 05 : 50

영화가 시작한 시각   영화가 끝난 시각

(   )

6 | 시간의 덧셈과 뺄셈(2)

학습 목표

받아올림과 받아내림이 있는 시간의 덧셈과 뺄셈을 할 수 있습니다.

그림으로 개념 잡기

받아올림이 있는 시, 분의 덧셈에서는 60분을 1시간으로 바꾸어 계산해.

60분 = 1시간

받아내림이 있는 분, 초의 뺄셈에서는 1분을 60초로 바꾸어 계산해.

60초 = 1분

참고

- **받아올림, 받아내림이 있는 시, 분의 계산**
  ➡ 60분을 1시간으로 받아올림합니다.
  ➡ 1시간을 60분으로 받아내림합니다.
- **받아올림, 받아내림이 있는 분, 초의 계산**
  ➡ 60초를 1분으로 받아올림합니다.
  ➡ 1분을 60초로 받아내림합니다.

6 시간의 덧셈과 뺄셈 (2)

받아올림과 받아내림이 있는 시간의 덧셈과 뺄셈을 할 수 있습니다.

생각 열기 다혜의 수첩에 찍힌 체험 도장이에요.

- 생태 체험관 관람이 끝난 시각을 어떻게 구할 수 있을까요?
- 먹이 주기 체험을 시작한 시각을 어떻게 구할 수 있을까요?

예 먹이 주기 체험을 끝낸 시각에서 먹이 주기 체험을 한 시간을 빼면 구할 수 있을 것 같습니다.

예 관람을 시작한 시각에서 체험관을 관람한 시간을 더하면 구할 수 있을 것 같습니다.

시간을 더하거나 빼는 방법을 알아봅시다.

탐구하기

준비물 모형 시계

탐구 1 시간의 덧셈

- 생태 체험관 관람이 끝난 시각을 구해 보세요.

9시 10분 20분 30분 40분 50분 10시 10분 20분 30분 40분 50분 11시

시작한 시각 ── 20분 ── 끝난 시각

$$9시 50분 + 30분 = 9시 50분 + 10분 + 20분$$
$$= 10시 20분$$

```
   1  시간
   9 시 50 분
+     30 분
  10 시 20 분
```

121

풀이
- 9시 50분에서 10분이 지나야 10시가 됩니다.
- 10시에서 20분이 더 지나야 생태 체험관 관람이 끝난 시각이 됩니다.

교과서 개념 완성

탐구하기 받아올림과 받아내림이 있는 시간의 덧셈과 뺄셈 방법 알아보기

활동 1 60분을 1시간으로 받아올림합니다.

활동 2 1시간을 60분으로 받아내림합니다.

정리하기 받아올림과 받아내림이 있는 시간의 덧셈과 뺄셈 방법

- 같은 단위끼리의 합이 60이거나 60보다 크면 60초를 1분으로, 60분을 1시간으로 바꾸어 계산합니다.
- 같은 단위끼리 뺄 수 없으면 1분을 60초로, 1시간을 60분으로 바꾸어 계산합니다.

확인하기 받아올림과 받아내림이 있는 시간의 덧셈과 뺄셈 계산 익히기

1. 받아올림과 받아내림이 있는 시간의 덧셈과 뺄셈을 식으로 계산하기
- 받아올림이 있는 시간의 덧셈은 60초를 1분으로, 60분을 1시간으로 바꾸어 계산합니다.
- 받아내림이 있는 시간의 뺄셈은 1분을 60초로, 1시간을 60분으로 바꾸어 계산합니다.

2. 은우가 집에 도착한 시각 구하기
은우가 학교에서 출발한 시각에 학교에서 은우네 집까지 가는 데 걸리는 시간을 더하면 됩니다.

생각 솔솔 다혜가 학교에서 보낸 시간 구하기

다혜가 학교에서 집으로 출발한 시각에서 다혜가 학교에 도착한 시각을 빼면 됩니다.

활동 2 시간의 뺄셈

• 먹이 주기 체험을 시작한 시각을 구해 보세요.

 체험 시각
□시 □□분
먹이 주기 4분
체험 끝
(12시 10분)

11시 10분 20분 30분 40분 50분 12시 10분 20분 30분 40분 50분 1시

◀30분▶ 10분
시작한 시각　끝난 시각

12시 10분 − 40분

= 12시 10분 − 10분 − 30분 = 12시 − 30분

= 11시 30분

```
    11 시  60 분
    12 시  10 분
  −         40 분
    11 시  30 분
```

 정리하기　시간의 덧셈과 뺄셈을 하는 방법을 정리해 봅시다.

　• 같은 단위끼리의 합이 60이거나 60보다 크면 60초를 1분으로, 60분을 1시간으로 바꾸어 계산합니다.

　• 같은 단위끼리 뺄 수 없으면 1분을 60초로, 1시간을 60분으로 바꾸어 계산합니다.

• □안에 알맞은 수를 써넣으세요.

```
      1 시간              3 시  60 분
    1 시  40 분          4 시  30 분
  + 1 시간 30 분        − 2 시  50 분
    3 시  10 분          1 시간 40 분
```

122

확인하기　1. □안에 알맞은 수를 써넣으세요.

```
    1 시간  1 분            4 시  60 분
    2 시  15 분 30 초       5 시  20 분
  + 1 시간 50 분 50 초     − 2 시  40 분
    4 시   6 분 20 초       2 시간 40 분
```

3시간 40분 + 2시간 30분 = 6 시간 10 분

4시 30분 − 2시 40분 = 1 시 50 분

풀이
```
      3 시  60 분
      4 시  30 분
    − 2 시  40 분
      1 시간 50 분
```

풀이
```
      1 시간
      3 시간  40 분
    + 2 시간  30 분
      6 시간  10 분
```

2. 학교에서 은우네 집까지 걸어서 25분이 걸립니다. 은우가 오후 1시 40분에 학교에서 출발하여 집으로 걸어갔을 때 집에 도착한 시각은 오후 몇 시 몇 분일까요? 오후 2시 5분

풀이 (은우가 집에 도착한 시각)

　= (은우가 학교에서 출발한 시각)

　　+ (걸리는 시간)

　= 1시 40분 + 25분 = 2시 5분

🤔 생각솔솔　다혜는 오전 8시 50분에 학교에 도착하였고, 오후 12시 40분에 집으로 출발하였습니다. 다혜가 학교에서 보낸 시간은 몇 시간 몇 분일까요? 3시간 50분

풀이 (다혜가 학교에서 보낸 시간)

　= (학교에서 집으로 출발한 시각) − (학교에 도착한 시각)

　= 12시 40분 − 8시 50분 = 3시간 50분

123

 개념 확인 문제　　정답 및 풀이 215쪽

1 □안에 알맞은 수를 써넣으세요.

```
    □ 시   □ 분
    6 시   12 분
  − 2 시   35 분
    □ 시간  □ 분
```

2 계산해 보세요.

　(1) 45분 20초 + 50분 35초

　(2) 7시 20분 − 3시간 40분

3 시계가 나타내는 시각에서 2시간 10분 전의 시각은 몇 시 몇 분인지 구해 보세요.

6:05

　(　　　　　　　)

4 소라는 운동을 오후 4시 35분에 시작하여 1시간 45분 동안 하였습니다. 소라가 운동을 끝낸 시각은 오후 몇 시 몇 분인지 구해 보세요.

　(　　　　　　　)

 **문제 해결력 | 쑥쑥** 집에서 출발한 시각은 몇 시 몇 분일까요

10차시

학습 목표

거꾸로 풀기 전략을 이용하여 시간의 덧셈, 뺄셈에 대한 문제를 해결할 수 있습니다.

문제 해결 전략 거꾸로 풀기 전략

수학 교과 역량 문제 해결 정보 처리

집에서 출발한 시각은 몇 시 몇 분일까요

· 문제의 조건을 확인하고 문제 해결에 적절한 전략을 선택하여 문제를 해결하는 과정에서 문제 해결 능력을 기를 수 있습니다.

· 문제 해결을 위한 조건을 확인하고 문제 해결에 필요한 조건을 선택하는 과정을 통하여 정보 처리 능력을 기를 수 있습니다.

문제 해결 Tip 걸린 시간과 도착한 시각을 알고 출발한 시각을 구하는 것이므로 도착한 시각에서 거꾸로 생각하여 해결할 수 있습니다. 수직선에 나타내어 거꾸로 생각하고 시간의 뺄셈식을 세워 봅니다.

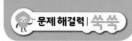 **문제 해결력 | 쑥쑥** 집에서 출발한 시각은 몇 시 몇 분일까요

문제 해결 정보 처리

은서가 박물관을 다녀왔습니다. 집에서 박물관까지 가는 데 50분이 걸렸고, 2시간 20분 동안 견학을 했습니다. 은서가 박물관에서 나온 시각이 12시 58분일 때, 집에서 출발한 시각을 구해 보세요.

문제 이해하기
· 구하려고 하는 것은 무엇인가요?
  은서가 집에서 출발한 시각입니다.

· 알고 있는 것은 무엇인가요? · 집에서 박물관까지 가는 데 걸린 시간은 50분입니다.
  · 박물관을 견학한 시간은 2시간 20분입니다.
  · 박물관을 나온 시각은 12시 58분입니다.

계획 세우기 · 어떤 방법으로 문제를 해결할 수 있을지 계획을 세워 보세요.

124

예 · 문제에 나타난 시간 정보를 수직선에 나타내어 봅니다.
· 은서가 박물관에서 나온 시각부터 거꾸로 생각하면 집에서 출발한 시각을 알 수 있습니다.
· 식을 세워서 시간의 덧셈과 뺄셈으로 해결할 수 있습니다.

 교과서 개념 완성

문제 이해하기

≫ 구하려고 하는 것

은서가 집에서 출발한 시각입니다.

≫ 알고 있는 것

· 집에서 박물관까지 가는 데 걸린 시간은 50분입니다.
· 박물관을 견학한 시간은 2시간 20분입니다.
· 박물관을 나온 시각은 12시 58분입니다.

학부모 코칭 Tip

문제에 주어진 조건을 그림이나 수직선 위에 나타내고, 거꾸로 풀기 전략을 이용하여 문제를 해결할 수 있도록 합니다.

계획 세우기

시간 정보를 수직선에 나타내고, 박물관에서 나온 시각부터 거꾸로 생각해 봅니다.

계획대로 풀기

· 은서가 박물관을 2시간 20분 동안 견학한 후 나온 시각이 12시 58분이므로 은서가 박물관에 도착한 시각은 12시 58분－2시간 20분＝10시 38분입니다.

· 집에서 50분 걸려서 박물관에 도착하였을 때의 시각이 10시 38분이므로 은서가 집에서 출발한 시각은 10시 38분－50분＝9시 48분입니다.

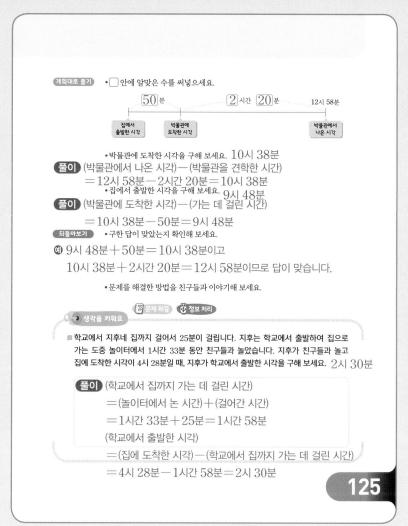

문제 이해하기

≫ **구하려고 하는 것**

지후가 학교에서 출발한 시각입니다.

≫ **알고 있는 것**

• 학교에서 지후네 집까지 걸어서 25분이 걸립니다.
• 지후가 놀이터에서 논 시간은 1시간 33분입니다.
• 지후가 집에 도착한 시각은 4시 28분입니다.

계획 세우기

시간 정보를 수직선에 나타내고, 지후가 집에 도착한 시각부터 거꾸로 생각하면 학교에서 출발한 시각을 알 수 있습니다.

계획대로 풀기

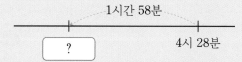

학교에서 출발하여 1시간 58분 후에 집에 도착한 시각이 4시 28분이므로 지후가 학교에서 출발한 시각은 4시 28분－1시간 58분＝2시 30분입니다.

되돌아보기

풀이 과정과 답을 점검해 봅니다.

문제 해결력 문제   정답 및 풀이 215쪽

1 한 시간에 13초씩 빨라지는 시계가 있습니다. 이 시계를 오늘 오전 9시에 정확히 맞추어 놓았습니다. 물음에 답해 보세요.

(1) 오늘 오후 5시에 이 시계가 빨라진 시간은 몇 분 몇 초일까요?

( )

(2) 오늘 오후 5시에 이 시계가 가리키는 시각은 오후 몇 시 몇 분 몇 초일까요?

( )

2 한 시간에 4분씩 빨라지는 시계가 있습니다. 이 시계를 오늘 오전 8시에 정확히 맞추어 놓았다면 오늘 오후 6시에 이 시계가 가리키는 시각은 오후 몇 시 몇 분인지 구해 보세요.

( )

3 하루에 6분씩 느려지는 시계가 있습니다. 이 시계를 오늘 오전 10시에 정확히 맞추어 놓았다면 5일 후 오전 10시에 이 시계가 가리키는 시각은 오전 몇 시 몇 분인지 구해 보세요.

( )

 의사소통   정보 처리

길이 측정하기 / 초 단위까지 시각 읽기
▶ 자습서 130~131쪽, 138~139쪽

1 그림을 보고 ⬜ 안에 알맞은 수를 써넣으세요.
109, 117쪽

1 cm 8 mm   5 cm 6 mm

풀이 • 동전이 1 cm보다 8 mm 더 길므로 동전의 길이는 1 cm 8 mm입니다.
• 색연필이 5 cm보다 6 mm 더 길므로 색연필의 길이는 5 cm 6 mm입니다.

9 시 30 분 27 초   6 시 35 분 7 초

풀이 • 초바늘이 숫자 5인 25초에서 작은 눈금 2칸을 더 간 곳을 가리키므로 시계가 가리키는 시각은 9시 30분 27초입니다.
• 초바늘이 숫자 1인 5초에서 작은 눈금 2칸을 더 간 곳을 가리키므로 시계가 가리키는 시각은 6시 35분 7초입니다.

 의사소통

길이를 단위에 맞게 나타내기 / 몇 분 몇 초를 몇 초로, 몇 초를 몇 분 몇 초로 나타내기
▶ 자습서 130~133쪽, 138~139쪽

2 ⬜ 안에 알맞은 수를 써넣으세요.
109, 111, 117쪽

57 mm = 5 cm 7 mm   2 km 954 m = 2954 m

풀이
          57 mm   2 km 954 m
      /   \   /   \
  50 mm   7 mm   2000 m   954 m
      \   /   \   /
      5 cm 7 mm   2954 m

3분 20초 = 200 초   170초 = 2 분 50 초

풀이 3분 20초=180초+20초=200초, 170초=120초+50초=2분 50초

학부모 코칭 **Tip**

몇 cm 몇 mm를 몇 mm로, 몇 분 몇 초를 몇 초로 나타낼 때 숫자를 그대로 연결하여 쓰지 않도록 합니다.
㉖ 2 cm 3 mm=23 mm
4분 30초=430초

추론

시간의 덧셈과 뺄셈하기
▶ 자습서 140~143쪽

3 계산해 보세요.
120, 122쪽

```
    1 시    13 분              9 분  10 초
+  3 시간  45 분           -  4 분  15 초
─────────────             ─────────────
    4 시    58 분              4 분  55 초
```

풀이 • 시는 시끼리, 분은 분끼리 계산합니다.
• 1분을 60초로 바꾸어 계산합니다.

126

4 알맞은 단위를 골라 ☐ 안에 써넣으세요.

113, 114, 117쪽

| m | mm | cm | km | 분 | 초 |

- **준수** 우리 반 교실의 앞에서부터 뒤까지의 거리는 9 [m] 정도야.

- **수영** 동전의 두께를 자로 재어 보았는데 1 [mm] 정도 되었어.

- **희진** 텔레비전 광고 한 편의 방송 시간은 약 15 [초] 야.

풀이 · 교실의 앞에서부터 뒤까지의 거리는 9 mm, 9 cm보다는 길고 9 km보다는 짧으므로 알맞은 단위는 m입니다.
· 동전의 두께는 1 cm, 1 m, 1 km보다 얇으므로 알맞은 단위는 mm입니다.
· 텔레비전 광고 한 편의 방송 시간은 15분보다 짧으므로 알맞은 단위는 초입니다.

 💡 생각을 넓혀요 📝 문제 해결 🖥 정보 처리

5 자전거를 타고 집에서 출발하여 공원을 거쳐 공연장까지 갔습니다. 물음에 답해 보세요.

111, 120, 122쪽

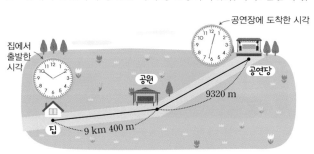

공연장에 도착한 시각

집에서 출발한 시각

공원

공연장

9320 m

9 km 400 m

집

- 집에서 출발하여 공원까지 가는 데 1시간 25분 걸렸습니다. 공원에 도착한 시각은 오전 몇 시 몇 분인가요? 오전 11시 35분

풀이 공원에 도착한 시각은 10시 10분＋1시간 25분＝11시 35분입니다.

- 공원에서 공연장까지 가는 데 걸린 시간은 몇 시간 몇 분인가요? 57분

풀이 공원에서 공연장까지 가는 데 걸린 시간은 12시 32분－11시 35분＝57분입니다.

- 집에서 공원까지의 거리와 공원에서 공연장까지의 거리 중 어느 것이 더 먼가요?

집에서 공원까지의 거리

풀이 9 km 400 m＝9400 m이고, 9400 m＞9320 m이므로 집에서 공원까지의 거리가 공원에서 공연장까지의 거리보다 더 멉니다.

 😊 의사소통 🖥 정보 처리

길이와 시간에 대한 양감 기르기

▶자습서 134~139쪽

학부모 코칭 Tip

실생활에 사용되는 길이의 단위를 적절하게 선택하지 못하는 경우에는 주변에 있는 물건의 길이나 거리를 재어 보는 직접적인 경험을 통하여 길이에 대한 양감을 기를 수 있게 합니다.

📝 문제 해결 🖥 정보 처리

시간의 덧셈과 뺄셈하기 / 길이를 같은 단위로 나타내어 비교하기

▶자습서 132~133쪽, 140~143쪽

학부모 코칭 Tip

두 거리를 바르게 비교하지 못한 경우에는 1 km가 1000 m임을 이용하여 같은 단위로 나타내어 보게 한 다음, 거리를 비교해 보게 합니다.

• 놀이 속으로│풍덩 • 이야기로 키우는│생각

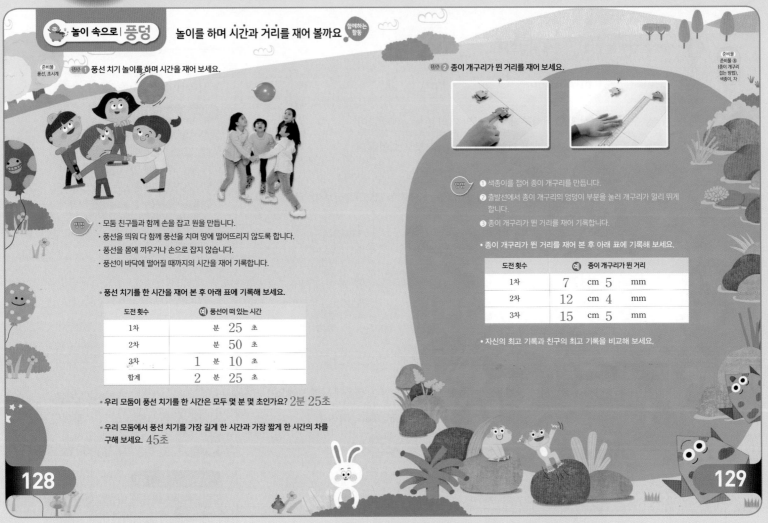

놀이 속으로│풍덩 놀이를 하며 시간과 거리를 재어 볼까요 (함께하는 활동)

준비물 풍선, 초시계

활동 ❶ 풍선 치기 놀이를 하며 시간을 재어 보세요.

• 모둠 친구들과 함께 손을 잡고 원을 만듭니다.
• 풍선을 띄워 다 함께 풍선을 치며 땅에 떨어뜨리지 않도록 합니다.
• 풍선을 몸에 끼우거나 손으로 잡지 않습니다.
• 풍선이 바닥에 떨어질 때까지의 시간을 재어 기록합니다.

• 풍선 치기를 한 시간을 재어 본 후 아래 표에 기록해 보세요.

도전 횟수	예 풍선이 떠 있는 시간	
1차	분	25 초
2차	분	50 초
3차	1 분	10 초
합계	2 분	25 초

• 우리 모둠이 풍선 치기를 한 시간은 모두 몇 분 몇 초인가요? 2분 25초

• 우리 모둠에서 풍선 치기를 가장 길게 한 시간과 가장 짧게 한 시간의 차를 구해 보세요. 45초

활동 ❷ 종이 개구리가 뛴 거리를 재어 보세요.

준비물
준비물 ⑥
(종이 개구리 접는 방법), 색종이, 자

❶ 색종이를 접어 종이 개구리를 만듭니다.
❷ 출발선에서 종이 개구리의 엉덩이 부분을 눌러 개구리가 멀리 뛰게 합니다.
❸ 종이 개구리가 뛴 거리를 재어 기록합니다.

• 종이 개구리가 뛴 거리를 재어 본 후 아래 표에 기록해 보세요.

도전 횟수	예 종이 개구리가 뛴 거리	
1차	7 cm	5 mm
2차	12 cm	4 mm
3차	15 cm	5 mm

• 자신의 최고 기록과 친구의 최고 기록을 비교해 보세요.

128

129

교과서 개념 완성

 놀이 속으로│풍덩

1 풍선 치기 놀이를 하며 시간 재어 보기

• '풍선 치기 놀이' 활동을 수행하며 시간 측정하기
➡ 초시계를 이용하여 시간을 측정할 모둠원을 정합니다.
➡ 활동을 수행하며 얻은 시간을 재어 기록합니다.

참고 시간을 잴 때에는 풍선이 처음 손에서 떨어진 순간에 초시계를 누르고, 풍선이 바닥에 닿을 때 다시 초시계를 눌러야 합니다.

• 모둠의 기록을 모두 더하고, 가장 긴 시간과 가장 짧은 시간의 차 계산하기
➡ 시간의 덧셈을 이용하여 모든 모둠의 기록을 더합니다.
➡ 시간의 뺄셈을 이용하여 풍선 치기를 가장 길게 한 시간과 가장 짧게 한 시간의 차를 구합니다.

학부모 코칭 Tip

놀이 활동을 하면서 자연스럽게 시간의 덧셈과 뺄셈을 계산하도록 합니다. 활동을 마친 후에는 이 활동에서 배운 것, 이 활동을 하면서 느낀 점이나 반성 등을 간략하게 써 보게 합니다.

이야기로 키우는 생각

창의력 키우기

아름다운 우리 땅, 독도! 시간을 거슬러 알아보아요

독도는 경상북도 울릉군 울릉읍에 위치한 아름다운 우리나라의 섬입니다. 독도에 대하여 알아볼까요?

지금으로부터 아주 오래전, 수심 2000 m의 동해 밑바닥에서 뜨거운 용암이 물속으로 솟구쳐 뿜어져 나오기 시작하였습니다. 흘러나온 용암은 차가운 바닷물에 닿는 순간 아주 빨리 식어 깨지며 암석이 되었습니다. 이 암석이 오랜 시간 동안 꾸준히 쌓여 바닷속에 서 있는 산이 되었고, 오랜 시간이 흘러 지금의 독도가 되었답니다.

독도의 이름은 어떻게 바뀌었을까요?

우산도 (512년) → 삼봉도 (1476년) → 가지도 (1794년) → 석도 (1900년) → 독도 (1906년)

[출처] 한국민족문화 대백과사전

독도는 큰 섬일까요, 작은 섬일까요?

독도는 바다 위에 드러나 있는 부분만 보면 작은 섬으로 생각하기 쉽습니다.
물속에 있는 부분을 포함하면 독도의 전체 높이는 약 2068 m입니다.

독도는 동도와 서도, 두 개의 섬으로 이루어져 있습니다. 동남쪽에 위치한 동도는 높이가 약 99 m, 한 바퀴의 길이가 약 2 km 800 m이며, 서북쪽에 위치한 서도는 높이가 약 169 m, 한 바퀴의 길이가 약 2 km 600 m입니다.

[출처] 동북아역사재단, 2017.

130

131

2 종이 개구리가 뛴 거리 재어 보기

· '종이 개구리 놀이' 활동을 수행하며 거리 측정하기
  ➡ 자를 이용하여 출발선에서부터 거리를 정확히 재는 방법을 숙지합니다.
  ➡ 활동을 수행하며 얻은 거리를 재어 기록합니다.
· 자신의 최고 기록과 친구의 최고 기록 비교하기
  ➡ 자신의 최고 기록과 친구의 최고 기록을 비교합니다.

참고 cm는 cm끼리, mm는 mm끼리 빼어 기록의 차를 구하여 얼마만큼 차이 나는지 비교할 수도 있습니다.

이야기로 키우는 생각

독도가 우리 영토인 이유

독도는 현재 대한민국의 지배와 관리 하에 있고 국제법적으로 살펴보았을 때에도 '독도는 울릉군에 속한 땅이므로 울릉군은 울릉도와 독도(석도)를 다스린다.'라는 고종의 대한제국 칙령 41호의 발표는 1905년 일본의 발표보다 5년이나 빠르다. 역사 속에서 살펴보면 512년 이사부가 우산국을 점령하였다는 기록, 『세종실록지리지』에 실린 울릉도와 우산(독도)에 대한 설명, 1531년 발행한 『신증동국여지승람』, 1861년 대동여지도의 내용에서도 독도는 명확한 우리나라 영토임이 확인된다.

[출처] 외교부 독도 누리집

개념

➡ 1 mm 알아보기

· 1 cm를 10칸으로 똑같이 나누었을 때 작은 눈금 한 칸의 길이를 1 mm라 쓰고 1 밀리미터라고 읽습니다.

1 mm

| 1 cm = 10 mm |

· 3 cm보다 5 mm 더 긴 것을 3 cm 5 mm라 쓰고 3 센티미터 5 밀리미터라고 읽습니다.

3 cm 5 mm = 35 mm

➡ 1 km 알아보기

· 1000 m를 1 km라 쓰고 1 킬로미터라고 읽습니다.

1 km

| 1000 m = 1 km |

· 2 km보다 700 m 더 긴 것을 2 km 700 m라 쓰고 2 킬로미터 700 미터라고 읽습니다.

2 km 700 m = 2700 m

➡ 길이 또는 거리를 어림하는 방법

· 알고 있는 길이 또는 거리를 이용하여 어림하기
· 전체 길이 또는 거리를 몇 개의 부분으로 나눈 뒤, 각 부분을 어림하여 더하기
· 한 부분의 길이 또는 거리를 어림한 다음, 그 길이 또는 거리를 반복하여 전체 길이 또는 거리 어림하기

확인 문제

1 클립의 짧은 쪽의 길이를 재어 보려고 합니다. 알맞은 단위를 찾아 기호를 써 보세요.

| ㉠ m   ㉡ km   ㉢ mm |

( )

2 물감의 길이를 재어 ☐ 안에 알맞은 수를 써 넣으세요.

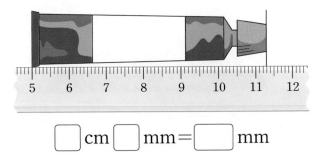

☐ cm ☐ mm = ☐ mm

3 길이가 긴 것부터 차례로 기호를 써 보세요.

| ㉠ 2 km 350 m   ㉡ 3154 m   ㉢ 3 km 95 m |

( )

4 알맞은 거리를 골라 문장을 완성해 보세요.

| 108 cm   920 m   240 km |

서울에서 강릉까지의 거리는

약 ☐ 입니다.

→ 정답 및 풀이 215쪽

공부한 날   월   일

개념

1초

- 1초: 초바늘이 작은 눈금 한 칸을 가는 동안 걸리는 시간

- 60초: 초바늘이 시계를 한 바퀴 도는 데 걸리는 시간

60초＝1분

시간의 덧셈과 뺄셈

- 받아올림, 받아내림이 없는 시간의 덧셈과 뺄셈
  → 시는 시끼리, 분은 분끼리, 초는 초끼리 더합니다.
  → 시는 시끼리, 분은 분끼리, 초는 초끼리 뺍니다.
- 받아올림, 받아내림이 있는 시간의 덧셈과 뺄셈
  → 같은 단위끼리의 합이 60이거나 60보다 크면 60초를 1분으로, 60분을 1시간으로 바꾸어 계산합니다.
  → 같은 단위끼리 뺄 수 없으면 1분을 60초로, 1시간을 60분으로 바꾸어 계산합니다.

확인 문제

5 초바늘이 시계를 두 바퀴 도는 데 걸리는 시간은 몇 분인가요?

(   )

6 같은 시간끼리 선으로 이어 보세요.

3분 10초 •	• 210초
2분 40초 •	• 160초
3분 30초 •	• 190초

7 계산해 보세요.

(1) 2시 35분＋4시간 16분
(2) 50분 25초－45분 55초

8 우진이네 가족은 공연장에 들어가서 2시간 45분 후에 나왔습니다. 나온 시각이 오후 7시 22분일 때, 공연장에 들어간 시각은 오후 몇 시 몇 분인지 구해 보세요.

(   )

단계별로

서술형 문제 해결하기

과정 중심 평가 내용: cm와 mm의 관계를 알고, 몇 cm 몇 mm와 몇 mm로 나타낼 수 있는가?

1-1 나무판 한 장의 높이가 28 mm일 때, 같은 나무판 9장의 높이는 몇 cm 몇 mm인지 풀이 과정을 쓰고, 답을 구해 보세요. [8점]

풀이

❶ 나무판 1장의 높이가 28 mm일 때, 나무판 9장의 높이는 $28 \times 9 = \square$ (mm)입니다.

❷ 10 mm = 1 cm이므로
252 mm = $\square$ cm $\square$ mm입니다.
따라서 나무판 9장의 높이는
$\square$ cm $\square$ mm입니다.

답

1-2 쌍둥이

색 테이프 한 장의 길이가 74 mm일 때, 같은 색 테이프 8장을 겹치지 않게 이어 붙였습니다. 이어 붙인 색 테이프의 길이는 몇 cm 몇 mm인지 풀이 과정을 쓰고, 답을 구해 보세요. [12점]

풀이

답

1-3 유사

길이가 150 mm인 양초가 있습니다. 이 양초가 1분에 5 mm씩 일정하게 탄다면 양초에 불을 붙이고 13분 후 남은 양초의 길이는 몇 cm 몇 mm인지 풀이 과정을 쓰고, 답을 구해 보세요. [15점]

풀이

답

1-4 실전

어떤 양초에 불을 붙이고 15분이 지난 후에 길이를 재어 보니 112 mm였습니다. 이 양초가 1분에 3 mm씩 일정하게 탄다면 처음 양초의 길이는 몇 cm 몇 mm인지 풀이 과정을 쓰고, 답을 구해 보세요. [15점]

풀이

답

→ 정답 및 풀이 216~217쪽

2-1 어느 날 해가 뜬 시각은 오전 6시 24분이 었고, 해가 진 시각은 오후 6시 48분이었 습니다. 이날 밤의 길이는 몇 시간 몇 분인 지 풀이 과정을 쓰고, 답을 구해 보세요.

풀이 [8점]

❶ 오후 6시 48분＝12시＋6시 48분

＝18시 ☐ 분

(낮의 길이)＝18시 ☐ 분－6시 24분

＝☐시간 ☐분

❷ 하루는 24시간이므로 밤의 길이는

24시간－☐시간 ☐분

＝☐시간 ☐분입니다.

답

2-2 어느 날 해가 뜬 시각은 오전 6시 8분이었 고, 해가 진 시각은 오후 7시 26분이었습 니다. 이날 밤의 길이는 몇 시간 몇 분인 지 풀이 과정을 쓰고, 답을 구해 보세요.

[12점]

풀이

답

2-3 유사 어느 날 해가 뜬 시각과 해가 진 시각입니 다. 이날 밤의 길이는 몇 시간 몇 분 몇 초 인지 풀이 과정을 쓰고, 답을 구해 보세요.

[15점]

해가 뜬 시각 → 해가 진 시각

풀이

답

2-4 실전 어느 날 해가 뜬 시각과 해가 진 시각입니 다. 이날 낮의 길이는 밤의 길이보다 몇 시간 몇 분 더 긴지 풀이 과정을 쓰고, 답 을 구해 보세요.

[15점]

해가 뜬 시각 → 해가 진 시각

풀이

답

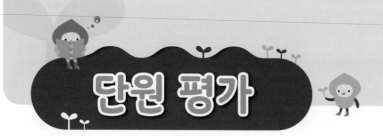

| 길이의 단위 1 mm, 길이의 단위 1 km |

01 ⬜ 안에 알맞은 수를 써넣으세요.
하

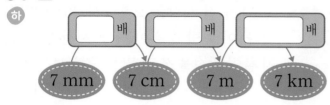

| 길이의 단위 1 km |

02 승윤이네 집에서 경찰서를 지나 병원까지의
하 거리는 몇 km 몇 m인가요?

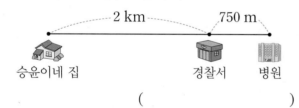

2 km   750 m

승윤이네 집   경찰서   병원

(   )

| 시간의 단위 1초 |

03 시각을 읽어 보세요.
하

(   )

| 시간의 덧셈과 뺄셈(1) |

04 계산해 보세요.
하 (1) 5시 35분＋1시간 20분
(2) 53분 46초－22분 15초

| 길이의 단위 1 mm |

05 물건의 길이를 두 가지 방법으로 나타낸 것
중 입니다. ⬜ 안에 알맞은 수를 써넣으세요.

연필	16 cm	⬜ mm
사탕	⬜ cm ⬜ mm	24 mm

| 길이의 단위 1 mm |

06 종이테이프의 길이는 몇 mm인가요?
중

(   )

| 길이의 단위 1 mm, 길이의 단위 1 km |

07 단위 사이의 관계를 잘못 나타낸 것은 어느
중 것인가요? ·················· (   )

① 3 cm 6 mm＝36 mm
② 74 mm＝7 cm 4 mm
③ 5 km 160 m＝5160 m
④ 8092 m＝8 km 920 m
⑤ 4 km 58 m＝4058 m

| 길이의 단위 1 km |

08 거리가 더 먼 것의 기호를 써 보세요.
중

> ㉠ 7 km보다 85 m 더 먼 거리
> ㉡ 7120 m

(   )

| 길이와 거리를 어림하고 재어 보기 |

09 단위를 잘못 쓴 것을 찾아 기호를 써 보세요.

중

> ㉠ 완두콩의 길이는 약 8 mm입니다.
> ㉡ 학교에서 도서관까지의 거리는 약 3 km 입니다.
> ㉢ 한라산의 높이는 약 1 m 950 cm입니다.

(　　　　　　　)

| 길이와 거리를 어림하고 재어 보기 |

10 공원에서 약 2 km 떨어진 장소를 모두 찾아

중 보세요.

(　　　　　　　)

| 시간의 단위 1초 |

11 더 긴 시간에 ○표 하세요.

중

4분 35초	435초
(　　)	(　　)

| 시간의 단위 1초 |

12 ☐ 안에 알맞은 수들의 합을 구해 보세요.

중

> • 5분 24초＝☐초
> • 400초＝6분 ☐초

(　　　　　　　)

| 시간의 단위 1초 |　　　　**서술형**

13 유정이네 모둠 친구들의 오래달리기 기록을

중 나타낸 표입니다. 가장 빠른 사람은 누구인

지 풀이 과정을 쓰고, 답을 구해 보세요.

이름	유정	서윤	지민
기록	4분 48초	285초	4분 37초

풀이

답

| 시간의 덧셈과 뺄셈(2) |

14 ☐ 안에 알맞은 시각을 써넣으세요.

중

5시 30분 15초

−

1시간 49분 25초

☐

| 시간의 덧셈과 뺄셈(1), (2) |

15 시간이 더 짧은 것의 기호를 써 보세요.

중

> ㉠ 24분 43초＋17분 28초
> ㉡ 55분 39초－12분 22초

(   )

| 시간의 덧셈과 뺄셈(1) |

16 나현이가 할머니 댁에 가는 데 기차를 2시간

중 25분 동안 타고, 버스를 1시간 16분 동안 탔습니다. 나현이가 할머니 댁에 가는 데 기차와 버스를 탄 시간은 모두 몇 시간 몇 분인가요?

(   )

| 길이의 단위 1 km | 서술형

17 승민이네 집에서 각 장소까지의 거리를 나

상 타낸 것입니다. 승민이네 집에서 가장 먼 곳은 어디인지 풀이 과정을 쓰고, 답을 구해 보세요.

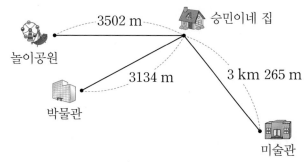

풀이

답

| 시간의 덧셈과 뺄셈(2) |

18 상영 시간이 1시간 50분인 영화가 끝난 후

중 시계를 보니 오후 5시 20분이었습니다. 영화가 시작한 시각은 오후 몇 시 몇 분인가요?

(   )

| 시간의 단위 1초 |

19 시계의 긴바늘이 숫자 5에서 6까지 가는 동

상 안 초바늘은 시계를 몇 바퀴 도는지 구해 보세요.

(   )

| 시간의 덧셈과 뺄셈(2) | 서술형

20 어느 날 오후 해가 진 시각입니다. 이날 낮의

상 길이가 11시간 47분 55초였다면 해가 뜬 시각은 오전 몇 시 몇 분 몇 초였을지 풀이 과정을 쓰고, 답을 구해 보세요.

풀이

답

길이와 시간의 단위는 **언제** 사용할까요?

6

분수와 소수

- 여러 가지 일을 하는 사람들이 보이고, 학생들이 미래의 나의 모습에 대해 상상하고 있습니다.
- 빵의 개수를 세어 보면서 1보다 작은 양을 수로 어떻게 나타낼지 궁금해하고 있습니다.

그림 속 상황

자/기/주/도/학/습

1 차시

준비 팡팡

학습 목표

'무엇을 알고 있나요'와 '함께 생각해 볼까요'를 통하여 단원을 준비할 수 있습니다.

◼ **조각을 맞춰 미술 작품 완성하고, ☐ 안에 조각의 개수 쓰기**

설명에 맞는 작품(직업)을 찾아 붙임딱지로 붙이고, 사용한 조각의 개수를 쓰는 활동입니다.

요리사   소방관   피아니스트

➡ 조각의 개수는 요리사 2개, 소방관 6개, 피아니스트 3개입니다.

◼ **열쇠의 길이를 몇 cm 몇 mm와 몇 mm로 나타내기**

열쇠의 길이는 5 cm 4 mm입니다.

➡ 5 cm 4 mm＝50 mm＋4 mm
＝54 mm

준비 팡팡

🔒 무엇을 알고 있나요

1 설명에 해당하는 직업을 찾아 조각을 맞춰 그림을 완성하고, ☐ 안에 조각의 개수를 써넣으세요.

준비물 ⑦
(붙임딱지)

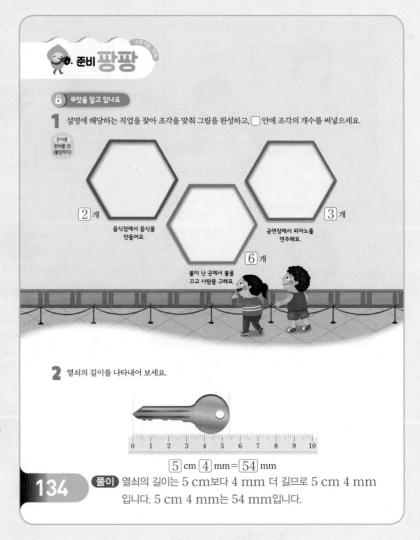

⑤ cm ④ mm＝⑤④ mm

2 열쇠의 길이를 나타내어 보세요.

풀이 열쇠의 길이는 5 cm보다 4 mm 더 길므로 5 cm 4 mm입니다. 5 cm 4 mm는 54 mm입니다.

134

👦 교과서 개념 완성 | 배운 것을 다시 생각하기

➡ **원, 삼각형, 사각형, 오각형, 육각형 알아보기**

원	
삼각형	
사각형	
오각형	
육각형	

➡ **길이의 단위 1 mm 알아보기**

· 1 cm를 10칸으로 똑같이 나누었을 때 작은 눈금 한 칸의 길이를 1 mm라 쓰고 1 밀리미터라고 읽습니다.

$$1\ cm＝10\ mm$$

· 2 cm보다 4 mm 더 긴 것을 2 cm 4 mm라 쓰고 2 센티미터 4 밀리미터라고 읽습니다.

➡ 2 cm 4 mm＝20 mm＋4 mm
＝24 mm

$$2\ cm\ \ 4\ mm＝24\ mm$$

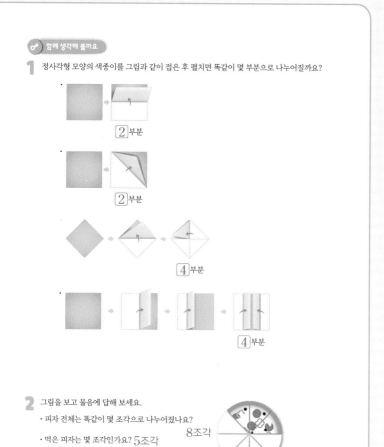

함께 생각해 볼까요

1 정사각형 모양의 색종이를 그림과 같이 접은 후 펼치면 똑같이 몇 부분으로 나누어질까요?

2 부분

2 부분

4 부분

4 부분

2 그림을 보고 물음에 답해 보세요.
• 피자 전체는 똑같이 몇 조각으로 나누어졌나요? 8조각
• 먹은 피자는 몇 조각인가요? 5조각
• 먹지 않은 피자는 몇 조각인가요? 3조각

● 정사각형 모양의 색종이를 접은 후 펼치면 똑같이 몇 부분으로 나누어지는지 알아보기

부분의 모양이 똑같이 되도록 접은 색종이를 펼쳤을 때 전체가 똑같이 몇 부분으로 나누어지는지 알아보는 활동입니다.

➡ : 접은 후 펼치면 똑같이 2부분으로 나누어집니다.

➡ : 접은 후 펼치면 똑같이 2부분으로 나누어집니다.

➡ : 접은 후 펼치면 똑같이 4부분으로 나누어집니다.

➡ : 접은 후 펼치면 똑같이 4부분으로 나누어집니다.

● 똑같이 나누어진 피자 조각을 보고 물음에 답하기

피자 전체의 조각 수와 부분의 조각 수를 알아보고 전체와 부분을 이해하는 활동입니다.

135

개념 확인 문제   정답 및 풀이 218쪽

| 2-1 2. 여러 가지 도형 |

1 도형의 이름을 써 보세요.

(1) 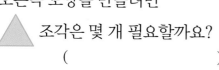   (2)

(   )   (   )

| 2-1 2. 여러 가지 도형 |

2 오른쪽 모양을 만들려면 ▲ 조각은 몇 개 필요할까요?

(   )

| 3-1 5. 길이와 시간 |

3 크레파스의 길이를 재어 보세요.

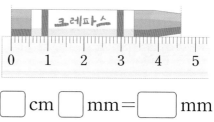

□ cm □ mm = □ mm

| 3-1 5. 길이와 시간 |

4 길이가 9 cm 7 mm인 철사가 있습니다. 이 철사의 길이는 몇 mm일까요?

(   )

1 | 똑같이 나누기

학습 목표

전체를 똑같이 나눌 수 있습니다.

그림으로 개념 잡기

똑같이 셋으로 나누었어.

그건 똑같이 나눈게 아니야. 똑같이 나누려면 나처럼 나누어진 부분들을 포개었을 때 완전히 겹쳐져야 해.

참고 똑같이 나누어진 부분은 포개었을 때 남거나 모자라는 부분이 없이 완전히 겹쳐집니다.

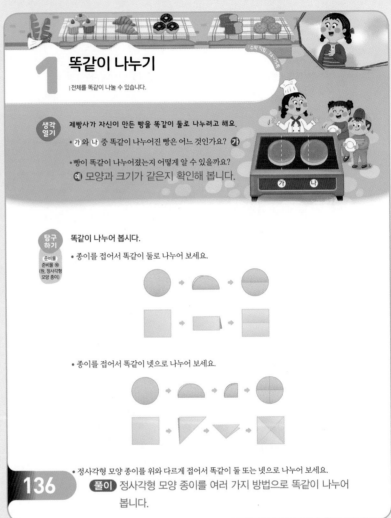

1 똑같이 나누기

전체를 똑같이 나눌 수 있습니다.

생각열기 제빵사가 자신이 만든 빵을 똑같이 둘로 나누려고 해요.

• 가와 나 중 똑같이 나누어진 빵은 어느 것인가요? **가**

• 빵이 똑같이 나누어졌는지 어떻게 알 수 있을까요?
예 모양과 크기가 같은지 확인해 봅니다.

탐구하기 똑같이 나누어 봅시다.

준비물 ⓗ 원, 정사각형 모양 종이

• 종이를 접어서 똑같이 둘로 나누어 보세요.

• 종이를 접어서 똑같이 넷으로 나누어 보세요.

• 정사각형 모양 종이를 위와 다르게 접어서 똑같이 둘 또는 넷으로 나누어 보세요.

풀이 정사각형 모양 종이를 여러 가지 방법으로 똑같이 나누어 봅니다.

136

교과서 개념 완성

탐구하기 똑같이 나누어진 것 알아보기

• 정사각형 모양 종이를 똑같이 둘로 나누기

예

• 정사각형 모양 종이를 똑같이 넷으로 나누기

예

➡ 여러 가지 방법으로 정사각형을 똑같이 둘 또는 넷으로 나눌 수 있습니다.

확인하기 똑같이 둘 또는 셋으로 나누어진 도형 찾기

1. 나누어진 두 부분을 포개었을 때 완전히 겹쳐지는 것을 찾습니다.

➡ 나   다

2. 나누어진 세 부분을 포개었을 때 완전히 겹쳐지는 것을 찾습니다.

➡ 마   아

학부모 코칭 Tip

도형을 똑같이 나눌 때 나누어진 부분의 모양과 크기가 같아야 함을 알게 합니다.

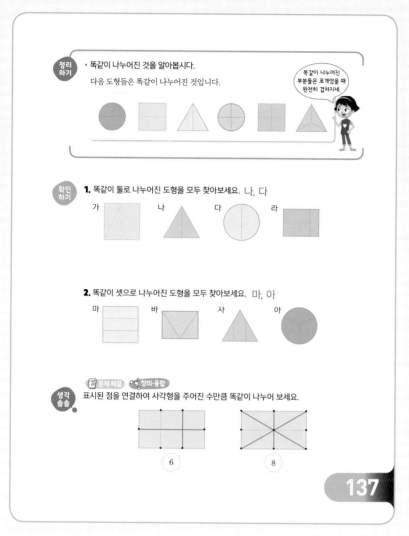

정리하기
• 똑같이 나누어진 것을 알아봅시다.
다음 도형들은 똑같이 나누어진 것입니다.

똑같이 나누어진 부분들은 포개었을 때 완전히 겹쳐지네.

확인하기
1. 똑같이 둘로 나누어진 도형을 모두 찾아보세요. 나, 다

가   나   다   라

2. 똑같이 셋으로 나누어진 도형을 모두 찾아보세요. 마, 아

마   바   사   아

생각 솔솔   문제 해결   창의·융합
표시된 점을 연결하여 사각형을 주어진 수만큼 똑같이 나누어 보세요.

6   8

137

이런 문제가 서술형으로 나와요

똑같이 셋으로 나눈 도형이 아닌 것을 찾아 기호를 쓰고, 그 이유를 설명해 보세요.

가   나   다

| 도형 찾기 |

❶ 똑같이 셋으로 나눈 도형이 아닌 것을 찾아 기호 쓰기

똑같이 셋으로 나눈 도형이 아닌 것은 다입니다.

| 이유 |

❷ 이유 설명하기

예 나누어진 부분을 포개었을 때 완전히 겹쳐지지 않습니다.

수학 교과 역량   문제 해결   창의·융합

표시된 점을 연결하여 주어진 수만큼 똑같이 나누기
도형의 점끼리 연결하여 주어진 수만큼 도형을 똑같이 나누어 보는 과정을 통하여 문제 해결 능력과 창의·융합 능력을 기를 수 있습니다.

개념 확인 문제   정답 및 풀이 218쪽

1 똑같이 나누어진 도형을 찾아 기호를 써 보세요.

가   나   다

(   )

2 정사각형을 똑같이 넷으로 나눈 것이 아닌 것에 ×표 하세요.

(   )   (   )   (   )

3 도형을 똑같이 몇으로 나누었는지 ☐ 안에 알맞은 수를 써넣으세요.

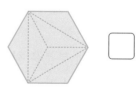   ☐

4 도형을 똑같이 넷으로 나누어 보세요.

3~4 차시 | **2** 분수

- 전체와 부분의 의미와 관계를 알고, 전체에 대한 부분의 크기로서의 분수를 이해합니다.
- 분수를 쓰고 읽을 수 있습니다.

그림으로 개념 잡기

나는 부분의 수야.

나는 전체를 똑같이 나눈 수야.

참고 분수를 읽을 때에는 분모를 먼저 읽고, 분자를 나중에 읽습니다.

어휘 분수 | ■를 0이 아닌 ▲로 나눈 몫을 $\frac{■}{▲}$로 나타낸 것입니다.

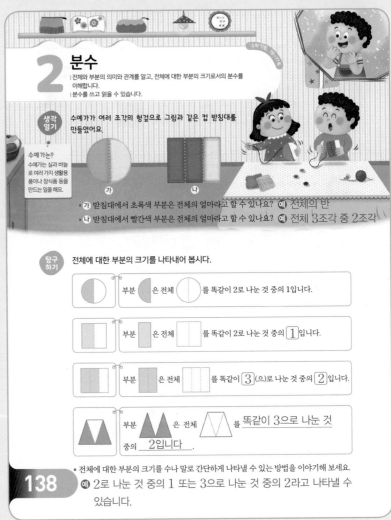

2 분수

전체와 부분의 의미와 관계를 알고, 전체에 대한 부분의 크기로서의 분수를 이해합니다.
분수를 읽을 수 있습니다.

생각 열기 수예가가 여러 조각의 헝겊으로 그림과 같은 컵 받침대를 만들었어요.

수예가는? 수예가는 실과 바늘로 여러 가지 생활용품이나 장식품 등을 만드는 일을 해요.

가   나

- 가 받침대에서 초록색 부분은 전체의 얼마라고 할 수 있나요? 예 전체의 반
- 나 받침대에서 빨간색 부분은 전체의 얼마라고 할 수 있나요? 예 전체 3조각 중 2조각

탐구하기 전체에 대한 부분의 크기를 나타내어 봅시다.

부분 □ 은 전체 ○ 를 똑같이 2로 나눈 것 중의 1입니다.

부분 □ 은 전체 □ 를 똑같이 2로 나눈 것 중의 1입니다.

부분 □ 은 전체 □ 를 똑같이 3(으)로 나눈 것 중의 2입니다.

부분 △△ 은 전체 □ 를 똑같이 3으로 나눈 것 중의 2입니다.

- 전체에 대한 부분의 크기를 수나 말로 간단하게 나타낼 수 있는 방법을 이야기해 보세요.
예 2로 나눈 것 중의 1 또는 3으로 나눈 것 중의 2라고 나타낼 수 있습니다.

138

교과서 개념 완성

생각 열기 받침대 ㉮, ㉯에서 특정한 색 부분이 전체의 얼마인지 생각하기

- ㉮ 받침대에서 초록색 부분은 전체 2조각 중 1조각이므로 전체의 반이라고 할 수 있습니다.
- ㉯ 받침대에서 빨간색 부분은 전체 3조각 중 2조각이므로 전체의 반보다 많다고 할 수 있습니다.

탐구하기 전체에 대한 부분의 크기 알아보기

색칠한 부분이 전체를 똑같이 몇으로 나눈 것 중의 몇인지 알면 전체에 대한 부분의 크기를 나타내고 분수의 개념을 이해할 수 있습니다.

정리하기 전체에 대한 부분의 크기를 수나 말로 나타내는 방법 정리하기

전체를 똑같이 5로 나눈 것 중의 3을 $\frac{3}{5}$이라 쓰고, 5분의 3이라고 읽습니다.

$\frac{3}{5}$ ← 분자
← 분모

학부모 코칭 Tip

전체를 똑같이 ■로 나눈 것 중의 ▲를 $\frac{▲}{■}$라 쓰고, ■분의 ▲라고 읽는다는 것을 알게 합니다.

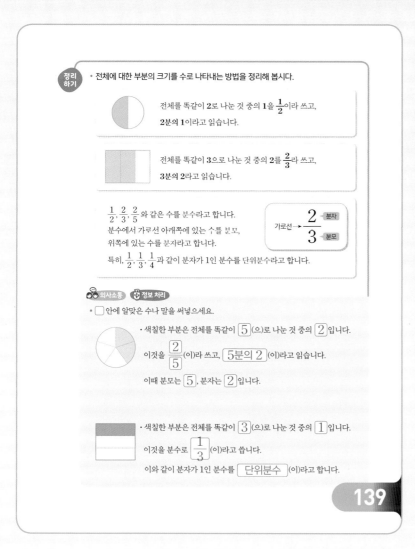

정리
하기
• 전체에 대한 부분의 크기를 수로 나타내는 방법을 정리해 봅시다.

전체를 똑같이 2로 나눈 것 중의 1을 $\frac{1}{2}$이라 쓰고,
2분의 1이라고 읽습니다.

전체를 똑같이 3으로 나눈 것 중의 2를 $\frac{2}{3}$라 쓰고,
3분의 2라고 읽습니다.

$\frac{1}{2}, \frac{2}{3}, \frac{2}{5}$ 와 같은 수를 분수라고 합니다.
분수에서 가로선 아래쪽에 있는 수를 분모,
위쪽에 있는 수를 분자라고 합니다.
특히, $\frac{1}{2}, \frac{1}{3}, \frac{1}{4}$ 과 같이 분자가 1인 분수를 단위분수라고 합니다.

가로선 → $\frac{2}{3}$ ← 분자
           ← 분모

🚲 의사소통   🔄 정보 처리

• □ 안에 알맞은 수나 말을 써넣으세요.

• 색칠한 부분은 전체를 똑같이 5(으)로 나눈 것 중의 2입니다.

이것을 $\frac{2}{5}$(이)라 쓰고, 5분의 2(이)라고 읽습니다.

이때 분모는 5, 분자는 2입니다.

• 색칠한 부분은 전체를 똑같이 3(으)로 나눈 것 중의 1입니다.

이것을 분수로 $\frac{1}{3}$(이)라고 씁니다.

이와 같이 분자가 1인 분수를 단위분수(이)라고 합니다.

139

이런 문제가 서술형으로 나와요

분모가 9인 분수는 모두 몇 개인지 풀이 과정을 쓰고, 답을 구해 보세요.

$$\frac{6}{9} \qquad \frac{9}{11} \qquad \frac{9}{13} \qquad \frac{8}{9}$$

| 풀이 과정 |

❶ 분모가 9인 분수 찾기

분모는 가로선 아래쪽에 있는 수이므로 분모가 9인 분수는 $\frac{6}{9}$, $\frac{8}{9}$입니다.

❷ 분모가 9인 분수의 개수 구하기

분모가 9인 분수는 모두 2개입니다.

답 2개

• 수학 교과 역량   🚲 의사소통   🔄 정보 처리

그림을 보고 분수 알아보기
전체에 대한 부분의 크기를 수나 말로 간단하게 나타내어 보는 활동을 통하여 의사소통 능력을 기르고, 그림을 보고 전체와 부분의 관계를 파악하는 활동을 통하여 정보 처리 능력을 기를 수 있습니다.

개념 확인 문제   정답 및 풀이 219쪽

1 색칠한 부분을 분수로 나타내고 읽어 보세요.

쓰기	
읽기	

2 단위분수를 모두 찾아 ○표 하세요.

$$\frac{2}{7} \qquad \frac{1}{5} \qquad \frac{3}{7} \qquad \frac{1}{10}$$

3 관계있는 것끼리 선으로 이어 보세요.

   •

• $\frac{3}{7}$

   •

• $\frac{3}{8}$

   •

• $\frac{5}{9}$

분수만큼 색칠할 때, 여러 가지 방법으로 나타낼 수 있습니다.

참고 예) $\dfrac{3}{8}$ 만큼 색칠하기

풀이 · 전체를 똑같이 6으로 나눈 것 중의 1을 색칠하였습니다.

⇨ 색칠된 부분은 전체의 $\dfrac{1}{6}$ 입니다.

· 전체를 똑같이 4로 나눈 것 중의 2를 색칠하였습니다.

⇨ 색칠된 부분은 전체의 $\dfrac{2}{4}$ 입니다.

· 전체를 똑같이 3으로 나눈 것 중의 2를 색칠하였습니다.

⇨ 색칠된 부분은 전체의 $\dfrac{2}{3}$ 입니다.

· 전체를 똑같이 10으로 나눈 것 중의 7을 색칠하였습니다.

⇨ 색칠된 부분은 전체의 $\dfrac{7}{10}$ 입니다.

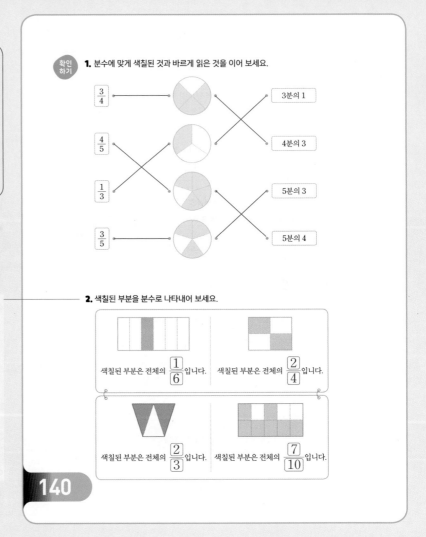

140

 교과서 개념 완성

확인하기 **분수의 개념 익히기**

1. $\dfrac{3}{4}$ ➡ ➡ 4분의 3

$\dfrac{4}{5}$ ➡ ➡ 5분의 4

$\dfrac{1}{3}$ ➡ ➡ 3분의 1

$\dfrac{3}{5}$ ➡ ➡ 5분의 3

2. 전체를 똑같이 ■로 나눈 것 중의 ▲를 색칠하였습니다. ➡ 색칠된 부분은 전체의 $\dfrac{▲}{■}$ 입니다.

3. · 4칸 중 1칸 색칠 ➡ 색칠한 부분은 전체의 $\dfrac{1}{4}$ 입니다.

· 8칸 중 3칸 색칠 ➡ 색칠한 부분은 전체의 $\dfrac{3}{8}$ 입니다.

· 6칸 중 4칸 색칠 ➡ 색칠한 부분은 전체의 $\dfrac{4}{6}$ 입니다.

· 9칸 중 8칸 색칠 ➡ 색칠한 부분은 전체의 $\dfrac{8}{9}$ 입니다.

4. · $\dfrac{1}{2}$ ➡ 2칸 중 1칸을 색칠합니다.

· $\dfrac{3}{4}$ ➡ 4칸 중 3칸을 색칠합니다.

· $\dfrac{2}{6}$ ➡ 6칸 중 2칸을 색칠합니다.

· $\dfrac{5}{8}$ ➡ 8칸 중 5칸을 색칠합니다.

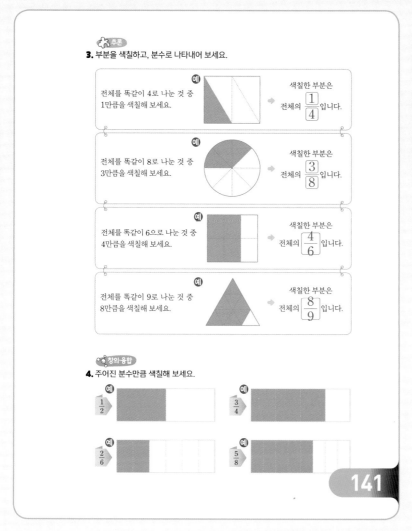

⭐ 추론

3. 부분을 색칠하고, 분수로 나타내어 보세요.

| 예 |
전체를 똑같이 4로 나눈 것 중 1만큼을 색칠해 보세요. ➡ 색칠한 부분은 전체의 $\frac{1}{4}$입니다.

| 예 |
전체를 똑같이 8로 나눈 것 중 3만큼을 색칠해 보세요. ➡ 색칠한 부분은 전체의 $\frac{3}{8}$입니다.

| 예 |
전체를 똑같이 6으로 나눈 것 중 4만큼을 색칠해 보세요. ➡ 색칠한 부분은 전체의 $\frac{4}{6}$입니다.

| 예 |
전체를 똑같이 9로 나눈 것 중 8만큼을 색칠해 보세요. ➡ 색칠한 부분은 전체의 $\frac{8}{9}$입니다.

⭐ 창의·융합

4. 주어진 분수만큼 색칠해 보세요.

예 $\frac{1}{2}$ ➡　　　　예 $\frac{3}{4}$ ➡

예 $\frac{2}{6}$ ➡　　　　예 $\frac{5}{8}$ ➡

141

이런 문제가 서술형으로 나와요

지수네 모둠은 피자를 똑같이 10조각으로 나누어 7조각을 먹었습니다. 먹고 남은 피자는 전체의 얼마인지 풀이 과정을 쓰고, 답을 구해 보세요.

| 풀이 과정 |

❶ 먹고 남은 피자의 조각 수 구하기

전체 10조각 중에서 7조각을 먹었으므로 $10-7=3$(조각)이 남았습니다.

❷ 먹고 남은 피자의 조각 수를 분수로 나타내기

남은 피자는 전체를 똑같이 10으로 나눈 것 중 3이므로 분수로 나타내면 $\frac{3}{10}$입니다.

답 $\frac{3}{10}$

• 수학 교과 역량 •　⭐추론　⭐창의·융합

색칠한 부분을 분수로 나타내고 분수에 해당하는 만큼 색칠하기

전체에 대한 부분의 크기를 분수로 나타내는 과정을 통하여 추론 능력을 기르고, 분수에 해당하는 만큼 부분을 색칠해 보는 활동을 통하여 창의·융합 능력을 기를 수 있습니다.

개념 확인 문제
정답 및 풀이 219쪽

1 색칠된 부분을 분수로 나타내어 보세요.

(　　　　　　　)

2 분수만큼 색칠해 보세요.

3 점을 연결하여 도형을 똑같이 나누고, 주어진 분수만큼 색칠해 보세요.

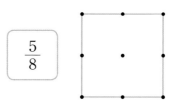

4 전체의 $\frac{4}{12}$만큼을 파란색으로, 전체의 $\frac{5}{12}$만큼을 초록색으로 칠해 보세요.

3 | 분모가 같은 분수의 크기 비교

학습 목표

분모가 같은 분수의 크기를 비교할 수 있습니다.

그림으로 개념 잡기

나는 보다 더 큰 수야.

<

| 어휘 | 분모 | 분수나 분수식에서, 가로선 아래쪽에 있는 수나 식입니다. |

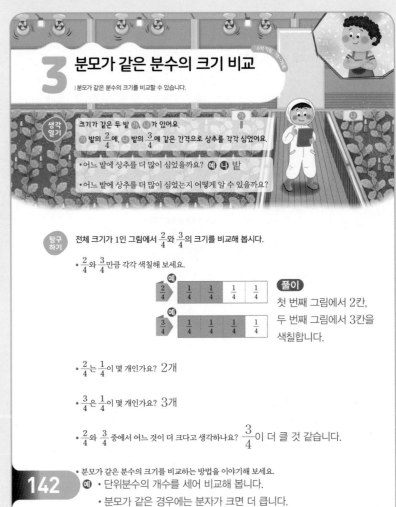

142

 교과서 개념 완성

생각 열기 $\frac{2}{4}$와 $\frac{3}{4}$의 크기를 비교하는 방법 생각하기

똑같은 직사각형 그림을 각각 똑같이 넷으로 나눈 다음, 분수만큼 색칠하여 비교하면 어느 밭에 상추를 더 많이 심었는지 알 수 있습니다.

탐구하기 전체 크기가 1인 그림에서 분모가 같은 분수의 크기를 비교하는 방법 탐구하기

| $\frac{1}{4}$ | $\frac{1}{4}$ | $\frac{1}{4}$ | $\frac{1}{4}$ | | $\frac{1}{4}$ | $\frac{1}{4}$ | $\frac{1}{4}$ | $\frac{1}{4}$ |

$\frac{1}{4}$이 2개인 수 ─ $\frac{2}{4}$ < $\frac{3}{4}$ ─ $\frac{1}{4}$이 3개인 수

확인하기 분모가 같은 분수의 크기 비교하기

- $\frac{1}{6}$이 4개인 수 ─ $\frac{4}{6}$ < $\frac{5}{6}$ ─ $\frac{1}{6}$이 5개인 수

- $\frac{1}{7}$이 6개인 수 ─ $\frac{6}{7}$ > $\frac{4}{7}$ ─ $\frac{1}{7}$이 4개인 수

- $\frac{1}{9}$이 7개인 수 ─ $\frac{7}{9}$ < $\frac{8}{9}$ ─ $\frac{1}{9}$이 8개인 수

- $\frac{1}{10}$이 6개인 수 ─ $\frac{6}{10}$ > $\frac{3}{10}$ ─ $\frac{1}{10}$이 3개인 수

정리하기 · 분모가 같은 분수의 크기를 비교하는 방법을 정리해 봅시다.

분모가 같은 분수는 단위분수의 개수가 많을수록 더 큽니다.

즉, 분모가 같은 분수는 분자가 클수록 더 큽니다.

$$\frac{2}{4} < \frac{3}{4}$$

$\frac{1}{4}$이 2개인 수　　$\frac{1}{4}$이 3개인 수

· □안에 알맞은 수를 써넣고, 두 분수의 크기를 비교하여 ○안에 >, =, <를 알맞게 써넣으세요.

$$\frac{2}{5} \bigcirc \frac{4}{5}$$

$\frac{1}{5}$이 ②개인 수　　$\frac{1}{5}$이 ④개인 수

풀이 $\frac{2}{5}$는 $\frac{1}{5}$이 2개인 수이고, $\frac{4}{5}$는 $\frac{1}{5}$이 4개인 수이므로 $\frac{2}{5} < \frac{4}{5}$입니다.

확인하기 두 분수의 크기를 비교하여 ○안에 >, =, <를 알맞게 써넣으세요.

$\frac{1}{6}$이 ④개인 수 $\frac{4}{6} \bigcirc \frac{5}{6}$ $\frac{1}{6}$이 ⑤개인 수　　$\frac{6}{7} \bigcirc \frac{4}{7}$

$$\frac{7}{9} \bigcirc \frac{8}{9} \qquad \frac{6}{10} \bigcirc \frac{3}{10}$$

📖 문제 해결 ✳ 추론

생각솔솔 분모가 8인 분수 중에서 분자가 2보다 크고 6보다 작은 분수를 모두 구해 보세요.

풀이 분모가 8인 분수는 $\frac{1}{8}, \frac{2}{8}, \frac{3}{8}, \frac{4}{8}, \frac{5}{8}, \frac{6}{8}, \frac{7}{8}$입니다.
$\frac{3}{8}, \frac{4}{8}, \frac{5}{8}$

이 중에서 분자가 2보다 크고 6보다 작은 분수는 $\frac{3}{8}, \frac{4}{8}, \frac{5}{8}$입니다.

143

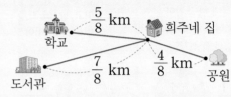

이런 문제가 서술형으로 나와요

희주네 집에서 학교, 도서관, 공원 중 가장 가까운 곳은 어디인지 풀이 과정을 쓰고, 답을 구해 보세요.

| 풀이 과정 |

❶ 희주네 집에서 학교, 도서관, 공원까지의 거리 비교하기

$\frac{5}{8}, \frac{7}{8}, \frac{4}{8}$의 분모가 같으므로 가장 작은 수는 $\frac{4}{8}$입니다.

❷ 희주네 집에서 가장 가까운 곳 찾기

희주네 집에서 가장 가까운 곳은 거리가 $\frac{4}{8}$ km인 공원입니다.

답 공원

◀ 수학 교과 역량　📖 문제 해결 ✳ 추론

분모가 같은 분수의 크기 비교하기

문제의 조건에 맞는 분수를 구하는 과정을 통하여 문제 해결 능력과 추론 능력을 기를 수 있습니다.

개념 확인 문제　　정답 및 풀이 219쪽

1 주어진 분수만큼 색칠하고, 두 분수의 크기를 비교하여 ○안에 >, =, <를 알맞게 써넣으세요.

$$\frac{2}{7} \bigcirc \frac{5}{7}$$

2 두 분수의 크기를 비교하여 ○안에 >, =, <를 알맞게 써넣으세요.

(1) $\frac{7}{9} \bigcirc \frac{5}{9}$　　(2) $\frac{6}{11} \bigcirc \frac{9}{11}$

3 가장 작은 분수에 ○표 하세요.

$$\frac{5}{12} \qquad \frac{4}{12} \qquad \frac{9}{12}$$

4 수민이와 정윤이는 똑같은 음료를 각각 한 병씩 샀습니다. 수민이는 전체의 $\frac{7}{10}$을 마셨고, 정윤이는 전체의 $\frac{5}{10}$를 마셨습니다. 음료를 더 많이 마신 사람은 누구일까요?

(　　　　　)

6 차시

4 | 단위분수의 크기 비교

4 단위분수의 크기 비교

학습 목표

단위분수의 크기를 비교할 수 있습니다.

그림으로 개념 잡기

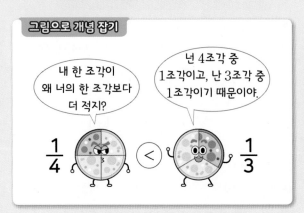

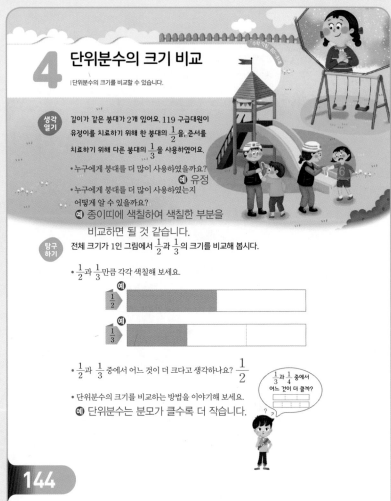

 교과서 개념 완성

생각 열기 $\frac{1}{2}$과 $\frac{1}{3}$의 크기를 비교하는 방법 생각하기

똑같은 그림을 각각 똑같이 나누어 분수만큼 색칠한 다음, 색칠한 부분을 비교할 수 있습니다.

탐구하기 전체 크기가 1인 그림에서 단위분수의 크기를 비교하는 방법 탐구하기

$\frac{1}{2}$

$\frac{1}{3}$

➡ $\frac{1}{2} > \frac{1}{3}$

확인하기 단위분수의 크기 비교하기

단위분수는 분모가 클수록 더 작습니다.

· 2<4이므로 $\frac{1}{2} > \frac{1}{4}$입니다.

· 8>6이므로 $\frac{1}{8} < \frac{1}{6}$입니다.

· 9>5이므로 $\frac{1}{9} < \frac{1}{5}$입니다.

· 7<10이므로 $\frac{1}{7} > \frac{1}{10}$입니다.

학부모 코칭 Tip

분수는 전체를 똑같이 나눈 부분의 수이기 때문에 분모가 커질수록, 즉 전체를 똑같이 많이 나눌수록 한 부분을 나타내는 단위분수의 크기는 점점 작아진다는 것을 알게 합니다.

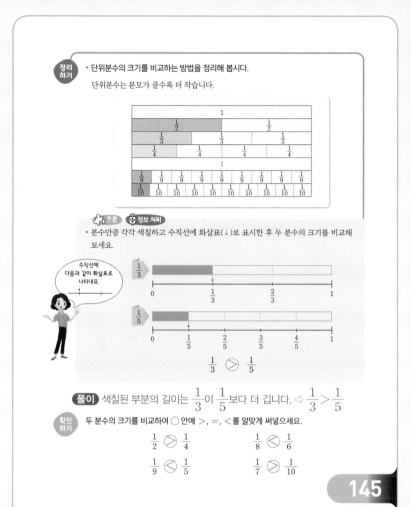

정리하기 • 단위분수의 크기를 비교하는 방법을 정리해 봅시다.

단위분수는 분모가 클수록 더 작습니다.

추론 정보처리

• 분수만큼 각각 색칠하고 수직선에 화살표(↓)로 표시한 후 두 분수의 크기를 비교해 보세요.

수직선에 다음과 같이 화살표로 나타내요.

$\frac{1}{3}$ ⊙ $\frac{1}{5}$

풀이 색칠된 부분의 길이는 $\frac{1}{3}$이 $\frac{1}{5}$보다 더 깁니다. ⇨ $\frac{1}{3} > \frac{1}{5}$

확인하기 두 분수의 크기를 비교하여 ○ 안에 >, =, <를 알맞게 써넣으세요.

$\frac{1}{2}$ ⊙ $\frac{1}{4}$ $\frac{1}{8}$ ⊙ $\frac{1}{6}$

$\frac{1}{9}$ ⊙ $\frac{1}{5}$ $\frac{1}{7}$ ⊙ $\frac{1}{10}$

145

이런 문제가 서술형으로 나와요

$\frac{1}{14}$보다 크고 $\frac{1}{9}$보다 작은 단위분수는 모두 몇 개인지 풀이 과정을 쓰고, 답을 구해 보세요.

| 풀이 과정 |

❶ $\frac{1}{14}$보다 큰 단위분수와 $\frac{1}{9}$보다 작은 단위분수 각각 구하기

$\frac{1}{14}$보다 큰 단위분수는 $\frac{1}{13}$, $\frac{1}{12}$, $\frac{1}{11}$, …이고,

$\frac{1}{9}$보다 작은 단위분수는 $\frac{1}{10}$, $\frac{1}{11}$, $\frac{1}{12}$, …입니다.

❷ 조건에 맞는 단위분수의 개수 구하기

$\frac{1}{14}$보다 크고 $\frac{1}{9}$보다 작은 단위분수는 $\frac{1}{10}$, $\frac{1}{11}$, $\frac{1}{12}$, $\frac{1}{13}$이므로 모두 4개입니다.

답 4개

수학 교과 역량   추론   정보 처리

그림을 보고 단위분수의 크기 비교하기

그림의 정보를 분석하고 각 분수만큼 색칠하여 단위분수의 크기를 비교해 보는 활동을 통하여 추론 능력과 정보 처리 능력을 기를 수 있습니다.

 개념 확인 문제   정답 및 풀이 219쪽

1 그림을 보고 ○ 안에 >, =, <를 알맞게 써넣으세요.

$\frac{1}{6}$ ○ $\frac{1}{9}$

2 두 분수의 크기를 비교하여 ○ 안에 >, =, <를 알맞게 써넣으세요.

(1) $\frac{1}{7}$ ○ $\frac{1}{4}$ (2) $\frac{1}{8}$ ○ $\frac{1}{12}$

3 2부터 9까지의 수 중에서 ☐ 안에 들어갈 수 있는 수를 모두 구해 보세요.

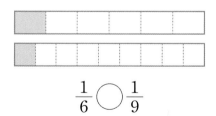

(   )

4 초록색 리본은 $\frac{1}{7}$ m, 파란색 리본은 $\frac{1}{5}$ m, 노란색 리본은 $\frac{1}{8}$ m가 있습니다. 길이가 가장 긴 리본의 색깔은 무엇일까요?

(   )

5 | 소수 (1)

· 분모가 10인 분수를 통하여 1보다 작은 소수를 이해합니다.
· 1보다 작은 소수를 쓰고 읽을 수 있습니다.

어휘	소수	일의 자리보다 작은 자리의 값을 가진 수입니다.

참고

현재까지 밝혀진 가장 오래된 볍씨는 중국에서 발견된 볍씨로, 약 10500년 전 것입니다. 그런데 그보다 3000여 년이나 앞선 소로리 볍씨가 발견됨으로써 현재 세계에서 가장 오래된 볍씨는 소로리 볍씨가 되었습니다.

[출처]
https://cheongju.go.kr/sorori/index.do

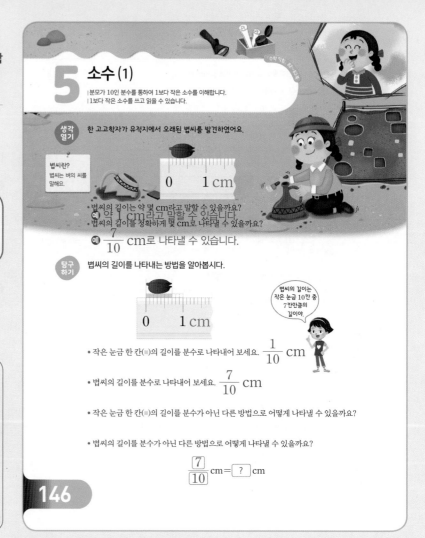

교과서 개념 완성

생각 열기 볍씨의 길이를 정확하게 몇 cm로 나타낼 수 있는지 생각하기

· 볍씨가 1 cm보다 약간 작으므로 볍씨의 길이는 약 1 cm라고 말할 수 있습니다.

· 볍씨의 길이는 1 cm를 똑같이 10칸으로 나눈 것 중 7칸만큼의 길이이므로 $\frac{7}{10}$ cm로 나타낼 수 있습니다.

확인하기 소수의 개념 익히기

1. 0.1이 ■개인 수는 0.■입니다.

2. · 책의 두께는 작은 눈금 8칸만큼의 길이이므로 0.8 cm입니다.
· 구슬의 두께는 작은 눈금 4칸만큼의 길이이므로 0.4 cm입니다.

3. · 똑같이 10칸으로 나누어진 것 중 9칸에 색칠되어 있으므로 색칠된 부분의 크기를 분수로 나타내면 $\frac{9}{10}$, 소수로 나타내면 0.9입니다.
· 똑같이 10칸으로 나누어진 것 중 5칸에 색칠되어 있으므로 색칠된 부분의 크기를 분수로 나타내면 $\frac{5}{10}$, 소수로 나타내면 0.5입니다.

정리
하기

• 소수를 알아봅시다.

• 분수 $\frac{1}{10}$ 을 **0.1**이라 쓰고, 영 점 일이라고 읽습니다.

$$\frac{1}{10} = 0.1$$

• $\frac{7}{10}$ 은 $\frac{1}{10}$ 이 7개이므로 **0.7**이라 쓰고, 영 점 칠이라고 읽습니다.

• $\frac{1}{10}$, $\frac{2}{10}$, $\frac{3}{10}$, ..., $\frac{9}{10}$ 를 **0.1, 0.2, 0.3, ..., 0.9**라 쓰고
영 점 일, 영 점 이, 영 점 삼, ..., 영 점 구라고 읽습니다.

| 0 | $\frac{1}{10}$ | $\frac{2}{10}$ | $\frac{3}{10}$ | $\frac{4}{10}$ | $\frac{5}{10}$ | $\frac{6}{10}$ | $\frac{7}{10}$ | $\frac{8}{10}$ | $\frac{9}{10}$ | 1 |

| 0 | 0.1 | 0.2 | 0.3 | 0.4 | 0.5 | 0.6 | 0.7 | 0.8 | 0.9 | 1 |

• 0.1, 0.2, 0.3과 같은 수를 소수라 하고, '.'을 소수점이라고 합니다.

• ☐ 안에 알맞은 수나 말을 써넣으세요.

• $\frac{5}{10}$ 는 $\frac{1}{10}$ 이 $\boxed{5}$ 개이므로 소수로 $\boxed{0.5}$ (이)라 쓰고, $\boxed{영 점 오}$ (이)라고 읽습니다.

• 0.9는 0.1이 $\boxed{9}$ 개인 수입니다.

• 0.1이 4개인 수는 $\boxed{0.4}$ 입니다.

| 0 | $\frac{1}{10}$ | $\frac{2}{10}$ | $\frac{3}{10}$ | $\boxed{\frac{4}{10}}$ | $\boxed{\frac{5}{10}}$ | $\frac{6}{10}$ | $\frac{7}{10}$ | $\boxed{\frac{8}{10}}$ | $\frac{9}{10}$ | 1 |

| 0 | 0.1 | $\boxed{0.2}$ | 0.3 | 0.4 | $\boxed{0.5}$ | 0.6 | 0.7 | 0.8 | $\boxed{0.9}$ | 1 |

147 풀이 $\frac{2}{10}$ 는 0.2, 0.4는 $\frac{4}{10}$, $\frac{5}{10}$ 는 0.5,
0.8은 $\frac{8}{10}$, $\frac{9}{10}$ 는 0.9입니다.

확인
하기

1. ☐ 안에 알맞은 수를 써넣으세요.   풀이

• 0.1이 7개인 수는 $\boxed{0.7}$ 입니다.

• $\frac{9}{10}$ 를 소수로 나타내면 $\boxed{0.9}$ 입니다.

• 0.6은 0.1이 $\boxed{6}$ 개인 수입니다.

• 0.1이 7개인 수는 0.7입니다.

• $\frac{9}{10}$ 는 $\frac{1}{10}$ 이 9개이므로 0.1이 9개인 0.9입니다.

• 0.6은 0.1이 6개인 수입니다.

2. 물건의 길이를 소수로 나타내어 보세요.

$\boxed{0.8}$ cm $\boxed{0.4}$ cm

3. 색칠된 부분의 크기를 분수와 소수로 나타내어 보세요.

분수 $\frac{9}{10}$ 소수 0.9   분수 $\frac{5}{10}$ 소수 0.5

148

 개념 확인 문제   정답 및 풀이 220쪽

1 분수를 소수로, 소수를 분수로 나타내어 보세요.

(1) $\frac{7}{10} = \boxed{}$ (2) $0.3 = \boxed{}$

2 ☐ 안에 알맞은 수를 써넣으세요.

(1) 0.4는 0.1이 $\boxed{}$ 개인 수입니다.

(2) 0.1이 5개인 수는 $\boxed{}$ 입니다.

(3) $\frac{1}{10}$ 이 $\boxed{}$ 개이면 0.8입니다.

3 완두콩의 길이를 소수로 나타내어 보세요.

$\boxed{}$ cm

4 전체 크기가 1인 사각형에서 0.6만큼을 색칠해 보세요.

학습 목표

· cm와 mm의 관계를 이용하여 1보다 큰 소수를 이해합니다.
· 1보다 큰 소수를 쓰고 읽을 수 있습니다.

그림으로 개념 잡기

나는 3보다 0.6만큼 더 큰 수야.

3.6

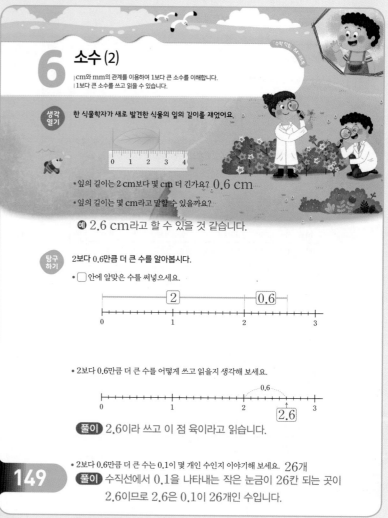

6 소수 (2)

ㅣcm와 mm의 관계를 이용하여 1보다 큰 소수를 이해합니다.
ㅣ1보다 큰 소수를 쓰고 읽을 수 있습니다.

생각 열기 한 식물학자가 새로 발견한 식물의 잎의 길이를 재었어요.

· 잎의 길이는 2 cm보다 몇 cm 더 긴가요? 0.6 cm
· 잎의 길이는 몇 cm라고 말할 수 있을까요?
  예 2.6 cm라고 할 수 있을 것 같습니다.

탐구 하기 2보다 0.6만큼 더 큰 수를 알아봅시다.

· ☐안에 알맞은 수를 써넣으세요.

· 2보다 0.6만큼 더 큰 수를 어떻게 쓰고 읽을지 생각해 보세요.

  풀이 2.6이라 쓰고 이 점 육이라고 읽습니다.

· 2보다 0.6만큼 더 큰 수는 0.1이 몇 개인 수인지 이야기해 보세요. 26개
  풀이 수직선에서 0.1을 나타내는 작은 눈금이 26칸 되는 곳이 2.6이므로 2.6은 0.1이 26개인 수입니다.

149

교과서 개념 완성

생각 열기 **2 cm보다 0.6 cm만큼 더 긴 잎의 길이를 소수로 어떻게 나타낼지 생각하기**

· 자의 작은 눈금 한 칸의 길이는 0.1 cm이므로 잎의 길이는 2 cm보다 0.6 cm 더 깁니다.
· 잎의 길이는 2 cm보다 0.6 cm 더 긴 길이이므로 2.6 cm라고 말할 수 있습니다.

참고

▲ mm = 0.▲ cm

■ cm ▲ mm = ■.▲ cm

확인하기 **1보다 큰 소수의 개념 익히기**

1. 연필의 길이를 소수로 나타내기

   소수를 사용하여 몇 cm로 나타내는 것이 어려우면 다음과 같이 순차적으로 나타내어 보게 합니다.

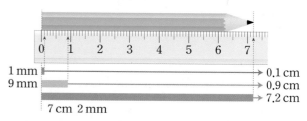

1 mm ──────→ 0.1 cm
9 mm ──────→ 0.9 cm
        ──────→ 7.2 cm
7 cm 2 mm

생각 솔솔 **우리 주변에서 소수가 쓰이는 예 찾아보기**

예

당도계

체온계

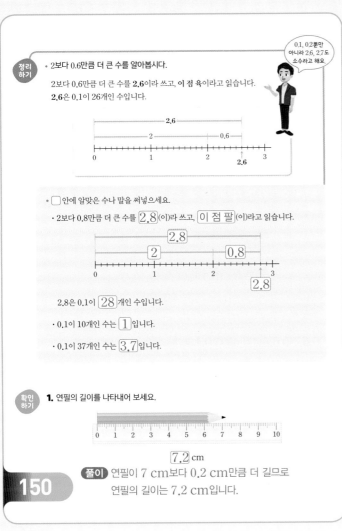

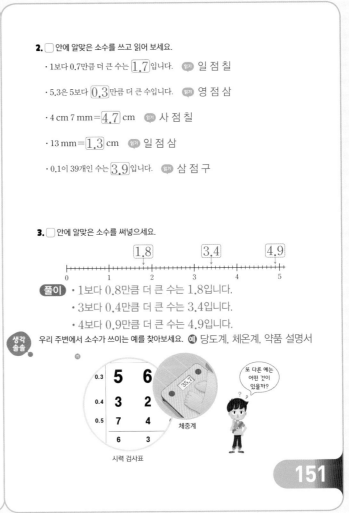

150

151

개념 확인 문제

정답 및 풀이 220쪽

1 소수로 나타내고, 읽어 보세요.

9보다 0.3만큼 더 큰 수

쓰기 (　　　　　　　　)

읽기 (　　　　　　　　)

2 ☐ 안에 알맞은 수를 써넣으세요.

(1) 0.1이 94개인 수는 ☐ 입니다.

(2) 6.8은 0.1이 ☐ 개인 수입니다.

3 ☐ 안에 알맞은 소수를 써넣으세요.

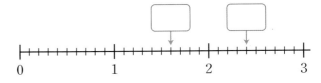

4 길이가 47 mm인 색 테이프가 있습니다. 이 색 테이프의 길이를 소수로 나타내면 몇 cm일까요?

(　　　　　　　　)

7 | 소수의 크기 비교

학습 목표

소수의 크기를 비교할 수 있습니다.

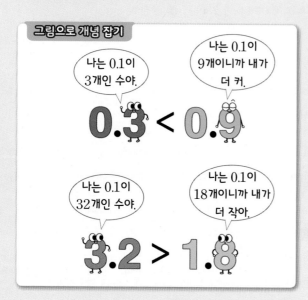

그림으로 개념 잡기

나는 0.1이 3개인 수야.

나는 0.1이 9개이니까 내가 더 커.

$$0.3 < 0.9$$

나는 0.1이 32개인 수야.

나는 0.1이 18개이니까 내가 더 작아.

$$3.2 > 1.8$$

---

7 소수의 크기 비교

소수의 크기를 비교할 수 있습니다.

생각 열기
꽃 장식가가 끈 0.4 m로 튤립 꽃다발을 묶었고, 끈 0.6 m로 장미 꽃다발을 묶었어요.

· 끈을 더 많이 사용한 것은 어느 꽃다발일까요?
예) 장미 꽃다발일 것 같습니다.
· 끈을 더 많이 사용한 것은 어느 꽃다발인지 어떻게 알 수 있을까요?
예) · 0.1의 개수를 서로 비교하면 알 수 있을 것 같습니다.
· 종이띠에 0.4와 0.6만큼 색칠해서 서로 비교하면 알 수 있을 것 같습니다.

탐구 하기 ① 0.4와 0.6의 크기를 비교해 봅시다.

· 0.4와 0.6만큼 각각 색칠해 보세요.

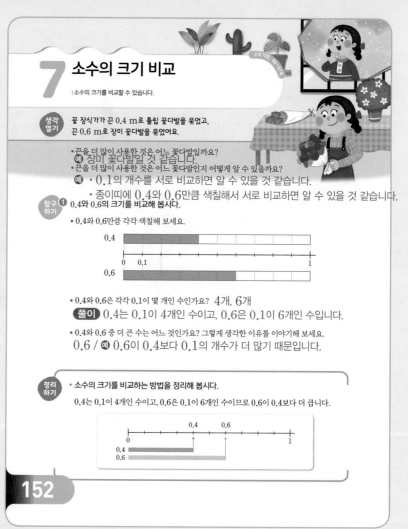

· 0.4와 0.6은 각각 0.1이 몇 개인 수인가요? 4개, 6개
풀이 0.4는 0.1이 4개인 수이고, 0.6은 0.1이 6개인 수입니다.

· 0.4와 0.6 중 더 큰 수는 어느 것인가요? 그렇게 생각한 이유를 이야기해 보세요.
0.6 / 예) 0.6이 0.4보다 0.1의 개수가 더 많기 때문입니다.

정리 하기
· 소수의 크기를 비교하는 방법을 정리해 봅시다.
0.4는 0.1이 4개인 수이고, 0.6은 0.1이 6개인 수이므로 0.6이 0.4보다 더 큽니다.

152

 교과서 개념 완성

정리하기 **소수의 크기를 비교하는 방법 정리하기**

· 0.1의 개수가 많을수록 더 큰 수입니다.

예) 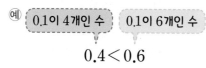 0.1이 4개인 수 　0.1이 6개인 수

$$0.4 < 0.6$$

· 소수를 수직선에 나타내었을 때 왼쪽에 있는 수보다 오른쪽에 있는 수가 더 큽니다.

예)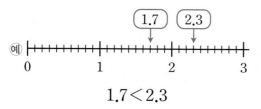

$$1.7 < 2.3$$

확인하기 **두 소수의 크기 비교하기**

· 0.9는 0.1이 9개인 수이고, 0.7은 0.1이 7개인 수이므로 0.9 > 0.7입니다.
· 1.4는 0.1이 14개인 수이고, 1.6은 0.1이 16개인 수이므로 1.4 < 1.6입니다.
· 2.7은 0.1이 27개인 수이고, 4.1은 0.1이 41개인 수이므로 2.7 < 4.1입니다.
· 3.9는 0.1이 39개인 수이고, 6.1은 0.1이 61개인 수이므로 3.9 < 6.1입니다.

생각 솔솔 **더 큰 수 설명하기**

1.6은 0.1이 16개인 수이고, 2는 0.1이 20개인 수입니다. 따라서 2가 1.6보다 큽니다.

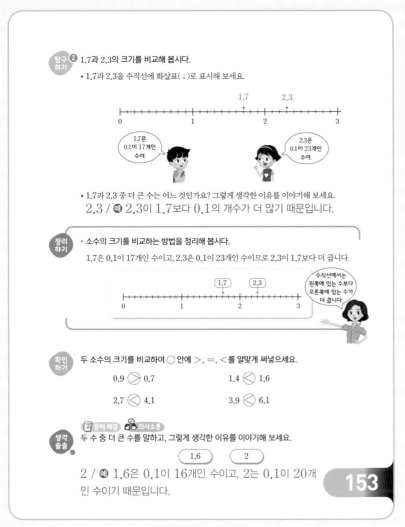

탐구하기 ② 1.7과 2.3의 크기를 비교해 봅시다.

• 1.7과 2.3을 수직선에 화살표(↓)로 표시해 보세요.

1.7은 0.1이 17개인 수야.

2.3은 0.1이 23개인 수야.

• 1.7과 2.3 중 더 큰 수는 어느 것인가요? 그렇게 생각한 이유를 이야기해 보세요.
2.3 / 예 2.3이 1.7보다 0.1의 개수가 더 많기 때문입니다.

정리하기 • 소수의 크기를 비교하는 방법을 정리해 봅시다.

1.7은 0.1이 17개인 수이고, 2.3은 0.1이 23개인 수이므로 2.3이 1.7보다 더 큽니다.

수직선에서는 왼쪽에 있는 수보다 오른쪽에 있는 수가 더 큽니다.

확인하기 두 소수의 크기를 비교하여 ○ 안에 >, =, <를 알맞게 써넣으세요.

0.9 ⟩ 0.7   1.4 ⟨ 1.6

2.7 ⟨ 4.1   3.9 ⟨ 6.1

🚲 문제 해결 👫 의사소통

생각쏙쏙 두 수 중 더 큰 수를 말하고, 그렇게 생각한 이유를 이야기해 보세요.

1.6   2

2 / 예 1.6은 0.1이 16개인 수이고, 2는 0.1이 20개인 수이기 때문입니다.

153

이런 문제가 서술형으로 나와요

숫자 카드 3장 중 2장을 골라 한 번씩만 사용하여 소수 ■.▲를 만들려고 합니다. 만들 수 있는 가장 큰 소수는 무엇인지 풀이 과정을 쓰고, 답을 구해 보세요.

3   5   8

| 풀이 과정 |

❶ ■와 ▲에 알맞은 수 구하기

가장 큰 소수를 만들려면 ■에 가장 큰 숫자인 8을 놓고, ▲에 둘째로 큰 숫자인 5를 놓으면 됩니다.

❷ 만들 수 있는 가장 큰 소수 ■.▲ 구하기

만들 수 있는 가장 큰 소수는 8.5입니다.

답 8.5

◆ 수학 교과 역량   🚲 문제 해결 👫 의사소통

더 큰 수를 말하고 그 이유 설명하기

소수와 자연수의 크기를 비교해 보고 그렇게 생각한 이유를 다양한 방법으로 이야기해 보는 활동을 통하여 문제 해결 능력과 의사소통 능력을 기를 수 있습니다.

개념 확인 문제
정답 및 풀이 220쪽

1 ☐안에 알맞은 수를 써넣으세요.

• 3.6은 0.1이 ☐개인 수입니다.

• 4.2는 0.1이 ☐개인 수입니다.

➡ 3.6과 4.2 중에서 더 큰 수는 ☐입니다.

2 두 소수의 크기를 비교하여 ○ 안에 >, =, <를 알맞게 써넣으세요.

(1) 0.8 ○ 0.5   (2) 6.4 ○ 5.7

3 더 큰 수의 기호를 써 보세요.

㉠ 3보다 0.9만큼 더 큰 수
㉡ 0.1이 51개인 수

(   )

4 준호네 집에서 학교까지의 거리는 0.7 km이고, 준호네 집에서 도서관까지의 거리는 0.9 km입니다. 학교와 도서관 중 준호네 집에서 더 먼 곳은 어디일까요?

(   )

10 차시

문제 해결력 | 쑥쑥 — 분수 카드를 찾아볼까요

학습 목표

논리적 추론 전략을 이용하여 분수에 대한 문제를 해결할 수 있습니다.

문제 해결 전략 논리적 추론 전략

수학 교과 역량 문제 해결 · 정보 처리

분수 카드를 찾아보기

· 네 사람이 들고 있는 카드가 각각 무엇인지 찾기 위해 주어진 설명을 확인하고, 문제 해결에 적절한 전략을 선택하고 되돌아보는 과정에서 문제 해결 능력을 기를 수 있습니다.

· 문제의 조건을 논리적으로 해결하기 위해 표로 나타내어 문제를 해결하는 과정을 통하여 정보 처리 능력을 기를 수 있습니다.

문제 해결 Tip 구하고자 하는 것과 알고 있는 것을 생각하여 조건에 따라 표에 ○표, ×표 하면서 각자 가지고 있는 카드가 무엇인지 알아봅니다.

문제 해결력 | 쑥쑥 — 분수 카드를 찾아볼까요

문제 해결 · 정보 처리

혜슬, 유진, 지우, 종현이가 아래의 카드를 각각 한 장씩 나눠 가졌습니다. 카드의 뒷면에는 앞면에 색칠된 부분이 전체의 얼마인지를 나타내는 분수가 적혀 있습니다. 설명을 읽고 네 사람이 들고 있는 카드를 각각 찾아보세요.

 ① ② ③ ④

혜슬이와 유진이가 들고 있는 카드의 분수는 단위분수가 아닙니다.

유진이와 지우가 들고 있는 카드의 분수는 분모가 홀수입니다.

문제 이해하기
· 구하려고 하는 것은 무엇인가요?
  혜슬, 유진, 지우, 종현이가 들고 있는 카드입니다.
· 알고 있는 것은 무엇인가요?
  카드가 4장입니다. / 카드의 뒷면에는 앞면에 색칠된 부분이 전체의 얼마인지를 나타내는 분수가 적혀 있습니다.

계획 세우기
· 어떤 방법으로 문제를 해결할 수 있을지 계획을 세워 보세요.

 혜슬이가 가질 수 있는 카드와 가질 수 없는 카드가 있어

 가질 수 있는 카드는 ○, 가질 수 없는 카드는 ×로 표시해 볼까?

계획대로 풀기
· 각 카드에 해당하는 분수를 쓰고, 혜슬, 유진, 지우, 종현이가 가질 수 있는 카드에는 ○표, 가질 수 없는 카드에는 ×표 하세요.

 유진이가 가진 카드는 다른 친구들의 카드가 될 수 없으니 ×표 해야지

카드				
분수	$\frac{1}{2}$	$\frac{3}{4}$	$\frac{1}{3}$	$\frac{2}{5}$
혜슬	×	○	×	×
유진	×	×	×	○
지우	×	×	○	×
종현	○	×	×	×

154

교과서 개념 완성

문제 이해하기

>> **구하려고 하는 것**
혜슬, 유진, 지우, 종현이가 들고 있는 카드입니다.

>> **알고 있는 것**
· 혜슬이와 유진이가 들고 있는 카드의 분수는 단위분수가 아닙니다.
· 유진이와 지우가 들고 있는 카드의 분수는 분모가 홀수입니다.

계획 세우기
· 색칠된 부분이 전체의 얼마인지를 나타내는 분수를 카드의 앞면에도 적어 봅니다.

· 표를 만든 후 각자 가질 수 있는 카드에는 ○표, 가질 수 없는 카드에는 ×표 합니다.

되돌아보기
· 유진이가 들고 있는 카드의 분수는 단위분수가 아니고 분모가 홀수이므로 입니다.
· 지우가 들고 있는 카드의 분수는 분모가 홀수이므로 입니다.
· 혜슬이가 들고 있는 카드의 분수는 단위분수가 아니므로 입니다.
· 혜슬, 유진, 지우의 카드가 정해졌으므로 종현이가 들고 있는 카드는 입니다.

• 네 사람이 들고 있는 카드를 각각 찾아보세요.
혜슬이의 카드는 ②, 유진이의 카드는 ④, 지우의 카드는 ③,
종현이의 카드는 ①입니다.

되돌아보기 • 카드를 모두 맞게 찾았는지 확인해 보세요.

• 문제를 해결한 방법을 친구들과 이야기해 보세요.

문제 해결   정보 처리

생각을 키워요

예 $\frac{1}{3}$, $\frac{1}{5}$, $\frac{3}{7}$, $\frac{5}{9}$ 가 적혀 있는 카드가 뒤집어져 있습니다. 각 카드의 뒷면에 어떤 분수가 적혀 있는지 찾아보세요. 가: $\frac{5}{9}$, 나: $\frac{1}{5}$, 다: $\frac{3}{7}$, 라: $\frac{1}{3}$

가	나
다	라

• 가와 나의 뒷면에 적힌 분수의 분자는 3이 아닙니다.
• 가와 다의 뒷면에 적힌 분수는 단위분수가 아닙니다.
• 라의 뒷면에 적힌 분수는 나의 뒷면에 적힌 분수보다 큽니다.

풀이 조건을 하나씩 읽어 보고, 가, 나, 다, 라 카드의 뒷면에 적혀 있는 분수가 될 수 있는 수에는 ○표, 될 수 없는 수에는 ×표 합니다.

분수\카드	$\frac{1}{3}$	$\frac{1}{5}$	$\frac{3}{7}$	$\frac{5}{9}$
가	×	×	×	○
나	×	○	×	×
다	×	×	○	×
라	○	×	×	×

155

생각을 키워요   문제 해결   정보 처리

문제 이해하기

≫ **구하려고 하는 것**
각 카드의 뒷면에 적혀 있는 분수입니다.

≫ **알고 있는 것**
• 가와 나의 뒷면에 적힌 분수의 분자는 3이 아닙니다.
• 가와 다의 뒷면에 적힌 분수는 단위분수가 아닙니다.
• 라의 뒷면에 적힌 분수는 나의 뒷면에 적힌 분수보다 큽니다.

계획 세우기

표를 만든 후 가, 나, 다, 라 카드의 뒷면에 적힌 분수가 될 수 있는 수에는 ○표, 될 수 없는 수에는 ×표 해 봅니다.

계획대로 풀기

카드의 뒷면에 적힌 분수가 될 수 있는 수에는 ○표, 될 수 없는 수에는 ×표 하여 각 카드의 뒷면에 적혀 있는 분수를 찾아보면 가 카드의 뒷면에는 $\frac{5}{9}$, 나 카드의 뒷면에는 $\frac{1}{5}$, 다 카드의 뒷면에는 $\frac{3}{7}$, 라 카드의 뒷면에는 $\frac{1}{3}$이 적혀 있습니다.

문제 해결력 문제   정답 및 풀이 220쪽

1 조건 을 모두 만족하는 수를 구하려고 합니다. 물음에 답해 보세요.

조건
• 분모가 8인 분수입니다.
• 분자가 7보다 작습니다.
• $\frac{3}{8}$보다 큰 수입니다.

(1) 분모가 8인 분수 중 분자가 7보다 작은 분수를 모두 구해 보세요.

(   )

(2) (1)에서 구한 분수 중 $\frac{3}{8}$보다 큰 수를 모두 구해 보세요.

(   )

2 조건 을 모두 만족하는 수는 몇 개일까요?

조건
• $\frac{2}{10}$보다 큰 수입니다.
• 0.5보다 작습니다.
• ■.▲인 소수입니다.

(   )

 추론 정보 처리

똑같이 나누어진 도형 찾기
▶자습서 162~163쪽

학부모 코칭 **Tip**

똑같이 나누어진 부분은 포개었을 때 남거나 모자라는 부분이 없이 완전히 겹쳐짐을 알게 합니다.

1 똑같이 나누어진 것에 모두 ○표 하세요.

137쪽

(○)　( )　( )　(○)

풀이 나누어진 부분을 포개었을 때 완전히 겹쳐지는 것을 찾습니다.

창의·융합 정보 처리

분수만큼 색칠하거나 색칠된 부분을 분수로 나타내기
▶자습서 164~167쪽

분수의 분모에 전체를 똑같이 나눈 수가 아닌 수로 쓰지 않도록 주의합니다.

예 $\frac{1}{3}$(×), $\frac{3}{5}$(×)

학부모 코칭 **Tip**

색칠된 부분을 분수로 나타낼 때 똑같이 나누어진 부분의 수가 분모, 색칠된 부분의 수가 분자임을 알게 합니다.

2 분수만큼 색칠하거나 색칠된 부분을 분수로 나타내어 보세요.

139쪽

예 　　예

$\frac{2}{3}$　　$\boxed{\frac{1}{4}}$　　$\frac{4}{5}$　　$\boxed{\frac{3}{8}}$

풀이 · 전체를 똑같이 3으로 나눈 것 중의 2이므로 2칸을 색칠합니다.

· 전체를 똑같이 4로 나눈 것 중의 1만큼을 색칠하였으므로 색칠된 부분은 $\frac{1}{4}$입니다.

· 전체를 똑같이 5로 나눈 것 중의 4이므로 4칸을 색칠합니다.

· 전체를 똑같이 8로 나눈 것 중의 3만큼을 색칠하였으므로 색칠된 부분은 $\frac{3}{8}$입니다.

추론 정보 처리

분수와 관련지어 소수의 개념 이해하기
▶자습서 172~173쪽

학부모 코칭 **Tip**

$\frac{1}{10}$＝0.1임을 이용합니다.

3 ☐안에 알맞은 분수와 소수를 써넣으세요.

147쪽

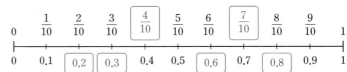

| 0 | $\frac{1}{10}$ | $\frac{2}{10}$ | $\frac{3}{10}$ | $\boxed{\frac{4}{10}}$ | $\frac{5}{10}$ | $\frac{6}{10}$ | $\boxed{\frac{7}{10}}$ | $\frac{8}{10}$ | $\frac{9}{10}$ | 1 |

| 0 | 0.1 | $\boxed{0.2}$ | $\boxed{0.3}$ | 0.4 | 0.5 | $\boxed{0.6}$ | 0.7 | $\boxed{0.8}$ | 0.9 | 1 |

풀이 $\frac{2}{10}$는 0.2, $\frac{3}{10}$은 0.3, 0.4는 $\frac{4}{10}$, $\frac{6}{10}$은 0.6, 0.7은 $\frac{7}{10}$, $\frac{8}{10}$은 0.8입니다.

156

4 작은 수부터 차례대로 써 보세요.

152, 153쪽

5.4　　0.3　　3.7　　1.9　　0.9　　5.8

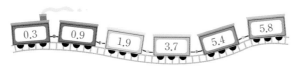

풀이 5.4는 0.1이 54개인 수, 0.3은 0.1이 3개인 수, 3.7은 0.1이 37개인 수, 1.9는 0.1이 19개인 수, 0.9는 0.1이 9개인 수, 5.8은 0.1이 58개인 수입니다.
따라서 작은 수부터 차례대로 쓰면 0.3, 0.9, 1.9, 3.7, 5.4, 5.8입니다.

정보 처리

소수의 크기 비교하기
▶자습서 176~177쪽

■.▲는 0.1이 몇 개인 수인지 알아봅니다.

학부모 코칭 Tip

수직선에 소수를 나타내어 수의 크기를 비교할 수도 있습니다.

5 두 분수의 크기를 비교하여 ○ 안에 >, =, <를 알맞게 써넣으세요.

143, 145쪽

$$\frac{3}{8} \,\bigcirc< \,\frac{5}{8} \qquad\qquad \frac{1}{3} \,\bigcirc> \,\frac{1}{6}$$

$$\frac{5}{12} \,\bigcirc> \,\frac{2}{12} \qquad\qquad \frac{11}{15} \,\bigcirc> \,\frac{8}{15}$$

풀이 • 분모가 같은 분수는 분자가 클수록 더 크므로 $\frac{3}{8}<\frac{5}{8}$, $\frac{5}{12}>\frac{2}{12}$, $\frac{11}{15}>\frac{8}{15}$ 입니다.
• 단위분수는 분모가 클수록 더 작으므로 $\frac{1}{3}>\frac{1}{6}$ 입니다.

추론

분모가 같은 분수, 단위분수의 크기 비교하기
▶자습서 168~171쪽

학부모 코칭 Tip

분모가 같은 분수는 분자가 클수록 더 크고, 단위분수는 분모가 클수록 더 작다는 것을 알게 합니다.

생각을 넓혀요 문제 해결 태도 및 실천

6 다음 분수는 상희의 생일에 친구들이 먹은 케이크의 양입니다. 분수만큼 색칠하고 물음에 답해 보세요.

145, 147쪽

상희	아름	진석
$\frac{1}{10}$	$\frac{1}{5}$	$\frac{1}{6}$

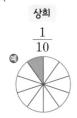 예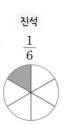

• 세 명 중 케이크를 가장 많이 먹은 친구는 누구인가요? 아름
풀이 단위분수는 분모가 클수록 더 작으므로 $\frac{1}{5}$ 이 가장 큽니다.
• 늦게 도착한 우진이는 케이크의 $\frac{4}{10}$ 를 먹었습니다. 상희와 우진이가 먹은 케이크의

양을 각각 소수로 나타내어 보세요. 상희: 0.1, 우진: 0.4

풀이 상희가 먹은 케이크의 양인 $\frac{1}{10}$ 을 소수로 나타내면 0.1이고, 우진이가 먹은

케이크의 양인 $\frac{4}{10}$ 를 소수로 나타내면 0.4입니다.

157

문제 해결 **태도 및 실천**

분수와 소수를 활용하여 문제 해결하기
▶자습서 170~173쪽

학부모 코칭 Tip

크기가 같은 케이크를 똑같이 나눌 때 나눈 조각의 수가 많을수록, 즉 분모가 클수록 한 조각의 크기는 작아짐을 알게 합니다.

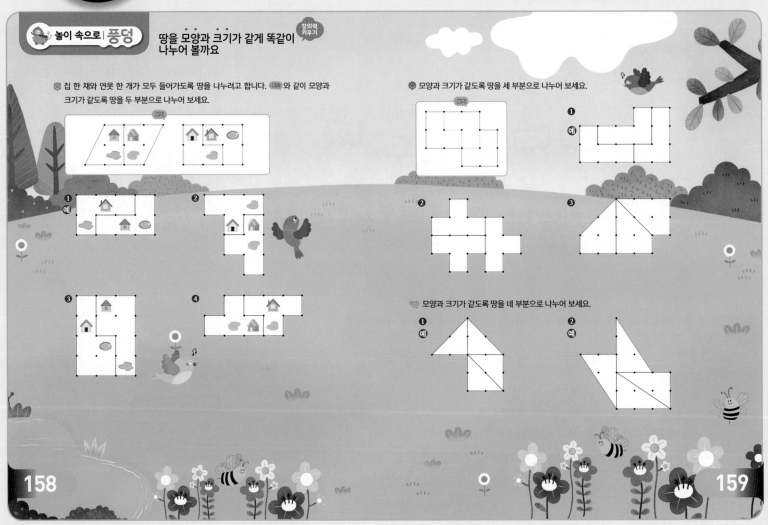

교과서 개념 완성

 **놀이 속으로 | 풍덩**

1 집 한 채와 연못 한 개가 모두 들어가도록 땅을 똑같이 두 부분으로 나누기

- 모양과 크기가 같도록 땅을 두 부분으로 나누려면 한 부분이 정사각형 몇 조각일지 생각합니다.
- 생각한 정사각형 조각의 수에 맞는 여러 가지 모양을 예상해 보고, 남은 부분도 같은 모양으로 만들 수 있을지 생각해 봅니다.
➔ 정사각형의 수가 같고, 집과 연못이 각각 포함되도록 두 부분으로 나눕니다.

2 모양과 크기가 같도록 땅을 똑같이 세 부분, 네 부분으로 각각 나누기

정사각형 또는 같은 크기의 삼각형 조각의 수에 맞는 한 부분의 모양을 예상해서 그려 보고, 나머지 부분도 같은 크기와 모양으로 만들 수 있는지 확인해 봅니다.

예 똑같이 세 부분으로 나누기

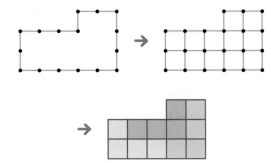

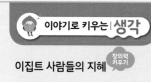

이야기로 키우는 생각

이집트 사람들의 지혜 (창의력 키우기)

분수를 공부하면서 옛날 사람들은 '어떻게 분수를 사용하였을까?'라는 생각을 해 본 적이 있나요? 지금부터 고대 이집트 사람들이 분수를 어떻게 사용하였는지 알아보기로 해요.

이집트에서 무려 약 3700년 전에 만들어진, 수학 문제가 담긴 『아메스파피루스』라는 책이 발견되었습니다. 이 책 속에는 분수를 사용한 문제가 있습니다.

이집트에는 거대한 피라미드가 있는데, 아주 오랜 옛날 이 피라미드를 짓기 위해 엄청나게 많은 사람들이 일하였습니다. 당시에는 일한 대가로 빵이나 보리 등 곡식을 사람들에게 나누어 주었다고 합니다. 그래서 빵이나 보리 등 곡식을 사람들에게 공평하게 나누어 주는 방법을 찾아내는 것이 중요하였을 것입니다.

여기 빵이 3개 있습니다. 사람이 3명 있을 때는 빵을 각각 한 개씩 주면 빵을 공평하게 나누어 준 것이 됩니다. 그런데 사람이 4명 있으면 어떻게 빵을 공평하게 나눌 수 있을까요? 이 상황을 해결하기 위해 고대 이집트에서는 분수를 사용하였습니다. 특히 분수 중에서도 분자가 1인 분수, 즉 단위분수를 사용하여 빵을 공평하게 나누었습니다.

구체적으로 어떻게 나누었는지 알아볼까요? 빵이 3개 있고 사람이 4명 있습니다. 먼저 빵 2개를 각각 반으로 잘라서 4명에게 나누어 줍니다. 한 명이 갖게 된 빵을 분수로 나타내면 $\frac{1}{2}$입니다. 이제 남은 빵 1개를 4조각으로 똑같이 나누어 4명이 1조각씩 갖습니다. 이 양은 $\frac{1}{4}$입니다. 최종적으로 한 사람이 갖게 된 빵은 $\frac{1}{2}$과 $\frac{1}{4}$만큼입니다.

어때요? 빵 3개를 4명이 공평하게 나누어 갖게 되었지요? 분수, 특히 단위분수를 사용해서 빵을 모두 공평하게 나누어 가졌습니다. 신기하죠? 고대 이집트에서 분수를 사용한 것에서 알 수 있듯이, 분수는 아주 오래전부터 오늘날까지 우리에게 꼭 필요한 수랍니다.

[출처] EBS 다큐프라임 문명과 수학 - 1부 수의 시작

160

161

전체는 정사각형 조각이 12개이므로 똑같이 세 부분으로 나눌 때 한 부분에는 정사각형 조각이 12÷3=4(개)씩 들어갑니다.

수학 교과 역량 (창의·융합) (태도 및 실천)

문제의 상황을 수학적으로 분석하고, 문제를 해결하기 위한 다양한 방법을 생각해 보는 과정을 통하여 창의·융합 능력을 기를 수 있고, 땅을 모양과 크기가 같게 똑같이 나누는 방법을 발표하고 듣는 과정을 통하여 다른 사람을 배려하고 존중하며 협력하는 태도를 실천할 수 있습니다.

이야기로 키우는 생각

고대 이집트 사람들이 사용하였던 분수 기호

$\frac{1}{3}$	$\frac{1}{4}$	$\frac{1}{5}$	$\frac{1}{6}$	$\frac{1}{7}$
$\frac{1}{8}$	$\frac{1}{9}$	$\frac{1}{10}$	$\frac{1}{2}$	$\frac{2}{3}$

[출처] 『내일신문』, 2014. 3. 19.

위의 기호를 보면 알 수 있듯이 $\frac{2}{3}$를 제외하면 모든 분수의 분자가 1임을 알 수 있습니다.

개념 ➗ 확인

교과서 개념과 확인 문제를 풀면서 단원을 마무리해 보아요.

개념

➗ 똑같이 나누기

➡ 똑같이 나누어진 부분들은 포개었을 때 완전히 겹쳐집니다.

➗ 분수

· 분수: $\frac{1}{2}$, $\frac{2}{3}$, $\frac{3}{4}$과 같은 수

· 분모: 분수에서 가로선 아래쪽에 있는 수

· 분자: 분수에서 가로선 위쪽에 있는 수

$$\text{가로선} \rightarrow \frac{4 \leftarrow 분자}{6 \leftarrow 분모}$$

· 단위분수: $\frac{1}{2}$, $\frac{1}{3}$, $\frac{1}{4}$과 같이 분자가 1인 분수

➗ 분모가 같은 분수의 크기를 비교하는 방법

· 분모가 같은 분수는 단위분수의 개수가 많을수록 더 큽니다.

· 분모가 같은 분수는 분자가 클수록 더 큽니다.

$$\boxed{\frac{1}{7}\text{이 4개인 수}} \cdot \frac{4}{7} > \frac{3}{7} \cdot \boxed{\frac{1}{7}\text{이 3개인 수}}$$

➗ 단위분수의 크기를 비교하는 방법

단위분수는 분모가 클수록 더 작습니다.

$$\frac{1}{3} < \frac{1}{2}$$

확인 문제

1 도형을 똑같이 몇으로 나눈 것일까요?

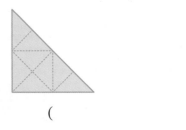

(   )

2 색칠한 부분을 분수로 나타내어 보세요.

$$\frac{}{}$$

3 두 분수의 크기를 비교하여 ◯ 안에 >, =, < 를 알맞게 써넣으세요.

$$\frac{9}{13} \bigcirc \frac{11}{13}$$

4 단위분수의 크기를 비교하여 가장 큰 수에 ◯ 표, 가장 작은 수에 △표 하세요.

$$\frac{1}{9} \qquad \frac{1}{14} \qquad \frac{1}{8} \qquad \frac{1}{12}$$

→ 정답 및 풀이 220~221쪽

개념

1보다 작은 소수

· 분수 $\frac{1}{10}$을 0.1이라 쓰고, 영 점 일이라고 읽습니다.

· $\frac{1}{10}, \frac{2}{10}, \frac{3}{10}, ..., \frac{9}{10}$를 0.1, 0.2, 0.3, ..., 0.9라 쓰고 영 점 일, 영 점 이, 영 점 삼, ..., 영 점 구라고 읽습니다.

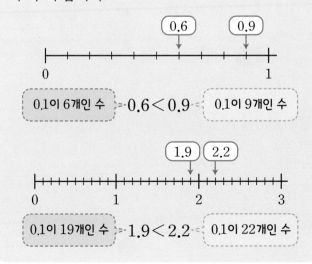

· 소수: 0.1, 0.2, 0.3과 같은 수

0.7
↑
소수점

1보다 큰 소수

· 3보다 0.6만큼 더 큰 수를 3.6이라 쓰고, 삼 점 육이라고 읽습니다.

· 3.6은 0.1이 36개인 수입니다.

소수의 크기를 비교하는 방법

· 0.1의 개수가 많을수록 더 큽니다.

· 수직선에서는 왼쪽에 있는 수보다 오른쪽에 있는 수가 더 큽니다.

0.6   0.9
┃┼┼┼┼┼┼┼┼┼┼┃
0   1

0.1이 6개인 수 -- 0.6 < 0.9 -- 0.1이 9개인 수

1.9   2.2
┃┼┼┼┼┼┼┼┼┼┼┼┼┼┼┼┼┼┼┼┼┼┼┼┃
0   1   2   3

0.1이 19개인 수 -- 1.9 < 2.2 -- 0.1이 22개인 수

확인 문제

5 색칠한 부분을 소수로 나타내고, 읽어 보세요.

쓰기	
읽기	

6 관계있는 것끼리 선으로 이어 보세요.

오 점 칠	•	•	5.4
4보다 0.7만큼 더 큰 수	•	•	4.7
0.1이 54개인 수	•	•	5.7

7 두 소수의 크기를 비교하여 ◯ 안에 >, =, <를 알맞게 써넣으세요.

(1) 0.3 ◯ 0.6   (2) 8.2 ◯ 7.7

8 선물 상자를 포장하는 데 리본을 진호는 6.3 m 사용하였고, 서진이는 6.8 m 사용하였습니다. 리본을 더 많이 사용한 사람은 누구인지 써 보세요.

(   )

1-1 숫자 카드 3장 중에서 한 장을 사용하여 분모가 7인 분수를 만들려고 합니다. 만들 수 있는 가장 큰 분수는 얼마인지 풀이 과정을 쓰고, 답을 구해 보세요. [8점]

풀이

❶ 만들 수 있는 분모가 7인 분수는

□, □, □ 입니다.

❷ 분모가 같은 분수는 분자가 클수록 더 (큽니다 , 작습니다).

따라서 가장 큰 분수는 □ 입니다.

답

1-2 쌍둥이 숫자 카드 3장 중에서 한 장을 사용하여 분모가 8인 분수를 만들려고 합니다. 만들 수 있는 가장 작은 분수는 얼마인지 풀이 과정을 쓰고, 답을 구해 보세요. [12점]

5 3 7

풀이

답

1-3 유사 숫자 카드 4장 중에서 한 장을 사용하여 분자가 1인 분수를 만들려고 합니다. 만들 수 있는 가장 큰 분수는 얼마인지 풀이 과정을 쓰고, 답을 구해 보세요. [15점]

6 4 9 7

풀이

답

1-4 실전 숫자 카드 3장 중에서 한 장을 사용하여 분모가 9인 분수를 만들려고 합니다. 만들 수 있는 가장 큰 분수는 $\frac{1}{9}$이 몇 개인 수인지 풀이 과정을 쓰고, 답을 구해 보세요. [15점]

4 7 6

풀이

답

→ 정답 및 풀이 221~222쪽

2-1 1부터 9까지의 수 중에서 ■ 안에 들어갈 수 있는 수는 모두 몇 개인지 풀이 과정을 쓰고, 답을 구해 보세요.   [8점]

$$0.6 < 0.■$$

풀이

❶ 0.6은 0.1이 ⬜ 개인 수이고,

0.■는 0.1이 ■개인 수입니다.

0.6 < 0.■이므로 ⬜ < ■입니다.

❷ ■ 안에 들어갈 수 있는 수는

⬜, ⬜, ⬜ 이므로 모두 ⬜ 개입니다.

답 _____

2-2 쌍둥이 1부터 9까지의 수 중에서 ⬜ 안에 들어갈 수 있는 수는 모두 몇 개인지 풀이 과정을 쓰고, 답을 구해 보세요.   [12점]

$$0.5 > 0.⬜$$

풀이

답 _____

2-3 유사 1부터 9까지의 수 중에서 ⬜ 안에 공통으로 들어갈 수 있는 수를 모두 구하려고 합니다. 풀이 과정을 쓰고, 답을 구해 보세요.   [15점]

| $4.2 < 4.⬜$ | $4.⬜ < 4.7$ |

풀이

답 _____

2-4 실전 1부터 9까지의 수 중에서 ⬜ 안에 공통으로 들어갈 수 있는 수는 모두 몇 개인지 풀이 과정을 쓰고, 답을 구해 보세요.   [15점]

| $2.5 < 2.⬜$ | $5.⬜ < 5.8$ |

풀이

답 _____

| 똑같이 나누기 |

01 똑같이 나누어진 도형을 모두 찾아 기호를 써 보세요.
하

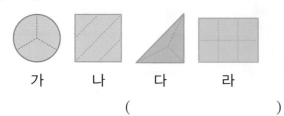

가　　나　　다　　라

(　　　　　　　)

| 분수 |

02 그림을 보고 ☐ 안에 알맞은 수를 써넣으세요.
하

색칠한 부분은 전체를 똑같이 ☐ (으)로 나눈 것 중의 ☐ 이므로 분수로 나타내면 ☐ 입 니다.

| 소수 (1) |

03 분수를 소수로, 소수를 분수로 나타내어 보세요.
하

(1) $\frac{2}{10} =$ ☐　　　(2) $0.9 =$ ☐

| 소수 (2) |

04 소수로 나타내고, 읽어 보세요.
하

5보다 0.4만큼 더 큰 수

쓰기 (　　　　　)

읽기 (　　　　　)

| 똑같이 나누기 |

05 똑같은 크기로 나누어진 조각이 몇 개인가요?
중

(　　　　　　　)

| 분수 |

06 관계있는 것끼리 선으로 이어 보세요.
중

$\frac{1}{6}$ 이 5개인 수　•　　　•　$\frac{4}{5}$

$\frac{1}{5}$ 이 4개인 수　•　　　•　$\frac{6}{7}$

$\frac{1}{7}$ 이 6개인 수　•　　　•　$\frac{5}{6}$

| 분모가 같은 분수의 크기 비교, 단위분수의 크기 비교 |

07 두 분수의 크기를 비교하여 ◯ 안에 >, =, <를 알맞게 써넣으세요.
중

(1) $\frac{8}{15}$ ◯ $\frac{11}{15}$　　(2) $\frac{1}{13}$ ◯ $\frac{1}{16}$

| 분모가 같은 분수의 크기 비교 |

08 가장 큰 수를 찾아 기호를 써 보세요.
중

㉠ $\frac{8}{13}$

㉡ 십삼분의 칠

㉢ $\frac{1}{13}$ 이 9개인 수

(　　　　　　　)

| 소수 ⑴ |

09 색칠한 부분을 각각 소수로 나타내어 보세요.
중

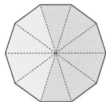

노란색: ☐ , 분홍색: ☐

| 분수 |

10 색칠한 부분이 전체의 $\dfrac{8}{15}$이 되도록 하려면
중 몇 칸을 더 색칠해야 할까요?

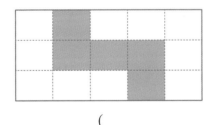

(   )

| 분수 |

11 떡을 똑같이 12조각으로 나누어 진호가 3조
중 각을 먹었고, 유나가 2조각을 먹었습니다.
진호와 유나가 먹고 남은 떡은 전체의 얼마
인지 분수로 나타내어 보세요.

(   )

| 분모가 같은 분수의 크기 비교 |

12 진서는 철사 전체의 $\dfrac{4}{10}$를 사용하고, 연우는
중 진서가 사용하고 남은 철사를 모두 사용하
였습니다. 철사를 더 많이 사용한 사람은 누
구일까요?

(   )

| 소수 ⑵ |

13 길이가 $\dfrac{1}{10}$ m인 리본 16개를 겹치지 않게
중 길게 이어 붙였습니다. 이어 붙인 리본의 길
이를 소수로 나타내면 몇 m일까요?

(   )

| 소수 ⑴, ⑵ | **서술형**

14 ㉠과 ㉡의 합은 얼마인지 풀이 과정을 쓰고,
중 답을 구해 보세요.

- 2.8은 0.1이 ㉠개인 수입니다.
- $\dfrac{1}{10}$이 ㉡개인 수는 0.6입니다.

풀이

답 ....

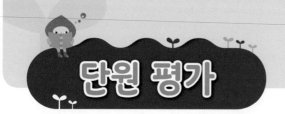

→ 정답 및 풀이 222~223쪽

| 소수의 크기 비교 |

15 가장 큰 수에 ○표, 가장 작은 수에 △표 하
중 세요.

> 3.8　　4.2　　2.9　　4

| 소수의 크기 비교 |

16 엄지손톱의 길이를 재었더니 지효는 0.7 cm
중 이고, 민서는 $\frac{8}{10}$ cm이었습니다. 엄지손톱
의 길이가 더 긴 사람은 누구일까요?

(　　　　　　)

| 소수의 크기 비교 |

17 1부터 9까지의 수 중에서 ☐ 안에 들어갈 수
중 있는 수를 모두 구해 보세요.

> 3.7 < 3.☐

(　　　　　　)

| 단위분수의 크기 비교 |

18 연호네 집에서 학교까지의 거리는 $\frac{1}{5}$ km,
상 소방서까지의 거리는 $\frac{1}{4}$ km, 버스 정류장
까지의 거리는 $\frac{1}{8}$ km입니다. 연호네 집에
서 가장 가까운 곳은 어디일까요?

(　　　　　　)

| 분모가 같은 분수의 크기 비교 |　　　서술형

19 분모가 19인 분수 중에서 $\frac{11}{19}$보다 크고 $\frac{17}{19}$
상 보다 작은 분수는 모두 몇 개인지 풀이 과정
을 쓰고, 답을 구해 보세요.

풀이

답

─────────────────────

| 소수의 크기 비교 |　　　서술형

20 숫자 카드 3장 중에서 2장을 골라 한 번씩만
상 사용하여 소수 ■.▲를 만들려고 합니다. 만
들 수 있는 가장 작은 소수는 얼마인지 풀이
과정을 쓰고, 답을 구해 보세요.

> 4　　2　　7

풀이

답

─────────────────────

분수와 소수는 언제 사용할까요?

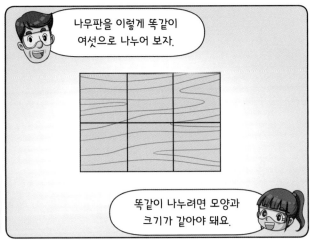

수학 3-1 3~4학년군

수학 다잡기

정답 및 풀이

정답 및 풀이

1 덧셈과 뺄셈

개념 확인 문제
9쪽

1 (1) 32　(2) 63　(3) 55　(4) 18
2 580원　　　　　**3** 25마리

풀이

1 (1)
```
  1
  2 5
+   7
─────
  3 2
```
(2)
```
  6 10
  7̷ 2
−   9
─────
  6 3
```
(3)
```
  1
  3 8
+ 1 7
─────
  5 5
```
(4)
```
  2 10
  3̷ 7
− 1 9
─────
  1 8
```

2 100원짜리 동전 5개는 500원, 10원짜리 동전 7개는 70원, 1원짜리 동전 10개는 10원이므로 은서의 지갑에 들어 있는 동전은 모두 580원입니다.

3 40−15=25(마리)

개념 확인 문제
11쪽

1 (1) 567　(2) 719　(3) 989　(4) 946
2 (1) >　(2) <　　　　**3** 469개

풀이

1 (1)
```
  3 2 6
+ 2 4 1
───────
  5 6 7
```
(2)
```
  4 1 5
+ 3 0 4
───────
  7 1 9
```
(3)
```
  3 5 6
+ 6 3 3
───────
  9 8 9
```
(4)
```
  8 1 4
+ 1 3 2
───────
  9 4 6
```

2 (1) 652+127=779, 274+421=695
→ 779>695
(2) 245+352=597, 275+323=598
→ 597<598

3 121+348=469(개)

개념 확인 문제
13쪽

1 (1) 393　(2) 583　(3) 982　(4) 419
2 495　　　　　**3** 793 m

풀이

1 (1)
```
    1
  1 2 5
+ 2 6 8
───────
  3 9 3
```
(2)
```
    1
  4 5 5
+ 1 2 8
───────
  5 8 3
```
(3)
```
    1
  1 6 3
+ 8 1 9
───────
  9 8 2
```
(4)
```
    1
  2 4 8
+ 1 7 1
───────
  4 1 9
```

2 가장 큰 수: 348, 가장 작은 수: 147
→ 348+147=495

3 415+378=793 (m)

개념 확인 문제
15쪽

1 (1) 841　(2) 1151　(3) 923　(4) 1535
2 421개　　　　　**3** 나 상자와 다 상자

풀이

1 (1)
```
  1 1
  4 5 2
+ 3 8 9
───────
  8 4 1
```
(2)
```
      1
  4 1 6
+ 7 3 5
───────
1 1 5 1
```
(3)
```
  1 1
  7 3 5
+ 1 8 8
───────
  9 2 3
```
(4)
```
  1 1
  5 4 8
+ 9 8 7
───────
1 5 3 5
```

2 284+137=421(개)

3 가 상자와 나 상자: 125+335=460(개)
가 상자와 다 상자: 125+186=311(개)
나 상자와 다 상자: 335+186=521(개)
따라서 구슬의 합이 500개보다 많은 두 상자는 나 상자와 다 상자입니다.

1 (1) 321 (2) 521 (3) 503 (4) 214
2 (1) < (2) >   **3** 123장

풀이

1 (1)
$$\begin{array}{r} 5\;3\;2 \\ -\;2\;1\;1 \\ \hline 3\;2\;1 \end{array}$$
(2)
$$\begin{array}{r} 8\;4\;5 \\ -\;3\;2\;4 \\ \hline 5\;2\;1 \end{array}$$

(3)
$$\begin{array}{r} 7\;1\;4 \\ -\;2\;1\;1 \\ \hline 5\;0\;3 \end{array}$$
(4)
$$\begin{array}{r} 4\;7\;6 \\ -\;2\;6\;2 \\ \hline 2\;1\;4 \end{array}$$

2 (1) $658-240=418$, $579-156=423$
     → $418<423$

   (2) $487-135=352$, $658-325=333$
     → $352>333$

3 $437-314=123$(장)

1 (1) 517 (2) 274 (3) 564 (4) 377

2 281개   **3**
$$\begin{array}{r} 4\;3\;6 \\ -\;2\;9\;3 \\ \hline 1\;4\;3 \end{array}$$

풀이

1 (1)
$$\begin{array}{r} \overset{6}{\not{7}}\overset{10}{\not{7}}2 \\ -\;2\;5\;5 \\ \hline 5\;1\;7 \end{array}$$
(2)
$$\begin{array}{r} \overset{8}{\not{9}}\overset{10}{4}8 \\ -\;6\;7\;4 \\ \hline 2\;7\;4 \end{array}$$

(3)
$$\begin{array}{r} 6\overset{7}{\not{8}}\overset{10}{3} \\ -\;1\;1\;9 \\ \hline 5\;6\;4 \end{array}$$
(4)
$$\begin{array}{r} \overset{4}{\not{5}}\overset{10}{3}8 \\ -\;1\;6\;1 \\ \hline 3\;7\;7 \end{array}$$

2 $432-151=281$(개)
3 백의 자리에서 받아내림한 수를 빼지 않아 잘못 계산하였습니다.

1 (1) 167 (2) 298 (3) 186 (4) 256
2 379   **3** 2, 3

풀이

1 (1)
$$\begin{array}{r} 2\;5\;10 \\ \not{3}\,\not{6}\,5 \\ -\;1\;9\;8 \\ \hline 1\;6\;7 \end{array}$$
(2)
$$\begin{array}{r} 3\;8\;10 \\ \not{4}\,\not{9}\,5 \\ -\;1\;9\;7 \\ \hline 2\;9\;8 \end{array}$$

(3)
$$\begin{array}{r} 6\;4\;10 \\ \not{7}\,\not{5}\,4 \\ -\;5\;6\;8 \\ \hline 1\;8\;6 \end{array}$$
(4)
$$\begin{array}{r} 4\;1\;10 \\ \not{5}\,\not{2}\,3 \\ -\;2\;6\;7 \\ \hline 2\;5\;6 \end{array}$$

2 $933-554=379$

3
$$\begin{array}{r} 8\;6\;5 \\ -\;5\;6\;★ \\ \hline □\;○\;△ \end{array}$$

① ★이 0부터 5까지의 수인 경우에는 받아내림이 없습니다. → $□=8-5=3$

② ★이 6부터 9까지의 수인 경우에는 받아내림이 있습니다. → $□=7-5=2$

따라서 □ 안에 들어갈 수 있는 수는 2, 3입니다.

1 (1) 438 (2) 337 (3) 288 (4) 444
2 174   **3** 363

풀이

1 (1)
$$\begin{array}{r} 6\;10\;10 \\ \not{7}\,0\,3 \\ -\;2\;6\;5 \\ \hline 4\;3\;8 \end{array}$$
(2)
$$\begin{array}{r} 4\;10\;10 \\ \not{5}\,0\,0 \\ -\;1\;6\;3 \\ \hline 3\;3\;7 \end{array}$$

(3)
$$\begin{array}{r} 3\;10\;10 \\ \not{4}\,0\,6 \\ -\;1\;1\;8 \\ \hline 2\;8\;8 \end{array}$$
(4)
$$\begin{array}{r} 8\;10\;10 \\ \not{9}\,0\,0 \\ -\;4\;5\;6 \\ \hline 4\;4\;4 \end{array}$$

2 $300-126=174$

3 어떤 수를 □라고 하면 잘못 계산한 식은

□$+237=600$입니다.

따라서 □$=600-237=363$입니다.

참고 덧셈과 뺄셈의 관계를 이용하여 □를 구합니다.

문제 해결력 문제　　　　　　　25쪽

1 (1) 244명　(2) 245명

2 321명　　　　　**3** 120명

풀이

1 (1) 유정이의 앞에 서 있는 사람과 뒤에 서 있는 사람
은 $120+124=244$(명)입니다.

(2) 놀이공원에 입장하기 위해 서 있는 사람은 유정
이를 포함하여 모두 $244+1=245$(명)입니다.

2 현수의 앞에 서 있는 사람과 뒤에 서 있는 사람은
$138+182=320$(명)입니다.

따라서 서 있는 사람은 현수를 포함하여 모두
$320+1=321$(명)입니다.

3 선주와 선주의 뒤에 서 있는 사람은
$300-179=121$(명)입니다.

따라서 선주의 뒤에 서 있는 사람은 선주를 제외한
$121-1=120$(명)입니다.

개념＋확인　　　　　　　30~31쪽

1 489　　　　　**2** (1) 794　(2) 857

3 100　　　　　**4** >

5 예 360, 240, 120

6 (1) 317　(2) 218　(3) 752　(4) 378

7 은주　　　　　**8** 629

풀이

1 147보다 342만큼 더 큰 수 → $147+342=489$

---

2 (1)
$$
\begin{array}{r}
1\ \ \ \\
4\ 8\ 6\\
+\ 3\ 0\ 8\\
\hline
7\ 9\ 4
\end{array}
$$
(2)
$$
\begin{array}{r}
1\ \ \ \\
5\ 7\ 4\\
+\ 2\ 8\ 3\\
\hline
8\ 5\ 7
\end{array}
$$

3 □ 안의 1은 십의 자리 계산 $40+80=120$에서 100
을 백의 자리로 받아올림한 수이므로 100을 나타냅
니다.

4 $385+536=921$ → $921>918$

5 362를 360으로, 239를 240으로 어림하면
$360-240=120$이므로 $362-239$는 약 120으로
어림할 수 있습니다.

6 (1)
$$
\begin{array}{r}
5\ 4\ 8\\
-\ 2\ 3\ 1\\
\hline
3\ 1\ 7
\end{array}
$$
(2)
$$
\begin{array}{r}
1\ \ 10\\
8\ \cancel{2}\ 7\\
-\ 6\ 0\ 9\\
\hline
2\ 1\ 8
\end{array}
$$

(3)
$$
\begin{array}{r}
8\ 10\\
\cancel{9}\ 2\ 8\\
-\ 1\ 7\ 6\\
\hline
7\ 5\ 2
\end{array}
$$
(4)
$$
\begin{array}{r}
\ \ 10\\
5\ \cancel{2}\ 10\\
\cancel{6}\ \cancel{3}\ 5\\
-\ 2\ 5\ 7\\
\hline
3\ 7\ 8
\end{array}
$$

7 $872-589=283$이므로 잘못 계산한 사람은 은주입
니다.

8 가장 큰 수: 904, 가장 작은 수: 275

→ $904-275=629$

서술형 문제 해결하기　　　　　32~33쪽

1-1 ❶ 179, 460　　❷ 460, 741

/ 741명

1-2 예 ❶ 오후에 입장한 사람은
$274+188=462$(명)입니다.

❷ 오전과 오후에 입장한 사람은 모두
$274+462=736$(명)입니다.

/ 736명

1-3 예 ❶ 문구점에서 학교까지의 거리는
$657-174=483$ (m)입니다.

❷ 수홍이네 집에서 문구점을 거쳐 학교
까지의 거리는
$657+483=1140$ (m)입니다.

/ 1140 m

1-4 **예** ❶ 위인전은 148+164=312(권) 있습니다.

❷ 동화책은 312−189=123(권) 있습니다.

❸ 148+312+123=460+123=583 이므로 도서관에 있는 만화책, 위인전, 동화책은 모두 583권입니다.

/ 583권

2-1 ❶ 453, 389 ❷ 389, 232

/ 232

2-2 **예** ❶ 어떤 수를 □라고 하면

□+382=740이므로

□=740−382=358입니다.

❷ 어떤 수에서 174를 빼면

358−174=184입니다.

/ 184

2-3 **예** ❶ 어떤 수를 □라고 하면

□−258=514이므로

□=514+258=772입니다.

❷ 바르게 계산한 값은

772+258=1030입니다.

/ 1030

2-4 **예** ❶ 어떤 수를 □라고 하면

□+174=853이므로

□=853−174=679입니다.

❷ 바르게 계산한 값은 679−174=505 입니다.

❸ 바르게 계산한 값에 376을 더하면

505+376=881입니다.

/ 881

풀이

1-1

	채점 기준		
	❶ 오후에 야구장에 입장한 사람 수 구하기	4점
	❷ 오전과 오후에 야구장에 입장한 사람 수의 합 구하기	4점

1-2

	채점 기준		
	❶ 오후에 수족관에 입장한 사람 수 구하기	6점
	❷ 오전과 오후에 수족관에 입장한 사람 수의 합 구하기	6점

1-3

	채점 기준		
	❶ 문구점에서 학교까지의 거리 구하기	7점
	❷ 수홍이네 집에서 문구점을 거쳐 학교까지의 거리 구하기	8점

1-4

	채점 기준		
	❶ 위인전의 수 구하기	5점
	❷ 동화책의 수 구하기	5점
	❸ 만화책, 위인전, 동화책의 수의 합 구하기	5점

2-1

	채점 기준		
	❶ 어떤 수 구하기	4점
	❷ 어떤 수에서 157을 뺀 값 구하기	4점

2-2

	채점 기준		
	❶ 어떤 수 구하기	6점
	❷ 어떤 수에서 174를 뺀 값 구하기	6점

2-3

	채점 기준		
	❶ 어떤 수 구하기	8점
	❷ 바르게 계산한 값 구하기	7점

2-4

	채점 기준		
	❶ 어떤 수 구하기	5점
	❷ 바르게 계산한 값 구하기	5점
	❸ 바르게 계산한 값에 376을 더한 값 구하기	5점

단원 평가 34~36쪽

01 (1) 896 (2) 255 **02** 692

03 271 **04** 합: 827, 차: 469

05 > **06**

07
```
    3 9 9
  − 2 6 5  → 134+1=135
    1 3 4
```
→ 400−265=135

08 722개 **09** (위에서부터) 8, 6

10 **이유** **예** 백의 자리와 십의 자리에서 받아내림한 수를 빼지 않아 잘못 계산하였습니다.

```
  8 4 3
− 2 7 6
  5 6 7
```

11 1314 m

12 예 ❶ 1 m=100 cm이므로 5 m=500 cm입니다.

❷ 500−284=216이므로 남은 끈의 길이는 216 cm입니다.

/ 216 cm

13 325 **14** 1008

15 예 ❶ 찢어진 종이에 적혀 있는 세 자리 수를 □라고 하면 □+476=875입니다.

→ □=875−476=399

❷ 종이에 적혀 있는 두 수가 399, 476이므로 두 수의 차는 476−399=77입니다.

/ 77

16 1332 **17** 1067회

18 501, 458, 959 또는 458, 501, 959

19 0, 1, 2, 3, 4

20 예 ❶ 470명이 내린 후 기차에 타고 있는 사람은 958−470=488(명)입니다.

❷ 383명이 더 탄 후 기차에 타고 있는 사람은 488+383=871(명)입니다.

/ 871명

풀이

01 (1)
```
    6 5 3
  + 2 4 3
  ───────
    8 9 6
```
(2)
```
    7 6 9
  − 5 1 4
  ───────
    2 5 5
```

02
```
      1
    4 7 5
  + 2 1 7
  ───────
    6 9 2
```

03
```
    6 10
    7̷ 5 4
  − 4 8 3
  ───────
    2 7 1
```

04 합:
```
    1 1
    6 4 8
  + 1 7 9
  ───────
    8 2 7
```
차:
```
        10
    5 3 10
    6̷ 4̷ 8̷
  − 1 7 9
  ───────
    4 6 9
```

05 236+154=390, 704−317=387
→ 390 > 387

06 354−245=109, 875−697=178

07 받아내림을 하지 않기 위해 빼지는 수를 400보다 1만큼 더 작은 수인 399로 바꾼 후 계산하고, 그 계산 결과에 1을 더합니다.

08 532+190=722(개)

09 ・일의 자리 계산: 5+㉠=13, ㉠=13−5=8
・백의 자리 계산: 1+4+1=㉡, ㉡=6

주의 십의 자리에서 받아올림이 있는 것에 주의합니다.

11 657+657=1314 (m)

12

채점기준		
❶ 5 m가 몇 cm인지 구하기		2점
❷ 남은 끈의 길이는 몇 cm인지 구하기		3점

13 어떤 수를 □라고 하면 □+158=483입니다.
□=483−158=325이므로 어떤 수는 325입니다.

14 589+★=832에서 ★=832−589=243이고,
◆−276=489에서 ◆=489+276=765입니다.
→ ★+◆=243+765=1008

15

채점기준		
❶ 찢어진 종이에 적혀 있는 수 구하기		3점
❷ 종이에 적혀 있는 두 수의 차 구하기		2점

16 가장 큰 세 자리 수: 864
가장 작은 세 자리 수: 468
→ 합: 864+468=1332

참고 큰 숫자부터 차례로 놓으면 가장 큰 수를 만들 수 있고, 작은 숫자부터 차례로 놓으면 가장 작은 수를 만들 수 있습니다.

17 (오늘 한 줄넘기 횟수)=462+143=605(회)
(어제와 오늘 한 줄넘기 횟수)
=462+605=1067(회)

18 합이 가장 크게 되는 덧셈식을 만들려면 가장 큰 수와 두 번째로 큰 수를 더해야 합니다.

19 36□+507=872이라고 하면
36□=872−507=365입니다.
36□+507<872이므로 □는 5보다 작으므로
□ 안에 들어갈 수 있는 숫자는 0, 1, 2, 3, 4입니다.

20

채점기준		
❶ 470명이 내린 후 기차에 타고 있는 사람 수 구하기		2점
❷ 383명이 더 탄 후 기차에 타고 있는 사람 수 구하기		3점

② 평면도형

1 ⑩ 동전, 훌라후프, 시계

2
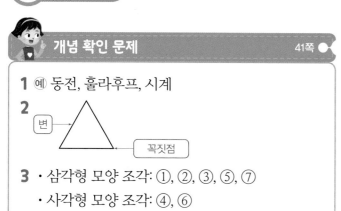

3 • 삼각형 모양 조각: ①, ②, ③, ⑤, ⑦
   • 사각형 모양 조각: ④, ⑥

풀이

2 • 삼각형에서 곧은 선을 변이라고 합니다.
   • 삼각형에서 두 곧은 선이 만나는 점을 꼭짓점이라고 합니다.
   참고 삼각형에는 변이 3개, 꼭짓점이 3개 있습니다.

3 칠교판에는 삼각형 모양 조각이 5개, 사각형 모양 조각이 2개 있습니다.

1 • 곧은 선: 가, 다
   • 굽은 선: 나, 라

2 선분 ㅇㅈ 또는 선분 ㅈㅇ

3
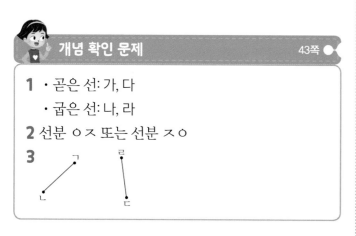

풀이

1 • 곧은 선은 반듯하게 쭉 뻗은 선입니다.
   • 굽은 선은 휘어지거나 구부러진 선입니다.

2 점 ㅇ과 점 ㅈ을 이은 선분입니다.

3 • 선분 ㄱㄴ은 점 ㄱ과 점 ㄴ을 곧게 이은 선입니다.
   • 선분 ㄷㄹ은 점 ㄷ과 점 ㄹ을 곧게 이은 선입니다.

1 (   ) (○) (   )
2 (○) (   ) (   )
3 반직선 ㄱㄴ / 직선 ㄷㄹ 또는 직선 ㄹㄷ
4
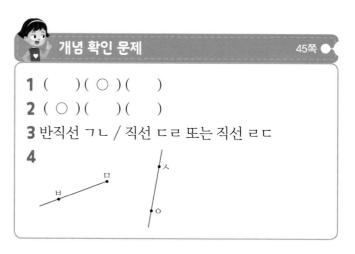

풀이

1 반직선은 한 점에서 시작하여 한쪽으로 끝없이 늘인 곧은 선입니다.

2 직선은 선분을 양쪽으로 끝없이 늘인 곧은 선입니다.

3 • 점 ㄱ에서 시작하여 점 ㄴ을 지나는 곧은 선은 반직선 ㄱㄴ입니다.
   • 점 ㄷ과 점 ㄹ을 지나는 곧은 선은 직선 ㄷㄹ 또는 직선 ㄹㄷ입니다.

4 • 반직선 ㅁㅂ은 점 ㅁ에서 시작하여 점 ㅂ을 지나는 곧은 선입니다.
   • 직선 ㅅㅇ은 점 ㅅ과 점 ㅇ을 지나는 곧은 선입니다.

1 나, 라
2
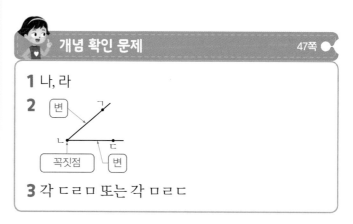

3 각 ㄷㄹㅁ 또는 각 ㅁㄹㄷ

풀이

2 • 점 ㄹ을 각의 꼭짓점이라고 합니다.
   • 반직선 ㄹㄱ과 반직선 ㄹㄷ을 각의 변이라고 합니다.

3 각의 꼭짓점이 가운데에 오도록 읽으면 각 ㄷㄹㅁ 또는 각 ㅁㄹㄷ입니다.

개념 확인 문제 49쪽

1
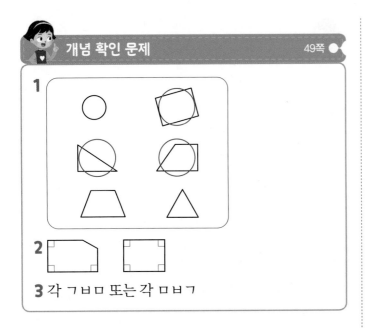

2
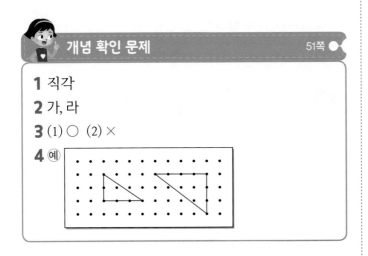

3 각 ㄱㅂㅁ 또는 각 ㅁㅂㄱ

풀이

1 삼각자의 직각 부분을 이용하여 찾습니다.

3 직각의 꼭짓점인 점 ㅂ이 가운데에 오도록 읽으면 각 ㄱㅂㅁ 또는 각 ㅁㅂㄱ입니다.

개념 확인 문제 51쪽

1 직각

2 가, 라

3 (1) ○ (2) ×

4 예

풀이

2

한 각이 직각인 삼각형을 모두 찾으면 가, 라입니다.

3 (2) 직각삼각형에는 꼭짓점이 3개 있습니다.

4 한 각이 직각인 삼각형을 2개 그립니다.

개념 확인 문제 53쪽

1 직사각형   2 3개

3 예
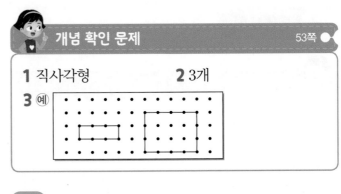

풀이

2
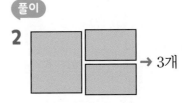 → 3개

3 네 각이 모두 직각인 사각형을 2개 그립니다.

개념 확인 문제 55쪽

1 정사각형

2 예
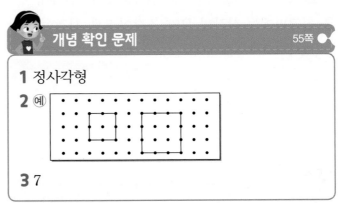

3 7

풀이

2 네 각이 모두 직각이고 네 변의 길이가 모두 같은 사각형을 2개 그립니다.

3 정사각형은 네 변의 길이가 모두 같으므로 □=7입니다.

문제 해결력 문제 57쪽

1 6, 2, 8   2 6개

3 7개

풀이

1 한 칸짜리 정사각형: 6개

네 칸짜리 정사각형: 2개

그림에서 찾을 수 있는 정사각형은 모두

$6+2=8$(개)입니다.

2 한 칸짜리 직사각형: 3개

두 칸짜리 직사각형: 2개

세 칸짜리 직사각형: 1개

그림에서 찾을 수 있는 직사각형은 모두

$3+2+1=6$(개)입니다.

3

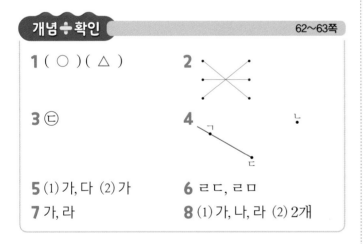

한 칸짜리 직각삼각형: ①, ②, ③, ④ → 4개

두 칸짜리 직각삼각형: ①+②, ③+④ → 2개

네 칸짜리 직각삼각형: ①+②+③+④ → 1개

그림에서 찾을 수 있는 직각삼각형은 모두

$4+2+1=7$(개)입니다.

개념 ♣ 확인   62~63쪽

1 (○)(△)

2

3 ㉡

4

5 (1) 가, 다 (2) 가

6 ㄹㄷ, ㄹㅁ

7 가, 라

8 (1) 가, 나, 라 (2) 2개

풀이

2 • 두 점을 곧게 이은 선을 선분이라고 합니다.

• 한 점에서 시작하여 한쪽으로 끝없이 늘인 곧은 선을 반직선이라고 합니다.

• 선분을 양쪽으로 끝없이 늘인 곧은 선을 직선이라고 합니다.

3 ㉠ 직선은 선분을 양쪽으로 끝없이 늘인 곧은 선입니다.

㉡ 반직선 ㄱㄴ과 반직선 ㄴㄱ은 시작하는 점이 다릅니다.

4 반직선 ㄷㄱ은 점 ㄷ에서 시작하여 점 ㄱ을 지나는 곧은 선입니다.

8 (1) 네 각이 모두 직각인 사각형을 찾으면 가, 나, 라입니다.

(2) 직사각형인 가, 나, 라 중에서 네 변의 길이가 모두 같은 사각형은 가, 라이므로 정사각형은 모두 2개입니다.

서술형 문제 해결하기   64~65쪽

1-1 ❶ 10, 4   ❷ 10, 4, 14   / 14개

1-2 예 ❶ 한 칸짜리 정사각형: 9개

네 칸짜리 정사각형: 4개

아홉 칸짜리 정사각형: 1개

❷ 그림에서 찾을 수 있는 정사각형은 모두

$9+4+1=14$(개)입니다.

/ 14개

1-3 예 ❶ 한 칸짜리 직사각형: 6개

두 칸짜리 직사각형: 7개

세 칸짜리 직사각형: 2개

네 칸짜리 직사각형: 2개

어섯 칸찌리 직사직형: 1개

❷ 그림에서 찾을 수 있는 직사각형은 모두

$6+7+2+2+1=18$(개)입니다.

/ 18개

1-4 예 ❶ 한 칸짜리 직사각형: 5개

두 칸짜리 직사각형: 4개

세 칸짜리 직사각형: 1개

네 칸짜리 직사각형: 1개

다섯 칸짜리 직사각형: 1개

❷ 그림에서 찾을 수 있는 직사각형은 모두

$5+4+1+1+1=12$(개)입니다.

/ 12개

2-1 ❶ 4   ❷ 24, 4, 6, 6   / 6 cm

2-2 예 ❶ 정사각형은 네 변의 길이가 모두 같으므로 한 변의 길이는 네 변의 길이의 합을 4로 나누어 구합니다.

❷ 36÷4=9이므로 정사각형의 한 변의 길이는 9 cm입니다.

/ 9 cm

2-3 예 ❶ 철사를 모두 사용하여 정사각형을 만들었으므로 만든 정사각형의 한 변의 길이는 56 cm를 4로 나누어 구합니다.

❷ 56÷4=14이므로 만든 정사각형의 한 변의 길이는 14 cm입니다.

/ 14 cm

2-4 예 ❶ 정사각형의 한 변의 길이를 □ cm라고 하면 □+□+□+□+□+□=42 입니다.

❷ □×6=42에서 7×6=42이므로 □=7입니다. 따라서 정사각형의 한 변의 길이는 7 cm입니다.

/ 7 cm

풀이

1-1
채점 기준	❶ 한 칸짜리, 네 칸짜리 정사각형의 개수 각각 구하기	4점
	❷ 찾을 수 있는 정사각형의 개수 구하기	4점

1-2
채점 기준	❶ 한 칸짜리, 네 칸짜리, 아홉 칸짜리 정사각형의 개수 각각 구하기	6점
	❷ 찾을 수 있는 정사각형의 개수 구하기	6점

1-3
채점 기준	❶ 한 칸짜리, 두 칸짜리, 세 칸짜리, 네 칸짜리, 여섯 칸짜리 직사각형의 개수 각각 구하기	9점
	❷ 찾을 수 있는 직사각형의 개수 구하기	6점

1-4
채점 기준	❶ 한 칸짜리, 두 칸짜리, 세 칸짜리, 네 칸짜리, 다섯 칸짜리 직사각형의 개수 각각 구하기	9점
	❷ 찾을 수 있는 직사각형의 개수 구하기	6점

2-1
채점 기준	❶ 정사각형의 한 변의 길이 구하는 방법 알기	4점
	❷ 정사각형의 한 변의 길이 구하기	4점

2-2
채점 기준	❶ 정사각형의 한 변의 길이 구하는 방법 알기	7점
	❷ 정사각형의 한 변의 길이 구하기	5점

2-3
채점 기준	❶ 만든 정사각형의 한 변의 길이 구하는 방법 알기	9점
	❷ 만든 정사각형의 한 변의 길이 구하기	6점

2-4
채점 기준	❶ 직사각형의 네 변의 길이의 합을 이용하여 정사각형의 한 변의 길이 구하는 방법 알기	9점
	❷ 정사각형의 한 변의 길이 구하기	6점

01 ㉡

02 직선 ㄱㄴ 또는 직선 ㄴㄱ

03 7개　　　　**04** 직사각형

05
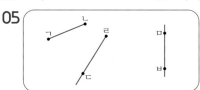

06 5개

07 ❶ 예 도형은 점 ㅁ에서 시작하여 점 ㅂ을 지나는 반직선이 아니기 때문입니다.

❷ 반직선 ㅂㅁ

08 (1) 각 ㄱㄴㄷ 또는 각 ㄷㄴㄱ

(2) 변 ㄴㄱ, 변 ㄴㄷ

09 점 ㅁ　　　　**10** 3개

11 직각삼각형　　**12** 5개

13 가, 나, 라 / 가, 라

14 예
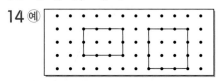

15 ㉠, ㉣

16
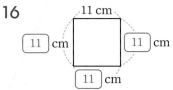

17 예
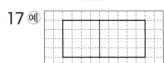

18 20 cm

19 예 ❶ 한 칸짜리 정사각형: 7개

　　세 칸짜리 정사각형: 1개

　　네 칸짜리 정사각형: 2개

　　여덟 칸짜리 정사각형: 1개

　❷ 그림에서 찾을 수 있는 정사각형은 모두

　　7＋1＋2＋1＝11(개)입니다.

　／ 11개

20 예 ❶ 가의 네 변의 길이의 합은

　　6＋3＋6＋3＝18 (cm)입니다.

　　나의 네 변의 길이의 합은

　　5＋5＋5＋5＝20 (cm)입니다.

　❷ 18 cm＜20 cm이므로 네 변의 길이의

　　합이 더 긴 도형은 나입니다.

　／ 나

01 선분은 두 점 사이를 곧게 이은 선이므로 ⓒ입니다.

02 선분을 양쪽으로 끝없이 늘인 곧은 선을 직선이라
고 합니다.

점 ㄱ과 점 ㄴ을 지나는 직선을 직선 ㄱㄴ 또는
직선 ㄴㄱ이라고 합니다.

03

→ 7개

04 네 각이 모두 직각인 사각형을 직사각형이라고 합
니다.

05 ・점 ㄱ과 점 ㄴ을 이은 선분을 선분 ㄱㄴ이라고
　합니다.

・점 ㄹ에서 시작하여 점 ㄷ을 지나는 반직선을
　반직선 ㄹㄷ이라고 합니다.

・점 ㅁ과 점 ㅂ을 지나는 직선을 직선 ㅁㅂ이라고
　합니다.

06 도형에는 두 점을 곧게 이은 선이 모두 5개 있습니다.

07
채점 기준	❶ 반직선 ㅁㅂ이 아닌 이유 쓰기	3점
	❷ 도형의 이름 바르게 쓰기	2점

09 삼각자의 직각 부분을 이용하여 찾으면 편리합니다.

10

→ 3개

11 3개의 선분으로 둘러싸여 있는 꼭짓점이 3개인
도형은 삼각형입니다. 직각이 1개 있는 삼각형은
직각삼각형입니다.

12

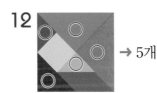

→ 5개

13 ・네 각이 모두 직각인 사각형은 가, 나, 라입니다.

・네 각이 모두 직각이고 네 변의 길이가 모두 같
은 사각형은 가, 라입니다.

14 ・직사각형은 네 각이 모두 직각이 되도록 그립니다.

・정사각형은 네 각이 모두 직각이고 네 변의 길이
가 모두 같도록 그립니다.

15 ⓒ 직사각형에는 직각이 4개 있습니다.

ⓒ 직사각형에는 꼭짓점이 4개 있습니다.

16 정사각형은 네 변의 길이가 모두 같습니다.

17 정사각형을 만들기 위해서는 한 변의 길이가 직사
각형의 짧은 변의 길이인 4칸이 되도록 선을 그어
야 합니다.

18 정사각형은 네 변의 길이가 모두 같으므로 한 변의
길이는 80÷4＝20 (cm)입니다.

19
채점 기준	❶ 한 칸짜리, 세 칸짜리, 네 칸짜리, 여덟 칸짜리 정사각형이 각각 몇 개인지 구하기	3점
	❷ 찾을 수 있는 정사각형의 개수 구하기	2점

20
채점 기준	❶ 가와 나의 네 변의 길이의 합 각각 구하기	3점
	❷ 네 변의 길이의 합이 더 긴 도형 구하기	2점

정답 및 풀이

③ 나눗셈

1 7, 21   **2** 3
3 9, 45   **4** 42

풀이

1 사탕이 3개씩 7묶음 있으므로 모두 $3 \times 7 = 21$(개)입니다.

2 $6 \times 4 = 24$
$24 = 8 \times \square$에서 $8 \times 3 = 24$이므로 $\square = 3$입니다.

3 $3 \times 3 = 9$, $9 \times 5 = 45$

4 $5 \times \textcircled{\small ㄱ} = 35$에서 $5 \times 7 = 35$이므로 $\textcircled{\small ㄱ} = 7$입니다.
$\textcircled{\small ㄴ} \times 8 = 48$에서 $6 \times 8 = 48$이므로 $\textcircled{\small ㄴ} = 6$입니다.
→ $\textcircled{\small ㄱ} \times \textcircled{\small ㄴ} = 7 \times 6 = 42$

1 4   **2** 8 / 8
3 나눗셈식 $20 \div 4 = 5$ 답 5개

풀이

1 사과 16개를 접시 4개에 똑같이 나누어 담으려면 접시 1개에 4개씩 담아야 합니다.
→ $16 \div 4 = 4$(개)

2 사탕 24개를 3명에게 1개씩 번갈아 가면서 주면 한 명이 8개씩 가지게 됩니다.
→ $24 \div 3 = 8$(개)

3 붙임딱지 20개를 4명에게 1개씩 번갈아 가면서 주면 한 명이 5개씩 가지게 됩니다.
→ $20 \div 4 = 5$(개)

1 63, 7, 9   **2** ㉡
3 4   **4** 5, 5 / 5, 3 / 3개

풀이

1 $63 \div 7 = 9$ → 63 나누기 7은 9와 같습니다.

2 ㉠ $30 \div 6 = 5$
           ↑
          몫

  ㉡ $30 \div 5 = 6$
           ↑
          몫

3 32에서 8을 4번 빼면 0이 됩니다.
→ $32 \div 8 = 4$

4 쿠키 15개를 한 바구니에 5개씩 담으려면 바구니는 $15 \div 5 = 3$(개) 필요합니다.

1 16 / 8
2 (○) (   )
3 (1) 6 / 42, 6   (2) 7 / 7, 42

풀이

1 초콜릿은 $8 \times 2 = 16$(개)입니다.
16개를 8개씩 묶으면 2묶음이므로
$16 \div 8 = 2$(묶음)입니다.

2 $36 \div 4 = 9$ $4 \times 9 = 36$
$4 \times 9 = 36$ $36 \div 4 = 9$

3 (1) $6 \times 7 = 42$ $6 \times 7 = 42$
       $42 \div 6 = 7$ $42 \div 7 = 6$

    (2) $42 \div 6 = 7$ $42 \div 6 = 7$
       $6 \times 7 = 42$ $7 \times 6 = 42$

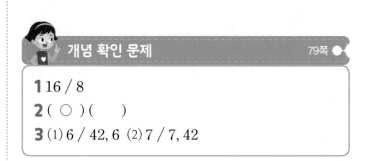

개념 확인 문제 81쪽

1 $9 \times 5 = 45$에 ○표   **2** 나은

3 (1) 2 (2) 5 (3) 8 (4) 9

4 나눗셈식 $27 \div 3 = 9$

    곱셈식 예 $3 \times 9 = 27$

    답 9명

풀이

1 9와 곱해서 45가 되는 곱셈식을 찾으면 $9 \times 5 = 45$입니다.

2 나은 $6 \times 3 = 18$이므로 6의 단 곱셈구구를 이용해야 합니다.

    지호 $5 \times 3 = 15$이므로 5의 단 곱셈구구를 이용해야 합니다.

3 (1) $7 \times 2 = 14 \rightarrow 14 \div 7 = 2$

    (2) $6 \times 5 = 30 \rightarrow 30 \div 6 = 5$

    (3) $3 \times 8 = 24 \rightarrow 24 \div 3 = 8$

    (4) $9 \times 9 = 81 \rightarrow 81 \div 9 = 9$

4 나눗셈으로 나타내면 $27 \div 3$이고, 3의 단 곱셈구구를 이용하면 $3 \times 9 = 27$이므로 $27 \div 3 = 9$입니다.

따라서 샌드위치 27개를 한 명에게 3개씩 나누어 주면 9명에게 줄 수 있습니다.

문제 해결력 문제 83쪽

1 9그루   **2** 10그루

3 16그루

풀이

1 (간격 수)

    =(길의 길이)÷(나무와 나무 사이의 간격)

    =$40 \div 5 = 8$(개)

길의 처음과 끝에도 나무를 심었으므로

심은 나무는 모두 $8 + 1 = 9$(그루)입니다.

2 (간격 수)=$72 \div 8 = 9$(개)

따라서 심은 나무는 모두 $9 + 1 = 10$(그루)입니다.

3 (간격 수)=$56 \div 8 = 7$(개)

(도로의 한쪽에 심은 나무의 수)

=$7 + 1 = 8$(그루)

(도로의 양쪽에 심은 나무의 수)

=$8 + 8 = 16$(그루)

따라서 심은 나무는 모두 16그루입니다.

개념➕확인 88~89쪽

1 (1) 예

    (2) 4, 4, 4 (3) 20, 4, 5

2 $72 \div 8 = 9$ **3** 3

4 나눗셈식 $9 \div 3 = 3$ 답 3개

5 54 / 6, 9   **6** 7, 56 / 8, 56

7   **8** (왼쪽부터) 6, 4, 2

풀이

1 $20 - 4 - 4 - 4 - 4 - 4 = 0$

    └──── 5번 ────┘

    $\rightarrow 20 \div 4 = 5$

2 ● 나누기 ◆는 ★과 같습니다.

    $\rightarrow$ ● ÷ ◆ = ★

3 과자 12개를 4명에게 1개씩 번갈아 가면서 주면 한 명에게 3개씩 줄 수 있습니다.

4 바둑돌 9개를 접시 3개에 1개씩 번갈아 가면서 놓으면 한 접시에 3개씩 놓을 수 있습니다.

5 $9 \times 6 = 54$ $9 \times 6 = 54$

    $54 \div 9 = 6$ $54 \div 6 = 9$

6 $56 \div 8 = 7$ $56 \div 8 = 7$

    $8 \times 7 = 56$ $7 \times 8 = 56$

7 $45 \div 9 = 5 \rightarrow 9 \times 5 = 45$

    $27 \div 9 = 3 \rightarrow 9 \times 3 = 27$

8 · $4 \times 6 = 24 \rightarrow 24 \div 4 = 6$

    · $2 \times 4 = 8 \rightarrow 8 \div 2 = 4$

    · $2 \times 2 = 4 \rightarrow 4 \div 2 = 2$

1-1 ❶ 7, 4 / 4, 5

    ❷ 토마토

    / 토마토

1-2 예 ❶ (한 바구니에 담은 쿠키의 수)

        = (전체 쿠키의 수) ÷ (바구니의 수)

        = $49 \div 7 = 7$(개)

        (한 바구니에 담은 마카롱의 수)

        = (전체 마카롱의 수) ÷ (바구니의 수)

        = $48 \div 8 = 6$(개)

    ❷ $7 > 6$이므로 한 바구니에 더 많이 담은 것은 쿠키입니다.

    / 쿠키

1-3 예 ❶ (전체 사과의 수)

        = $25 + 29 = 54$(개)

    ❷ (한 상자에 담은 사과의 수)

        = (전체 사과의 수) ÷ (상자의 수)

        = $54 \div 6 = 9$(개)

    / 9개

1-4 예 ❶ (한 바구니에 담은 쿠키의 수)

        = (만든 전체 쿠키의 수)

          ÷ (바구니의 수)

        (진우가 만든 전체 쿠키의 수)

        = $12 + 20 = 32$(개)

        (진우가 한 바구니에 담은 쿠키의 수)

        = $32 \div 8 = 4$(개)

        (민수가 한 바구니에 담은 쿠키의 수)

        = $35 \div 7 = 5$(개)

    ❷ $4 < 5$이므로 한 바구니에 더 많은 쿠키를 담은 사람은 민수입니다.

    / 민수

2-1 ❶ 6

    ❷ 6, 6, 7, 8, 9

    / 7, 8, 9

2-2 예 ❶ $56 \div 8 = 7$

    ❷ $7 < ★$이므로 ★에 알맞은 수는 1부터 9까지의 자연수 중에서 7보다 큰 수인

8, 9입니다.

/ 8, 9

2-3 예 ❶ $15 \div 3 = 5$

    ❷ $5 > ◆$이므로 ◆에 알맞은 수는 1부터 9까지의 자연수 중에서 5보다 작은 수인 1, 2, 3, 4입니다.

    / 1, 2, 3, 4

2-4 예 ❶ $25 \div 5 = 5$에서 $5 < □$이므로 1부터 9까지의 자연수 중에서 □ 안에 알맞은 수는 6, 7, 8, 9입니다.

    ❷ $14 \div 2 = 7$에서 $7 > □$이므로 1부터 9까지의 자연수 중에서 □ 안에 알맞은 수는 1, 2, 3, 4, 5, 6입니다.

    ❸ □ 안에 공통으로 들어갈 수 있는 수는 6입니다.

    / 6

풀이

1-1	채점 기준	❶ 한 봉지에 담은 감의 수와 토마토의 수 각각 구하기	6점
		❷ 한 봉지에 더 많이 담은 것 구하기	2점

1-2	채점 기준	❶ 한 바구니에 담은 쿠키와 마카롱의 수 각각 구하기	8점
		❷ 한 바구니에 더 많이 담은 것 구하기	4점

1-3	채점 기준	❶ 전체 사과의 수 구하기	5점
		❷ 한 상자에 담은 사과의 수 구하기	10점

1-4	채점 기준	❶ 진우와 민수가 한 바구니에 담은 쿠키의 수 각각 구하기	10점
		❷ 한 바구니에 더 많은 쿠키를 담은 사람은 누구인지 구하기	5점

2-1	채점 기준	❶ $54 \div 9$의 몫 구하기	4점
		❷ ★에 알맞은 수 모두 구하기	4점

2-2	채점 기준	❶ $56 \div 8$의 몫 구하기	6점
		❷ ★에 알맞은 수 모두 구하기	6점

2-3	채점 기준	❶ $15 \div 3$의 몫 구하기	7점
		❷ ◆에 알맞은 수 모두 구하기	8점

2-4		❶ 25÷5의 몫을 구하여 □ 안에 알맞은 수 구하기	6점
	채점 기준	❷ 14÷2의 몫을 구하여 □ 안에 알맞은 수 구하기	6점
		❸ □ 안에 공통으로 들어갈 수 있는 수 구하기	3점

 단원 평가

92~94쪽

01 3　　　　　　　　02 7, 8

03 21÷7=3

04 ⦿⦿⦿ ⦿⦿⦿ ⦿⦿⦿
　⦿⦿⦿ ⦿⦿⦿ ⦿⦿⦿

05 가　　　　　　　　06 9일

07 3개

08 40÷8=5 / 40÷5=8

09 4×9=36 / 9×4=36

10 [곱셈식] 2×⑥=⑫
　[나눗셈식] 12÷2=6, 12÷6=2

11 ⓒ　　　　　　　　12 6

13 (선 교차)　　　　　14 <

15 ⓛ, ⓒ, ㉠　　　　16 3

17 [예] ❶ 가장 큰 수는 63, 가장 작은 수는 7입니다.
　❷ 63÷7에서 7×9=63이므로 63÷7=9입니다.
　/ 9

18 9쪽

19 [예] ❶ ㉠ 12÷2=⑥
　ⓛ 27÷⑨=3
　ⓒ 32÷8=④
　㉢ 35÷⑤=7
　❷ □ 안에 알맞은 수가 가장 작은 것은 ⓒ입니다.
　/ ⓒ

20 [예] ❶ (수확한 전체 감자의 수)
　　＝24＋18＝42(개)
　❷ (한 상자에 담을 감자의 수)
　　＝(수확한 전체 감자의 수)÷(상자의 수)
　　＝42÷6=7(개)
　/ 7개

풀이

01 복숭아 9개를 3개씩 묶으면 3묶음이 됩니다.
　→ 9÷3=3(묶음)

02 ●÷◆=★
　→ ● 나누기 ◆는 ★과 같습니다.

03 21－7－7－7=0
　　　　 3번
　→ 21÷7=3

04 귤 30개를 접시 6개에 똑같이 나누어 담으면 한 접시에 5개씩 담을 수 있습니다.

05 축구공 8개를 똑같이 나누어 담을 수 있는 상자를 찾으면 가입니다.
　→ 8÷2=4(개)

06 81－9－9－9－9－9－9－9－9－9=0
　따라서 민희가 이 동화책을 모두 읽으려면 81÷9=9(일)이 걸립니다.

07 마카롱 18개를 6봉지에 똑같이 나누어 담으면 한 봉지에 3개씩 담을 수 있습니다.
　→ 18÷6=3(개)

08 8×5=40　　　　8×5=40
　40÷8=5　　　　40÷5=8

09 36÷4=9　　　　36÷4=9
　4×9=36　　　　9×4=36

정답 및 풀이 • 207

10 연필이 2자루씩 6묶음이므로 $2 \times 6 = 12$(자루)입니다.
$2 \times 6 = 12 \rightarrow 12 \div 2 = 6, 12 \div 6 = 2$

11 나누는 수가 7이므로 나눗셈의 몫을 구하려면 7의 단 곱셈구구가 필요합니다.

12 $9 \times 6 = 54 \rightarrow 54 \div 9 = 6$

13 $3 \times 8 = 24 \rightarrow 24 \div 3 = 8$
$7 \times 7 = 49 \rightarrow 49 \div 7 = 7$

14 $8 \times 5 = 40$에서 $40 \div 8 = 5$이므로 $5 < 6$입니다.

15 ㉠ $8 \times 6 = 48 \rightarrow 48 \div 8 = 6$
㉡ $4 \times 8 = 32 \rightarrow 32 \div 4 = 8$
㉢ $9 \times 7 = 63 \rightarrow 63 \div 9 = 7$
따라서 $8 > 7 > 6$이므로 나눗셈의 몫이 큰 것부터 차례로 기호를 써 보면 ㉡, ㉢, ㉠입니다.

16 $8 \times 8 = 64 \rightarrow 64 \div 8 = 8$
$24 \div \square = 8$이므로 $8 \times \square = 24$입니다.
8의 단 곱셈구구에서 곱이 24인 곱셈식은
$8 \times 3 = 24$이므로 $\square = 3$입니다.

17

채점 기준		
❶ 가장 큰 수와 가장 작은 수 구하기		2점
❷ 가장 큰 수를 가장 작은 수로 나눈 몫 구하기		3점

18 (민지가 하루에 읽은 동화책의 쪽수)
= (전체 동화책의 쪽수) $\div 6$
= $54 \div 6 = 9$(쪽)

19

채점 기준		
❶ □ 안에 알맞은 수 각각 구하기		3점
❷ □ 안에 알맞은 수가 가장 작은 것 구하기		2점

20

채점 기준		
❶ 수확한 전체 감자의 수 구하기		2점
❷ 한 상자에 담을 감자의 수 구하기		3점

④ 곱셈

개념 확인 문제   99쪽

1 5, 10	**2** >
3	**4** 36개

풀이

1 2개씩 5묶음이면 $2 \times 5 = 10$입니다.

2 $7 \times 7 = 49, 6 \times 8 = 48$
$\rightarrow 49 > 48$

3 $8 \times 3 = 24, 9 \times 2 = 18,$
$2 \times 9 = 18, 4 \times 6 = 24$

4 (4줄로 놓은 쌓기나무의 개수)
= (한 줄에 놓은 쌓기나무의 개수) $\times 4$
= $9 \times 4 = 36$(개)

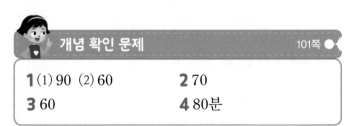

개념 확인 문제   101쪽

1 (1) 90 (2) 60	**2** 70
3 60	**4** 80분

풀이

1 (1) $3 \times 3 = 9 \rightarrow 30 \times 3 = 90$
(2) $6 \times 1 = 6 \rightarrow 60 \times 1 = 60$

2 $10 \times 7 = 70$

3 가장 큰 수는 30이고, 가장 작은 수는 2입니다.
$\rightarrow 30 \times 2 = 60$

4 (현수가 4일 동안 책을 읽은 시간)
= (하루에 책을 읽은 시간) $\times 4$
= $20 \times 4 = 80$(분)

개념 확인 문제 103쪽 ●

1 8, 40, 48 **2** (1) 48 (2) 99
3 (   )(○) **4** 84개

풀이

1 24×2의 계산은 4×2와 20×2로 계산하여 더합니다.

2 (1)
```
    1 2
  ×   4
  ─────
    4 8
```
(2)
```
    3 3
  ×   3
  ─────
    9 9
```

3 31×2=62, 22×3=66
→ 62<66

4 (2상자에 들어 있는 구슬 수)
＝(한 상자에 들어 있는 구슬 수)×2
＝42×2=84(개)

개념 확인 문제 105쪽 ●

1 (1) 1, 8, 9 (2) 1, 6, 8 **2** 246
3 ㉡ **4** 217개

풀이

1 (1)
```
    2 1
  ×   9
  ─────
  1 8 9
```
(2)
```
    4 2
  ×   4
  ─────
  1 6 8
```

2
```
    8 2
  ×   3
  ─────
  2 4 6
```

3 ㉠ 31×6=186, ㉡ 52×4=208, ㉢ 43×3=129
따라서 곱이 가장 큰 것은 ㉡입니다.

4 일주일은 7일입니다.
(일주일 동안 접는 종이학 수)
＝(하루에 접는 종이학 수)×(날수)
＝31×7=217(개)

개념 확인 문제 107쪽 ●

1 10 **2** (1) 81 (2) 76
3 < **4** 91 cm

풀이

1 □ 안의 1은 6×2=12에서 올림한 수이므로 실제로 10을 나타냅니다.

2 (1)
```
    2
    2 7
  ×   3
  ─────
    8 1
```
(2)
```
    3
    1 9
  ×   4
  ─────
    7 6
```

3 28×3=84, 15×6=90
→ 84<90

4 (이어 붙인 색 테이프의 전체 길이)
＝(색 테이프 한 장의 길이)×(색 테이프의 수)
＝13×7=91 (cm)

개념 확인 문제 109쪽 ●

1 (1) 144 (2) 455 **2** 375
3 **4** 112명

풀이

1 (1)
```
    2
    3 6
  ×   4
  ─────
  1 4 4
```
(2)
```
    3
    6 5
  ×   7
  ─────
  4 5 5
```

2
```
    2
    7 5
  ×   5
  ─────
  3 7 5
```

3
```
    6
    4 7
  ×   9
  ─────
  4 2 3
```
```
    3
    5 8
  ×   4
  ─────
  2 3 2
```

4 (박물관에 간 3학년 학생 수)
＝(버스 한 대에 탄 학생 수)×(버스의 수)
＝28×4=112(명)

개념 확인 문제 111쪽

1 (1) 312 (2) 435   **2** 42, 336

3 252명   **4** 7

풀이

1 (1)
$$\begin{array}{r} \overset{1}{5}\ 2 \\ \times\ \ \ \ 6 \\ \hline 3\ 1\ 2 \end{array}$$
(2)
$$\begin{array}{r} \overset{3}{8}\ 7 \\ \times\ \ \ \ 5 \\ \hline 4\ 3\ 5 \end{array}$$

2 $14 \times 3 = 42$, $42 \times 8 = 336$

3 (오후에 입장한 사람 수)
= (오전에 입장한 사람 수) $\times 3$
= $84 \times 3 = 252$(명)

4 일의 자리 계산: $3 \times 5 = 15$
십의 자리 계산: $\square \times 5$의 결과에 일의 자리에서 올림한 수 1을 더한 값이 36이므로
$\square \times 5 = 35$입니다. → $\square = 7$

문제 해결력 문제 113쪽

1 (1) 6군데 (2) 96 m

2 128 m

3 192 m

풀이

1 (1) (나무와 나무 사이의 간격 수) $= 7 - 1 = 6$(군데)
(2) (도로의 길이) $= 16 \times 6 = 96$ (m)

2 (가로등과 가로등 사이의 간격 수) $= 5 - 1 = 4$(군데)
(도로의 길이) $= 32 \times 4 = 128$ (m)

3 (산책로 한쪽에 심은 나무 수) $= 18 \div 2 = 9$(그루)
(나무와 나무 사이의 간격 수) $= 9 - 1 = 8$(군데)
(산책로의 길이) $= 24 \times 8 = 192$ (m)

개념 ÷ 확인 118~119쪽

1 80   **2** 39 / 3, 39

3 >   **4** 186개

5 58, 87   **6**

7 420   **8** 156 m

풀이

1 $40 \times 2 = 80$

2 $13 + 13 + 13 = 13 \times 3 = 39$

3 $51 \times 4 = 204$이므로 $210 > 204$입니다.

4 (가현이가 오후에 수확한 사과 수)
= (오전에 수확한 사과 수) $\times 2$
= $93 \times 2 = 186$(개)

5 $29 \times 2 = 58$, $29 \times 3 = 87$

6 $17 \times 5 = 85$, $36 \times 3 = 108$

7 가장 큰 수는 84이고, 가장 작은 수는 5입니다.
→ $84 \times 5 = 420$

8 (민우가 집에서 학교까지 갔다 오는 거리)
= (민우네 집에서 학교까지의 거리) $\times 2$
= $78 \times 2 = 156$ (m)

서술형 문제 해결하기 120~121쪽

1-1 ❶ 164, 164
❷ 150, 180, 168, 6, 7, 8, 9
/ 6, 7, 8, 9

1-2 예 ❶ $36 \times 4 = 144$이므로 $144 > 43 \times \square$입니다.
❷ 43을 40으로 어림하면
$40 \times 3 = 120$, $40 \times 4 = 160$입니다.
따라서 $\square = 3$일 때 $43 \times 3 = 129$이므로 $\square$ 안에 들어갈 수 있는 수는 4보다 작은 수인 1, 2, 3입니다.
/ 1, 2, 3

1-3 예 ❶ $25 \times 3 = 75$이므로 $19 \times \square < 75$입니다.

❷ 19를 20으로 어림하면

$20 \times 3 = 60$, $20 \times 4 = 80$입니다.

따라서 $\square = 3$일 때 $19 \times 3 = 57$,

$\square = 4$일 때 $19 \times 4 = 76$이므로

$\square$ 안에 들어갈 수 있는 수는 4보다 작은 수인 1, 2, 3으로 모두 3개입니다.

/ 3개

1-4 예 ❶ $37 \times 7 = 259$이므로 $259 < 58 \times \square$입니다.

❷ 58을 60으로 어림하면

$60 \times 4 = 240$, $60 \times 5 = 300$입니다.

따라서 $\square = 5$일 때 $58 \times 5 = 290$이므로 $\square$ 안에 들어갈 수 있는 수는 4보다 큰 수인 5, 6, 7, 8, 9이고, 이 중에서 가장 작은 수는 5입니다.

/ 5

2-1 ❶ 85 ❷ 1, 4, 4, 16 ❸ 85, 16, 69 / 69 cm

2-2 예 ❶ 색 테이프 7장의 길이의 합은

$32 \times 7 = 224$ (cm)입니다.

❷ 겹쳐진 부분은 $7 - 1 = 6$(군데)이므로 겹쳐진 부분의 길이의 합은

$6 \times 6 = 36$ (cm)입니다.

❸ 이어 붙인 색 테이프의 전체 길이는

$224 - 36 = 188$ (cm)입니다.

/ 188 cm

2-3 예 ❶ 색 테이프 6장의 길이의 합은

$41 \times 6 = 246$ (cm)입니다.

❷ (겹쳐진 부분의 길이의 합)

= (색 테이프 6장의 길이의 합)

  − (이어 붙인 색 테이프의 전체 길이)

$= 246 - 206 = 40$ (cm)

❸ 색 테이프 6장을 이어 붙였으므로 겹쳐진 부분은 $6 - 1 = 5$(군데)입니다.

따라서 겹쳐서 붙인 한 부분의 길이는

$40 \div 5 = 8$ (cm)입니다.

/ 8 cm

2-4 예 ❶ 색 테이프 8장을 이어 붙였으므로 겹쳐진 부분은 $8 - 1 = 7$(군데)입니다.

겹쳐진 부분의 길이의 합은

$6 \times 7 = 42$ (cm)입니다.

❷ (색 테이프 8장의 길이의 합)

= (이어 붙인 색 테이프의 전체 길이)

  + (겹쳐진 부분의 길이의 합)

$= 182 + 42 = 224$ (cm)

❸ 색 테이프 한 장의 길이를 $\square$ cm라고 하면 $\square \times 8 = 224$입니다.

$28 \times 8 = 224$이므로 $\square = 28$입니다.

따라서 색 테이프 한 장의 길이는 28 cm입니다.

/ 28 cm

풀이

| **1-1** | 채점 기준 | ❶ 41×4를 계산하여 범위 구하기 | 3점 |
| | | ❷ ㉠에 알맞은 수를 모두 구하기 | 5점 |

| **1-2** | 채점 기준 | ❶ 36×4를 계산하여 범위 구하기 | 5점 |
| | | ❷ $\square$ 안에 들어갈 수 있는 수를 모두 구하기 | 7점 |

| **1-3** | 채점 기준 | ❶ 25×3을 계산하여 범위 구하기 | 5점 |
| | | ❷ $\square$ 안에 들어갈 수 있는 수의 개수 구하기 | 10점 |

| **1-4** | 채점 기준 | ❶ 37×7을 계산하여 범위 구하기 | 5점 |
| | | ❷ $\square$ 안에 들어갈 수 있는 가장 작은 수 구하기 | 10점 |

2-1	채점 기준	❶ 색 테이프 5장의 길이의 합 구하기	2점
		❷ 겹쳐진 부분의 길이의 합 구하기	4점
		❸ 이어 붙인 색 테이프의 전체 길이 구하기	2점

2-2	채점 기준	❶ 색 테이프 7장의 길이의 합 구하기	4점
		❷ 겹쳐진 부분의 길이의 합 구하기	4점
		❸ 이어 붙인 색 테이프의 전체 길이 구하기	4점

2-3	채점 기준	❶ 색 테이프 6장의 길이의 합 구하기	5점
		❷ 겹쳐진 부분의 길이의 합 구하기	5점
		❸ 겹쳐서 붙인 한 부분의 길이 구하기	5점

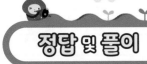

2-4

채점 기준	❶ 겹쳐진 부분의 길이의 합 구하기	5점
	❷ 색 테이프 8장의 길이의 합 구하기	5점
	❸ 색 테이프 한 장의 길이 구하기	5점

단원 평가 122~124쪽

01 80

02 (1) 90 (2) 66

03 84

04 6, 160, 166

05
$$\begin{array}{r} 1\ 7 \\ \times\quad 5 \\ \hline 8\ 5 \end{array}$$

06 <

07 152 cm

08 (연결선 그림)

09 78, 468

10 378개

11 406

12 ㉠, ㉣, ㉡, ㉢

13 38살

14 예 ❶ (바구니 5개에 담은 귤의 수)
　＝(바구니 한 개에 담은 귤의 수)×5
　＝16×5＝80(개)
　❷ (남은 귤의 수)
　＝(전체 귤의 수)
　　－(바구니 5개에 담은 귤의 수)
　＝100－80＝20(개)
　/ 20개

15 4

16 5

17 552권

18 노란색 구슬, 52개

19 예 ❶ 곱이 가장 작은 곱셈을 ㉠㉡×㉢이라고 할 때, 십의 자리 계산인 ㉠×㉢의 결과가 가장 작아야 하므로 ㉠과 ㉢에 알맞은 수는 각각 4 또는 6이고, ㉡에 알맞은 수는 7입니다. → 47×6 또는 67×4
　❷ 47×6＝282, 67×4＝268이므로 곱이 가장 작은 곱셈식은 67×4＝268입니다.
　/ 268

20 예 ❶ 어떤 수를 □라고 하면 □÷7＝12이므로 □＝12×7＝84입니다.
　❷ 어떤 수는 84이므로 바르게 계산하면 84×7＝588입니다.
　/ 588

풀이

01 4×2＝8 → 40×2＝80

02 (1) 몇과 몇의 곱을 십의 자리에 쓰고, 일의 자리에 0을 씁니다.
$$\rightarrow \begin{array}{r} 3\ 0 \\ \times\quad 3 \\ \hline 9\ 0 \end{array}$$
(2) 곱하는 수를 곱해지는 수의 일의 자리 수와 십의 자리 수에 각각 곱합니다.
$$\rightarrow \begin{array}{r} 2\ 2 \\ \times\quad 3 \\ \hline 6\ 6 \end{array}$$

03
$$\begin{array}{r} 2\ 1 \\ \times\quad 4 \\ \hline 8\ 4 \end{array}$$

04 83×2의 계산은 3×2와 80×2로 계산합니다.
$$\rightarrow 83\times2 \begin{cases} 3\times2=\quad 6 \\ 80\times2=160 \end{cases}$$
　　　　합　166

05 일의 자리 계산에서 7×5＝35이므로 3은 십의 자리로 올림하여 십의 자리 계산 결과에 더해야 합니다.

06 19×5＝95, 24×4＝96
　→ 95＜96

07 (이어 붙인 나무 막대의 전체 길이)
　＝(나무 막대 한 개의 길이)×(나무 막대의 수)
　＝38×4＝152 (cm)

08 62×2＝124, 27×3＝81, 48×4＝192

09 26×3＝78, 78×6＝468

10 (6상자에 들어 있는 감자의 수)
　＝(한 상자에 들어 있는 감자의 수)×6
　＝63×6＝378(개)

11 가장 큰 수는 58이고, 가장 작은 수는 7입니다.
　→ 58×7＝406

12 ㉠ $40 \times 6 = 240$　　㉡ $74 \times 3 = 222$
㉢ $29 \times 3 = 87$　　㉣ $59 \times 4 = 236$
따라서 계산 결과가 큰 것부터 차례대로 기호를 쓰
면 ㉠, ㉣, ㉡, ㉢입니다.

13 (삼촌의 나이)=(지호의 나이)×3
　　　　　　 $= 10 \times 3 = 30$(살)
(아버지의 나이)=(삼촌의 나이)+8
　　　　　　 $= 30 + 8 = 38$(살)

14

채점 기준	❶ 바구니 5개에 담은 귤의 수 구하기	3점
	❷ 남은 귤의 수 구하기	2점

15 □×8의 일의 자리 숫자가 2이므로 $4 \times 8 = 32$,
$9 \times 8 = 72$에서 □ 안에 알맞은 수는 4 또는 9입
니다. 따라서 □=4일 때 $34 \times 8 = 272$이고,
□=9일 때 $39 \times 8 = 312$이므로 □ 안에 알맞은
수는 4입니다.

16 78을 80으로 어림하면
$80 \times 5 = 400$, $80 \times 6 = 480$이므로 □ 안에 들어갈
수 있는 수는 6과 같거나 작은 수입니다.
□=6일 때 $78 \times 6 = 468$,
□=5일 때 $78 \times 5 = 390$이므로 □ 안에 들어갈 수
있는 수는 1, 2, 3, 4, 5이고, 이 중에서 가장 큰 수는
5입니다.

17 (3학년 학생 수)
　　=(한 반의 학생 수)×(반의 수)
　　= $23 \times 4 = 92$(명)
(필요한 공책 수)
　　=(3학년 학생 수)×6
　　 = $92 \times 6 = 552$(권)

18 (노란색 구슬 수)= $28 \times 8 = 224$(개)
(초록색 구슬 수)= $43 \times 4 = 172$(개)
따라서 $224 > 172$이므로 노란색 구슬이
$224 - 172 = 52$(개) 더 많습니다.

19

채점 기준	❶ 곱이 가장 작은 (몇십몇)×(몇) 만들기	3점
	❷ 만들 수 있는 식의 곱 구하기	2점

20

채점 기준	❶ 어떤 수 구하기	3점
	❷ 바르게 계산한 값 구하기	2점

5 길이와 시간

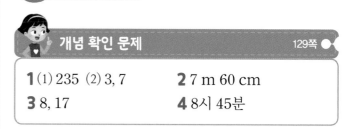

개념 확인 문제　　　129쪽

1 (1) 235　(2) 3, 7　　**2** 7 m 60 cm
3 8, 17　　　　　　　**4** 8시 45분

풀이

1 (1) 2 m 35 cm = 200 cm + 35 cm = 235 cm
(2) 307 cm = 300 cm + 7 cm = 3 m 7 cm

2 (이은 철사의 길이)
　　= 5 m 36 cm + 2 m 24 cm = 7 m 60 cm

3 짧은바늘은 8과 9 사이를 가리키고, 긴바늘은 3에서
작은 눈금 2칸 더 간 곳을 가리키므로 8시 17분입
니다.

4 9시 15분 전은 9시 되기 15분 전의 시각이므로 지현
이가 학교에 도착한 시각은 8시 45분입니다.

개념 확인 문제　　　131쪽

1 (1) 27　(2) 8, 2　　**2** 5, 3, 53
3 >　　　　　　　　**4** 157 mm

풀이

1 (1) 2 cm 7 mm = 20 mm + 7 mm = 27 mm
(2) 82 mm = 80 mm + 2 mm = 8 cm 2 mm

2 자석의 길이를 자로 재어 보면 5 cm 3 mm입니다.
5 cm 3 mm = 50 mm + 3 mm = 53 mm

3 7 cm 6 mm = 70 mm + 6 mm = 76 mm이므로
76 mm > 73 mm입니다.

4 15 cm보다 7 mm만큼 더 긴 것을
15 cm 7 mm라고 씁니다.
　→ 15 cm 7 mm = 150 mm + 7 mm = 157 mm

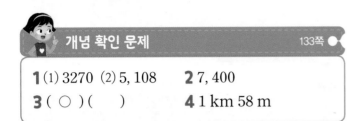

개념 확인 문제   133쪽

1 (1) 3270 (2) 5, 108   **2** 7, 400
3 (○) (   )   **4** 1 km 58 m

풀이

1 (1) 3 km 270 m=3000 m+270 m=3270 m
  (2) 5108 m=5000 m+108 m=5 km 108 m

2 1 km=1000 m입니다. 1000 m를 똑같이 10으로 나눈 것 중의 1은 100 m이므로 작은 눈금 한 칸은 100 m를 나타냅니다.

3 4 km 82 m=4000 m+82 m=4082 m이므로 4082 m<4105 m입니다.
따라서 4 km 82 m에 ○표 합니다.

4 (승민이네 집에서 할머니 댁까지의 거리)
  =1058 m=1000 m+58 m=1 km 58 m

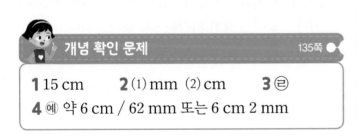

개념 확인 문제   135쪽

1 15 cm   **2** (1) mm (2) cm   **3** ㄹ
4 예 약 6 cm / 62 mm 또는 6 cm 2 mm

풀이

1 연필의 길이는 3 cm의 5배쯤 되므로 약 15 cm입니다.

2 (1) 내 손의 길이는 약 120 mm가 알맞습니다.
  (2) 수학책의 짧은 쪽의 길이는 약 20 cm가 알맞습니다.

3 ㄹ 학교의 높이는 5 m가 적당합니다.

4 수수깡의 길이를 어림해 보면 약 6 cm이고, 자로 재어 보면 62 mm 또는 6 cm 2 mm입니다.

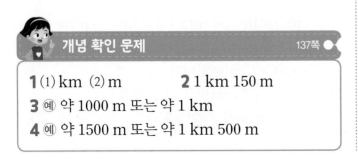

개념 확인 문제   137쪽

1 (1) km (2) m   **2** 1 km 150 m
3 예 약 1000 m 또는 약 1 km
4 예 약 1500 m 또는 약 1 km 500 m

풀이

1 (1) 서울에서 대구까지의 거리는 약 250 km가 알맞습니다.
  (2) 칠판의 긴 쪽의 길이는 약 8 m가 알맞습니다.

2 집에서 공원까지의 거리는 약 1 km 150 m입니다.

3 학교에서 은행까지의 거리는 학교에서 서점까지의 거리의 2배쯤 되므로 약 1000 m 또는 약 1 km입니다.

4 학교에서 병원까지의 거리는 학교에서 서점까지의 거리의 3배쯤 되므로 약 1500 m 또는 약 1 km 500 m입니다.

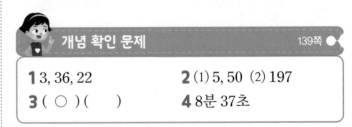

개념 확인 문제   139쪽

1 3, 36, 22   **2** (1) 5, 50 (2) 197
3 (○) (   )   **4** 8분 37초

풀이

1 초바늘이 4에서 작은 눈금 2칸 더 간 곳을 가리키므로 3시 36분 22초입니다.

2 (1) 350초=300초+50초=5분 50초
  (2) 3분 17초=180초+17초=197초

3 4분 35초=240초+35초=275초이므로 더 긴 시간은 4분 35초입니다.

4 (정윤이가 블록 쌓기를 한 시간)
  =517초=480초+37초=8분 37초

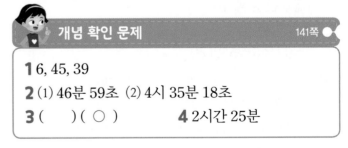

개념 확인 문제   141쪽

1 6, 45, 39
2 (1) 46분 59초 (2) 4시 35분 18초
3 (   ) (○)   **4** 2시간 25분

풀이

1 시는 시끼리, 분은 분끼리, 초는 초끼리 더합니다.

2 시는 시끼리, 분은 분끼리, 초는 초끼리 계산합니다.

3 5분 12초+2분 22초=7분 34초이므로 더 긴 시간은 5분 12초+2분 22초입니다.

4 영화가 시작한 시각은 오후 3시 25분, 영화가 끝난 시각은 오후 5시 50분이므로 영화 상영 시간은 5시 50분−3시 25분=2시간 25분입니다.

개념 확인 문제 143쪽

1 (위에서부터) 5, 60, 3, 37
2 (1) 1시간 35분 55초 (2) 3시 40분
3 3시 55분   **4** 오후 6시 20분

풀이

1 1시간을 60분으로 바꾸어 계산합니다.
2 (1) 60분을 1시간으로 바꾸어 계산합니다.
   (2) 1시간을 60분으로 바꾸어 계산합니다.
3 시계가 나타내는 시각은 6시 5분입니다.
   → 6시 5분−2시간 10분=3시 55분
4 (소라가 운동을 끝낸 시각)=4시 35분+1시간 45분
                 =6시 20분

문제 해결력 문제 145쪽

1 (1) 1분 44초 (2) 오후 5시 1분 44초
2 오후 6시 40분   **3** 오전 9시 30분

풀이

1 (1)

오전	3시간	낮	5시간	오후
9시		12시		5시

오전 9시부터 오후 5시까지는 8시간입니다.
시계가 한 시간에 13초씩 빨라지므로 8시간 동안
13×8=104(초), 즉 1분 44초가 빨라집니다.
   (2) 오후 5시에 이 시계가 가리키는 시각은 오후 5시
   1분 44초입니다.
2 오전 8시부터 오후 6시까지는 10시간입니다.
시계가 한 시간에 4분씩 빨라지므로 10시간 동안
40분이 빨라집니다.
따라서 오후 6시에 이 시계가 가리키는 시각은 오후
6시 40분입니다.

3 시계가 하루에 6분씩 느려지므로 5일 동안 30분 느려집니다.
5일 후 오전 10시에 이 시계가 가리키는 시각은
10시−30분=9시 30분, 즉 오전 9시 30분입니다.

개념➕확인 150~151쪽

1 ㉢   **2** 6, 3, 63
3 ㉡, ㉢, ㉠   **4** 240 km
5 2분   **6**
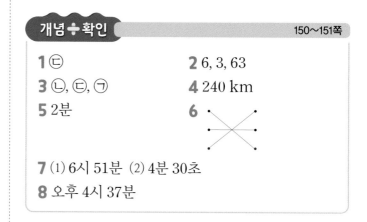

7 (1) 6시 51분 (2) 4분 30초
8 오후 4시 37분

풀이

1 클립의 짧은 쪽의 길이는 1 cm보다 짧으므로 mm
단위가 알맞습니다.
2 자의 눈금 5부터 11까지 1 cm가 6번이고 작은 눈금
이 3칸이므로 물감의 길이는 6 cm 3 mm입니다.
   → 6 cm 3 mm=63 mm
3 ㉡ 3154 m=3000 m+154 m=3 km 154 m
따라서 길이가 긴 것부터 차례로 써 보면
3 km 154 m, 3 km 95 m, 2 km 350 m입니다.
4 서울에서 강릉까지의 거리는 1 km보다 먼 거리로
240 km가 알맞습니다.
5 초바늘이 시계를 한 바퀴 도는 데 걸리는 시간이
60초=1분이므로 두 바퀴 도는 데 걸리는 시간은
2분입니다.
6 3분 10초=180초+10초=190초
2분 40초=120초+40초=160초
3분 30초=180초+30초=210초
7 (1) 시는 시끼리, 분은 분끼리 계산합니다.
   (2) 1분을 60초로 바꾸어 계산합니다.
8 (공연장에 들어간 시각)
   =(공연장에서 나온 시각)−(공연장에 있었던 시간)
   =7시 22분−2시간 45분=4시 37분

서술형 문제 해결하기 152~153쪽

1-1 ❶ 252 ❷ 25, 2, 25, 2
/ 25 cm 2 mm

1-2 예 ❶ 색 테이프 한 장의 길이가 74 mm일 때, 색 테이프 8장의 길이는
74×8=592 (mm)입니다.
❷ 10 mm=1 cm이므로
592 mm=59 cm 2 mm입니다.
따라서 이어 붙인 색 테이프의 길이는
59 cm 2 mm입니다.
/ 59 cm 2 mm

1-3 예 ❶ 1분에 5 mm씩 13분 동안 탄 양초의 길이는 13×5=65 (mm)입니다.
❷ 양초의 길이는 150 mm이므로 13분 후 남은 양초의 길이는
150−65=85 (mm)입니다.
❸ 남은 양초의 길이는
85 mm=8 cm 5 mm입니다.
/ 8 cm 5 mm

1-4 예 ❶ 1분에 3 mm씩 15분 동안 탄 양초의 길이는 15×3=45 (mm)입니다.
❷ 남은 양초의 길이는 112 mm이므로 처음 양초의 길이는
112+45=157 (mm)입니다.
❸ 처음 양초의 길이는
157 mm=15 cm 7 mm입니다.
/ 15 cm 7 mm

2-1 ❶ 48, 48, 12, 24 ❷ 12, 24, 11, 36
/ 11시간 36분

2-2 예 ❶ 오후 7시 26분=12시+7시 26분
=19시 26분
(낮의 길이)=19시 26분−6시 8분
=13시간 18분
❷ 하루는 24시간이므로 밤의 길이는
24시간−13시간 18분=10시간 42분입니다.
/ 10시간 42분

2-3 예 ❶ 해가 뜬 시각은 오전 6시 12분 45초, 해가 진 시각은 오후 7시 8분 20초입니다.
❷ 오후 7시 8분 20초=19시 8분 20초이므로
(낮의 길이)
=19시 8분 20초−6시 12분 45초
=12시간 55분 35초
❸ 하루는 24시간이므로 낮의 길이가 12시간 55분 35초일 때 밤의 길이는
24시간−12시간 55분 35초
=11시간 4분 25초입니다.
/ 11시간 4분 25초

2-4 예 ❶ 해가 뜬 시각은 오전 5시 52분, 해가 진 시각은 오후 7시 35분입니다.
오후 7시 35분=19시 35분이므로
(낮의 길이)=19시 35분−5시 52분
=13시간 43분
❷ 하루는 24시간이므로 낮의 길이가 13시간 43분일 때 밤의 길이는
24시간−13시간 43분
=10시간 17분입니다.
❸ 낮의 길이는 밤의 길이보다
13시간 43분−10시간 17분
=3시간 26분이 더 깁니다.
/ 3시간 26분

풀이

1-1			
채점 기준	❶ 나무판 9장의 높이가 몇 mm인지 구하기		4점
	❷ 나무판 9장의 높이가 몇 cm 몇 mm인지 구하기		4점

1-2			
채점 기준	❶ 색 테이프 8장의 길이가 몇 mm인지 구하기		6점
	❷ 색 테이프 8장의 길이가 몇 cm 몇 mm인지 구하기		6점

1-3			
채점 기준	❶ 13분 동안 탄 양초의 길이 구하기		3점
	❷ 남은 양초의 길이는 몇 mm인지 구하기		6점
	❸ 남은 양초의 길이는 몇 cm 몇 mm인지 구하기		6점

1-4	채점 기준	❶ 15분 동안 탄 양초의 길이 구하기	3점
		❷ 처음 양초의 길이는 몇 mm인지 구하기	6점
		❸ 처음 양초의 길이는 몇 cm 몇 mm인지 구하기	6점
2-1	채점 기준	❶ 낮의 길이 구하기	4점
		❷ 밤의 길이 구하기	4점
2-2	채점 기준	❶ 낮의 길이 구하기	6점
		❷ 밤의 길이 구하기	6점
2-3	채점 기준	❶ 해가 뜬 시각과 해가 진 시각 구하기	3점
		❷ 낮의 길이 구하기	6점
		❸ 밤의 길이 구하기	6점
2-4	채점 기준	❶ 낮의 길이 구하기	5점
		❷ 밤의 길이 구하기	5점
		❸ 낮의 길이는 밤의 길이보다 얼마나 더 긴지 구하기	5점

단원 평가

154~156쪽

1 10 / 100 / 1000   2 2 km 750 m

3 8시 25분 48초

4 (1) 6시 55분 (2) 31분 31초

5 160 / 2, 4   6 76 mm

7 ④   8 ㉡

9 ㉢   10 약국, 학교

11 ( )(○)   12 364

13 예 ❶ 서윤이의 기록을 몇 분 몇 초로 나타내면
60초=1분이므로
285초=240초+45초=4분 45초입니다.
❷ 기록이 빠른 것부터 차례로 써 보면
4분 37초, 4분 45초, 4분 48초입니다.
따라서 가장 빠른 사람은 지민이입니다.
/지민

14 3시 40분 50초   15 ㉠

16 3시간 41분

17 예 ❶ 승민이네 집에서 미술관까지의 거리를 m 단위로 나타내면
3 km 265 m=3000 m+265 m
=3265 m
입니다.
❷ 거리가 먼 것부터 차례로 써 보면
3502 m, 3265 m, 3134 m입니다. 따라서 승민이네 집에서 가장 먼 곳은 거리가 3502 m인 놀이공원입니다.
/ 놀이공원

18 오후 3시 30분   19 5바퀴

20 예 ❶ 해가 진 시각은 오후 6시 15분 30초이므로
12시+6시 15분 30초
=18시 15분 30초입니다.
❷ 낮의 길이가 11시간 47분 55초였으므로 해가 뜬 시각은
18시 15분 30초−11시간 47분 55초
=6시 27분 35초였습니다.
/ 오전 6시 27분 35초

풀이

01 7 cm=70 mm이므로 7 cm는 7 mm의 10배입니다.
7 m=700 cm이므로 7 m는 7 cm의 100배입니다.
7 km=7000 m이므로 7 km는 7 m의 1000배입니다.

02 2 km보다 750 m 더 먼 거리는 2 km 750 m입니다.

03 초바늘이 9에서 작은 눈금 3칸 더 간 곳을 가리키므로 48초입니다.

04 시는 시끼리, 분은 분끼리, 초는 초끼리 계산합니다.

05 1 cm=10 mm이므로 16 cm=160 mm입니다.
24 mm=20 mm+4 mm=2 cm 4 mm

06 눈금 3에서 10까지는 1 cm가 7개이므로 7 cm이고 작은 눈금이 6칸이므로 6 mm입니다.
따라서 종이테이프의 길이는
7 cm 6 mm=76 mm입니다.

정답 및 풀이

07 ④ 8092 m=8000 m+92 m=8 km 92 m

08 ㉠ 7 km보다 85 m 더 먼 거리는 7 km 85 m입니다.
  ㉡ 7120 m=7 km 120 m
  → 7 km 85 m<7 km 120 m

09 ㉢ 한라산의 높이는 약 1 km 950 m입니다.

10 500 m가 4번이면 2000 m이고 2000 m=2 km입니다. 따라서 공원에서 약 2 km 떨어진 장소는 약국, 학교입니다.

11 4분 35초=240초+35초=275초이므로
  더 긴 시간은 435초입니다.

12 ・5분 24초=300초+24초=324초 → □=324
  ・400초=360초+40초=6분 40초 → □=40
  → 324+40=364

13

채점기준	❶ 서윤이의 기록을 몇 분 몇 초로 나타내기	3점
	❷ 가장 빠른 사람 찾기	2점

14 1분을 60초로, 1시간을 60분으로 바꾸어 계산합니다.

15 ㉠ 24분 43초+17분 28초=42분 11초
  ㉡ 55분 39초−12분 22초=43분 17초
  따라서 시간이 더 짧은 것은 ㉠입니다.

16 (나현이가 기차와 버스를 탄 시간)
  =(기차를 탄 시간)+(버스를 탄 시간)
  =2시간 25분+1시간 16분
  =3시간 41분

17

채점기준	❶ 같은 단위로 나타내기	3점
	❷ 승민이네 집에서 가장 먼 곳 구하기	2점

18 (영화가 시작한 시각)
  =(영화가 끝난 시각)−(영화 상영 시간)
  =5시 20분−1시간 50분
  =3시 30분

19 초바늘이 시계를 한 바퀴 도는 동안 긴바늘은 작은 눈금 한 칸을 움직입니다. 5에서 6까지는 작은 눈금이 5칸이므로 초바늘은 시계를 5바퀴 돕니다.

20

채점기준	❶ 해가 진 시각 구하기	2점
	❷ 해가 뜬 시각 구하기	3점

---

6 분수와 소수

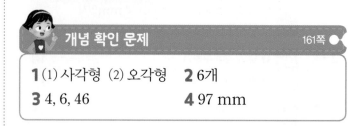

개념 확인 문제 161쪽

1 (1) 사각형 (2) 오각형 　**2** 6개
3 4, 6, 46 　　　　　　　**4** 97 mm

풀이

1 (1) 변이 4개인 사각형입니다.
  (2) 변이 5개인 오각형입니다.

2 주어진 모양은 삼각형 모양 조각 6개로 만들 수 있습니다.

3 크레파스의 길이는 4 cm보다 6 mm 더 길므로
  4 cm 6 mm입니다.

4 9 cm 7 mm=90 mm+7 mm=97 mm

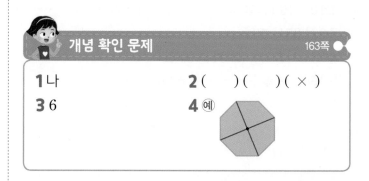

개념 확인 문제 163쪽

1 나 　　　　　　**2** (　)(　)(×)
3 6 　　　　　　**4** 예

풀이

1 나누어진 부분을 포개었을 때 완전히 겹쳐지는 것은 나입니다.

2 나누어진 부분의 모양과 크기가 같지 않은 것을 찾습니다.

3 똑같이 여섯으로 나눈 것입니다.

4 나누어진 부분의 크기와 모양이 같도록 넷으로 나눕니다.

1 $\dfrac{4}{9}$, 9분의 4

2 $\dfrac{1}{5}$, $\dfrac{1}{10}$에 ○표

3

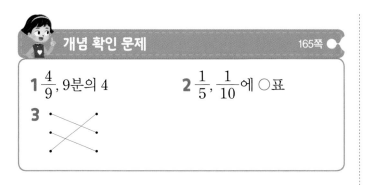

풀이

1 색칠한 부분은 전체를 똑같이 9로 나눈 것 중의 4이므로 $\dfrac{4}{9}$입니다.

2 단위분수는 분자가 1인 분수입니다.

3 전체를 똑같이 ■로 나눈 것 중의 ▲를 $\dfrac{▲}{■}$라고 씁니다.

1 $\dfrac{3}{4}$

2 예

3 예

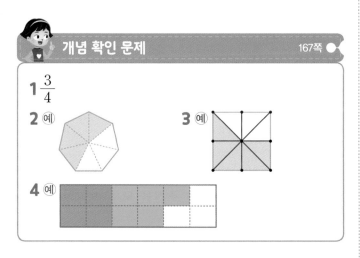

4 예

풀이

1 전체를 똑같이 4로 나눈 것 중의 3만큼을 색칠하였으므로 색칠된 부분을 분수로 나타내면 $\dfrac{3}{4}$입니다.

2 $\dfrac{4}{7}$는 전체를 똑같이 7로 나눈 것 중의 4이므로 4칸을 색칠합니다.

3 분수의 분모가 8이므로 도형을 똑같이 8로 나누고, 분자인 5만큼 색칠합니다.

4 전체를 똑같이 12칸으로 나누었으므로 4칸을 파란색으로, 5칸을 초록색으로 칠합니다.

1 예

예

, <,

2 (1) $>$ (2) $<$

3 $\dfrac{4}{12}$에 ○표

4 수민

풀이

1 색칠된 부분이 더 넓은 분수가 더 큽니다.

2 분모가 같은 분수는 분자가 클수록 더 큽니다.

3 분모가 모두 같으므로 가장 작은 분수는 분자가 가장 작은 $\dfrac{4}{12}$입니다.

4 $\dfrac{7}{10} > \dfrac{5}{10}$이므로 음료를 더 많이 마신 사람은 수민이입니다.

1 $>$

2 (1) $<$ (2) $>$

3 2, 3, 4

4 파란색

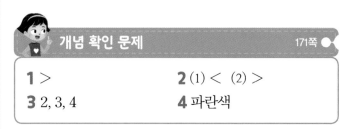

풀이

1 색칠된 부분의 길이는 $\dfrac{1}{6}$이 $\dfrac{1}{9}$보다 깁니다.

2 단위분수는 분모가 클수록 더 작습니다.

3 단위분수는 분모가 클수록 더 작은 수이므로 □ 안에 들어갈 수 있는 수는 5보다 작은 2, 3, 4입니다.

4 단위분수이므로 분모가 가장 작은 $\dfrac{1}{5}$이 가장 큽니다. 따라서 길이가 가장 긴 리본의 색깔은 파란색입니다.

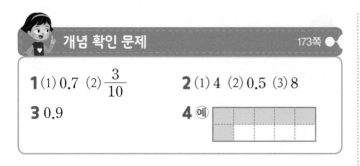

개념 확인 문제 · 173쪽

1 (1) 0.7 (2) $\frac{3}{10}$ **2** (1) 4 (2) 0.5 (3) 8

3 0.9 **4** (예)

풀이

1 (1) $\frac{\blacksquare}{10}=0.\blacksquare$ (2) $0.\blacktriangle=\frac{\blacktriangle}{10}$

2 (3) $\frac{1}{10}$이 8개이면 $\frac{8}{10}$이고 $\frac{8}{10}$을 소수로 나타내면 0.8입니다.

3 자의 작은 눈금 한 칸의 길이는 0.1 cm입니다. 완두콩의 길이는 작은 눈금 9칸만큼의 길이이므로 0.9 cm입니다.

4 전체를 똑같이 10칸으로 나눈 것이므로 한 칸은 $\frac{1}{10}=0.1$입니다. 따라서 0.6만큼은 0.1이 6개이므로 6칸에 색칠해야 합니다.

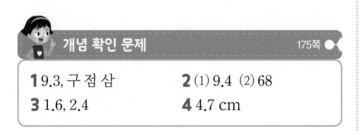

개념 확인 문제 · 175쪽

1 9.3, 구 점 삼 **2** (1) 9.4 (2) 68

3 1.6, 2.4 **4** 4.7 cm

풀이

1 9보다 0.3만큼 더 큰 수는 9.3입니다. 9.3은 구 점 삼이라고 읽습니다.

2 0.1이 ■▲개인 수는 ■.▲입니다.

3 1보다 0.6만큼 더 큰 수는 1.6이고, 2보다 0.4만큼 더 큰 수는 2.4입니다.

4 1 mm=0.1 cm이므로 47 mm=4.7 cm입니다.

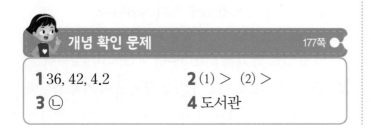

개념 확인 문제 · 177쪽

1 36, 42, 4.2 **2** (1) > (2) >

3 ㉡ **4** 도서관

풀이

1 4.2가 3.6보다 0.1의 개수가 더 많으므로 3.6<4.2입니다.

2 (1) 0.8은 0.1이 8개인 수, 0.5는 0.1이 5개인 수
→ 0.8>0.5

(2) 6.4는 0.1이 64개인 수, 5.7은 0.1이 57개인 수
→ 6.4>5.7

3 ㉠ 3.9, ㉡ 5.1
따라서 3.9<5.1이므로 더 큰 수는 ㉡입니다.

4 0.7<0.9이므로 준호네 집에서 더 먼 곳은 도서관입니다.

문제 해결력 문제 · 179쪽

1 (1) $\frac{1}{8}, \frac{2}{8}, \frac{3}{8}, \frac{4}{8}, \frac{5}{8}, \frac{6}{8}$ (2) $\frac{4}{8}, \frac{5}{8}, \frac{6}{8}$

2 2개

풀이

1 (1) 7보다 작은 수는 1, 2, ..., 6입니다.

(2) 3보다 큰 수는 4, 5, 6, ...이므로 조건에 맞는 수는 $\frac{4}{8}, \frac{5}{8}, \frac{6}{8}$입니다.

2 $\frac{2}{10}=0.2$이므로 0.2보다 크고 0.5보다 작은 소수는 0.3, 0.4입니다. 따라서 조건을 모두 만족하는 수는 2개입니다.

개념 ÷ 확인 · 184~185쪽

1 8 **2** $\frac{7}{12}$

3 < **4** $\frac{1}{8}$에 ○표, $\frac{1}{14}$에 △표

5 0.7, 영 점 칠 **6**

7 (1) < (2) > **8** 서진

풀이

1 도형을 똑같이 8로 나눈 것입니다.

2 전체를 똑같이 12로 나눈 것 중 7만큼 색칠하였으므로 색칠한 부분을 분수로 나타내면 $\frac{7}{12}$입니다.

3 분모가 같은 분수이므로 분자가 클수록 더 큽니다.
따라서 9<11이므로 $\frac{9}{13}<\frac{11}{13}$입니다.

4 단위분수는 분모가 클수록 작습니다.
따라서 가장 큰 수는 $\frac{1}{8}$, 가장 작은 수는 $\frac{1}{14}$입니다.

5 전체를 똑같이 10으로 나눈 것 중의 7이므로 소수로 나타내면 0.7이고, 영 점 칠이라고 읽습니다.

6 오 점 칠 → 5.7
4보다 0.7만큼 더 큰 수 → 4.7
0.1이 54개인 수 → 5.4

7 (1) 0.3은 0.1이 3개인 수, 0.6은 0.1이 6개인 수입니다.
→ 0.3<0.6
(2) 8.2는 0.1이 82개인 수, 7.7은 0.1이 77개인 수입니다.
→ 8.2>7.7

8 6.3<6.8이므로 리본을 더 많이 사용한 사람은 서진이입니다.

서술형 문제 해결하기   **186~187쪽**

1-1 ❶ $\frac{6}{7}, \frac{3}{7}, \frac{5}{7}$

❷ 큽니다에 ○표, $\frac{6}{7}$

/ $\frac{6}{7}$

1-2 예 ❶ 만들 수 있는 분모가 8인 분수는
$\frac{5}{8}, \frac{3}{8}, \frac{7}{8}$입니다.

❷ 분모가 같은 분수는 분자가 작을수록 더 작습니다. 따라서 가장 작은 분수는 $\frac{3}{8}$입니다.

/ $\frac{3}{8}$

1-3 예 ❶ 만들 수 있는 분자가 1인 분수는
$\frac{1}{6}, \frac{1}{4}, \frac{1}{9}, \frac{1}{7}$입니다.

❷ 단위분수는 분모가 작을수록 더 큽니다. 따라서 가장 큰 분수는 $\frac{1}{4}$입니다.

/ $\frac{1}{4}$

1-4 예 ❶ 만들 수 있는 분모가 9인 분수는
$\frac{4}{9}, \frac{7}{9}, \frac{6}{9}$입니다.

❷ 분모가 같은 분수는 분자가 클수록 더 크므로 가장 큰 분수는 $\frac{7}{9}$입니다.

❸ $\frac{7}{9}$은 $\frac{1}{9}$이 7개인 수입니다.

/ 7개

2-1 ❶ 6, 6   ❷ 7, 8, 9, 3

/ 3개

2-2 예 ❶ 0.5는 0.1이 5개인 수이고, 0.□는 0.1이 □개인 수입니다.
0.5>0.□이므로 5>□입니다.

❷ □ 안에 들어갈 수 있는 수는 1, 2, 3, 4이므로 모두 4개입니다.

/ 4개

2-3 예 ❶ 4.2는 0.1이 42개인 수이고, 4.□는 0.1이 4□개인 수입니다. 42<4□이므로 □ 안에 들어갈 수 있는 수는 3, 4, 5, …, 9입니다.

❷ 4.7은 0.1이 47개인 수입니다.
4□<47이므로 □ 안에 들어갈 수 있는 수는 1, 2, …, 6입니다.

❸ □ 안에 공통으로 들어갈 수 있는 수는 3, 4, 5, 6입니다.

/ 3, 4, 5, 6

2-4 예 ❶ 2.5는 0.1이 25개인 수이고, 2.☐는 0.1이 2☐개인 수입니다. 25<2☐이므로 ☐ 안에 들어갈 수 있는 수는 6, 7, 8, 9입니다.

❷ 5.☐는 0.1이 5☐개인 수이고, 5.8은 0.1이 58개인 수입니다. 5☐<58이므로 ☐ 안에 들어갈 수 있는 수는 1, 2, ..., 7입니다.

❸ ☐ 안에 공통으로 들어갈 수 있는 수는 6, 7이므로 모두 2개입니다.

/ 2개

풀이

1-1

채점기준	❶ 만들 수 있는 분모가 7인 분수 모두 구하기	3점
	❷ 가장 큰 분수 구하기	5점

1-2

채점기준	❶ 만들 수 있는 분모가 8인 분수 모두 구하기	5점
	❷ 가장 큰 분수 구하기	7점

1-3

채점기준	❶ 만들 수 있는 분모가 1인 분수 모두 구하기	7점
	❷ 가장 큰 분수 구하기	8점

1-4

채점기준	❶ 만들 수 있는 분모가 9인 분수 모두 구하기	6점
	❷ 가장 큰 분수 구하기	6점
	❸ 가장 큰 분수는 $\frac{1}{9}$이 몇 개인 수인지 구하기	3점

2-1

채점기준	❶ ☐ 안에 들어갈 수 있는 수의 범위 구하기	4점
	❷ ☐ 안에 들어갈 수 있는 수의 개수 구하기	4점

2-2

채점기준	❶ ☐ 안에 들어갈 수 있는 수의 범위 구하기	6점
	❷ ☐ 안에 들어갈 수 있는 수의 개수 구하기	6점

2-3

채점기준	❶ 4.2<4.☐에서 ☐ 안에 들어갈 수 있는 수 구하기	6점
	❷ 4.☐<4.7에서 ☐ 안에 들어갈 수 있는 수 구하기	6점
	❸ ☐ 안에 공통으로 들어갈 수 있는 수 구하기	3점

2-4

채점기준	❶ 2.5<2.☐에서 ☐ 안에 들어갈 수 있는 수 구하기	6점
	❷ 5.☐<5.8에서 ☐ 안에 들어갈 수 있는 수 구하기	6점
	❸ ☐ 안에 공통으로 들어갈 수 있는 수의 개수 구하기	3점

단원 평가 188~190쪽

01 가, 라

02 7, 3, $\frac{3}{7}$

03 (1) 0.2 (2) $\frac{9}{10}$

04 5.4, 오 점 사

05 12개

06

07 (1) < (2) >

08 ㉢

09 0.4, 0.6

10 3칸

11 $\frac{7}{12}$

12 연우

13 1.6 m

14 예 ❶ 2.8은 0.1이 28개인 수입니다. → ㉠=28

❷ $\frac{1}{10}$=0.1이고 0.1이 6개인 수는 0.6입니다. → ㉡=6

❸ ㉠과 ㉡의 합은 28+6=34입니다.

/ 34

15 4.2에 ○표, 2.9에 △표

16 민서

17 8, 9

18 버스 정류장

19 예 ❶ 분모가 19인 분수 중 $\frac{11}{19}$보다 큰 분수는 $\frac{12}{19}$, $\frac{13}{19}$, ...이고, $\frac{17}{19}$보다 작은 분수는 $\frac{16}{19}$, $\frac{15}{19}$, ...입니다.

❷ $\frac{11}{19}$보다 크고 $\frac{17}{19}$보다 작은 분수는 $\frac{12}{19}$, $\frac{13}{19}$, $\frac{14}{19}$, $\frac{15}{19}$, $\frac{16}{19}$으로 모두 5개입니다.

/ 5개

20 **예** **❶** 가장 작은 소수를 만들려면 ■에 가장 작은 숫자인 2를 놓고, ▲에 둘째로 작은 숫자인 4를 놓으면 됩니다.

❷ 만들 수 있는 가장 작은 소수는 2.4입니다.
/ 2.4

풀이

01 나누어진 부분을 포개었을 때 완전히 겹쳐지는 도형을 찾으면 가, 라입니다.

02 전체를 똑같이 7로 나눈 것 중의 3입니다. → $\frac{3}{7}$

03 (1) $\frac{■}{10}$ = 0.■

(2) 0.▲ = $\frac{▲}{10}$

04 5보다 0.4만큼 더 큰 수를 5.4라 쓰고, 오 점 사라고 읽습니다.

05 똑같이 12부분으로 나누어져 있습니다.

06 $\frac{1}{6}$이 5개인 수는 $\frac{5}{6}$, $\frac{1}{5}$이 4개인 수는 $\frac{4}{5}$, $\frac{1}{7}$이 6개인 수는 $\frac{6}{7}$입니다.

07 (1) 분자를 비교하면 8<11이므로 $\frac{8}{15}$<$\frac{11}{15}$입니다.

(2) 분모를 비교하면 13<16이므로 $\frac{1}{13}$>$\frac{1}{16}$입니다.

08 ㉠ $\frac{8}{13}$ ㉡ $\frac{7}{13}$ ㉢ $\frac{9}{13}$
따라서 가장 큰 수는 ㉢입니다.

09 노란색 부분은 전체를 똑같이 10으로 나눈 것 중의 4이므로 소수로 나타내면 0.4입니다.
분홍색 부분은 전체를 똑같이 10으로 나눈 것 중의 6이므로 소수로 나타내면 0.6입니다.

10 색칠한 부분이 전체의 $\frac{8}{15}$이 되려면 15칸 중 8칸에 색칠이 되어야 합니다. 따라서 색칠된 부분은 5칸이므로 8−5=3(칸)을 더 색칠해야 합니다.

11 진호와 유나가 먹은 떡은 3+2=5(조각)이므로 먹고 남은 떡은 12−5=7(조각)입니다.

따라서 12조각 중 7조각을 분수로 나타내면 $\frac{7}{12}$입니다.

12 진서가 전체를 똑같이 10으로 나눈 것 중의 4를 사용하였으므로 남은 철사는 전체를 똑같이 10으로 나눈 것 중의 6입니다.
따라서 연우가 사용한 철사는 전체의 $\frac{6}{10}$이고, $\frac{4}{10}$<$\frac{6}{10}$이므로 철사를 더 많이 사용한 사람은 연우입니다.

13 $\frac{1}{10}$=0.1이므로 0.1 m인 리본 16개를 이어 붙인 것입니다. 0.1이 16개인 수는 1.6이므로 이어 붙인 리본의 길이는 1.6 m입니다.

14

채점 기준		
❶ ㉠에 알맞은 수 구하기		2점
❷ ㉡에 알맞은 수 구하기		2점
❸ ㉠과 ㉡의 합 구하기		1점

15 3.8은 0.1이 38개인 수, 4.2는 0.1이 42개인 수, 2.9는 0.1이 29개인 수, 4는 0.1이 40개인 수입니다.
따라서 가장 큰 수는 4.2이고, 가장 작은 수는 2.9입니다.

16 $\frac{8}{10}$=0.8이므로 0.7<0.8입니다.
따라서 엄지손톱의 길이가 더 긴 사람은 민서입니다.

17 3.7은 0.1이 37개인 수이고, 3.□는 0.1이 3□개인 수입니다.
따라서 37<3□이므로 □ 안에 들어갈 수 있는 수는 8, 9입니다.

18 단위분수는 분모가 클수록 더 작으므로 가장 작은 수는 $\frac{1}{8}$입니다.
따라서 연호네 집에서 가장 가까운 곳은 버스 정류장입니다.

19

채점 기준		
❶ $\frac{11}{19}$보다 크고 $\frac{17}{19}$보다 작은 분수 구하기		3점
❷ $\frac{11}{19}$보다 크고 $\frac{17}{19}$보다 작은 분수의 개수 구하기		2점

20

채점 기준		
❶ ■와 ▲에 알맞은 수 구하기		3점
❷ 만들 수 있는 가장 작은 소수 구하기		2점

학교 시험
완벽 대비! **3-1**

평가 문제 다잡기

금성출판사

푸르넷

학교 성적에 날개를 달아 주는
완전 학습 프로그램

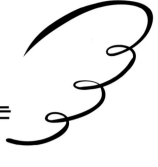

푸르넷 본교재
교과 내용을 철저히 분석하여 핵심 내용을 체계적으로 학습할 수 있는, 학교 내신 대비에 최적화된 교재

푸르넷 공부방 맞춤형 지도
'두 번째 담임 선생님'으로 불리는 풍부한 경험과 노하우를 갖춘 선생님의 전문적인 지도, 개별 밀착 지도로 체계적인 맞춤 지도가 가능!

푸르넷 아이스쿨
동영상 강의와 다양한 멀티미디어 학습 자료, 문제 은행을 지원하는 학습 평가 인증 시스템

초등 푸르넷 학습 시스템

온라인 보충 학습 콘텐츠
과목별 멀티미디어, 독서 · 논술, 영어 문법 및 내신 대비 등 다양한 보충 학습 자료로 학습과 재미를 동시에!

푸르넷 주간학습
본교재와 함께하는 주간별 자기 주도 학습. 온라인 강의와 수학 수준별 문제 제공!

우리학교 시험대비
기출문제를 분석하여 출제율 높은 문제로 엄선하여 구성한 학교 시험 대비 교재

전 과목 학습지 초등 푸르넷

본교재
개념 – 유형 – 서술형 – 단원 마무리까지 체계적인 학습
• 1~6학년 국어, 수학, 사회, 과학(월 1권)

주간 평가 교재
주간별 실력 점검으로 만점 대비
• 1~6학년 국어, 수학, 사회, 과학(월 1권)

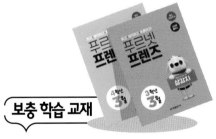

보충 학습 교재
과목별 배경지식과 사고력 향상
• 1~6학년 푸르넷 프렌즈(월 1권)

온라인 강의
쉽고 재밌는 동영상 강의와 멀티미디어 학습
• 푸르넷 아이스쿨, 영어 보충 학습실

부록
• 1~6학년 우리학교 시험대비(학기별 1권)
• 3~6학년 사회 · 과학 알짜 핵심 노트(학기별 1권)

초등 수학
자습서 & 평가문제집 **3-1**

평가 문제 다잡기

금성출판사

2015 개정 교육과정

초등학교
3~4학년군
수학
3-1

평가 문제
다잡기

금성출판사

[교과서 핵심 개념], [쪽지시험], [단원 평가], [서술형 평가]로 자신의 실력을 점검하고 다양해
지는 학교 시험에 대비할 수 있습니다.

1 교과서 핵심 개념

교과서에 나온 핵심 개념을 모아서 정리했습니다.

2 쪽지시험

한 회에 10문제씩 총 4회로 구성되어 있습니다.

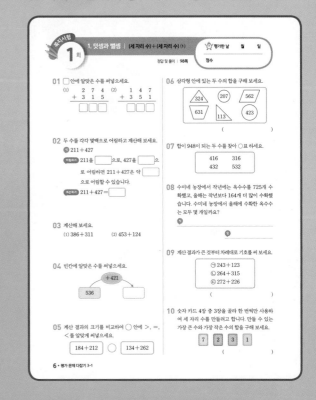

3 단원 평가 기본 실력

난이도별로 기본 단원 평가, 실력 단원 평가 2회가 제공됩니다.

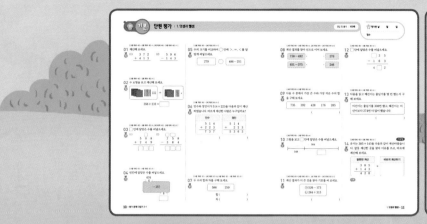
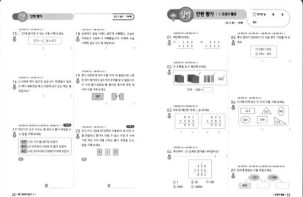

4 서술형 평가 연습 실전

난이도별로 연습 서술형 평가, 실전 서술형 평가 2회가 제공됩니다.

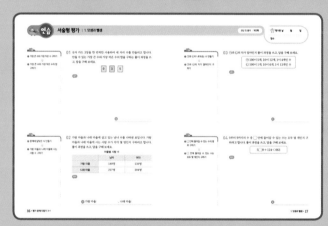
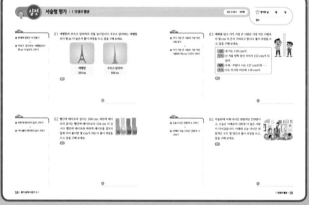

5 정답 및 풀이

자세한 풀이와 참고, 주의, 다른 풀이 등을 실어 학습 가이드로 활용할 수 있습니다.

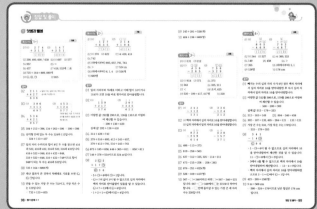

차례

개념 1 (세 자리 수)+(세 자리 수) ⑴⑵⑶

· 136+142의 계산 방법 – 받아올림이 없는

$$
\begin{array}{r} 1\ 3\ 6 \\ +\ 1\ 4\ 2 \\ \hline 8 \end{array}
\rightarrow
\begin{array}{r} 1\ 3\ 6 \\ +\ 1\ 4\ 2 \\ \hline 7\ 8 \end{array}
\rightarrow
\begin{array}{r} 1\ 3\ 6 \\ +\ 1\ 4\ 2 \\ \hline 2\ 7\ 8 \end{array}
$$

· 285+131의 계산 방법 – 받아올림이 1번 있는

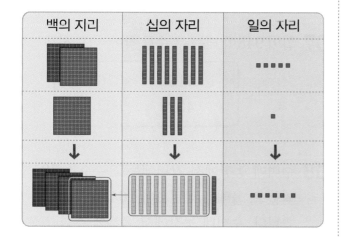

백의 지리	십의 자리	일의 사리

$$
\begin{array}{r} 2\ 8\ 5 \\ +\ 1\ 3\ 1 \\ \hline 6 \end{array}
\rightarrow
\overset{1}{}\begin{array}{r} 2\ 8\ 5 \\ +\ 1\ 3\ 1 \\ \hline 1\ 6 \end{array}
\rightarrow
\overset{1}{}\begin{array}{r} 2\ 8\ 5 \\ +\ 1\ 3\ 1 \\ \hline 4\ 1\ 6 \end{array}
$$

· 248+167의 계산 방법 – 받아올림이 2번 또는 3번 있는

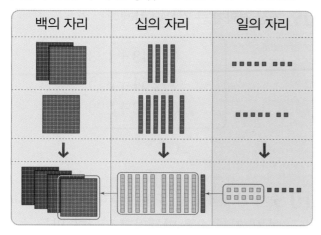

백의 자리	십의 자리	일의 자리

$$
\overset{1}{}\begin{array}{r} 2\ 4\ 8 \\ +\ 1\ 6\ 7 \\ \hline 5 \end{array}
\rightarrow
\overset{1}{}\begin{array}{r} 2\ 4\ 8 \\ +\ 1\ 6\ 7 \\ \hline 1\ 5 \end{array}
\rightarrow
\overset{1\ 1}{}\begin{array}{r} 2\ 4\ 8 \\ +\ 1\ 6\ 7 \\ \hline 4\ 1\ 5 \end{array}
$$

개념 2 (세 자리 수)−(세 자리 수) ⑴⑵⑶⑷

· 346−121의 계산 방법 – 받아내림이 없는

$$
\begin{array}{r} 3\ 4\ 6 \\ -\ 1\ 2\ 1 \\ \hline 5 \end{array}
\rightarrow
\begin{array}{r} 3\ 4\ 6 \\ -\ 1\ 2\ 1 \\ \hline 2\ 5 \end{array}
\rightarrow
\begin{array}{r} 3\ 4\ 6 \\ -\ 1\ 2\ 1 \\ \hline 2\ 2\ 5 \end{array}
$$

· 418−255의 계산 방법 – 받아내림이 1번 있는

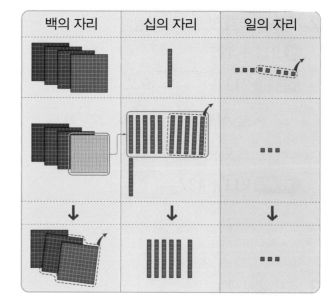

백의 자리	십의 자리	일의 자리

$$
\begin{array}{r} 4\ 1\ 8 \\ -\ 2\ 5\ 5 \\ \hline 3 \end{array}
\rightarrow
\overset{3\ \ 10}{}\begin{array}{r} \cancel{4}\ 1\ 8 \\ -\ 2\ 5\ 5 \\ \hline 6\ 3 \end{array}
\rightarrow
\overset{3\ \ 10}{}\begin{array}{r} \cancel{4}\ 1\ 8 \\ -\ 2\ 5\ 5 \\ \hline 1\ 6\ 3 \end{array}
$$

· 524−138의 계산 방법 – 받아내림이 2번 있는

$$
\overset{1\ 10}{}\begin{array}{r} 5\ \cancel{2}\ 4 \\ -\ 1\ 3\ 8 \\ \hline 6 \end{array}
\rightarrow
\overset{4\ 1\ 10}{}\begin{array}{r} \cancel{5}\ \cancel{2}\ 4 \\ -\ 1\ 3\ 8 \\ \hline 8\ 6 \end{array}
\rightarrow
\overset{4\ 1\ 10}{}\begin{array}{r} \cancel{5}\ \cancel{2}\ 4 \\ -\ 1\ 3\ 8 \\ \hline 3\ 8\ 6 \end{array}
$$

· 402−158의 계산 방법 – 빼지는 수의 십의 자리 수가 0인, 받아내림이 2번 있는

$$
\overset{3\ \ 10}{}\begin{array}{r} \cancel{4}\ 0\ 2 \\ -\ 1\ 5\ 8 \\ \end{array}
\rightarrow
\overset{3\ \overset{9}{10}\ 10}{}\begin{array}{r} \cancel{4}\ 0\ 2 \\ -\ 1\ 5\ 8 \\ \end{array}
\rightarrow
\overset{3\ \overset{9}{10}\ 10}{}\begin{array}{r} \cancel{4}\ 0\ 2 \\ -\ 1\ 5\ 8 \\ \hline 2\ 4\ 4 \end{array}
$$

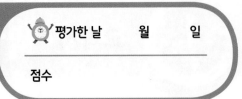
01 □ 안에 알맞은 수를 써넣으세요.

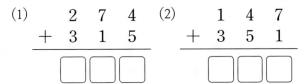

(1)
```
   2 7 4
 + 3 1 5
 ─────────
 □ □ □
```
(2)
```
   1 4 7
 + 3 5 1
 ─────────
 □ □ □
```

02 두 수를 각각 몇백으로 어림하고 계산해 보세요.

식 211＋427

어림하기 211을 □ 으로, 427을 □ 으로 어림하면 211＋427은 약 □ 으로 어림할 수 있습니다.

계산하기 211＋427＝□

03 계산해 보세요.

(1) 386＋311   (2) 453＋124

04 빈칸에 알맞은 수를 써넣으세요.

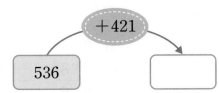

```
        ＋421
536  ───────→  [    ]
```

05 계산 결과의 크기를 비교하여 ○ 안에 ＞, ＝, ＜를 알맞게 써넣으세요.

184＋212 ○ 134＋262

06 삼각형 안에 있는 두 수의 합을 구해 보세요.

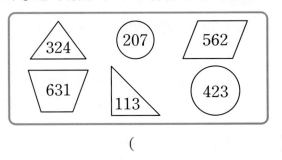

(　　　　　)

07 합이 948이 되는 두 수를 찾아 ○표 하세요.

```
416        316
432        532
```

08 수미네 농장에서 작년에는 옥수수를 725개 수확했고, 올해는 작년보다 164개 더 많이 수확했습니다. 수미네 농장에서 올해에 수확한 옥수수는 모두 몇 개일까요?

식 _____

답 _____

09 계산 결과가 큰 것부터 차례대로 기호를 써 보세요.

```
㉠ 243＋123
㉡ 264＋315
㉢ 272＋226
```

(　　　　　)

10 숫자 카드 4장 중 3장을 골라 한 번씩만 사용하여 세 자리 수를 만들려고 합니다. 만들 수 있는 가장 큰 수와 가장 작은 수의 합을 구해 보세요.

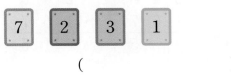

```
7   2   3   1
```

(　　　　　)

01 □ 안에 알맞은 수를 써넣으세요.

(1)
```
      □
    1 2 7
  +   6 3 5
  ─────────
  □ □ □
```

(2)
```
    □ □
    2 1 8
  +   1 9 6
  ─────────
  □ □ □
```

02 계산해 보세요.

(1)
```
    1 5 9
  + 2 1 7
  ───────
```

(2) 297＋325

03 292＋126에서 두 수를 각각 몇백몇십으로 어림하여 더하는 방법으로 계산 결과를 예상해 보고, 실제 값을 구해 보세요.

	어림한 값	실제 값
292＋126		

04 두 수의 합을 구해 보세요.

314	428

( )

05 빈칸에 알맞은 수를 써넣으세요.

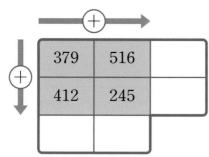

379	516	
412	245	

06 계산 결과의 크기를 비교하여 ○ 안에 ＞, ＝, ＜를 알맞게 써넣으세요.

| 673＋185 | ○ | 446＋365 |

07 집에서 병원을 지나 학교까지 가는 거리는 몇 m 인지 구해 보세요.

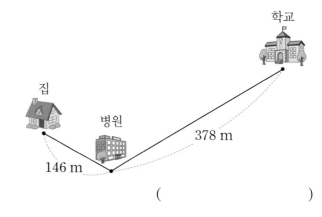

( )

08 □ 안에 알맞은 수를 써넣으세요.

```
      2 □ 5
    + 1 7 □
    ───────
    □ 3 6
```

09 3학년 학생들이 청팀과 백팀으로 나누어 콩 주머니 던져 넣기 경기를 하였습니다. 콩 주머니를 청팀이 245개 넣었고 백팀이 281개 넣었다면 두 팀이 넣은 콩 주머니는 모두 몇 개일까요?

( )

10 수현이네 학교 누리집에 어제는 484명이 방문했고 오늘은 어제보다 196명 더 많이 방문했습니다. 오늘 방문한 사람은 몇 명일까요?

( )

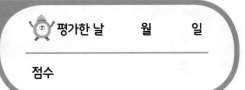
01 계산해 보세요.

(1) 243─112   (2) 336─124

02 ⬜ 안에 알맞은 수를 써넣으세요.

(1)
```
  ⬜ ⬜
  4 3 8
─ 2 6 5
─────────
  ⬜ ⬜ ⬜
```

(2)
```
      ⬜ ⬜
  7 5 6
─ 3 2 9
─────────
  ⬜ ⬜ ⬜
```

03 계산해 보세요.

(1)
```
    8 7 3
  ─ 2 5 9
```

(2)
```
    5 2 8
  ─ 1 5 7
```

04 ⬜ 안에 알맞은 수를 써넣으세요.

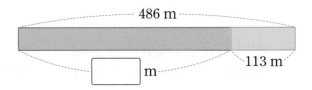

486 m

⬜ m   113 m

05 두 수의 차를 빈칸에 써넣으세요.

819	256

06 빈 곳에 알맞은 수를 써넣으세요.

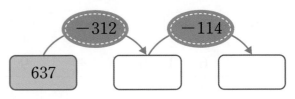

637 ─312 → ⬜ ─114 → ⬜

07 계산 결과의 크기를 비교하여 ◯ 안에 >, =, <를 알맞게 써넣으세요.

473─215 ◯ 263

08 농장에서 오이를 876개, 토마토를 251개 땄습니다. 어느 채소를 몇 개 더 많이 땄나요?

⬜ 를 ⬜ 개 더 많이 땄습니다.

09 놀이공원에 어른은 526명 입장했고, 어린이는 어른보다 109명 더 적게 입장했습니다. 놀이공원에 입장한 어린이는 몇 명일까요?

식

답

10 ⬜ 안에 들어갈 수 있는 가장 큰 세 자리 수를 구해 보세요.

567─⬜ > 346

(   )

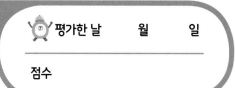

01 ☐ 안에 알맞은 수를 써넣으세요.

(1)
```
    5 10 ☐
    6  0  5
 −  4  6  9
 ──────────
   ☐  ☐  ☐
```

(2)
```
    6 10 ☐
    7  0  3
 −  4  8  7
 ──────────
   ☐  ☐  ☐
```

02 계산해 보세요.

(1) $402-158$　　(2) $503-176$

03 $512-179$에서 두 수를 각각 몇백으로 어림하여 빼는 방법으로 계산 결과를 예상해 보고, 실제 값을 구해 보세요.

	어림한 값	실제 값
$512-179$		

04 빈칸에 알맞은 수를 써넣으세요.

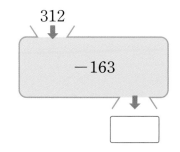

312

-163

☐

05 두 수의 차를 빈칸에 써넣으세요.

804	
346	

06 계산 결과의 크기를 비교하여 ◯ 안에 >, =, <를 알맞게 써넣으세요.

$302-167$ ◯ $405-284$

07 가장 큰 수와 가장 작은 수의 차를 구해 보세요.

533	392	178

(　　　　　)

08 ☐ 안에 알맞은 수를 써넣으세요.

```
    3  4  1
 −  1  4  ☐
 ──────────
   ☐  9  6
```

09 소영이네 학교 3학년 학생은 423명입니다. 이 중에서 여학생이 265명이면 남학생은 몇 명일까요?

(　　　　　)

10 길이가 5 m인 털실이 있습니다. 이 중에서 324 cm를 사용하였다면 남은 털실은 몇 cm일까요?

(　　　　　)

| (세 자리 수)+(세 자리 수) ⑴, (세 자리 수)−(세 자리 수) ⑴ |

01 계산해 보세요.

(1)
```
    3 7 2
  + 4 1 3
```

(2)
```
    5 9 6
  − 1 4 3
```

| (세 자리 수)+(세 자리 수) ⑴ |

02 수 모형을 보고 계산해 보세요.

$356 + 231 = $ ▢

| (세 자리 수)+(세 자리 수) ⑵, (세 자리 수)−(세 자리 수) ⑵ |

03 ▢ 안에 알맞은 수를 써넣으세요.

(1)
```
      ▢
    5 0 8
  + 2 4 9
  ▢ ▢ ▢
```

(2)
```
  ▢ ▢
    7 5 8
  − 3 8 4
  ▢ ▢ ▢
```

| (세 자리 수)−(세 자리 수) ⑵ |

04 빈칸에 알맞은 수를 써넣으세요.

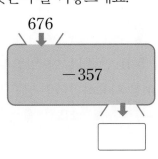

| (세 자리 수)−(세 자리 수) ⑴ |

05 수의 크기를 비교하여 ◯ 안에 >, =, <를 알맞게 써넣으세요.

| 279 | ◯ | 486−251 |

| (세 자리 수)+(세 자리 수) ⑴ |

06 민수와 정민이가 514+223을 다음과 같이 계산하였습니다. 바르게 계산한 사람은 누구일까요?

민수	정민
``` 5 1 4``` ``` + 2 2 3``` ``` 7 3 7```	``` 5 1 4``` ``` + 2 2 3``` ``` 5 3 6 3```

(   )

| (세 자리 수)+(세 자리 수) ⑶, (세 자리 수)−(세 자리 수) ⑵ |

07 두 수의 합과 차를 구해 보세요.

| 586 | 259 |

합 (   )

차 (   )

| (세 자리 수)−(세 자리 수) (2), (세 자리 수)−(세 자리 수) (3) |

08 계산 결과를 찾아 선으로 이어 보세요.

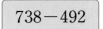

| 738−492 | · | · | 276 |

| 651−375 | · | · | 246 |

| (세 자리 수)+(세 자리 수) (3) |

09 다음 수 중에서 가장 큰 수와 가장 작은 수의 합을 구해 보세요.

| 735 | 392 | 428 | 176 | 285 |

(   )

| (세 자리 수)−(세 자리 수) (4) |

10 그림을 보고 ☐ 안에 알맞은 수를 써넣으세요.

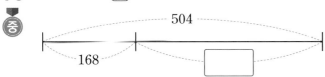

| (세 자리 수)+(세 자리 수) (1), (세 자리 수)−(세 자리 수) (2) |

11 계산 결과가 더 큰 것을 찾아 기호를 써 보세요.

㉠ 526−173

㉡ 284+315

(   )

| (세 자리 수)−(세 자리 수) (2) |

12 ☐ 안에 알맞은 수를 써넣으세요.

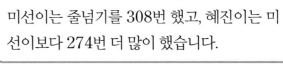

| (세 자리 수)+(세 자리 수) (2) |

13 다음을 읽고 혜진이는 줄넘기를 몇 번 했는지 구해 보세요.

미선이는 줄넘기를 308번 했고, 혜진이는 미선이보다 274번 더 많이 했습니다.

(   )

| (세 자리 수)+(세 자리 수) (2) | 서술형

14 유미는 385+143을 다음과 같이 계산하였습니다. 잘못 계산한 곳을 찾아 이유를 쓰고, 바르게 계산해 보세요.

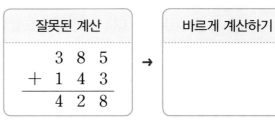

잘못된 계산	바르게 계산하기
3 8 5 + 1 4 3 4 2 8	→

이유

| (세 자리 수)−(세 자리 수) (3) |

15 ☐안에 들어갈 수 있는 수를 구해 보세요.
(중)

$$573 - 1\square6 = 377$$

(   )

| (세 자리 수)−(세 자리 수) (3) |

16 도서관에 책이 857권 있습니다. 학생들이 빌려
(중) 간 책이 498권일 때 도서관에 남아 있는 책은 몇
권일까요?

(   )

| (세 자리 수)+(세 자리 수) (3), (세 자리 수)−(세 자리 수) (1) | **서술형**

17 희진이가 모은 카드는 몇 장인지 풀이 과정을 쓰
(중) 고, 답을 구해 보세요.

> 민주 나는 카드를 287장 모았어.
> 준석 난 민주보다 134장 더 많이 모았어.
> 희진 나는 준석이보다 210장 더 적게 모았지.

 풀이

 답
....

| (세 자리 수)+(세 자리 수) (3) |

18 농장에서 귤을 어제는 387개 수확했고, 오늘은
(상) 어제보다 128개 더 수확했습니다. 어제와 오늘
수확한 귤은 모두 몇 개일까요?

(   )

| (세 자리 수)−(세 자리 수) (3) |

19 종이 2장에 세 자리 수를 각각 써 놓았는데 그중
(상) 한 장이 찢어져서 십의 자리 숫자를 알 수 없습니다.
두 수의 합이 654일 때, 찢어진 종이에 적힌 세
자리 수를 구해 보세요.

| 267 | | 3 7 |

(   )

| (세 자리 수)−(세 자리 수) (3) | **서술형**

20 숫자 카드 3장을 한 번씩만 사용하여 세 자리 수
(상) 를 만들려고 합니다. 만들 수 있는 가장 큰 수와
가장 작은 수의 차를 구하는 풀이 과정을 쓰고,
답을 구해 보세요.

 6   1   5

풀이

답
....

단원 평가 | 1. 덧셈과 뺄셈

정답 및 풀이 | 101쪽

평가한 날   월   일

점수

| (세 자리 수)+(세 자리 수) ⑴ |

01 계산해 보세요.

(1)
```
    1 4 3
  + 1 2 5
```

(2)
```
    3 5 5
  + 2 3 2
```

| (세 자리 수)−(세 자리 수) ⑴ |

02 수 모형을 보고 계산해 보세요.

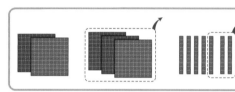

$578-336=$ ☐

| (세 자리 수)+(세 자리 수) ⑵ |

03 바르게 계산한 것에 ○표 하세요.

```
    6 2 1
  + 2 8 3
    8 0 4
```
(   )

```
    6 2 1
  + 2 8 3
    9 0 4
```
(   )

| (세 자리 수)+(세 자리 수) ⑵ |

04 계산에서 1은 실제로 얼마를 나타낼까요?

(　　　　)

```
      1
    4 5 6
  + 2 3 6
    6 9 2
```

① 1   ② 10   ③ 100
④ 1000   ⑤ 10000

| (세 자리 수)+(세 자리 수) ⑴, (세 자리 수)−(세 자리 수) ⑴ |

05 계산 결과가 500보다 큰 것을 찾아 기호를 써 보세요.

> ㉠ 348+251
> ㉡ 794−461

(　　　　　　)

| (세 자리 수)−(세 자리 수) ⑶ |

06 사각형 안에 있는 두 수의 차를 구해 보세요.

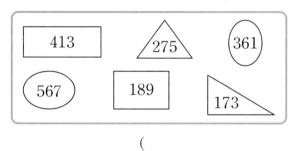

(　　　　　　)

| (세 자리 수)−(세 자리 수) ⑷, (세 자리 수)+(세 자리 수) ⑶ |

07 빈칸에 알맞은 수를 써넣으세요.

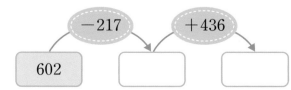

| (세 자리 수)−(세 자리 수) ⑵ |

08 수 모형이 나타내는 수보다 172 더 작은 수는 얼마인지 구해 보세요.

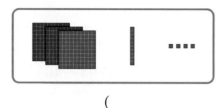

(   )

| (세 자리 수)+(세 자리 수) ⑵ |

09 ☐ 안에 알맞은 수를 써넣으세요.

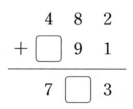

```
    4 8 2
  +   9 1
  ───────
    7   3
```

| (세 자리 수)−(세 자리 수) ⑵, (세 자리 수)−(세 자리 수) ⑶ |

10 계산 결과를 찾아 선으로 이어 보세요.

| 516 − 158 | ·   · | 358 |

| 649 − 251 | ·   · | 398 |

| (세 자리 수)+(세 자리 수) ⑶ |

11 과일 가게에 사과가 486개, 귤이 357개 있습니다. 과일 가게에 있는 사과와 귤은 모두 몇 개일까요?

식

답

12~13 다음 표는 국가대표 유도 선수가 꿈인 민석이가 일주일 동안 한 운동 종목과 횟수입니다. 물음에 답해 보세요.

운동 종목	팔굽혀 펴기	줄넘기	턱걸이	윗몸일으 키기
횟수(개)	256	485	315	152

| (세 자리 수)+(세 자리 수) ⑶ |

12 민석이가 일주일 동안 팔굽혀펴기와 줄넘기를 모두 몇 개 하였는지 구해 보세요.

(   )

| (세 자리 수)−(세 자리 수) ⑵ |

13 턱걸이는 윗몸일으키기보다 몇 개 더 많이 하였는지 구해 보세요.

(   )

| (세 자리 수)+(세 자리 수) ⑶ | 서술형

14 주머니에서 가장 큰 수와 두 번째로 큰 수가 적힌 공 2개를 꺼내 두 수의 합을 구하려고 합니다. 풀이 과정을 쓰고, 답을 구해 보세요.

풀이

답

| (세 자리 수) − (세 자리 수) ⑷ |

15 길이가 6 m인 색 테이프 중에서 485 cm를 사용했습니다. 남은 색 테이프는 몇 cm인지 구해 보세요.

중

(   )

| (세 자리 수) − (세 자리 수) ⑷ |

16 ☐ 안에 들어갈 수 있는 가장 큰 세 자리 수를 구해 보세요.

중

$$503 - 257 > \square$$

(   )

| (세 자리 수) + (세 자리 수) ⑵, (세 자리 수) − (세 자리 수) ⑵ |　**서술형**

17 학생 수가 가장 적은 학교는 누구네 학교인지 구하려고 합니다. 풀이 과정을 쓰고, 답을 구해 보세요.

상

> **송하** 우리 학교 학생은 487명이야.
> **예슬** 우리 학교 학생은 송하네 학교 학생보다 162명이 더 많아.
> **민수** 우리 학교 학생은 예슬이네 학교 학생보다 178명이 더 적어.

풀이

답 ┈┈┈┈┈┈┈

| (세 자리 수) − (세 자리 수) ⑶, (세 자리 수) − (세 자리 수) ⑷ |

18 두 수의 차가 400에 가까운 뺄셈식을 만들려고 합니다. 수 카드 2장을 골라 카드에 적힌 수로 뺄셈식을 만들고, 계산해 보세요.

상

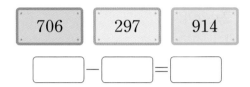

$$\boxed{} - \boxed{} = \boxed{}$$

| (세 자리 수) − (세 자리 수) ⑷ |

19 어떤 수에 169를 더했더니 507이 되었습니다. 어떤 수는 얼마인지 구해 보세요.

상

(   )

| (세 자리 수) − (세 자리 수) ⑶ |　**서술형**

20 돈이 가장 많은 사람은 가장 적은 사람보다 얼마가 더 많은지 구하려고 합니다. 풀이 과정을 쓰고, 답을 구해 보세요.

상

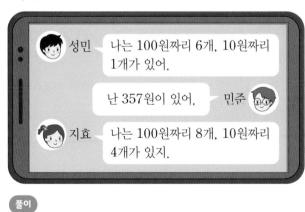

풀이

답 ┈┈┈┈┈┈┈

01 숫자 카드 3장을 한 번씩만 사용하여 세 자리 수를 만들려고 합니다. 만들 수 있는 가장 큰 수와 가장 작은 수의 합을 구하는 풀이 과정을 쓰고, 답을 구해 보세요.

| 0 | 3 | 5 |

 풀이

답

02 가람 마을과 나래 마을에 살고 있는 남녀 수를 나타낸 표입니다. 가람 마을과 나래 마을에 사는 사람 수가 각각 몇 명인지 구하려고 합니다. 풀이 과정을 쓰고, 답을 구해 보세요.

마을별 사람 수

	남자	여자
가람 마을	189명	239명
나래 마을	227명	294명

풀이

답 가람 마을: , 나래 마을:

정답 및 풀이 | 102쪽

Tip

❶ ㉠과 ㉡이 나타내는 수 만들기

⌄

❷ ㉠과 ㉡의 차가 얼마인지 구하기

03 ㉠과 ㉡의 차가 얼마인지 풀이 과정을 쓰고, 답을 구해 보세요.

> ㉠ 100이 5개, 10이 12개, 1이 4개인 수
> ㉡ 100이 1개, 10이 6개, 1이 13개인 수

풀이

답

Tip

❶ ☐ 안에 들어갈 수 있는 수의 범위 구하기

⌄

❷ ☐ 안에 들어갈 수 있는 수는 모두 몇 개인지 구하기

04 0부터 9까지의 수 중 ☐ 안에 들어갈 수 있는 수는 모두 몇 개인지 구하려고 합니다. 풀이 과정을 쓰고, 답을 구해 보세요.

> 5☐9＋124＜663

풀이

답

Tip

❶ 문제에 알맞은 식 만들기

❷ 부르즈 칼리파는 에펠탑보다
몇 m 더 높은지 구하기

01 에펠탑과 부르즈 칼리파의 건물 높이입니다. 부르즈 칼리파는 에펠탑
보다 몇 m 더 높은지 풀이 과정을 쓰고, 답을 구해 보세요.

에펠탑
324 m

부르즈 칼리파
828 m

 풀이

 답

Tip

❶ 파란색 테이프의 길이 구하기

❷ 이어 붙인 테이프의 길이 구하기

02 빨간색 테이프의 길이는 258 cm, 파란색 테이
프의 길이는 빨간색 테이프보다 134 cm 더 깁
니다. 빨간색 테이프와 파란색 테이프를 겹치지
않게 이어 붙이면 몇 cm가 되는지 풀이 과정을
쓰고, 답을 구해 보세요.

 풀이

답

정답 및 풀이 | 102쪽

평가한 날   월   일

점수

Tip

❶ 키가 가장 큰 사람과 가장 작은 사람 찾기

❷ 키가 가장 큰 사람은 가장 작은 사람보다 몇 cm 더 큰지 구하기

03 대화를 읽고 키가 가장 큰 사람은 가장 작은 사람보다 몇 cm 더 큰지 구하려고 합니다. 풀이 과정을 쓰고, 답을 구해 보세요.

> 서준 내 키는 139 cm야.
> 민지 난 겨울 방학 동안 자라서 152 cm가 되었어.
> 예희 우와~ 부럽다. 나는 127 cm인데…….
> 주석 나는 민지랑 비슷해. 149 cm야.

풀이

답

Tip

❶ 오늘 다녀간 관람객 수 구하기

❷ 어제와 오늘 다녀간 관람객 수 구하기

04 미술관에 어제 다녀간 관람객은 279명이고, 오늘은 어제보다 195명 더 많은 사람이 다녀갔습니다. 어제와 오늘 다녀간 관람객은 모두 몇 명인지 풀이 과정을 쓰고, 답을 구해 보세요.

풀이

답

교과서 핵심 개념

📖 수학 34~59쪽   📖 수학 익힘 23~36쪽

개념 1 선분, 반직선, 직선

• 선분: 두 점을 곧게 이은 선

선분의 양쪽에는 끝점이 있습니다.

선분 ㄱㄴ 또는 선분 ㄴㄱ

• 반직선: 한 점에서 시작하여 한쪽으로 끝없이 늘인 곧은 선

반직선의 시작점 →

반직선 ㄱㄴ

반직선의 시작점

반직선 ㄴㄱ

• 직선: 선분을 양쪽으로 끝없이 늘인 곧은 선

직선은 끝이 없습니다.

직선 ㄱㄴ 또는 직선 ㄴㄱ

개념 2 각

• 각: 한 점에서 그은 두 반직선으로 이루어진 도형

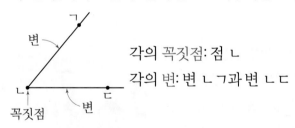

각의 꼭짓점: 점 ㄴ

각의 변: 변 ㄴㄱ과 변 ㄴㄷ

각 읽기: 각 ㄱㄴㄷ 또는 각 ㄷㄴㄱ

└ 각을 읽을 때에는 각의 꼭짓점이 가운데에 오도록 읽습니다.

개념 3 직각

• 직각: 그림과 같이 종이를 반듯하게 두 번 접었을 때 생기는 각

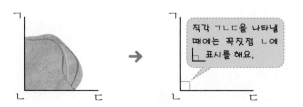

직각 ㄱㄴㄷ을 나타낼 때에는 꼭짓점 ㄴ에 ∟ 표시를 해요.

개념 4 직각삼각형

• 직각삼각형: 한 각이 직각인 삼각형

개념 5 직사각형

• 직사각형: 네 각이 모두 직각인 사각형

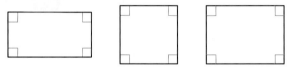

• 직사각형의 성질

① 변과 각이 각각 4개씩 있습니다.

② 네 각이 모두 직각입니다.

③ 마주 보는 변의 길이가 같습니다.

개념 6 정사각형

• 정사각형: 네 각이 모두 직각이고 네 변의 길이가 모두 같은 사각형

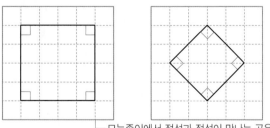

모눈종이에서 점선과 점선이 만나는 곳은 직각입니다.

• 정사각형의 성질

① 네 각이 모두 직각입니다.

② 네 변의 길이가 모두 같습니다.

③ 네 각이 모두 직각이기 때문에 직사각형이라고 할 수 있습니다.

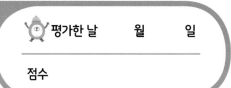

평가한 날   월   일

점수

01 선분을 찾아 ○표 하세요.

(   )   (   )   (   )

02 직선을 찾아 ○표 하세요.

(   )   (   )   (   )

03~05 도형의 이름을 써 보세요.

03
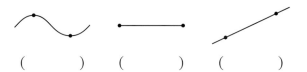
(   )

04
(   )

05
(   )

06 선분 ㄱㄴ을 그려 보세요.

07 직선 ㄷㄹ을 그려 보세요.

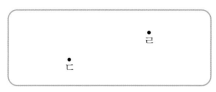

08 반직선 ㄹㄷ을 그려 보세요.

09 다음에서 설명하는 도형의 이름을 써 보세요.

한 점에서 시작하여 한쪽으로 끝없이 늘인 곧은 선입니다.

(   )

10 도형이 선분이 <u>아닌</u> 이유를 써 보세요.

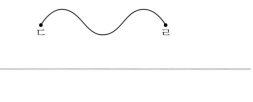

→ _____

_____

2회 2. 평면도형 | 각

정답 및 풀이 | 103쪽

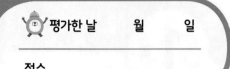

01 각을 찾아 ○표 하세요.

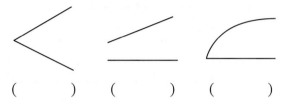

(   ) (   ) (   )

02 ☐ 안에 알맞은 말을 써넣으세요.

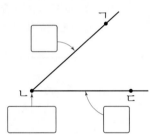

03~05 각을 보고 물음에 답해 보세요.

03 각의 꼭짓점을 찾아 써 보세요.

(   )

04 각의 변을 모두 찾아 써 보세요.

(   )

05 각을 읽어 보세요.

(   )

06 도형에서 각을 모두 찾아 ○표 하세요.

07 도형에서 각은 모두 몇 개일까요?

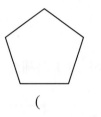

(   )

08~10 세 점을 이용하여 각을 그리려고 합니다. 물음에 답해 보세요.

08 점 ㄴ이 꼭짓점이 되도록 각을 그려 보세요.

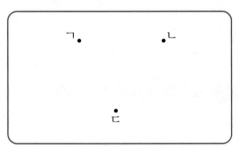

09 점 ㄷ이 꼭짓점이 되도록 각을 그려 보세요.

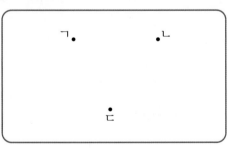

10 점 ㄱ이 꼭짓점이 되도록 각을 그려 보세요.

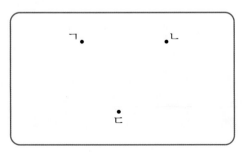

22 • 평가 문제 다잡기 3-1

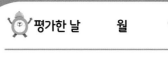

01 삼각자에서 직각을 찾아 └ 로 표시해 보세요.

02 직각을 찾아 ○표 하세요.

(   )   (   )   (   )

03 직각을 모두 찾아 └ 로 표시해 보세요.

04 삼각자의 직각을 이용하여 교실 속 물건에서 직각이 있는 물건을 두 가지를 찾아보세요.

(   )

05 주어진 선분을 한 변으로 하는 직각을 그려 보세요.

06~08 도형을 보고 물음에 답해 보세요.

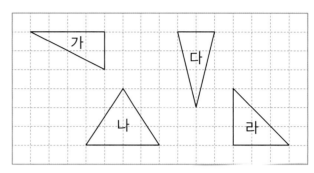

06 한 각이 직각인 삼각형을 모두 찾아 기호를 써 보세요.

(   )

07 직각삼각형을 모두 찾아 기호를 써 보세요.

(   )

08 나 삼각형이 직각삼각형이 아닌 이유를 써 보세요.

➡ _____

_____

09 주어진 선분을 두 변으로 하는 직각삼각형을 완성하세요.

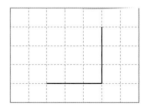

10 점 종이에 모양과 크기가 다른 직각삼각형을 2개 그려 보세요.

쪽지시험 **4**회   2. 평면도형 | 직사각형, 정사각형

정답 및 풀이 | **104**쪽

평가한 날   월   일

점수

01~03 도형을 보고 물음에 답해 보세요.

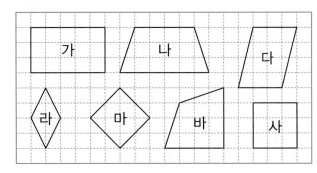

01 직각을 모두 찾아 ⌐로 표시해 보세요.

02 네 각이 모두 직각인 사각형을 모두 찾아 기호를 써 보세요.

(   )

03 02에서 답한 것처럼 네 각이 모두 직각인 사각형을 무엇이라고 할까요?

(   )

04 모눈종이에 모양과 크기가 다른 직사각형 2개를 그려 보세요.

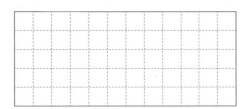

05 도형은 직사각형입니다. ☐ 안에 알맞은 수를 써넣으세요.

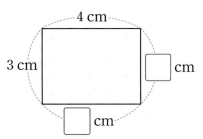

06~08 도형을 보고 물음에 답해 보세요.

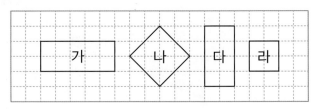

06 네 각이 모두 직각인 사각형을 모두 찾아 기호를 써 보세요.

(   )

07 네 각이 모두 직각이고 네 변의 길이가 모두 같은 사각형을 모두 찾아 기호를 써 보세요.

(   )

08 정사각형을 모두 찾아 기호를 써 보세요.

(   )

09 주어진 도형의 이름이 될 수 있는 것을 모두 찾아 ○표 하세요.

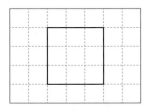

(직각삼각형 , 직사각형 , 정사각형)

10 다음 도형이 정사각형이 아닌 이유를 써 보세요.

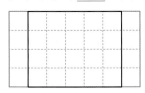

→ _____

_____

| 선분, 반직선, 직선 |

01 관계있는 것끼리 선으로 이어 보세요.

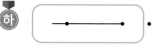 •   • 선분

 •   • 직선

 •   • 반직선

| 선분, 반직선, 직선 |

02 도형의 이름을 써 보세요.

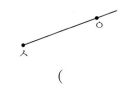

(   )

| 각 |

03 각은 어느 것일까요? ·········· (   )

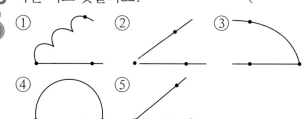

| 각 |

04 각을 읽어 보세요.

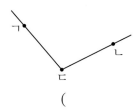

(   )

| 직각 |

05 직각을 찾아 ⌐ 로 표시해 보세요.

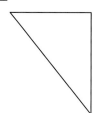

| 직각 |

06 달력에서 직각을 모두 찾아 ⌐ 로 표시해 보세요.

| **4월** |
일	월	화	수	목	금	토
					1	2
3	4	5	6	7	8	9
10	11	12	13	14	15	16
17	18	19	20	21	22	23
24	25	26	27	28	29	30

| 직각 |

07 점 ㄴ을 꼭짓점으로 하는 직각을 그리려고 합니다.
점 ㄴ을 어느 점과 이어야 할까요? ······ (   )

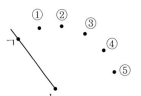

| 직각삼각형 |

08 직각삼각형을 찾아 기호를 써 보세요.

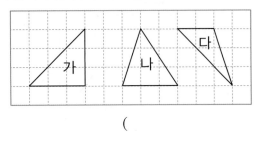

( )

| 직각 |

09 시계의 긴바늘과 짧은바늘이 이루는 각이 직각인 시각은 어느 것일까요? ·················· ( )

① 3시 　　② 4시 　　③ 7시
④ 2시 　　⑤ 6시

| 직각삼각형 |

10 모눈종이에 모양과 크기가 다른 직각삼각형 2개를 그려 보세요.

| 직사각형 |

11 그림에서 찾을 수 있는 직사각형은 모두 몇 개인가요?

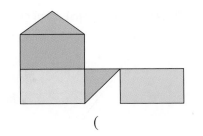

( )

| 직사각형 |

12 직사각형에 대한 설명으로 잘못된 것을 찾아 기호를 써 보세요.

> ㉠ 네 각이 모두 직각입니다.
> ㉡ 변과 각이 각각 4개씩 있습니다.
> ㉢ 네 변의 길이가 모두 같습니다.

( )

| 정사각형 |

13 도형의 이름이 될 수 있는 것을 모두 고르세요.
·················· ( )

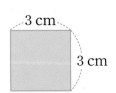
3 cm
3 cm

① 삼각형 　　② 직각삼각형 　③ 사각형
④ 직사각형 　⑤ 정사각형

| 직사각형 | 　　　　　　　　　　　　　**서술형**

14 다음 도형이 직사각형이 아닌 이유를 써 보세요.

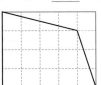

이유

| 정사각형 |

15 정사각형입니다. ☐ 안에 알맞은 수를 써넣으세요.

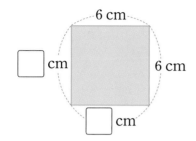

| 정사각형 |

16 점 종이에 크기가 <u>다른</u> 정사각형 3개를 그려 보세요.

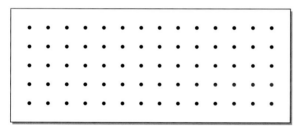

| 선분, 반직선, 직선 | 서술형

17 두 반직선의 이름이 다릅니다. 그 이유를 써 보세요.

이유

| 직각삼각형 |

18 그림에서 찾을 수 있는 직각삼각형은 모두 몇 개인가요?

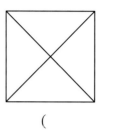

(   )

| 각 |

19 도형에서 찾을 수 있는 각은 모두 몇 개인가요?

(   )

| 직사각형, 정사각형 | 서술형

20 직사각형 가와 정사각형 나의 네 변의 길이의 합이 같습니다. 정사각형 나의 한 변은 몇 cm인지 풀이 과정을 쓰고, 답을 구해 보세요.

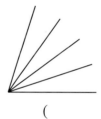 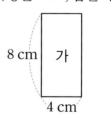

풀이

답 _____

| 선분, 반직선, 직선 |

01 선분을 찾아 기호를 써 보세요.

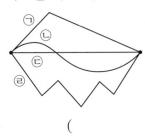

( )

| 선분, 반직선, 직선 |

02 도형의 이름을 써 보세요.

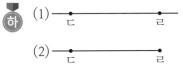

| 각 |

03 각을 찾아 기호를 써 보세요.

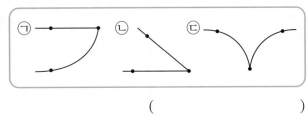

( )

| 직각 |

04 모니터에서 직각을 모두 찾아 └─ 로 표시해 보세요.

| 선분, 반직선, 직선 |

05 점을 이용하여 선분 ㄱㄴ, 반직선 ㄷㄹ, 직선 ㅁㅂ을 그어 보세요.

| 각 |

06 각 ㄱㄹㄷ을 그려 보세요.

| 선분, 반직선, 직선 |

07 쌍둥이 별자리 자리에서 찾을 수 있는 선분은 모두 몇 개인지 구해 보세요.

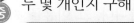

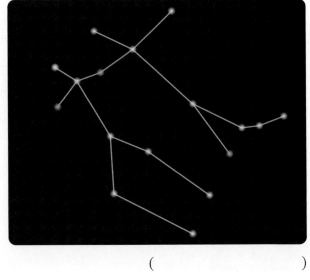

( )

08~09 도형을 보고 물음에 답해 보세요.

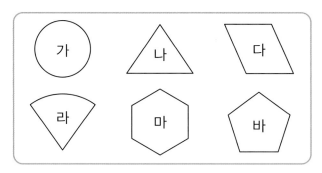

| 각 |

08 도형에서 각이 없는 도형을 찾아 기호를 써 보
세요.

(   )

| 각 |

09 도형에서 각이 가장 많은 도형을 찾아 기호를 써
보세요.

(   )

| 직각삼각형 |

10 직각삼각형을 모두 찾아 기호를 써 보세요.

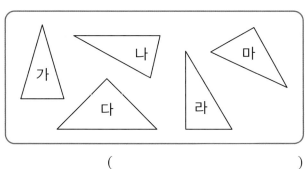

(   )

| 직각삼각형 |

11 그림에서 직각삼각형은 모두 몇 개인지 구해 보
세요.

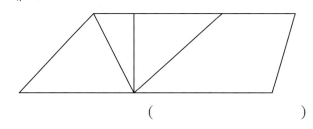

(   )

| 정사각형 |

12 다음에서 설명하는 도형의 이름을 써 보세요.

- 변과 각이 각각 4개씩 있습니다.
- 네 변의 길이가 모두 같습니다.
- 네 각이 모두 직각입니다.

(   )

| 직각 |

13 그림에서 직각은 모두 몇 개인지 구해 보세요.

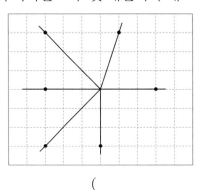

(   )

| 직각 | 서술형

14 ▲가 나타내는 수를 구하려고 합니다. 풀이 과정
을 쓰고, 답을 구해 보세요.

직각삼각형은 직각이 ■개 있고, 직사각형은
직각이 ★개 있습니다.

■＋★＝▲

풀이

답

| 정사각형 |

15 정사각형의 네 변의 길이의 합은 몇 cm인지 구
해 보세요.

6 cm

(   )

| 직각삼각형 |

16 색종이를 점선을 따라 접었다 펼쳤습니다. 찾을 수
있는 직각삼각형은 모두 몇 개인지 구해 보세요.

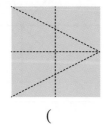

(   )

| 직사각형 | 서술형

17 직사각형의 네 변의 길이의 합은 몇 cm인지 풀
이 과정을 쓰고, 답을 구해 보세요.

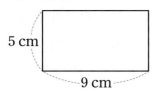

5 cm

9 cm

풀이

답

| 직사각형 |

18 도형에서 찾을 수 있는 직사각형은 모두 몇 개인
지 구해 보세요.

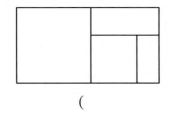

(   )

| 직사각형 |

19 한 변이 4 cm인 정사각형 2개를 겹치지 않게
이어 붙여 만든 직사각형입니다. 직사각형의 네
변의 길이의 합은 몇 cm인지 구해 보세요.

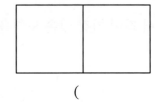

(   )

| 정사각형 | 서술형

20 직사각형 모양의 종이를 잘라 가장 큰 정사각형
을 만들려고 합니다. 만들어지는 정사각형 한 개
의 네 변의 길이의 합은 몇 cm인지 풀이 과정을
쓰고, 답을 구해 보세요.

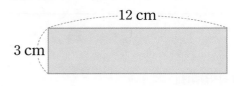

12 cm

3 cm

풀이

답

평가한 날   월   일

정답 및 풀이 | **107쪽**

점수

정답 및 풀이 | **107쪽**

❶ 선분, 반직선, 직선을 알기

❷ 삼각형을 이루는 변이 선분, 반직선, 직선 중에 무엇인지 구하기

01 삼각형을 이루는 변은 선분, 반직선, 직선 중에 무엇인지 풀이 과정을 쓰고, 답을 구해 보세요.

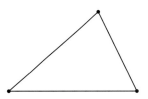

 풀이

답 ....

❶ 그림에서 직각 찾기

❷ 직각은 모두 몇 개인지 구하기

02 그림에서 직각은 모두 몇 개인지 풀이 과정을 쓰고, 답을 구해 보세요.

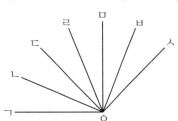

풀이

답 ....

Tip

❶ 모양과 크기가 다른 직사각형 2개를 그리기

❷ 두 직사각형의 같은 점 쓰기

❸ 두 직사각형의 다른 점 쓰기

03 모눈종이에 모양과 크기가 다른 직사각형 2개를 그리고, 그린 두 직사각형의 같은 점과 다른 점을 각각 써 보세요.

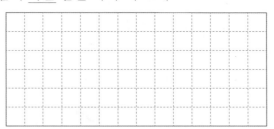

같은 점

다른 점

Tip

❶ 작은 정사각형과 큰 정사각형의 한 변의 길이 각각 구하기

❷ 선분 ㄱㄴ의 길이 구하기

04 크기가 다른 정사각형 2개를 겹치지 않게 이어 붙여 만든 도형입니다. 선분 ㄱㄴ의 길이는 몇 cm인지 풀이 과정을 쓰고, 답을 구해 보세요.

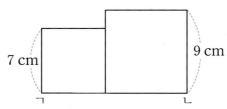

7 cm   9 cm

ㄱ   ㄴ

풀이

답

실전 서술형 평가 | 2. 평면도형

정답 및 풀이 | 107쪽

평가한 날   월   일

점수

Tip

❶ 매 정각 때 시계의 긴바늘이 가리키는 숫자 찾기

❷ 긴바늘과 짧은바늘이 직각을 이루는 시각 구하기

01 1시에서 12시까지 매 정각 때 시계의 긴바늘과 짧은바늘이 이루는 각이 직각인 시각을 모두 구하는 풀이 과정을 쓰고, 답을 구해 보세요.

 풀이

 답

Tip

❶ 가장 큰 정사각형의 한 변의 길이 구하기

❷ 남은 철사의 길이 구하기

02 길이가 30 cm인 철사로 가장 큰 정사각형을 만들었습니다. 남은 철사의 길이는 몇 cm인지 풀이 과정을 쓰고, 답을 구해 보세요. (정사각형의 한 변은 자연수입니다.)
└─── 1, 2, 3과 같은 수

 풀이

답

Tip

❶ 펼쳐서 접힌 선을 점선으로 표 시하기
❯❯
❷ 잘랐을 때 정사각형은 모두 몇 개 생기는지 구하기

03 정사각형 모양의 색종이를 그림과 같이 반으로 4번 접은 후 펼쳐서 접 힌 선을 따라 모두 잘랐을 때 정사각형은 모두 몇 개 생기는지 풀이 과 정을 쓰고, 답을 구해 보세요.

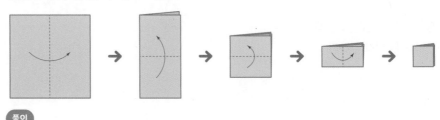

풀이

답 ....

Tip

❶ 칠교판에서 찾을 수 있는 크고 작은 직각삼각형 찾기
❯❯
❷ 찾을 수 있는 크고 작은 직각삼 각형은 모두 몇 개인지 구하기

04 칠교판에서 찾을 수 있는 크고 작은 직각삼각형은 모두 몇 개인지 풀이 과정을 쓰고, 답을 구해 보세요.

풀이

답 ....

교과서 핵심 개념

3 **나눗셈**

📖 수학 60~79쪽　📖 수학 익힘 37~46쪽

개념 1 똑같이 나누기 (1) — 포함제

· 12에서 3씩 4번 빼면 0이 됩니다.

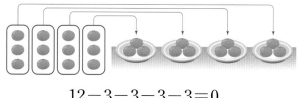

$$12 - 3 - 3 - 3 - 3 = 0$$

3씩 4번 뺍니다.

·

✏️ **쓰기** $12 \div 3 = 4$

🔊 **읽기** 12 나누기 3은 4와 같습니다.

· 나눗셈 ➡ $12 \div 3$

나눗셈식 ➡ $12 \div 3 = 4$
　나누어지는 수 ┘　│　└ 몫
　　　　　　나누는 수

개념 2 똑같이 나누기 (2) — 등분제

· 사과 15개를 3명이 똑같이 나누어 가지면 한 명이 5개씩 가지게 됩니다.

✏️ **쓰기** $15 \div 3 = 5$

🔊 **읽기** 15 나누기 3은 5와 같습니다.

· 나눗셈 ➡ $15 \div 3$

나눗셈식 ➡ $15 \div 3 = 5$
　나누어지는 수 ┘　│　└ 몫
　　　　　　나누는 수

개념 3 곱셈과 나눗셈의 관계

· 곱셈식을 나눗셈식으로 나타낼 수 있습니다.

$$3 \times 7 = 21 \begin{cases} 21 \div 3 = 7 \\ 21 \div 7 = 3 \end{cases}$$

➡ 하나의 곱셈식을 2개의 나눗셈식으로 나타낼 수 있습니다.

· 나눗셈식을 곱셈식으로 나타낼 수 있습니다.

$$21 \div 3 = 7 \begin{cases} 3 \times 7 = 21 \\ 7 \times 3 = 21 \end{cases}$$

➡ 하나의 나눗셈식을 2개의 곱셈식으로 나타낼 수 있습니다.

개념 4 나눗셈의 몫 구하기

· 곱셈식을 이용하여 나눗셈의 몫을 구할 수 있습니다.

$$6 \times \boxed{2} = 12$$ 　6의 단 곱셈구구를 이용합니다.

$$12 \div 6 = \boxed{2} \leftarrow 몫$$

➡ 곱셈식 $6 \times 2 = 12$를 이용하여
　$12 \div 6 = \boxed{2}$의 몫 $\boxed{2}$를 구할 수 있습니다.

　　　　　6의 단
· $12 \div 6 = 2$ ┌→ $6 \times 1 = 6$
　　①　　②　$6 \times 2 = 12$

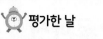
01~03 탁구공 15개를 한 상자에 5개씩 담으려고 합니다. 몇 상자가 필요한지 알아보세요.

01 15에서 5를 몇 번 빼면 0이 될까요?

(   )

02 몇 상자가 필요할까요?

(   )

03 나눗셈식으로 나타내어 보세요.

$$15 \div 5 = \boxed{}$$

04 송편 18개를 한 봉지에 6개씩 담으려고 합니다. 필요한 봉지는 몇 장인지 송편을 6개씩 묶어서 알아보세요.

필요한 봉지는 $\boxed{}$장입니다.

05 구슬 8개에서 2개씩 덜어 내면 몇 번 덜어 낼 수 있는지 뺄셈식과 나눗셈식으로 나타내어 보세요.

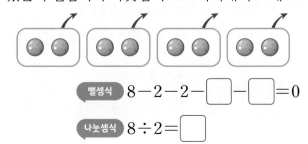

뺄셈식 $8 - 2 - 2 - \boxed{} - \boxed{} = 0$

나눗셈식 $8 \div 2 = \boxed{}$

06 $24 - 8 - 8 - 8 = 0$을 나눗셈식으로 바르게 나타낸 것을 찾아 ○표 하세요.

$24 \div 8 = 3$	$24 \div 3 = 8$
( )	( )

07 나눗셈식 $21 \div 3 = 7$을 나타낸 문장입니다. $\boxed{}$ 안에 알맞은 수를 써넣으세요.

귤 $\boxed{}$개를 한 봉지에 $\boxed{}$개씩 나누어 담으려면 봉지가 $\boxed{}$장 필요합니다.

08~09 붕어빵 8개를 한 접시에 4개씩 나누어 담으려고 합니다. 물음에 답해 보세요.

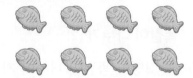

08 붕어빵 8개를 4개씩 묶어 보세요.

09 필요한 접시는 몇 개인지 나눗셈식으로 나타내어 보세요.

$$8 \div 4 = \boxed{}$$

10 오이 27개를 한 상자에 9개씩 담으려고 합니다. 몇 상자가 필요할까요?

식

답

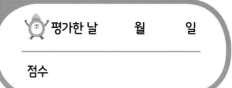
평가한 날　　월　　일

정답 및 풀이 | 108쪽

점수

01~03 농구공 9개를 3보관함에 똑같이 나누어 담으려고 합니다. 물음에 답해 보세요.

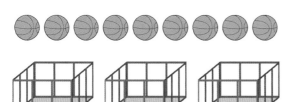

01 한 보관함에 농구공을 몇 개씩 담을 수 있는지 보관함에 ○를 그려 알아보세요.

02 나눗셈식으로 나타내어 보세요.

$$9 \div 3 = \boxed{}$$

03 02번 나눗셈식을 읽어 보세요.

04 요구르트 6개를 3접시에 똑같이 나누어 담으면 한 접시에 요구르트가 몇 개씩 놓이는지 나눗셈식으로 나타내고 몫을 구해 보세요.

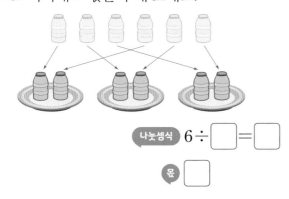

나눗셈식 $6 \div \boxed{} = \boxed{}$

몫 $\boxed{}$

05 몫이 5인 나눗셈식에 ○표 하세요.

$35 \div 5 = 7$	$30 \div 6 = 5$
(　　　)	(　　　)

06 문장에 알맞은 나눗셈식의 기호를 써 보세요.

> 밤 48개를 8명에게 똑같이 나누어 주면 6개씩 줄 수 있습니다.

　　㉠ $48 \div 8 = 6$　　　㉡ $48 \div 6 = 8$

(　　　　　　)

07 나눗셈식 $21 \div 3 = 7$을 나타낸 문장입니다. ☐ 안에 알맞은 수를 써넣으세요.

> 귤 $\boxed{}$개를 $\boxed{}$봉지에 똑같이 나누어 담으면 한 봉지에 $\boxed{}$개씩 담아야 합니다.

08~09 붕어빵 8개를 접시 4개에 똑같이 나누어 담으려고 합니다. 물음에 답해 보세요.

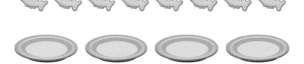

08 한 접시에 붕어빵을 몇 개씩 담을 수 있는지 접시에 ○를 그려 알아보세요.

09 한 접시에 붕어빵을 몇 개씩 담을 수 있는지 나눗셈식으로 나타내어 보세요.

$$8 \div 4 = \boxed{}$$

10 당근 32개를 4상자에 똑같이 나누어 담으려고 합니다. 당근을 한 상자에 몇 개씩 담아야 할까요?

(　　　　　　)

01 곱셈식을 나눗셈식으로 나타내려고 합니다. ☐ 안에 알맞은 수를 써넣으세요.

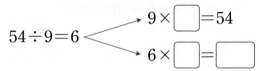

$8 \times 7 = 56$

$56 \div \boxed{} = 7$

$56 \div \boxed{} = 8$

02 나눗셈식을 곱셈식으로 나타내려고 합니다. ☐ 안에 알맞은 수를 써넣으세요.

$54 \div 9 = 6$

$9 \times \boxed{} = 54$

$6 \times \boxed{} = \boxed{}$

03~05 그림을 보고 물음에 답해 보세요.

03 가지는 모두 몇 개일까요?

$9 \times 2 = \boxed{}$(개)

04 가지 18개를 9명에게 똑같이 나누어 주려고 합니다. 한 명에게 몇 개씩 줄 수 있을까요?

$18 \div 9 = \boxed{}$(개)

05 가지 18개를 2개씩 묶어서 사람들에게 나누어 주려고 합니다. 가지를 몇 명에게 나누어 줄 수 있을까요?

$18 \div 2 = \boxed{}$(명)

06~08 그림을 보고 물음에 답해 보세요.

06 참외는 모두 몇 개일까요?

$7 \times 4 = \boxed{}$(개)

07 참외 28개를 한 접시에 7개씩 담으려면 접시가 몇 개 필요할까요?

$28 \div \boxed{} = \boxed{}$(개)

08 참외 28개를 4접시에 똑같이 나누어 담으려고 합니다. 한 접시에 참외를 몇 개씩 담아야 할까요?

$28 \div \boxed{} = \boxed{}$(개)

09 ☐ 안에 알맞은 수를 써넣으세요.

곱셈식 $6 \times \boxed{} = \boxed{}$

나눗셈식 $\boxed{} \div 6 = \boxed{}$

10 그림을 보고 곱셈식과 나눗셈식을 각각 2개씩 써 보세요.

곱셈식

나눗셈식

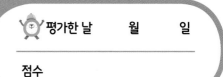
01 72÷8의 몫을 구하려고 합니다. ☐ 안에 알맞은 수를 써넣으세요.

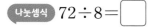 72÷8=☐　　☐

02 ☐안에 알맞은 수를 써넣으세요.

40÷5=☐ ⋯ 5×☐=40

03 나눗셈의 몫을 구해 보세요.
(1) 18÷6　　(2) 28÷4

04 빈 곳에 알맞은 수를 써넣으세요.

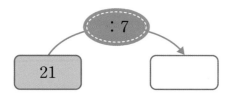
: 7

21

05 나눗셈의 몫을 곱셈식을 이용하여 구하려고 합니다. ☐ 안에 알맞은 수를 써넣으세요.
(1) 6×☐=30 ➡ 30÷6=☐
(2) 7×☐=42 ➡ 42÷7=☐

06 관계있는 것끼리 선으로 이어 보세요.

24÷3=8 •　　• 4×6=24

54÷9=6 •　　• 9×6=54

• 3×8=24

07 24÷3과 몫이 같은 것에 ◯표 하세요.

56÷7　　63÷9

(　)　　(　)

08 몫의 크기를 비교하여 ◯ 안에 >, =, <를 알맞게 써넣으세요.

56÷8 ◯ 32÷4

09 64쪽짜리 책을 하루에 8쪽씩 매일 읽으려고 합니다. 이 책을 모두 읽으려면 며칠이 걸리는지 나눗셈식을 쓰고, 답을 구해 보세요.

식

답

10 길이가 18 m인 철사를 3명이 똑같이 나누어 가지려고 합니다. 한 명이 철사를 몇 m씩 가져야 할까요?

(　　　　)

| 똑같이 나누기 (1) |

01 나눗셈식으로 나타내어 보세요.

 하

> 14 나누기 2는 7과 같습니다.

$$14 \div \square = \square$$

| 똑같이 나누기 (1) |

02 참외 12개를 한 사람에게 4개씩 똑같이 나누어 주려고 합니다. 몇 명에게 나누어 줄 수 있는지 참외를 4개씩 묶어서 알아보세요.

하

$\square$명에게 나누어 줄 수 있습니다.

| 똑같이 나누기 (2) |

03 과자 16개를 4접시에 똑같이 나누어 담으려고 합니다. 한 접시에 과자를 몇 개씩 담을 수 있는지 ○를 그려 알아보세요.

하

한 접시에 과자를 $\square$개씩 담을 수 있습니다.

| 나눗셈의 몫 구하기 |

04 25÷5와 몫이 같은 것에 ○표 하세요.

하

| 36÷4 | 40÷8 |

(   )   (   )

| 곱셈과 나눗셈의 관계 |

05 그림을 보고 곱셈식과 나눗셈식으로 나타내어 보세요.

중

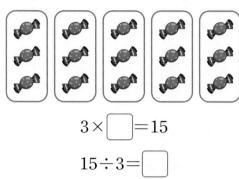

$$3 \times \square = 15$$

$$15 \div 3 = \square$$

| 나눗셈의 몫 구하기 |

06 나눗셈의 몫을 찾아 선으로 이어 보세요.

중

| 곱셈과 나눗셈의 관계 |

07 그림을 보고 □ 안에 알맞은 수를 써넣으세요.

중

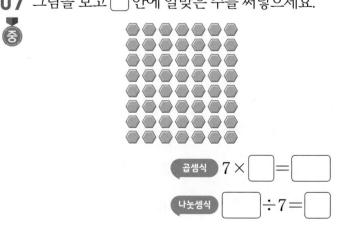

곱셈식 $7 \times \square = \square$

나눗셈식 $\square \div 7 = \square$

평가한 날   월   일

점수

08~09 그림을 보고 물음에 답해 보세요.

| 똑같이 나누기 (1) |

08 자두 18개를 한 명에게 6개씩 나누어 주려고 합
니다. 몇 명에게 나누어 줄 수 있을까요?

$$18 \div 6 = \boxed{} (명)$$

| 똑같이 나누기 (2) |

09 자두 18개를 6명이 똑같이 나누어 먹으려고 합
니다. 한 사람이 먹을 수 있는 자두 수는 몇 개일
까요?

$$18 \div 6 = \boxed{} (개)$$

| 곱셈과 나눗셈의 관계 |

10 ☐ 안에 알맞은 수를 써넣으세요.

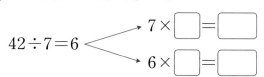

| 나눗셈의 몫 구하기 |

11 빈 곳에 알맞은 수를 써넣으세요.

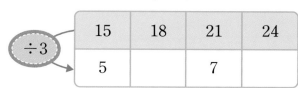

| 똑같이 나누기 (1) |

12 고구마 15개를 한 명에게 3개씩 나누어 주려고
합니다. 몇 명에게 나누어 줄 수 있을까요?

식

답

| 똑같이 나누기 (2) |

13 붙임딱지 28개를 7명에게 똑같이 나누어 줄 때
한 사람이 가질 수 있는 붙임딱지 수는 몇 개일
까요?

식

답

| 똑같이 나누기 (2) | 서술형

14 빈 병 48개를 8상자에 똑같이 나누어 담으려고
합니다. 한 상자에 빈 병을 몇 개씩 넣으면 되는
지 풀이 과정을 쓰고, 답을 구해 보세요.

풀이

답

| 나눗셈의 몫 구하기 |

15 몫의 크기를 비교하여 ◯ 안에 >, =, <를 알
맞게 써넣으세요.

| 27÷9 | ◯ | 15÷5 |

| 나눗셈의 몫 구하기 |

16 ☐ 안에 들어가는 수가 같은 것끼리 선으로 이어
보세요.

18÷3=☐	·	·	6×☐=54
54÷6=☐	·	·	9×☐=72
72÷9=☐	·	·	3×☐=18

| 똑같이 나누기 (1) | **서술형**

17 금붕어를 한 사람에게 6마리씩 주면 몇 명에게
나누어 줄 수 있는지 풀이 과정을 쓰고, 답을 구
해 보세요.

풀이

답 _____

| 똑같이 나누기 (2) |

18 사탕 27개와 과자 45개를 9명에게 선물로 똑같
이 나누어 주려고 합니다. 한 사람이 가질 수 있
는 사탕 수와 과자 수는 각각 몇 개일까요?

(사탕 _____ , 과자 _____)

| 곱셈과 나눗셈의 관계 |

19 숫자 카드 3 , 9 , 27 을 한 번씩만 사용하
여 곱셈식과 나눗셈식을 각각 2개씩 만들어 보
세요.

곱셈식 _____ , _____

나눗셈식 _____ , _____

| 나눗셈의 몫 구하기 | **서술형**

20 소율이네 모둠은 여학생 2명과 남학생 3명입니다.
소율이네 모둠이 토마토 심기를 하려고 합니다.
토마토 모종 40개를 똑같이 나누어 심으려면 한
사람이 몇 개씩 심어야 하는지 풀이 과정을 쓰고,
답을 구해 보세요.

풀이

답 _____

| 똑같이 나누기 (1) |

01 그림을 보고 ☐ 안에 알맞은 수를 써넣으세요.

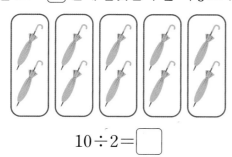

$10 \div 2 = $ ☐

| 똑같이 나누기 (1) |

02 그림을 보고 나눗셈식으로 나타내고 읽어 보세요.

나눗셈식

읽기

| 똑같이 나누기 (1) |

03 그림을 보고 ☐ 안에 알맞은 수를 써넣으세요.

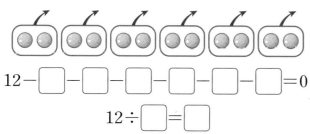

$12 - $ ☐ $- $ ☐ $- $ ☐ $- $ ☐ $- $ ☐ $- $ ☐ $= 0$

$12 \div $ ☐ $= $ ☐

| 똑같이 나누기 (1) |

04 $20 \div 5 = 4$를 뺄셈식으로 나타낸 것입니다. 바르게 나타낸 것에 ○표 하세요.

$20 - 5 - 5 - 5 - 5 = 0$ 　 (　　　)

$20 - 4 - 4 - 4 - 4 - 4 = 0$ 　 (　　　)

| 곱셈과 나눗셈의 관계 |

05 그림을 보고 곱셈식과 나눗셈식으로 나타내어 보세요.

$3 \times $ ☐ $= $ ☐

☐ $\div $ ☐ $= 7$

| 똑같이 나누기 (2) |

06 블록 12개를 3명에게 똑같이 나누어 주려고 합니다. 한 사람이 가질 수 있는 블록은 몇 개인지 알맞은 나눗셈식을 써 보세요.

$12 \div $ ☐ $= $ ☐

| 나눗셈의 몫 구하기 |

07 ☐ 안에 알맞은 수를 써넣으세요.

(1) $24 \div 3 = $ ☐ 　　(2) $24 \div 4 = $ ☐

(3) $24 \div 6 = $ ☐ 　　(4) $24 \div 8 = $ ☐

| 똑같이 나누기 (2) |

08 다음을 나눗셈식으로 바르게 나타낸 것은 어느
것일까요? ………………………… ( )

> 지우개 28개를 7상자에 똑같이 나누어 담으면 한 상자에 4개씩 담을 수 있습니다.

① $28 \div 7 = 7$ ② $28 \div 4 = 4$

③ $28 \div 5 = 6$ ④ $28 \div 4 = 7$

⑤ $28 \div 7 = 4$

09~10 그림을 보고 물음에 답해 보세요.

| 곱셈과 나눗셈의 관계 |

09 축구공의 수를 곱셈식으로 나타내어 보세요.

$$8 \times \boxed{} = \boxed{}$$

| 곱셈과 나눗셈의 관계 |

10 09번의 곱셈식을 나눗셈식으로 나타내어 보세요.

$$32 \div \boxed{} = \boxed{} , \ 32 \div \boxed{} = \boxed{}$$

| 나눗셈의 몫 구하기 |

11 몫의 크기를 비교하여 ◯ 안에 >, =, <를 알
맞게 써넣으세요.

  ◯

| 똑같이 나누기 (2) |

12 곰 인형 16개가 있습니다. 8명에게 똑같이 나누
어 주려고 합니다. 한 사람에게 몇 개씩 주면 될
까요?

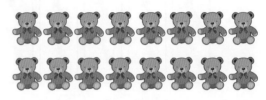

식 _____

답 _____

| 나눗셈의 몫 구하기 |

13 $27 \div 3$과 몫이 <u>다른</u> 것을 찾아 ◯표 하세요.

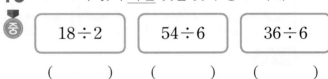

( )   ( )   ( )

| 똑같이 나누기 (2) | **서술형**

14 강수의 일기를 보고 한 접시에 동그랑땡이 몇 개
씩 놓이는지 풀이 과정을 쓰고, 답을 구해 보세요.

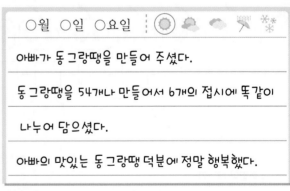

풀이

답 _____

| 나눗셈의 몫 구하기 |

15 몫이 가장 큰 것을 찾아 기호를 써 보세요.

(중)

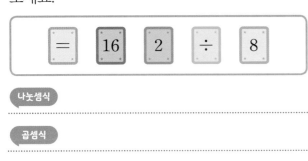

$\bigcirc$ $18 \div 2$ $\bigcirc$ $28 \div 7$ $\bigcirc$ $72 \div 9$

(   )

| 곱셈과 나눗셈의 관계 |

16 주어진 카드를 한 번씩만 사용하여 나눗셈식을
(중) 만들고, 그 나눗셈식을 곱셈식 2개로 나타내어
보세요.

=   16   2   ÷   8

나눗셈식 ....

곱셈식 ....

| 나눗셈의 몫 구하기 | 서술형

17 과수원에서 배를 한상이는 45개, 정원이는 27개
(상) 땄습니다. 두 사람이 딴 배를 8상자에 똑같이 나
누어 담으려고 합니다. 한 상자에 배를 몇 개씩
담을 수 있는지 풀이 과정을 쓰고, 답을 구해 보
세요.

풀이

답

| 똑같이 나누기 (2) |

18 만두를 가장 많이 먹은 사람의 이름을 써 보세요.

(상)

지우 나는 만두 12개를 3명이 똑같이 나누
어 먹었어.

이슬 난 만두 24개를 8명이 똑같이 나누어
먹었어.

웅이 나는 만두 36개를 6명이 똑같이 나누
어 먹었지.

(   )

| 나눗셈의 몫 구하기 |

19 다음 중 두 수를 골라 한 번씩만 사용하여 몫이
(상) 가장 큰 나눗셈식을 만들어 보세요.

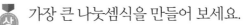

72   18   9   12

나눗셈식 ....

| 나눗셈의 몫 구하기 | 서술형

20 $15 \div 3$과 관련한 나눗셈 문제를 만들고, 만든 문
(상) 제에 대한 풀이 과정을 쓰고, 답을 구해 보세요.

문제

풀이

답

Tip

❶ 문제에 알맞은 나눗셈식 만들기

❷ 필요한 상자 수 구하기

┌ 물고기를 짚으로 한 줄에 열 마리씩 두 줄로 엮은 것을 세는 단위

01 굴비 한 <u>두름</u>은 20마리입니다. 굴비 한 두름을 한 상 자에 5개씩 담아 포장하려고 합니다. 몇 상자가 필요 한지 풀이 과정을 쓰고, 답을 구해 보세요.

풀이

답 ....

Tip

❶ 문제에 알맞은 나눗셈식 만들기

❷ 한 팩에 딸기를 몇 개씩 담으면 되는지 구하기

02 딸기 63개를 9팩에 똑같이 나누어 담으려고 합니다. 한 팩에 딸기를 몇 개씩 담으면 되는지 풀이 과정을 쓰고, 답을 구해 보세요.

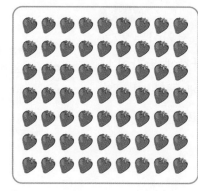 

풀이

답 ....

정답 및 풀이 | 112쪽

평가한 날   월   일

점수

Tip

❶ 나눗셈식을 만들어 과자의 수 구하기

❷ 한 봉지에 3개씩 담으면 몇 봉지가 되는지 구하기

03 과자를 한 봉지에 2개씩 담았더니 9봉지가 되었습니다. 이 과자를 한 봉지에 3개씩 담으면 몇 봉지가 되는지 풀이 과정을 쓰고, 답을 구해 보세요.

풀이

답

Tip

❶ 보기 의 단어를 넣어 36÷4의 몫을 구하는 문제 만들기

❷ 만든 문제를 풀기

04 보기 의 단어를 넣어서 36÷4와 관련한 문제를 만들고, 만든 문제에 대한 풀이 과정을 쓰고, 답을 구해 보세요.

보기

호박   바구니   똑같이

문제

풀이

답

Tip

❶ 곱셈식을 이용하여 몫 구하기

❷ ㉠, ㉡, ㉢에 알맞은 수 구하기

01 나눗셈식 32÷4를 나타낸 문장입니다. ㉠, ㉡, ㉢에 들어갈 수를 찾는 풀이 과정을 쓰고, 답을 구해 보세요.

> 장미꽃 ㉠송이를 ㉡송이씩 꽃다발을 만들면 꽃다발 ㉢개를 만들 수 있습니다.

풀이

답 ㉠ _____ , ㉡ _____ , ㉢ _____

Tip

❶ 주연이가 한 사람에게 나누어 준 색종이 수 구하기

❷ 명신이가 한 사람에게 나누어 준 색종이 수 구하기

❸ 나누어 준 색종이 수가 더 많은 사람이 누구인지 구하기

02 주연이와 명신이는 미술 시간에 선생님을 도와 친구들에게 색종이를 나누어 주었습니다. 대화를 읽고 두 사람 중에서 한 사람에게 나누어 준 색종이 수가 더 많은 사람은 누구인지 풀이 과정을 쓰고, 답을 구해 보세요.

> 주연 나는 색종이 28장을 4명에게 똑같이 나누어 주었어.
> 명신 그랬어? 나는 색종이 54장을 9명에게 똑같이 나누어 주었어.

풀이

답 _____

정답 및 풀이 | **112쪽**

평가한 날   월   일

점수

Tip

❶ 탬버린과 트라이앵글을 한 상자에 몇 개씩 담았는지 각각 구하기

❷ 한 상자에 어느 악기를 몇 개 더 많이 담았는지 구하기

03 음악 수업에 사용한 악기를 정리하기 위해 탬버린 32개를 8상자에 똑같이 나누어 담고, 트라이앵글 18개를 3상자에 똑같이 나누어 담았습니다. 한 상자에 탬버린과 트라이앵글 중 어느 악기를 몇 개 더 많이 담았는지 풀이 과정을 쓰고, 답을 구해 보세요.

탬버린	트라이앵글

32개	18개

풀이

답 ＿＿＿＿＿＿＿＿ , ＿＿＿＿＿＿＿＿

Tip

❶ 남은 초콜릿과 과자 수 구하기

❷ 한 상자에 넣어야 하는 초콜릿과 과자 수 구하기

04 준후는 초콜릿 28개와 과자 24개를 친구 3명에게 나누어 주려고 합니다. 그런데 동생이 초콜릿과 과자를 포장하기 전에 초콜릿 4개와 과자 3개를 먹었습니다. 준후는 남은 초콜릿과 과자를 3상자에 똑같이 나누어 포장하려고 합니다. 한 상자에 초콜릿과 과자를 몇 개씩 넣어야 하는지 풀이 과정을 쓰고, 답을 구해 보세요.

 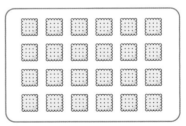

풀이

답 초콜릿 ＿＿＿＿＿＿ , 과자 ＿＿＿＿＿＿

4단원 교과서 핵심 개념

개념 1 (몇십)×(몇)

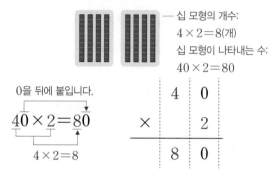

— 십 모형의 개수:
$4 \times 2 = 8$(개)
십 모형이 나타내는 수:
$40 \times 2 = 80$

0을 뒤에 붙입니다.

$40 \times 2 = 80$

$4 \times 2 = 8$

$$\begin{array}{r} 4\ 0 \\ \times \quad 2 \\ \hline 8\ 0 \end{array}$$

개념 2 (몇십몇)×(몇) (1)

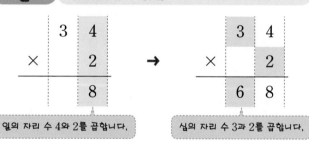

일의 자리 수 4와 2를 곱합니다.

십의 자리 수 3과 2를 곱합니다.

개념 3 (몇십몇)×(몇) (2)

$$\begin{array}{r} 5\ 3 \\ \times \quad 2 \\ \hline 6 \leftarrow 3 \times 2 \\ 1\ 0\ 0 \leftarrow 50 \times 2 \\ \hline 1\ 0\ 6 \end{array}$$

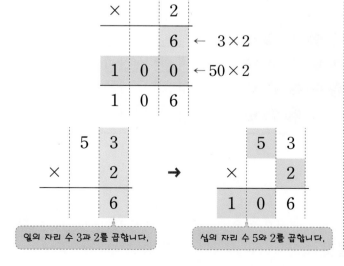

일의 자리 수 3과 2를 곱합니다.

십의 자리 수 5와 2를 곱합니다.

개념 4 (몇십몇)×(몇) (3)

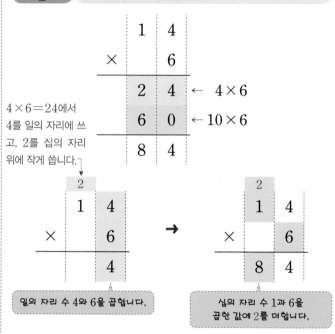

$$\begin{array}{r} 1\ 4 \\ \times \quad 6 \\ \hline 2\ 4 \leftarrow 4 \times 6 \\ 6\ 0 \leftarrow 10 \times 6 \\ \hline 8\ 4 \end{array}$$

$4 \times 6 = 24$에서 4를 일의 자리에 쓰고, 2를 십의 자리 위에 작게 씁니다.

일의 자리 수 4와 6을 곱합니다.

십의 자리 수 1과 6을 곱한 값에 2를 더합니다.

개념 5 (몇십몇)×(몇) (4)

$$\begin{array}{r} 5\ 4 \\ \times \quad 3 \\ \hline 1\ 2 \leftarrow 4 \times 3 \\ 1\ 5\ 0 \leftarrow 50 \times 3 \\ \hline 1\ 6\ 2 \end{array}$$

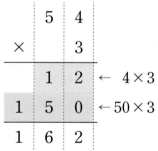

54×3

$4 \times 3 = 12$
$50 \times 3 = 150$
합 162

$4 \times 3 = 12$에서 2를 일의 자리에 쓰고, 1을 십의 자리 위에 작게 씁니다.

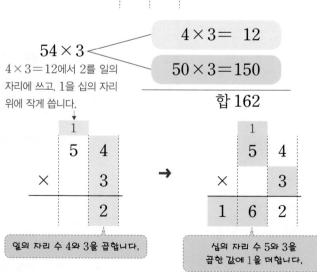

일의 자리 수 4와 3을 곱합니다.

십의 자리 수 5와 3을 곱한 값에 1을 더합니다.

01 ☐ 안에 알맞은 수를 써넣으세요.

| 십 모형의 개수 | $2 \times 3 = \boxed{}$ (개) |
| 십 모형이 나타내는 수 | $\boxed{} \times 3 = \boxed{}$ |

02 ☐ 안에 알맞은 수를 써넣으세요.

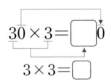

$30 \times 3 = \boxed{}0$

$3 \times 3 = \boxed{}$

03~04 계산해 보세요.

03 (1)
$$\begin{array}{r} 2\ 0 \\ \times\ \ \ 2 \\ \hline \end{array}$$

(2)
$$\begin{array}{r} 1\ 0 \\ \times\ \ \ 7 \\ \hline \end{array}$$

04 (1) 10×8 (2) 30×2

05 한 봉지에 20개씩 들어 있는 사탕이 4봉지 있습니다. 사탕은 모두 몇 개일까요?

식

답

06 ☐ 안에 알맞은 수를 써넣으세요.

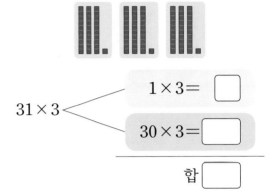

31×3

$1 \times 3 = \boxed{}$

$30 \times 3 = \boxed{}$

합 $\boxed{}$

07 ☐ 안에 알맞은 수를 써넣으세요.

$$\begin{array}{r} 2\ 4 \\ \times\ \ \ 2 \\ \hline \boxed{} \leftarrow 4 \times 2 \\ \boxed{} \leftarrow 20 \times 2 \\ \hline \boxed{} \end{array}$$

08~09 계산해 보세요.

08 (1)
$$\begin{array}{r} 1\ 3 \\ \times\ \ \ 3 \\ \hline \end{array}$$

(2)
$$\begin{array}{r} 3\ 2 \\ \times\ \ \ 2 \\ \hline \end{array}$$

09 (1) 33×3 (2) 23×2

10 동화책이 책꽂이 한 칸에 11권씩 6칸에 꽂혀 있습니다. 동화책은 모두 몇 권일까요?

식

답

01 수 모형을 보고 곱셈식으로 나타내어 보세요.

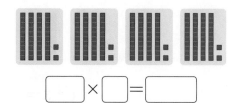

☐ × ☐ = ☐

02 ☐ 안에 알맞은 수를 써넣으세요.

```
    7  3
  ×    3
```
☐ ← 3×3
☐☐☐ ← 70×3
☐☐☐

03~04 계산해 보세요.

03 (1)
```
    3  2
  ×    4
```
(2)
```
    8  2
  ×    3
```

04 (1) 42×3　　　(2) 64×2

05 빈칸에 알맞은 수를 써넣으세요.

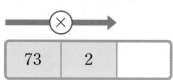

| 73 | 2 | |

06~07 계산 결과의 크기를 비교하여 ◯ 안에 >, =, <를 알맞게 써넣으세요.

06 52×3 ◯ 31×5

07 21×6 ◯ 63×2

08 계산 결과가 더 큰 것을 찾아 기호를 써 보세요.

| ㉠ 83×3 | ㉡ 61×4 |

(　　　　　　　　)

09 계산에서 잘못된 부분을 찾아 바르게 계산해 보세요.

```
    5  3
  ×    2
─────────
    1  6
```
→

10 연진이는 방울토마토를 한 봉지에 41개씩 3봉지에 담았습니다. 3봉지에 담은 방울토마토는 모두 몇 개일까요?

식

답

01 수 모형을 보고 곱셈식으로 나타내어 보세요.

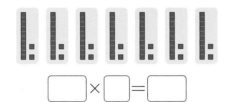

$\boxed{} \times \boxed{} = \boxed{}$

02~03 ◻ 안에 알맞은 수를 써넣으세요.

02

$$
\begin{array}{cc}
 & 1 \quad 4 \\
\times & \quad 6 \\
\hline
\boxed{}\boxed{} & \leftarrow 4 \times 6 \\
\boxed{}\boxed{} & \leftarrow 10 \times 6 \\
\hline
\boxed{}\boxed{} &
\end{array}
$$

03

$$
\begin{array}{cc}
 & 2 \quad 8 \\
\times & \quad 2 \\
\hline
\boxed{}\boxed{} & \leftarrow 8 \times 2 \\
\boxed{}\boxed{} & \leftarrow 20 \times 2 \\
\hline
\boxed{}\boxed{} &
\end{array}
$$

04~05 계산해 보세요.

04 (1)
$$
\begin{array}{cc}
 & 4 \quad 7 \\
\times & \quad 2 \\
\hline
\end{array}
$$
(2)
$$
\begin{array}{cc}
 & 2 \quad 4 \\
\times & \quad 4 \\
\hline
\end{array}
$$

05 (1) 26×2 (2) 27×3

06~07 계산 결과의 크기를 비교하여 ◯ 안에 >, =, <를 알맞게 써넣으세요.

06 35×2 ◯ 26×3

07 24×3 ◯ 18×4

08 계산 결과가 큰 것부터 차례로 기호를 써 보세요.

$$
\boxed{\quad \bigcirc\, 17 \times 4 \qquad \bigcirc\, 18 \times 5 \qquad \bigcirc\, 16 \times 3 \quad}
$$

(   )

09 영신이는 국어책을 13쪽씩 6일 동안 읽었습니다. 영신이가 6일 동안 읽은 국어 책은 모두 몇 쪽일까요?

식

답 ....

10 월요일부터 금요일까지 매일 17분씩 달리기를 하였습니다. 5일 동안 달리기를 한 시간은 모두 몇 분일까요?

(   )

01 수 모형을 보고 곱셈식으로 나타내어 보세요.

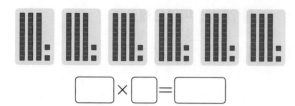

□ × □ = □

02~03 □ 안에 알맞은 수를 써넣으세요.

02

```
    4 7
  ×   6
```
4 2 ← □ × □
□ □ □ ← □ × □
□ □ □

03

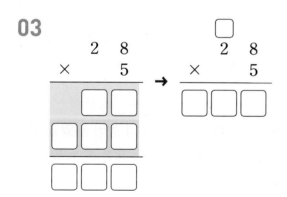

```
    2 8
  ×   5
```
→
```
    2 8
  ×   5
```
□ □ □

04~05 계산해 보세요.

04 (1)
```
    4 3
  ×   4
```
(2)
```
    5 5
  ×   4
```

05 (1) 96 × 2   (2) 87 × 4

06~07 계산 결과의 크기를 비교하여 ○ 안에 >, =, <를 알맞게 써넣으세요.

06 46 × 4 ◯ 24 × 8

07 84 × 8 ◯ 72 × 9

08 빈칸에 알맞은 수를 써넣으세요.

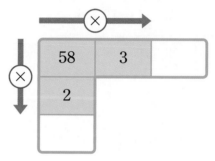

09 대성이와 수미는 종이학을 접었습니다. 대성이는 27마리를 접었고 수미는 대성이의 6배만큼 접었습니다. 수미가 접은 종이학은 모두 몇 마리일까요?

식

답

10 우연이는 감을 한 상자에 56개씩 2상자에 담았습니다. 상자에 담은 감은 모두 몇 개일까요?

(   )

| (몇십)×(몇) |

01 □ 안에 알맞은 수를 써넣으세요.

| 십 모형의 개수 | $4 \times 2 =$ □ (개) |
| 십 모형이 나타내는 수 | □ $\times 2 =$ □ |

| (몇십)×(몇) |

02 계산 결과를 선으로 이어 보세요.

10×7 ・

20×4 ・

・ 80

・ 90

・ 70

| (몇십몇)×(몇) (1) |

03 두 수의 곱을 빈칸에 써넣으세요.

| 23 | 3 |
| | |

| (몇십몇)×(몇) (2) |

04 계산해 보세요.

(1) 74×2

(2)
```
    7 3
×     3
```

| (몇십몇)×(몇) ⑷ |

05 빈칸에 알맞은 수를 써넣으세요.

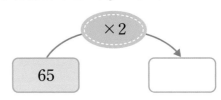

65 → ×2 →

| (몇십몇)×(몇) ⑶ |

06 □ 안에 들어갈 수 있는 곱셈에 ○표 하세요.

$75 <$ □ < 80

19×4　　　　24×3

(　　　)　　　(　　　)

| (몇십)×(몇) |

07 다음을 읽고 어머니의 나이는 몇 살인지 구해 보세요.

> 민국 나는 7살이야.
> 정훈 나는 민국이보다 3살 더 많아.
> 어머니 나는 정훈이 나이의 3배야.

(　　　　　　　)

| (몇십몇)×(몇) (2) |

08 계산 결과의 크기를 비교하여 ◯ 안에 >, =, <를 알맞게 써넣으세요.

$$83 \times 3 \bigcirc 31 \times 8$$

| (몇십몇)×(몇) (2) |

09 빈칸에 알맞은 수를 써넣으세요.

×	51	71	42
4			

| (몇십몇)×(몇) (3) |

10 계산에서 <u>잘못된</u> 부분을 찾아 바르게 계산해 보세요.

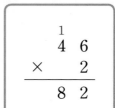 →

| (몇십몇)×(몇) (1) |

11 정원이네 학교 3학년은 한 반에 21명씩 3개 반이 있습니다. 3학년 학생은 모두 몇 명일까요?

 식

답

| (몇십몇)×(몇) (3) |

12 계산 결과가 큰 것부터 차례로 기호를 써 보세요.

| ㉠ 27×2 | ㉡ 17×3 | ㉢ 12×5 |

( )

| (몇십몇)×(몇) (4) |

13 마루는 매일 줄넘기를 합니다. 하루에 앞으로 넘기 35번과 뒤로 넘기 7번을 한다면 마루는 일주일 동안 줄넘기를 모두 몇 번 하는지 구해 보세요.

( )

| (몇십몇)×(몇) (1) | **서술형**

14 효임이가 하루에 먹는 견과류는 아몬드 5개, 호두 3개, 땅콩 3개입니다. 효임이가 4일 동안 먹은 견과류는 모두 몇 개인지 풀이 과정을 쓰고, 답을 구해 보세요.

풀이

답

| **(몇십몇)×(몇)** ⑷ |

15 ㉠과 ㉡에 들어갈 알맞은 수의 합을 구해 보세요.

$$
\begin{array}{r}
㉠ \\
4\ 3 \\
\times\ \ \ \ 4 \\
\hline
1\ 7\ 2
\end{array}
\qquad
\begin{array}{r}
1 \\
6\ 7 \\
\times\ \ \ \ 2 \\
\hline
1\ ㉡\ 4
\end{array}
$$

( )

| **(몇십몇)×(몇)** ⑶ |

16 어떤 수에 3을 곱해야 할 것을 잘못하여 어떤 수에 3을 더했더니 31이 되었습니다. 바르게 계산한 값은 얼마인지 구해 보세요.

( )

| **(몇십몇)×(몇)** ⑶ | **서술형**

17 주민센터에서 한 사람당 마스크를 15장씩 나누어 준다고 합니다. 대한이네 가족이 모두 4명일 때, 대한이네 가족이 받는 마스크는 모두 몇 장인지 풀이 과정을 쓰고, 답을 구해 보세요.

풀이

답 _____

| **(몇십몇)×(몇)** ⑷ |

18 1부터 9까지의 수 중에서 ☐ 안에 들어갈 수 있는 수를 모두 구해 보세요.

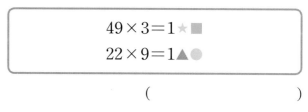

$$78 \times \boxed{\ } > 500$$

( )

| **(몇십몇)×(몇)** ⑷ |

19 곱셈식 계산 결과를 확인하고 ★＋■＋▲＋● 의 값을 구해 보세요.

$$49 \times 3 = 1★■$$
$$22 \times 9 = 1▲●$$

( )

| **(몇십몇)×(몇)** ⑷ | **서술형**

20 슬기네 아파트는 29층씩 6개 동이 있고, 아름이네 아파트는 15층씩 9개 동이 있습니다. 두 아파트의 각 층에 화재경보기를 하나씩 설치하려면 필요한 화재경보기는 모두 몇 개인지 풀이 과정을 쓰고, 답을 구해 보세요.

풀이

답 _____

| (몇십)×(몇) |

01 그림을 보고 ⬜ 안에 알맞은 수를 써넣으세요.
하

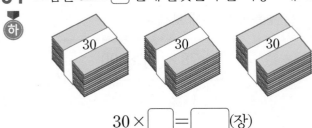

$30 \times$ ⬜ $=$ ⬜ (장)

| (몇십몇)×(몇) (1) |

02 계산 결과를 선으로 이어 보세요.
하

11×4 ·	· 28
14×2 ·	· 44
23×3 ·	· 69

| (몇십몇)×(몇) (2) |

03 ⬜ 안에 알맞은 수를 써넣으세요.
하

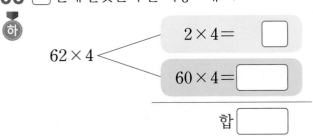

62×4 ⟨ $2 \times 4 =$ ⬜
$60 \times 4 =$ ⬜

합 ⬜

| (몇십몇)×(몇) (3) |

04 그림을 보고 ⬜ 안에 알맞은 수를 써넣으세요.
중

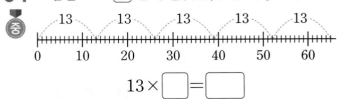

$13 \times$ ⬜ $=$ ⬜

| (몇십몇)×(몇) (2), (몇십몇)×(몇) (3) |

05 빈칸에 알맞은 수를 써넣으세요.
중

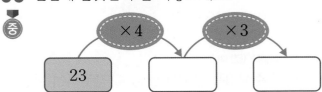

| (몇십몇)×(몇) |

06 빈칸에 알맞은 수를 써넣으세요.
중

| 32 | 3 | |
| 4 | 28 | |

| (몇십몇)×(몇) (1) |

07 아기 돼지 삼형제에게 젤리를 각각 12개씩 주려
중 고 합니다. 필요한 젤리는 모두 몇 개일까요?

식 _____

 _____

| **(몇십몇)×(몇) (2)** |

08 계산 결과의 크기를 비교하여 ◯ 안에 ＞, ＝, ＜를 알맞게 써넣으세요.

(1) 83×2 ◯ 31×7

(2) 43×3 ◯ 21×6

| **(몇십몇)×(몇) (4)** |

09 농장에 병아리 65마리가 있습니다. 병아리의 다리는 모두 몇 개일까요?

(　　　　　　　　)

| **(몇십몇)×(몇) (2)** |

10 주차장에 자동차 32대가 있습니다. 자동차 한 대의 바퀴는 4개입니다. 주차장에 있는 자동차 바퀴 수는 모두 몇 개일까요?

(　　　　　　　　)

| **(몇십몇)×(몇) (4)** |

11 봄이네 학교 3학년은 23명씩 8반입니다. 3학년 전체 학생이 한 관에서 같이 영화를 관람하려면 어떤 상영관을 빌려야 할까요?

극장 상영관 좌석 수	
금성관	200석
은성관	150석
동성관	100석

(　　　　　　　　)

12~13 은주와 금주는 공원에서 자전거를 탔습니다. 공원에는 해 코스와 달 코스가 있습니다. 물음에 답해 보세요.

해 코스 78 m　　달 코스 57 m

| **(몇십몇)×(몇) (4)** |

12 은주는 자전거로 해 코스를 2번 탔습니다. 은주는 자전거를 몇 m 탔을까요?

(　　　　　　　　)

| **(몇십몇)×(몇) (4)** |

13 금주는 자전거로 달 코스를 3번 탔습니다. 금주는 자전거를 몇 m 탔을까요?

(　　　　　　　　)

| **(몇십몇)×(몇) (3)** |　　　**서술형**

14 빨대가 한 통에 12개씩 들어 있습니다. 7통에 들어 있는 빨대는 모두 몇 개인지 풀이 과정을 쓰고, 답을 구해 보세요.

풀이

답

4. 곱셈 • **59**

| (몇십몇)×(몇) ⑷ |

15 ☐ 안에 알맞은 수를 써넣으세요.

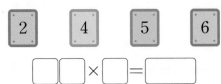

| (몇십몇)×(몇) ⑷ |

16 숫자 카드 4장 중 3장을 한 번씩만 사용하여 곱이 가장 큰 (몇십몇)×(몇)의 곱셈식을 만들고, 곱을 구해 보세요.

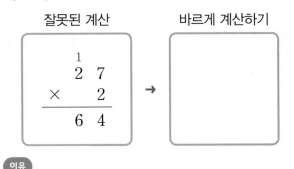

| (몇십몇)×(몇) ⑶ | 서술형

17 잘못 계산한 곳을 찾아 이유를 쓰고, 바르게 계산해 보세요

잘못된 계산   바르게 계산하기

$$\begin{array}{r} 1 \\ 2\ 7 \\ \times\quad 2 \\ \hline 6\ 4 \end{array}$$ →

이유

| (몇십몇)×(몇) ⑵, (몇십몇)×(몇) ⑷ |

18 사탕을 42개씩 4봉지로 포장해야 할 것을 잘못하여 32개씩 5봉지로 포장했더니 사탕이 남았습니다. 몇 개의 사탕이 남았는지 구해 보세요.

( )

| (몇십몇)×(몇) ⑴, (몇십몇)×(몇) ⑶ |

19 민주의 생일은 ▲월 ●일이고 종진이의 생일은 ■월 ♥일입니다. 암호 를 풀어 생일이 더 빠른 사람은 누구인지 알아보세요.

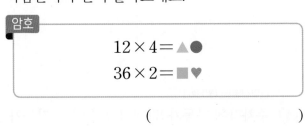

( )

| (몇십몇)×(몇) ⑵ | 서술형

20 은수의 나이는 10살이고, 아버지의 나이는 은수 나이의 4배입니다. 할아버지의 나이는 아버지 나이의 2배라면 할아버지의 나이는 몇 살인지 풀이 과정을 쓰고, 답을 구해 보세요.

풀이

답

Tip

❶ 문제에 알맞은 식 만들기

❷ 선풍기가 모두 몇 대 필요한지 구하기

01 수민이네 학교에는 교실이 43개 있습니다. 한 교실에 선풍기를 2대씩 설치하려고 합니다. 선풍기가 모두 몇 대 필요한지 풀이 과정을 쓰고, 답을 구해 보세요.

풀이

답 ....

Tip

❶ 1반이 수확한 당근의 수 구하기

❷ 2반이 수확한 당근의 수 구하기

❸ 어느 반이 당근을 몇 개 더 많이 수확했는지 구하기

02 한상이네 학교 3학년 학생들은 당근 농장으로 체험 학습을 갔습니다. 1반과 2반이 수확한 당근의 양이 다음과 같을 때 어느 반이 당근을 몇 개 더 많이 수확했는지 풀이 과정을 쓰고, 답을 구해 보세요.

1반	2반
32개씩 4상자	43개씩 3상자

풀이

답 .... ,

Tip

❶ 가람, 아름, 보름이가 넘은 줄넘기 횟수 각각 구하기

⌄

❷ 줄넘기를 가장 많이 넘은 사람은 누구인지 구하기

03 가람, 아름, 보름이가 줄넘기 운동을 다음과 같이 했습니다. 줄넘기를 가장 많이 넘은 사람은 누구인지 풀이 과정을 쓰고, 답을 구해 보세요.

가람	아름	보름
10번씩 9일	31번씩 4일	13번씩 7일

 풀이

답

Tip

❶ 떡볶이 58인분을 만드는 데 필요한 물은 몇 컵인지 구하기

⌄

❷ 어묵탕 34인분을 만드는 데 필요한 물은 몇 컵인지 구하기

⌄

❸ 떡볶이와 어묵탕을 만드는 데 필요한 물은 모두 몇 컵인지 구하기

04 바자회에서 판매할 떡볶이 58인분, 어묵탕 34인분을 만들려고 합니다. 떡볶이와 어묵탕 1인분을 만드는 데 필요한 물의 양은 다음과 같습니다. 떡볶이와 어묵탕을 만드는 데 필요한 물은 모두 몇 컵인지 풀이 과정을 쓰고, 답을 구해 보세요.

필요한 물의 양

1인분에 물 5컵

필요한 물의 양

1인분에 물 7컵

 풀이

답

 Tip

❶ 채희의 구슬 수로 명희가 가진 구슬 수 구하기

❷ 채희의 구슬 수로 주희가 가진 구슬 수 구하기

01 대화를 보고 명희와 주희가 가지고 있는 구슬은 각각 몇 개인지 풀이 과정을 쓰고, 답을 구해 보세요.

채희
나는 구슬을 24개 가지고 있어.

명희
내 구슬 수는 채희가 가지고 있는 구슬 수의 2배야.

주희
나는 채희의 4배만큼 구슬을 가지고 있어.

 풀이

답 명희   , 주희

Tip

❶ 태양호가 1초 동안 달린 거리로 5초 동안 갈 수 있는 거리 구하기

❷ 우주호가 1초 동안 달린 거리로 5초 동안 갈 수 있는 거리 구하기

02 지우네 반 친구들은 과학 시간에 풍선 자동차 2대를 만들었습니다. 각 자동차가 1초 동안 달린 거리가 다음과 같을 때 5초 동안 달린 거리는 각각 몇 cm인지 풀이 과정을 쓰고, 답을 구해 보세요.

태양호	1초에 11 cm
우주호	1초에 14 cm

풀이

답 태양호   , 우주호

Tip

❶ 큰 선물 상자 2개를 포장하는 데 필요한 리본의 길이를 구하기

⌄

❷ 작은 선물 상자 3개를 포장하는 데 필요한 리본의 길이를 구하기

⌄

❸ 큰 선물 상자 2개와 작은 선물 상자 3개를 포장하는 데 필요한 리본은 모두 몇 cm인지 구하기

03 표를 보고 큰 선물 상자 2개와 작은 선물 상자 3개를 포장하는 데 필요한 리본은 모두 몇 cm인지 풀이 과정을 쓰고, 답을 구해 보세요.

필요한 리본의 길이	
큰 선물 상자	49 cm
작은 선물 상자	43 cm

풀이

답

Tip

❶ 왼쪽에 있는 곱셈식 계산하기

⌄

❷ ❶의 값을 이용하여 오른쪽에 있는 곱셈식 계산하기

⌄

❸ ★, ▲, ■의 값을 구해 승지의 생일 구하기

04 다음 곱셈식을 풀면 승지의 생일을 구할 수 있습니다. 승지의 생일은 ★월 ▲■일이라고 합니다. 승지의 생일을 구하는 풀이 과정을 쓰고, 답을 구해 보세요.

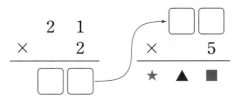

풀이

답

개념 **1** 길이의 단위 1 mm

· 1 mm: 1 cm를 10칸으로 똑같이 나누었을 때 작은 눈금 한 칸의 길이

✏️ **쓰기** 1 mm   🔊 **읽기** 1 밀리미터

1mm

| 1 cm＝10 mm |

· 2 cm 5 mm: 2 cm보다 5 mm 더 긴 것

✏️ **쓰기** 2 cm 5 mm

🔊 **읽기** 2 센티미터 5 밀리미터

| 2 cm 5 mm＝25 mm |

개념 **2** 길이의 단위 1 km

· 1 km: 1000 m를 나타내는 새로운 단위

✏️ **쓰기** 1 km   🔊 **읽기** 1 킬로미터

1km

| 1000 m＝1 km |

· 3 km 400 m: 3 km보다 400 m 더 긴 것

✏️ **쓰기** 3 km 400 m

🔊 **읽기** 3 킬로미터 400 미터

| 3 km 400 m＝3400 m |

개념 **3** 길이와 거리를 어림하고 재어 보기

· 길이(거리)를 어림하는 방법
  ① 알고 있는 길이(거리)를 이용하여 어림하기
  ② 전체 길이(거리)를 몇 개의 부분으로 나눈 뒤, 각 부분을 어림하여 더하기
  ③ 한 부분의 길이(거리)를 어림한 다음, 그 길이 (거리)를 반복하여 전체 길이(거리)를 어림하기

개념 **4** 시간의 단위 1초

· 1초: 초바늘이 작은 눈금 한 칸을 가는 동안 걸리는 시간
· 60초: 초바늘이 시계를 한 바퀴 도는 데 걸리는 시간

| 60초＝1분 |

개념 **5** 시간의 덧셈과 뺄셈 (1)

시는 시끼리, 분은 분끼리, 초는 초끼리 더하거나 뺍니다.

	9시	30분
＋	1시간	20분
	10시	50분

	11시	50분
－	3시	30분
	8시간	20분

개념 **6** 시간의 덧셈과 뺄셈 (2)

· 같은 단위끼리의 합이 60이거나 60보다 크면 60초를 1분으로, 60분을 1시간으로 바꾸어 계산합니다.

	1시간	1 분	
	2시	50분	50초
＋		20분	25초
	3시	11분	15초

· 같은 단위끼리 뺄 수 없으면 1분을 60초로, 1시간을 60분으로 바꾸어 계산합니다.

		60분	
	7시	19분	60초
	8시	20분	30초
－	5시	45분	50초
	2시간	34분	40초

01 ☐ 안에 알맞은 수를 써넣으세요.

(1) 7 cm = ☐ mm

(2) 30 mm = ☐ cm

02 ☐ 안에 알맞은 수를 써넣으세요.

(1) 49 mm = ☐ cm ☐ mm

(2) 3 cm 9 mm = ☐ mm

03 길이를 읽어 보세요.

25 mm

→ _____

04 길이가 더 짧은 것의 기호를 써 보세요.

㉠ 200 mm   ㉡ 30 cm

(   )

05 나사의 길이를 재어 ☐ 안에 알맞은 수를 써넣으세요.

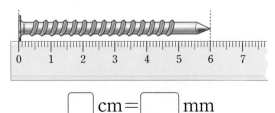

☐ cm = ☐ mm

06 ☐ 안에 알맞은 수를 써넣으세요.

(1) 5 km = ☐ m

(2) 4000 m = ☐ km

07 ☐ 안에 알맞은 수를 써넣으세요.

(1) 3540 m = ☐ km ☐ m

(2) 5 km 420 m = ☐ m

08 길이를 읽어 보세요.

2530 km

→ _____

09 거리가 더 긴 것의 기호를 써 보세요.

㉠ 3000 m   ㉡ 5 km

(   )

10 안내판을 보고 어느 곳이 몇 km 더 먼지 ☐ 안에 알맞은 수나 말을 써넣으세요.

놀이터 5000 m
편의점 8000 m

☐ 가(이) ☐ km 더 멉니다.

01~02 물건의 길이를 어림하고 자로 재어 몇 cm 몇 mm로 나타내어 보세요.

01

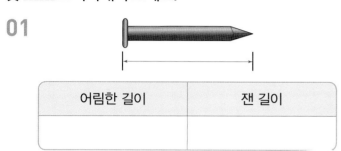

어림한 길이	잰 길이

02

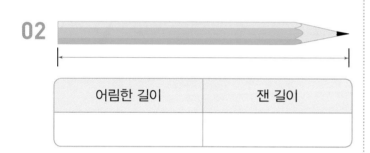

어림한 길이	잰 길이

03~05 보기 에서 알맞은 단위를 골라 ◻ 안에 써 넣으세요.

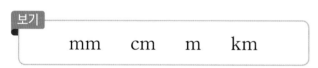

보기

mm　　cm　　m　　km

03 가위의 길이는 약 22 ◻ 입니다.

04 방의 높이는 약 3 ◻ 입니다.

05 산의 높이는 약 6 ◻ 입니다.

06~07 보기 에서 주어진 길이를 골라 써 보세요.

보기

8 cm　　35 mm　　20 cm

06

약 ◻

07

약 ◻

08~10 그림을 보고 물음에 답해 보세요.

식물원　가게　미술관　주차장　동물원

약 1 km

08 식물원에서 미술관까지의 거리는 약 몇 km일 까요?

(　　　　　　　)

09 식물원에서 주차장까지의 거리는 약 몇 km일 까요?

(　　　　　　　)

10 식물원에서 약 4 km 떨어진 곳에 있는 장소를 찾아 써 보세요.

(　　　　　　　)

👮 평가한 날   월   일

정답 및 풀이 | **119쪽**

점수

01~02 시각을 읽어 보세요.

01

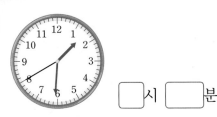

◯ 시 ◯ 분 ◯ 초

02

◯ 시 ◯ 분 ◯ 초

03 ◯ 안에 알맞은 수를 써넣으세요.

(1) 1분 = ◯ 초

(2) 6분 = ◯ 초

04 ◯ 안에 알맞은 수를 써넣으세요.

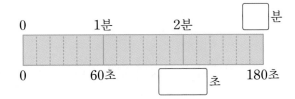

◯ 분

◯ 초

05 ◯ 안에 알맞은 수를 써넣으세요.

(1) 2분 30초 = ◯ 초

(2) 3분 20초 = ◯ 초

06~07 시각에 맞게 시계에 초바늘을 알맞게 그려 넣어 보세요.

06

5시 50분 20초

07

9시 25분 45초

08 ◯ 안에 알맞은 수를 써넣으세요.

(1) 70초 = ◯ 분 ◯ 초

(2) 135초 = ◯ 분 ◯ 초

09 1초 동안 할 수 있는 일에 ◯표 하세요.

손뼉 한 번 치기	극장에서 영화 보기
( )	( )

10 시간이 짧은 순서대로 기호를 써 보세요.

㉠ 123초	㉡ 1분 55초
㉢ 2분 5초	㉣ 83초

( )

⏰ 평가한 날   월   일

정답 및 풀이 | **120쪽**

점수

01~04 ☐ 안에 알맞은 수를 써넣으세요.

01
```
      4  시      15  분
  +   2  시간    30  분
  ─────────────────────
    ☐  시    ☐  분
```

02
```
      3  시      18  분    20  초
  +   2  시간    35  분    10  초
  ─────────────────────────────
    ☐  시    ☐  분    ☐  초
```

03
```
     12  시      30  분
  −   2  시간    10  분
  ─────────────────────
    ☐  시    ☐  분
```

04
```
     10  시      50  분    45  초
  −   1  시간    10  분    16  초
  ─────────────────────────────
    ☐  시    ☐  분    ☐  초
```

05 민강이는 3시 10분 30초에 음악 듣기를 시작했습니다. 음악을 45분 20초 동안 들었다면 음악 듣기를 끝낸 시각은 몇 시 몇 분 몇 초일까요?

(   )

06 지금 시각은 6시 40분입니다. 50분 후의 시각을 구해 보세요.

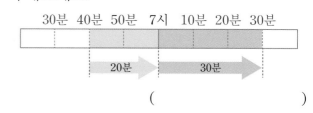

(   )

07 지금 시각은 7시 20분입니다. 50분 전의 시각을 구해 보세요.

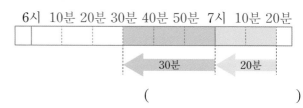

(   )

08~09 ☐ 안에 알맞은 수를 써넣으세요.

08
```
    ☐  시간
      5  시      20  분    30  초
  +   1  시간    50  분    10  초
  ─────────────────────────────
    ☐  시    ☐  분    ☐  초
```

09
```
                ☐  분    ☐  초
      9  시      30  분    15  초
  −   2  시간    10  분    40  초
  ─────────────────────────────
    ☐  시    ☐  분    ☐  초
```

10 민지는 4시 35분부터 6시까지 책을 읽었습니다. 민지가 책을 읽은 시간은 몇 시간 몇 분일까요?

(   )

| 길이의 단위 1 mm |

01 ☐ 안에 알맞은 수를 써넣으세요.

| 시간의 단위 1초 |

02 시각을 읽어 보세요.

☐ 시 ☐ 분 ☐ 초

| 길이의 단위 1 mm |

03 나사의 길이를 재어 ☐ 안에 알맞은 수를 써넣으세요.

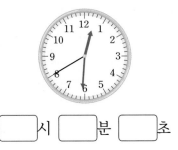

☐ cm ☐ mm

| 길이의 단위 1 km |

04 ☐ 안에 알맞은 수를 써넣으세요.

8300 m = ☐ m + 300 m

= ☐ km + 300 m

= ☐ km ☐ m

| 길이의 단위 1 km |

05 ☐ 안에 알맞은 수를 써넣으세요.

(1) 1300 m = ☐ km ☐ m

(2) 1 km 200 m = ☐ m

| 시간의 단위 1초 |

06 ☐ 안에 알맞은 수를 써넣으세요.

(1)
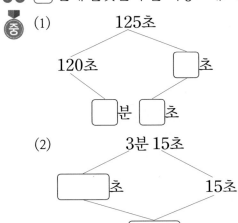

(2) 3분 15초

| 시간의 단위 1초 |

07 같은 시간끼리 선으로 이어 보세요.

130초 ·	· 3분 10초
250초 ·	· 4분 10초
190초 ·	· 2분 10초

평가한 날   월   일

점수

| 시간의 단위 1초 |

08 시, 분, 초를 넣어 문장의 내용이 완성되도록 ☐ 안에 알맞게 써넣으세요.

> 현수는 학교에서 9☐부터 12☐까지
> 180☐ 동안 공부를 했습니다. 학교를 마치
> 고 집에 와선 30☐ 동안 손을 닦고, 60☐
> 동안 숙제를 했습니다.

09~10 계산해 보세요.

| 시간의 덧셈과 뺄셈 (2) |

09
　　4시　15분　22초
　＋2시간　50분　15초
　――――――――――

| 시간의 덧셈과 뺄셈 (2) |

10
　　5시　15분　30초
　－2시　50분　55초
　――――――――――

| 길이와 거리를 어림하고 재어 보기 |

11 에서 알맞은 단위를 골라 ☐ 안에 써넣으세요.

> 보기
> 　　mm　　cm　　m　　km

(1) 내 키는 약 139 ☐ 입니다.

(2) 수학 문제집의 긴 쪽의 길이는 300 ☐ 입니다.

| 길이의 단위 1 mm |

12 길이를 비교하여 ◯ 안에 >, =, <를 알맞게 써넣으세요.

　　12 cm 4 mm 　◯　 119 mm

| 시간의 덧셈과 뺄셈 (1) |

13 진이가 집에서 출발한 시각과 학교에 도착한 시각입니다. 진이가 학교에 가는 데 걸린 시간은 몇 분 몇 초일까요? (단, 두 시각은 같은 날 오전입니다.)

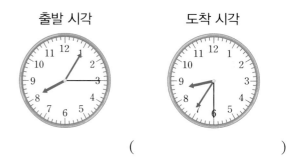

출발 시각　　　　　　도착 시각

（　　　　　　　　　）

| 시간의 단위 1초 |　　　　　　　　　**서술형**

14 저녁 먹고 양치를 소연이는 2분 29초 동안 하였고, 정수는 180초 동안 하였습니다. 양치를 더 오랫동안 한 사람은 누구인지 풀이 과정을 쓰고, 답을 구해 보세요.

 풀이

답

| 길이와 거리를 어림하고 재어 보기 |

15 길이를 어림하여 ☐안에 알맞은 수를 써넣으세요.
(중)

킹 코브라

약 4 m

아나콘다는 킹 코브라 길이의 2배 정도 되니
까 아나콘다의 길이는 약 ☐m야.

| 시간의 덧셈과 뺄셈 (2) |

16 두 시계가 나타내는 시각의 차는 몇 시간 몇 분
(중) 몇 초일까요?

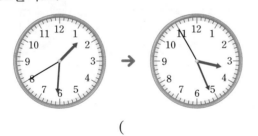

( )

| 길이의 단위 1 km |

서술형

17 우체국에서 태호네 집까지의 거리는 1520 m이
(중) 고, 성아네 집까지의 거리는 1 km 95 m입니다.
우체국에서 누구네 집이 더 가까운지 풀이 과정
을 쓰고, 답을 구해 보세요.

풀이

| 시간의 덧셈과 뺄셈 (1) |

18 어느 날 해가 뜬 시각은 오전 5시 35분이고 해가
(상) 진 시각은 오후 7시 49분입니다. 이날의 낮의 길
이는 몇 시간 몇 분일까요?

( )

| 시간의 덧셈과 뺄셈 (2) |

19 어느 날의 밤의 길이는 13시간 12분 24초였습
(상) 니다. 이날의 밤의 길이는 낮의 길이보다 몇 시간
몇 분 몇 초 더 길까요?

( )

| 시간의 덧셈과 뺄셈 (2) |

서술형

20 윤주는 버스를 타고 집에서 출발하여 할머니 댁
(상) 에 가는 데 1시간 14분이 걸렸고, 집으로 돌아올
때에는 차가 밀려 할머니 댁에 갈 때보다 35분이
더 걸렸습니다. 윤주가 할머니 댁에 다녀오면서
버스를 탄 시간은 모두 몇 시간 몇 분인지 풀이 과
정을 쓰고, 답을 구해 보세요.

풀이

답 ·············

답 ·············

실력 단원 평가 | 5. 길이와 시간

평가한 날 월 일

점수

정답 및 풀이 | 121쪽

| 길이의 단위 1 mm |

01 주어진 길이를 쓰고 읽어 보세요. (하)

9 mm

쓰기

읽기

02~03 계산해 보세요.

| 시간의 덧셈과 뺄셈 (1) |

02 (하)

  13분 42초
+ 40분 14초

| 시간의 덧셈과 뺄셈 (1) |

03 (하)

  6시 43분 55초
− 3시 21분 42초

| 길이의 단위 1 mm, 1 km |

04 □ 안에 알맞은 수를 써넣으세요. (중)

(1) 20 mm=□ cm

(2) 2 km=□ m

| 길이의 단위 1 mm, 1 km |

05 같은 길이를 찾아 선으로 이어 보세요. (중)

3 km 500 m ·	· 35 cm
35 mm ·	· 3 cm 5 mm
	· 3500 m

| 길이와 거리를 어림하고 재어 보기 |

06 보기 에서 주어진 길이를 골라 문장을 완성해 보세요. (중)

보기

8 km	18 cm	2 m
90 mm	10 cm	900 m

(1) 새 연필의 길이는 □입니다.

(2) 교실 문의 높이는 □입니다.

| 시간의 단위 1초 |

07 □ 안에 알맞은 수를 써넣으세요. (중)

(1) 125초=□분 □초

(2) 2분 10초=□초

| 길이와 거리를 어림하고 재어 보기 |

08 길이가 100 mm보다 짧은 것을 모두 찾아 기호 를 써 보세요.

> ㉠ 나의 키 ㉡ 클립의 길이
>
> ㉢ 엄지손톱 길이 ㉣ 건물의 높이

( )

| 시간의 단위 1초 |

09 시간이 가장 짧은 것을 찾아 기호를 써 보세요.

> ㉠ 3분 15초 ㉡ 190초
>
> ㉢ 3분 20초 ㉣ 172초

( )

10~11 친구들이 잠을 잔 시간을 조사하였습니다. 물음에 답해 보세요.

이름	시간
해민	8시간 49분 60초
달이	10시간 65분
샛별	10시간 10분

| 시간의 단위 1초 |

10 가장 오랜 시간 잠을 잔 친구는 누구일까요?

( )

| 시간의 덧셈과 뺄셈 (2) |

11 샛별이는 해민이보다 몇 시간 몇 분 더 잤나요?

( )

| 시간의 단위 1초 |

12 ☐ 안에 들어갈 수 있는 시각을 모두 찾아 기호 를 써 보세요.

> ㉠ 121초 ㉡ 3분 9초
>
> ㉢ 3분 23초 ㉣ 137초

2분 15초 < ☐ ? ☐ < 193초

( )

| 시간의 덧셈과 뺄셈 (2) |

13 시계가 나타내는 시각에서 330초 후의 시각은 몇 시 몇 분 몇 초일까요?

( )

| 길이와 거리를 어림하고 재어 보기 | **서술형**

14 집에서 약 2 km 떨어진 곳에 있는 건물을 찾으 려고 합니다. 풀이 과정을 쓰고, 답을 구해 보세요.

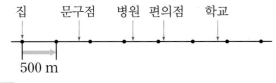

풀이

답

15~16 도윤이는 아침을 7시 50분 30초에 먹기 시작해서 8시 25분 10초에 식탁에서 일어났습니다. 물음에 답해 보세요.

| 시간의 단위 1초 |

15 도윤이가 아침을 먹기 시작한 시각과 끝낸 시각을 시계에 나타내려고 합니다. 시각에 맞게 초바늘을 그려 넣어 보세요.

시작한 시각   끝낸 시각

| 시간의 덧셈과 뺄셈 (2) |

16 도윤이가 아침을 먹는 데 걸린 시간은 몇 분 몇 초일까요?

(   )

| 길이의 단위 1 mm | 서술형

17 연필의 길이를 재어 보니 156 mm였습니다. 연필의 길이는 몇 cm 몇 mm인지 풀이 과정을 쓰고, 답을 구해 보세요.

풀이

답

| 시간의 덧셈과 뺄셈 (2) |

18 오송역에서 서울역까지는 KTX로 45분이 걸립니다. 다음 기차 시간표를 완성하세요.

오송역 출발 시각	서울역 도착 시각
9시 50분	
12시 49분	
	15시 18분
	18시 40분

| 시간의 덧셈과 뺄셈 (2) |

19 민지네 학교는 9시에 1교시를 시작합니다. 수업 시간은 40분이고, 쉬는 시간은 10분입니다. 4교시를 시작하는 시각은 몇 시 몇 분일까요?

(   )

| 시간의 덧셈과 뺄셈 (2) | 서술형

20 달이와 별이는 미용실에 갔습니다. 별이는 달이보다 15분 50초 늦게 미용을 시작했습니다. 별이가 미용을 시작한 시각은 3시 12분이었습니다. 달이가 미용을 시작한 시각은 몇 시 몇 분 몇 초인지 풀이 과정을 쓰고, 답을 구해 보세요.

풀이

답

Tip

❶ 집에서 공원을 지나 박물관까지 가는 거리는 몇 km 몇 m인지 구하기

≫

❷ 집에서 공원을 지나 박물관까지 가는 거리는 몇 m인지 구하기

01 집에서 공원을 지나 박물관까지 가는 거리는 몇 m인지 풀이 과정을 쓰고, 답을 구해 보세요.

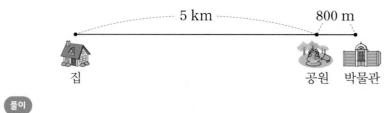

 풀이

답

Tip

❶ 높이의 단위를 통일하기

≫

❷ 높이를 비교하여 가장 높은 산과 가장 낮은 산 찾기

02 주영이는 세계 산들의 높이를 조사하였습니다. 가장 높은 산과 가장 낮은 산을 찾으려고 합니다. 풀이 과정을 쓰고, 답을 구해 보세요.

산	높이	산	높이
매킨리산	6190 m	에베레스트산	8 km 850 m
백두산	2 km 744 m	빌헬름산	4509 m
킬리만자로산	5895 m	아콩카과산	6 km 950 m

 풀이

 답 가장 높은 산   , 가장 낮은 산

Tip

❶ 출발 시각과 도착 시각을 이용해서 걸린 시간 각각 구하기

❷ 누가 몇 분 차이로 이겼는지 구하기

03 지수와 선호가 달리기 경주를 하였습니다. 누가 몇 분 차이로 이겼는지 풀이 과정을 쓰고, 답을 구해 보세요.

출발 시각   도착 시각   지수

출발 시각   도착 시각   선호

풀이

답 _____ ,

Tip

❶ 문제에 알맞은 식 만들기

❷ 진주네 가족이 수영장에서 있었던 시간 구하기

04 진주네 가족은 수영장에 다녀왔습니다. 아침 일찍 출발해서 9시 20분 30초에 수영장에 입장하고 정오(12시)에 나왔습니다. 진주네 가족이 수영장에서 있있던 시간은 몇 시간 몇 분 몇 초인지 풀이 과정을 쓰고, 답을 구해 보세요.

풀이

답 _____

Tip

❶ 등산로의 거리 단위를 통일하기
❷ 거리가 15 km와 16 km 사이인 등산로 찾기

01 등산로가 표시된 지도에서 거리가 15 km와 16 km 사이인 등산로를 찾으려고 합니다. 풀이 과정을 쓰고, 답을 구해 보세요.

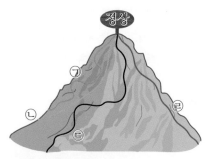

등산로	
㉠ 12 km 200 m	㉢ 16000 m
㉡ 11000 m	㉣ 15500 m

풀이

답

Tip

❶ 가장 짧은 길을 찾아 거리를 m로 나타내기
❷ 거리를 몇 km 몇 m로 나타내기

02 우주네 집에서 도서관까지 가는 길을 나타낸 것입니다. 우주네 집에서 도서관까지 길을 따라 가려면 적어도 몇 km 몇 m를 걸어야 하는지 풀이 과정을 쓰고, 답을 구해 보세요.

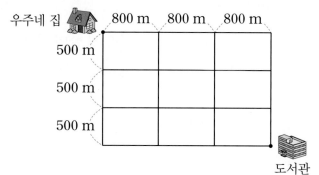

풀이

답

정답 및 풀이 | **123쪽**

Tip

❶ 두 사람의 종목별 걸린 시간의 합 각각 구하기

❷ 누가 기록이 더 좋은지 구하기

03 정애와 혜진이는 어린이 철인 3종 경기에 참가하였습니다. 누가 기록이 더 좋은지 풀이 과정을 쓰고, 답을 구해 보세요.

정애

종목	걸린 시간
수영	8분 20초
자전거	40분 12초
달리기	19분 25초

혜진

종목	걸린 시간
수영	10분 40초
자전거	38분 50초
달리기	18분 20초

풀이

답

Tip

❶ 세 모둠의 이어달리기 기록의 합 각각 구하기

❷ 어느 모둠이 가장 빠른지 구하기

04 세 명이 한 모둠이 되어 이어달리기를 했습니다. 어느 모둠이 가장 빠른지 풀이 과정을 쓰고, 답을 구해 보세요.

가 모둠

이름	기록
두리	1분 17초
미선	1분 59초
은진	1분 10초

나 모둠

이름	기록
지수	1분 25초
배아	2분 5초
유진	1분 5초

다 모둠

이름	기록
민정	1분 17초
효임	1분 10초
광태	2분 10초

풀이

답

개념 1 똑같이 나누기

• 똑같이 둘로 나누기 ─ 똑같이 나누어진 것은 크기와 모양이 같습니다.

• 똑같이 셋으로 나누기

➡ 똑같이 나누어진 부분들은 포개었을 때 완전히 겹쳐집니다.

개념 2 분수

• 전체를 똑같이 4로 나눈 것 중의 2

✏ 쓰기 $\dfrac{2}{4}$

🔊 읽기 4분의 2

• 분수: $\dfrac{1}{2}$, $\dfrac{2}{3}$, $\dfrac{3}{4}$과 같은 수

• 분모: 분수에서 가로선 아래쪽에 있는 수

• 분자: 분수에서 가로선 위쪽에 있는 수

• 단위분수: $\dfrac{1}{2}$, $\dfrac{1}{3}$, $\dfrac{1}{4}$과 같이 분자가 1인 분수

개념 3 분수의 크기 비교

• 분모가 같은 분수의 크기 비교
분모가 같은 분수는 분자가 클수록 더 큽니다.

$\dfrac{1}{5}$이 2개인 수 $\dfrac{2}{5}$ $<$ $\dfrac{3}{5}$ $\dfrac{1}{5}$이 3개인 수

• 단위분수의 크기 비교
단위분수는 분모가 클수록 더 작습니다.

$$\dfrac{1}{2} > \dfrac{1}{3} > \dfrac{1}{4} > \dfrac{1}{5} > \dfrac{1}{6} > \dfrac{1}{7} > \dfrac{1}{8} > \dfrac{1}{9} > \dfrac{1}{10}$$

개념 4 소수 (1)(2)

• 분수 $\dfrac{1}{10}$을 소수로 나타내기

$$\dfrac{1}{10} = 0.1$$

✏ 쓰기 0.1　🔊 읽기 영 점 일

• 1보다 작은 소수

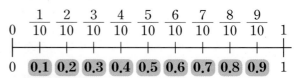

분수		$\dfrac{2}{10}$	$\dfrac{3}{10}$	...	$\dfrac{9}{10}$
소수	쓰기	0.2	0.3	...	0.9
	읽기	영 점 이	영 점 삼	...	영 점 구

• 소수: 0.1, 0.2, 0.3과 같은 수

• 소수점: 소수에 있는 '.'

• 1보다 큰 소수

2보다 0.8만큼 더 큰 수

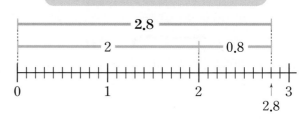

✏ 쓰기 2.8　🔊 읽기 이 점 팔

개념 5 소수의 크기 비교

• 0.1의 개수가 많을수록 더 큰 수입니다.

0.2는 0.1이 **2**개 ─┐
　　　　　　　　　　├ ➡ 0.2 < 0.6
0.6은 0.1이 **6**개 ─┘

─ 수직선에서는 왼쪽에 있는
　수보다 오른쪽에 있는 수가 1.5 2.4
　더 큽니다.

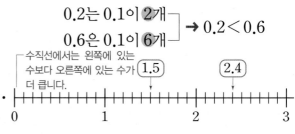

➡ 1.5 < 2.4

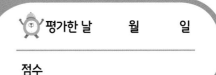
01 똑같이 나누어진 것을 찾아 ○표 하세요.

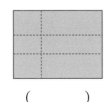 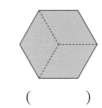

(   )   (   )

02 도형을 똑같이 일곱으로 나누어 보세요.

03 똑같이 나누어진 도형을 모두 찾아 기호를 써 보세요.

가   나   다   라

(   )

04 도형을 똑같이 여섯으로 나누어 보세요.

05 주어진 분수만큼 색칠한 것을 찾아 ○표 하세요.

$\frac{2}{4}$

(   ) (   ) (   )

06~07 그림을 보고 ☐ 안에 알맞은 수를 써넣으세요.

06

색칠한 부분은 전체를 똑같이 4로 나눈 것 중의 3이므로 $\frac{☐}{☐}$ 이라 쓰고, ☐분의 ☐ 이라고 읽습니다.

07

색칠한 부분은 전체를 똑같이 ☐로 나눈 것 중의 ☐이므로 $\frac{☐}{☐}$ 라 쓰고, ☐분의 ☐라고 읽습니다.

08 분수를 읽어 보세요.

$\frac{5}{9}$

(   )

09 분모에 ○표, 분자에 △표 하세요.

$\frac{3}{4}$ $\frac{2}{5}$ $\frac{1}{7}$

10 분모가 5이고 분자가 2인 분수를 써 보세요.

(   )

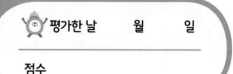
01~02 색칠한 부분을 분수로 나타내어 보세요.

01

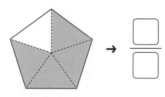 ➡ $\dfrac{\square}{\square}$

02

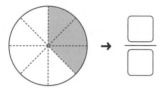 ➡ $\dfrac{\square}{\square}$

03 주어진 분수만큼 색칠해 보세요.

$\dfrac{4}{6}$

04 색칠한 부분과 색칠하지 않은 부분을 분수로 나타내어 보세요.

색칠한 부분 (   )

색칠하지 않은 부분 (   )

05 그림을 보고 □ 안에 알맞은 수를 써넣으세요.

 $\dfrac{7}{8}$ 은 $\dfrac{1}{8}$ 이 □개입니다.

06 □ 안에 알맞은 수를 써넣으세요.

$\dfrac{6}{15}$ 은 $\dfrac{1}{15}$ 이 □개, $\dfrac{9}{15}$ 는 $\dfrac{1}{15}$ 이 □개이므로 더 큰 분수는 $\dfrac{\square}{15}$ 입니다.

07 두 분수의 크기를 비교하여 ◯ 안에 >, =, < 를 알맞게 써넣으세요.

$\dfrac{1}{7}$ 이 4개인 수 ◯ $\dfrac{5}{7}$

08 분수만큼 색칠하고 ◯ 안에 >, =, < 를 알맞게 써넣으세요.

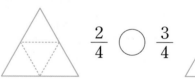 $\dfrac{2}{4}$ ◯ $\dfrac{3}{4}$

09 $\dfrac{4}{5}$ 와 $\dfrac{3}{5}$ 중에서 어느 분수가 더 클까요?

(   )

10 분수의 크기를 비교하여 큰 수부터 차례로 써 보세요.

| $\dfrac{8}{13}$ | $\dfrac{12}{13}$ | $\dfrac{9}{13}$ | $\dfrac{10}{13}$ |

(   )

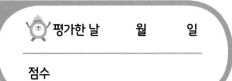
01 분수의 크기를 비교하는 방법입니다. ☐ 안에 알맞은 말을 써넣으세요.

단위분수는 ☐ 가 클수록 더 작습니다.

02 두 분수의 크기를 비교하여 ○ 안에 >, =, < 를 알맞게 써넣으세요.

(1) $\frac{1}{5}$ ○ $\frac{1}{3}$　　(2) $\frac{1}{4}$ ○ $\frac{1}{14}$

03 분수만큼 색칠하고 ○ 안에 >, =, <를 알맞게 써넣으세요.

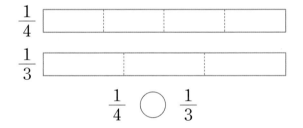

$\frac{1}{4}$ ○ $\frac{1}{3}$

04 $\frac{1}{7}$ 보다 큰 분수에 ○표 하세요.

$\frac{1}{9}$　　$\frac{1}{8}$　　$\frac{1}{3}$

05 분수의 크기를 비교하여 작은 수부터 차례로 써 보세요.

$\frac{1}{3}$　　$\frac{1}{2}$　　$\frac{1}{4}$

(　　　　　　　　)

06 분수를 소수로, 소수를 분수로 나타내어 보세요.

(1) $\frac{6}{10}$ = ☐　　(2) 0.8 = ☐

07 관계있는 것끼리 선으로 이어 보세요.

0.3 ・　　・ 영 점 삼

0.7 ・　　・ 영 점 이

　　　　・ 영 점 칠

08 색칠한 부분의 크기를 분수와 소수로 나타내어 보세요.

분수 (　　　　　　　　)

소수 (　　　　　　　　)

09 ☐ 안에 알맞은 분수 또는 소수를 써넣으세요.

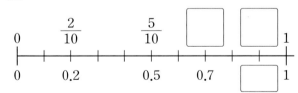

10 ☐ 안에 알맞은 수를 써넣으세요.

(1) 0.1이 6개인 수는 ☐ 입니다.

(2) $\frac{1}{10}$ 이 ☐ 개이면 0.8입니다.

01 다음이 나타내는 소수를 쓰고 읽어 보세요.

3보다 0.4만큼 더 큰 수

쓰기 _____

읽기 _____

02 ☐ 안에 알맞은 수를 써넣으세요.

(1) 3.7은 0.1이 ☐ 개인 수입니다.

(2) 0.1이 23개인 수는 ☐ 입니다.

03 ☐ 안에 알맞은 수를 써넣으세요.

(1) 28 mm = ☐ cm

(2) 5 cm 3 mm = ☐ cm

04 ☐ 안에 알맞은 소수를 써넣으세요.

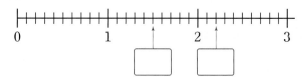

05 클립의 길이는 몇 cm인지 소수로 나타내어 보세요.

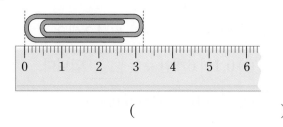

(   )

06~07 두 소수의 크기를 비교하여 ◯ 안에 >, =, <를 알맞게 써넣으세요.

06 1.9 ◯ 2.8

07 5.6 ◯ 5.4

08 소수에 맞게 색칠을 하고, 두 수의 크기를 비교하세요.

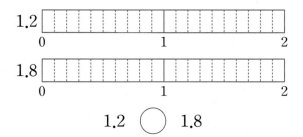

1.2 ◯ 1.8

09 ☐ 안에 알맞은 수를 써넣으세요.

6.5는 0.1이 ☐ 개인 수이고, 6.8은 0.1이 ☐ 개인 수이므로 6.5와 6.8 중에서 더 큰 수는 ☐ 입니다.

10 동화책의 무게는 2.3 kg, 과학책의 무게는 3.1 kg, 만화책의 무게는 2.9 kg입니다. 가장 무거운 책은 무엇인가요?

(   )

| 똑같이 나누기 |

01 도형을 똑같이 몇으로 나누었는지 ☐ 안에 알맞은 수를 써넣으세요.

☐

| 똑같이 나누기 |

02 똑같이 셋으로 나누어진 도형에 ○표 하세요.

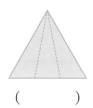   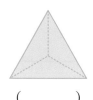

(   )   (   )

| 분수 |

03 그림을 보고 ☐ 안에 알맞은 수나 말을 써넣으세요.

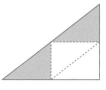

색칠한 부분은 전체를 똑같이 ☐ 로 나눈 것

중의 ☐ 이므로 ☐/☐ 라 쓰고, ☐☐☐

라고 읽습니다.

| 분수 |

04 색칠한 부분을 분수로 나타내어 보세요.

 → ☐/☐

| 분수 |

05 색칠한 부분을 분수로 나타내어 보세요.

파란색: ☐/☐   빨간색: ☐/☐

| 똑같이 나누기 |

06 표시된 점을 연결하여 똑같이 넷으로 나누어 보세요.

| 분수 |

07 $\frac{3}{7}$ 만큼 색칠해 보세요.

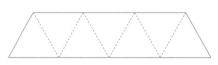

| 분모가 같은 분수의 크기 비교 |

08 두 분수의 크기를 비교하여 ◯ 안에 >, =, < 를 알맞게 써넣으세요.

(중)

(1) $\frac{7}{8}$ ◯ $\frac{3}{8}$ (2) $\frac{4}{5}$ ◯ $\frac{1}{5}$

| 분수 |

09 다음 중 단위분수가 <u>아닌</u> 것은 어느 것일까요?

(중)

.... ( )

① $\frac{1}{5}$ ② $\frac{2}{7}$ ③ $\frac{1}{8}$

④ $\frac{1}{10}$ ⑤ $\frac{1}{9}$

| 소수 ⑴ |

10 색칠한 부분을 분수와 소수로 나타내어 보세요.

(중)

분수 ( )   소수 ( )

| 분모가 같은 분수의 크기 비교 |

11 분수만큼 색칠하고 ◯ 안에 >, =, <를 알맞게 써넣으세요.

(중)

 $\frac{4}{6}$ ◯ $\frac{5}{6}$

| 소수 ⑴ |

12 관계있는 것끼리 선으로 이어 보세요.

(중)

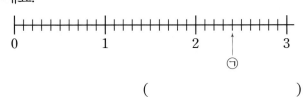

$\frac{1}{10}$	·	·	0.5	·	·	영 점 오
$\frac{5}{10}$	·	·	0.1	·	·	영 점 일
$\frac{2}{10}$	·	·	0.6	·	·	영 점 육
$\frac{6}{10}$	·	·	0.2	·	·	영 점 이

| 소수 ⑵ |

13 수직선을 보고 ㉠이 나타내는 수를 소수로 써 보세요.

(중)

( )

| 똑같이 나누기 | **서술형**

14 다희와 라이는 도형을 똑같이 셋으로 나누었습니다. 바르게 나눈 사람은 누구인지 풀이 과정을 쓰고, 답을 구해 보세요.

(중)

다희   라이

풀이

답

| 단위분수의 크기 비교 |

15 분수만큼 색칠하고 ◯ 안에 >, =, <를 알맞 게 써넣으세요.

$\dfrac{1}{3}$

$\dfrac{1}{2}$

$\dfrac{1}{3}$ ◯ $\dfrac{1}{2}$

| 단위분수의 크기 비교 |

16 분수의 크기를 비교하여 큰 수부터 차례로 써 보세요.

$$\dfrac{1}{8} \qquad \dfrac{1}{11} \qquad \dfrac{1}{9} \qquad \dfrac{1}{5}$$

( )

| 소수 ⑵ | **서술형**

17 정우가 가지고 있는 철사는 9 cm보다 2 mm 더 깁니다. 정우가 가지고 있는 철사의 길이는 몇 cm인지 풀이 과정을 쓰고, 답을 구해 보세요.

풀이

답

| 분모가 같은 분수의 크기 비교 |

18 분모가 7인 분수 중에서 $\dfrac{2}{7}$보다 크고 $\dfrac{6}{7}$보다 작 은 분수를 모두 써 보세요.

( )

| 소수의 크기 비교 |

19 가장 큰 수를 찾아 기호를 써 보세요.

> ㉠ 0.1이 44개인 수
> ㉡ 사 점 오
> ㉢ 4와 0.3만큼의 수

( )

| 단위분수의 크기 비교 | **서술형**

20 2부터 9까지의 수 중에서 ▢ 안에 들어갈 수 있 는 수는 모두 몇 개인지 풀이 과정을 쓰고, 답을 구해 보세요.

$$\dfrac{1}{5} < \dfrac{1}{\boxed{}}$$

풀이

답

| 똑같이 나누기 |

01 똑같이 둘로 나누어진 도형에 ○표 하세요.

(   ) (   ) (   )

| 똑같이 나누기 |

02 도형을 똑같이 셋으로 나누어 보세요.

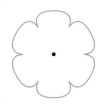

| 분수 |

03 주어진 분수만큼 색칠하고 읽어 보세요.

(   )

| 소수 (1) |

04 ☐ 안에 알맞은 수를 써넣으세요.

(1) 0.8은 0.1이 ☐개인 수입니다.

(2) 0.1이 6개이면 ☐입니다.

| 분수 |

05 $\frac{2}{4}$만큼 색칠한 것을 모두 찾아 기호를 써 보세요.

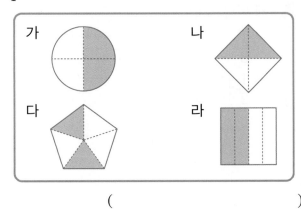

(   )

| 소수 (1) |

06 ☐ 안에 알맞은 분수 또는 소수를 써넣으세요.

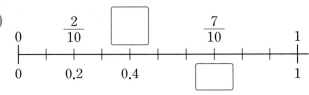

| 소수 (1) |

07 같은 크기의 소수와 분수를 찾아 선으로 이어 보세요.

정답 및 풀이 | 127쪽

평가한 날   월   일

점수

| 소수 ⑵ |

08 ☐ 안에 알맞은 소수나 말을 써넣으세요.

(중)

2보다 0.7만큼 더 큰 수를 ☐ 이라 쓰고,

☐ 이라고 읽습니다.

| 소수 ⑵ |

09 그림을 보고 ☐ 안에 알맞은 수를 써넣으세요.

(중)

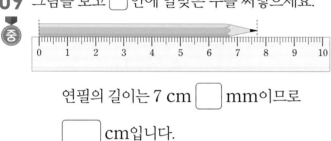

연필의 길이는 7 cm ☐ mm이므로

☐ cm입니다.

| 단위분수의 크기 비교 |

10 크기가 가장 큰 분수에 ○표, 가장 작은 분수에

(중) △표 하세요.

$$\frac{1}{5} \quad \frac{1}{9} \quad \frac{1}{10}$$

| 분모가 같은 분수의 크기 비교 |

11 두 분수의 크기를 비교하여 ○ 안에 >, =, <

(중) 를 알맞게 써넣으세요.

(1) $\frac{10}{11}$ ○ $\frac{6}{11}$ (2) $\frac{7}{14}$ ○ $\frac{9}{14}$

| 분모가 같은 분수의 크기 비교 |

12 식빵 한 개를 사서 훈민이는 전체의 $\frac{3}{10}$ 을 먹었

(중) 고 정음이는 전체의 $\frac{2}{10}$ 를 먹었습니다. 누가 식

빵을 더 많이 먹었을까요?

(   )

| 소수 ⑴ |

13 피자를 똑같이 10조각으로 나누어 그 중 3조각

(중) 을 먹었습니다. 남은 피자를 소수로 나타내면 얼

마일까요?

(   )

| 소수의 크기 비교 | 서술형

14 지난 여름방학 때 나리가 쓴 일기입니다. 이날 내

(중) 린 비는 모두 몇 cm인지 풀이 과정을 쓰고, 답을

구해 보세요.

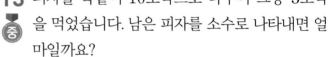

○월 ○일 ○요일

오늘은 비가 내렸다.

오전에는 3 cm, 오후에는 8 mm가 내렸다.

비가 내려서 하루 종일 집에만 있었다.

 풀이

답 _____

| 소수의 크기 비교 |

15 두 소수의 크기를 비교하여 ◯ 안에 >, =, < 를 알맞게 써넣으세요.

(중)

(1) 5.2 ◯ 0.1이 55개인 수

(2) 2보다 0.8만큼 더 큰 수 ◯ 3.1

| 단위분수의 크기 비교 |

18 다음 분수 중에서 가장 큰 분수와 가장 작은 분수 를 각각 찾아 써 보세요.

(상)

$$\frac{1}{8} \quad \frac{1}{4} \quad \frac{1}{16} \quad \frac{1}{2} \quad \frac{1}{32} \quad \frac{1}{64}$$

가장 큰 분수 (   )

가장 작은 분수 (   )

| 분모가 같은 분수의 크기 비교 |

16 분수의 크기를 비교하여 작은 수부터 차례로 써 보세요.

(중)

$$\frac{1}{15} \quad \frac{5}{15} \quad \frac{3}{15} \quad \frac{14}{15} \quad \frac{7}{15}$$

(   )

| 소수의 크기 비교 |

19 1부터 9까지의 수 중에서 ☐ 안에 들어갈 수 있 는 수를 모두 써 보세요.

(상)

$$4.☐ < 4.6$$

(   )

| 단위분수의 크기 비교 | 서술형

20 조건 에 모두 알맞은 분수를 구하려고 합니다. 풀이 과정을 쓰고, 답을 구해 보세요.

(상)

조건
- 분자는 1입니다.
- $\frac{1}{7}$ 보다 큰 분수입니다.
- 분모는 2보다 큽니다.

풀이

| 소수의 크기 비교 | 서술형

17 효정이네 강아지 몸무게를 잰 것입니다. 몸무게 가 가장 많이 나가는 강아지는 어느 강아지인지 풀이 과정을 쓰고, 답을 구해 보세요.

(상)

이름	바다	우유	무지
몸무게(kg)	5.9	4.8	5.2

풀이

답

답

평가한 날   월   일

점수

정답 및 풀이 | **128쪽**

정답 및 풀이 | **128쪽**

Tip

❶ 두 사람이 먹은 초콜릿의 양을 비교하기

❷ 초콜릿을 더 많이 먹은 사람을 구하기

01 수미와 나라가 초콜릿을 나누어 먹었습니다. 수미는 전체의 $\frac{16}{28}$ 을, 나라는 전체의 $\frac{12}{28}$ 를 먹었습니다. 누가 초콜릿을 더 많이 먹었는지 풀이 과정을 쓰고, 답을 구해 보세요.

풀이

답

Tip

❶ 세 사람이 사용한 색 테이프의 길이를 비교하기

❷ 색 테이프를 가장 많이 사용한 사람을 구하기

02 세 사람이 각각 사용한 색 테이프의 길이입니다. 색 테이프를 가장 많이 사용한 사람은 누구인지 풀이 과정을 쓰고, 답을 구해 보세요.

난 $\frac{1}{7}$ m 사용했어.

난 $\frac{1}{9}$ m.

난 $\frac{1}{3}$ m 썼어.

예진

지현

성훈

풀이

답

Tip

❶ 사용한 리본의 양을 소수로 나타 내기

❷ 남은 리본의 양을 소수로 나타 내기

03 지우가 전체 리본을 10조각으로 똑같이 나 눠 그중 7조각을 사용했습니다. 사용한 리 본과 남은 리본의 양을 소수로 나타내면 각 각 얼마인지 풀이 과정을 쓰고, 답을 구해 보세요.

 풀이

🔲 **답** 사용한 리본   , 남은 리본

 Tip

❶ 우유의 양을 분수나 소수로 통 일하기

❷ 크기를 비교하여 우유를 가장 적게 마신 사람 찾기

04 학생들에게 우유를 1컵씩 똑같이 나누어 주었습니다. 학생들 이 마신 우유의 양이 다음과 같을 때 우유를 가장 적게 마신 사 람은 누구인지 풀이 과정을 쓰고, 답을 구해 보세요.

이름	가람	나리	다솜	라온
마신 우유의 양(컵)	0.5	$\frac{4}{10}$	$\frac{6}{10}$	0.8

풀이

🔲 **답**

평가한 날 월 일

점수

정답 및 풀이 | **128쪽**

정답 및 풀이 | **128쪽**

 Tip

❶ 둘째 날에 먹은 피자의 조각 수 구하기

⌄

❷ 둘째 날에 먹은 피자의 양을 분수로 나타내기

01 마루는 피자를 한 판 사서 첫째 날에는 $\frac{2}{6}$를 먹고, 둘째 날에는 남은 피자를 모두 먹었습니다. 둘째 날에 먹은 피자의 양을 분수로 나타내는 풀이 과정을 쓰고, 답을 구해 보세요.

풀이

답

 Tip

❶ 소수의 크기를 비교하기

⌄

❷ 미정이네 집에서 가장 먼 곳 찾기

02 미정이네 집에서 학교, 병원, 도서관까지의 거리입니다. 미정이네 집에서 가장 먼 곳은 어디인지 풀이 과정을 쓰고, 답을 구해 보세요.

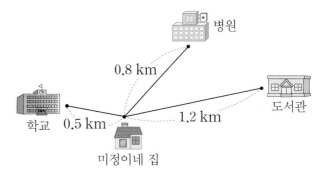

풀이

답

Tip

❶ 단위분수의 크기를 비교하기

❷ 호루스의 눈에서 가장 큰 분수 찾기

03 고대 이집트 사람들이 호루스라는 신의 눈에 분수를 적은 것입니다. 호루스의 눈에서 가장 큰 분수를 구하려고 합니다. 풀이 과정을 쓰고, 답을 구해 보세요.

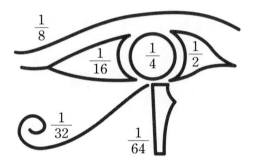

풀이

답

Tip

❶ mm 단위를 cm 단위의 소수로 나타내기

❷ 소수의 크기를 비교하여 가장 많이 사용한 사람과 가장 적게 사용한 사람 찾기

04 미술 시간에 사용한 철사의 길이입니다. 가장 많이 사용한 사람과 가장 적게 사용한 사람은 각각 누구인지 풀이 과정을 쓰고, 답을 구해 보세요.

소리: 4.1 cm	다운: 9 mm
인혜: 26 mm	아름: 4 cm 8 mm

풀이

답 가장 많이 사용한 사람: , 가장 적게 사용한 사람:

Memo

수학 3-1 3~4학년군

평가 문제 다잡기

정답 및 풀이

1 덧셈과 뺄셈

쪽지시험 1회 6쪽

01 (1)
```
    2 7 4
  + 3 1 5
  ─────────
    5 8 9
```
(2)
```
    1 4 7
  + 3 5 1
  ─────────
    4 9 8
```

02 200, 400, 600 / 638 **03** (1) 697 (2) 577

04 957 **05** =

06 437 **07** 416, 532에 ○표

08 725＋164＝889, 889개

09 ㉡, ㉢, ㉠ **10** 855

풀이

02
```
    2 1 1    → 일의 자리, 십의 자리, 백의 자리
  + 4 2 7      순서로 계산합니다.
  ─────────
    6 3 8
```

03 (1)
```
    3 8 6
  + 3 1 1
  ─────────
    6 9 7
```
(2)
```
    4 5 3 ┐
  + 1 2 4 │
  ─────────
    5 7 7 ┘
```
가로로 놓인 식은 각 자리의 숫자를 맞추어 세로로 쓴 후 계산합니다.

04
```
    5 3 6
  + 4 2 1
  ─────────
    9 5 7
```

05 184＋212＝396, 134＋262＝396 ⇨ 396＝396

06 삼각형 안에 있는 두 수는 324와 113입니다.
　　⇨ 324＋113＝437

07 일의 자리 수끼리의 합이 8인 두 수를 찾으면 416과 532, 416과 432, 316과 532, 316과 432입니다.
416＋532＝948, 416＋432＝848,
316＋532＝848, 316＋432＝748이므로 합이 948이 되는 두 수는 416과 532입니다.

08 725＋164＝889(개)

09 계산 결과가 큰 것부터 차례대로 기호를 쓰면 ㉡, ㉢, ㉠입니다.

10 만들 수 있는 가장 큰 수는 732이고, 가장 작은 수는 123입니다.
　　⇨ 732＋123＝855

쪽지시험 2회 7쪽

01 (1)
```
      ①
    1 2 7
  + 6 3 5
  ─────────
    7 6 2
```
(2)
```
    ① ①
    2 1 8
  + 1 9 6
  ─────────
    4 1 4
```

02 (1) 376 (2) 622 **03** 예 420, 418

04 742

05 (위에서부터) 895, 657, 791, 761

06 > **07** 524 m

08 (위에서부터) 6, 1, 4 **09** 526개

10 680명

풀이

01 일의 자리부터 차례로 더하고 이때 합이 10이거나 10보다 크면 10을 바로 윗자리로 받아올림합니다.

02 (1)
```
      1
    1 5 9
  + 2 1 7
  ─────────
    3 7 6
```
(2)
```
    1 1
    2 9 7
  + 3 2 5
  ─────────
    6 2 2
```

03 어림한 값: 292를 290으로, 126을 130으로 어림하여 계산할 수 있습니다.
　　⇨ 290＋130＝420
실제 값: 292＋126＝418

04 314＋428＝742

05 379＋516＝895, 412＋245＝657,
379＋412＝791, 516＋245＝761

06 673＋185＝858, 446＋365＝811 ⇨ 858>811

07 146＋378＝524이므로 524 m입니다.

08
```
    2 ㉡ 5
  + 1 7 ㉠
  ─────────
    ㉢ 3 6
```
・5＋㉠＝6에서 ㉠＝1입니다.
・㉡＋7의 값이 3이 될 수 없으므로 십의 자리에서 백의 자리로 받아올림이 있음을 알 수 있습니다.
㉡＋7＝13에서 ㉡＝6입니다.
・1＋2＋1＝㉢에서 ㉢＝4입니다.

09 245＋281＝526(개)

10 484＋196＝680(명)

쪽지시험 3회   8쪽

01 (1) 131   (2) 212

02 (1)
```
   3 10
   4̸ 3 8
 − 2 6 5
   1 7 3
```
(2)
```
     4 10
   7 5̸ 6
 − 3 2 9
   4 2 7
```

03 (1) 614   (2) 371   **04** 373

05 563   **06** 325, 211

07 <   **08** 오이, 625

09 526−109＝417, 417명   **10** 220

풀이

01 (1)
```
   2 4 3
 − 1 1 2
   1 3 1
```
(2)
```
   3 3 6
 − 1 2 4
   2 1 2
```

02 (1) 백의 자리에서 십의 자리로 10을 받아내림합니다.
(2) 십의 자리에서 일의 자리로 10을 받아내림합니다.

03 (1)
```
     6 10
   8 7̸ 3
 − 2 5 9
   6 1 4
```
(2)
```
   4 10
   5̸ 2 8
 − 1 5 7
   3 7 1
```

04 486−113＝373

05 819−256＝563

06 637−312＝325, 325−114＝211

07 473−215＝258 ⇨ 258＜263

08 876−251＝625(개)

09 526−109＝417(명)

10 567−□＝346이라고 하면 □＝567−346＝221 입니다. 567−□＞346에서 □는 221보다 작아야 합니다. ⇨ □안에 들어갈 수 있는 가장 큰 세 자리 수는 220입니다.

쪽지시험 4회   9쪽

01 (1)
```
      9
    5 10 10
    6̸ 0 5
  − 4 6 9
    1 3 6
```
(2)
```
      9
    6 10 10
    7̸ 0 3
  − 4 8 7
    2 1 6
```

02 (1) 244   (2) 327   **03** 예 300, 333

04 149   **05** 458   **06** ＞

07 355   **08** (위에서부터) 5, 1

09 158명   **10** 176 cm

풀이

01 빼지는 수의 십의 자리 수가 0인 경우 백의 자리에서 십의 자리로 10을 받아내림한 후 다시 십의 자리에서 일의 자리로 10을 받아내림합니다.

03 어림한 값: 512를 500으로, 179를 200으로 어림하여 계산할 수 있습니다.
⇨ 500−200＝300
실제 값: 512−179＝333

04 312−163＝149   **05** 804−346＝458

06 302−167＝135, 405−284＝121 ⇨ 135＞121

07 가장 큰 수는 533, 가장 작은 수는 178입니다.
⇨ 533−178＝355

08
```
    3 4 1
  − 1 4 ㉠
    ㉡ 9 6
```
· 1−㉠＝6이 될 수 없으므로 십의 자리에서 10을 받아내림하여 계산한 것을 알 수 있습니다. 11−㉠＝6에서 ㉠＝5입니다.
· 3에서 4를 뺄 수 없으므로 백의 자리에서 10을 받아내림하여 계산합니다. ⇨ 13−4＝9입니다.
· 백의 자리에서 십의 자리로 10을 받아내림하였으므로 2−1＝㉡에서 ㉡＝1입니다.

09 423−265＝158(명)

10 5 m＝500 cm
⇨ 500−324＝176이므로 남은 털실은 176 cm 입니다.

01 (1) 785 (2) 453   **02** 587

03 (1)
```
      ①
    5 0 8
  + 2 4 9
  ⑦ ⑤ ⑦
```
(2)
```
  ⑥ ⑩
  7 5 8
- 3 8 4
  ③ ⑦ ④
```

04 319   **05** >   **06** 민수

07 845, 327   **08** ✕

09 911   **10** 336   **11** ㉡

12 (위에서부터) 6, 7   **13** 582번

14 예 ❶ 백의 자리로 받아올림하지 않았습니다.

❷
```
    1
    3 8 5
  + 1 4 3
    5 2 8
```

15 9   **16** 359권

17 예 ❶ 준석이가 모은 카드는 287+134=421(장)
입니다.

❷ 희진이가 모은 카드는 421-210=211(장)
입니다. / 211장

18 902개   **19** 387

20 예 ❶ 만들 수 있는 세 자리 수 중에서 가장 큰 수
는 651, 가장 작은 수는 156입니다.

❷ 두 수의 차는 651-156=495입니다.
/495

풀이

01 일의 자리, 십의 자리, 백의 자리 순서로 계산합니다.

02 백 모형이 5개, 십 모형이 8개, 일 모형이 7개이므
로 587입니다.

⇨ 356+231=587

03 (1) 일의 자리에서 십의 자리로 1을 받아올림합니다.
(2) 백의 자리에서 십의 자리로 10을 받아내림합니다.

04 676-357=319

05 486-251=235 ⇨ 279>235

06 정민이는 각 자리의 숫자를 맞추어 쓰지 않아 계산
이 바르지 않습니다.

07 합:
```
    1 1
    5 8 6
  + 2 5 9
    8 4 5
```
차:
```
      7 10
    5 8̸ 6
  - 2 5 9
    3 2 7
```

08 738-492=246, 651-375=276

09 가장 큰 수는 735, 가장 작은 수는 176입니다.
⇨ 735+176=911

10 504-168=336

11 ㉠ 526-173=353   ㉡ 284+315=599
⇨ 계산 결과가 더 큰 것은 ㉡입니다.

12 십의 자리의 계산: 3에서 6을 뺄 수 없으므로 백의
자리에서 받아내림하여 계산하
면 13-6=7이 됩니다.
백의 자리의 계산: □-1-1=4, □-2=4이므
로 □=6입니다.

13 308+274=582(번)

14
채점 기준	❶ 잘못 계산한 곳을 찾아 이유를 쓰기	3점
	❷ 바르게 계산하기	2점

15 일의 자리의 계산: 3에서 6을 뺄 수 없으므로 십의
자리에서 받아내림하여 계산하
였습니다. ⇨ 10+3-6=7
십의 자리의 계산: 6-□는 7이 될 수 없으므로 백
의 자리에서 받아내림합니다.
⇨ 10+6-□=7, 16-□=7
이므로 □=9입니다.

16 857-498=359(권)

17
채점 기준	❶ 준석이가 모은 카드 수 구하기	3점
	❷ 희진이가 모은 카드 수 구하기	2점

18 387+128=515(개), 387+515=902(개)

19 찢어진 종이에 적힌 세 자리 수를 □라고 하면 두
수의 합이 654이므로 267+□=654입니다.
⇨ □=654-267, □=387

20
채점 기준	❶ 가장 큰 수와 가장 작은 수 구하기	2점
	❷ 가장 큰 수와 가장 작은 수의 차 구하기	3점

01 (1) 268 (2) 587   **02** 242
03 (   ) (○)   **04** ②
05 ㉠   **06** 224   **07** 385, 821
08 142   **09** 2, 7   **10** ⟋
11 486＋357＝843, 843개
12 741개   **13** 163개
14 예 ❶ 가장 큰 수는 514이고 두 번째로 큰 수는
　　389입니다.
　　❷ 가장 큰 수와 두 번째로 큰 수의 합은
　　514＋389＝903입니다. / 903
15 115 cm   **16** 245
17 예 ❶ 예슬이네 학교 학생 수는
　　487＋162＝649(명)이고 민수네 학교 학
　　생 수는 649－178＝471(명)입니다.
　　❷ 송하네 학교 학생 수는 487명, 예슬이네
　　학교 학생 수는 649명, 민수네 학교 학생
　　수는 471명이므로 민수네 학교 학생 수가
　　가장 적습니다. / 민수네 학교
18 706, 297, 409   **19** 338
20 예 ❶ 성민이는 100원짜리 6개, 10원짜리 1개가
　　있으므로 610원이 있고 지효는 100원짜리
　　8개, 10원짜리 4개가 있으므로 840원이
　　있습니다.
　　❷ 성민이는 610원, 민준이는 357원, 지효는
　　840원이 있으므로 돈이 가장 많은 사람은
　　지효이고 가장 적은 사람은 민준이입니다.
　　따라서 지효가 840－357＝483(원) 더 많
　　습니다. / 483원

풀이

02 일 모형 8개에서 6개를 빼면 2개, 십 모형 7개에서
3개를 빼면 4개, 백 모형 5개에서 3개를 빼면 2개
가 남습니다.

03
```
  1
  6 2 1
＋ 2 8 3
─────────
  9 0 4
```

04 일의 자리의 계산 6＋6＝12에서 받아올림한 것이
므로 실제로 10을 나타냅니다.

05 ㉠ 348＋251＝599, ㉡ 794－461＝333
⇨ 계산 결과가 500보다 큰 것은 ㉠입니다.

06 사각형 안에 있는 두 수는 413과 189입니다.
⇨ 413－189＝224

07 602－217＝385, 385＋436＝821

08 수 모형이 나타내는 수는 314입니다.
314보다 172 더 작은 수는 314－172＝142입니다.

09
```
    4 8 2
＋ ㉡ 9 1
─────────
  7 ㉠ 3
```
· 8＋9＝17이므로 ㉠＝7입니다.
· 1＋4＋㉡＝7, 5＋㉡＝7이므
　로 ㉡＝2입니다.

10 516－158＝358, 649－251＝398

11 486＋357＝843(개)

12 256＋485＝741(개)

13 315－152＝163(개)

14

채점기준		
❶ 가장 큰 수와 두 번째로 큰 수를 찾기		2점
❷ 가장 큰 수와 두 번째로 큰 수의 합을 구하기		3점

15 6 m＝600 cm ⇨ 600－485＝115이므로 남은
색 테이프는 115 cm입니다.

16 503－257＝246, 246＞□이므로 □ 안에 들어갈
수 있는 가장 큰 세 자리 수는 245입니다.

17

채점기준		
❶ 예슬이네 학교 학생 수와 민수네 학교 학생 수 구하기		3점
❷ 학생 수가 가장 적은 학교는 누구네 학교인지 구하기		2점

18 수 카드 2장을 골라 만들 수 있는 뺄셈식을 모두 찾
아 계산하면 706－297＝409, 914－706＝208,
914－297＝617입니다.
⇨ 두 수의 차가 400에 가까운 뺄셈식은
706－297＝409입니다.

19 어떤 수를 □라고 하면 □＋169＝507입니다.
⇨ □＝507－169＝338

20

채점기준		
❶ 성민이와 지효가 가지고 있는 돈 구하기		2점
❷ 돈이 가장 많은 사람은 가장 적은 사람보다 얼마가 더 많은지 구하기		3점

연습 서술형 평가 16~17쪽

01 예 ❶ 만들 수 있는 세 자리 수 중에서 가장 큰 수
는 530, 가장 작은 수는 305입니다.
❷ 두 수의 합은 530+305=835입니다.
/ 835

02 예 ❶ 각 마을에 살고 있는 남녀 수를 더하면 되
므로 가람 마을에 사는 사람 수는
189+239를 계산하고 나래 마을에 사는
사람 수는 227+294를 계산합니다.
❷ 가람 마을에 사는 사람 수는
189+239=428(명)이고 나래 마을에 사
는 사람 수는 227+294=521(명)입니다.
/ 428명, 521명

03 예 ❶ ㉠은 500+120+4=624이고,
㉡은 100+60+13=173입니다.
❷ ㉠과 ㉡의 차는 624−173=451입니다.
/ 451

04 예 ❶ 5□9+124=663이라고 하면
663−124=539에서 5□9<539이어야
하므로 □ 안에 들어갈 수 있는 수는 3보
다 작아야 합니다.
❷ □ 안에 들어갈 수 있는 수는 0, 1, 2로 모
두 3개입니다.
/ 3개

풀이

01 채점 기준
| ❶ 가장 큰 수와 가장 작은 수 구하기 | 10점 |
| ❷ 가장 큰 수와 가장 작은 수의 합 구하기 | 15점 |

02 채점 기준
| ❶ 문제에 알맞은 식 만들기 | 10점 |
| ❷ 가람 마을과 나래 마을에 사는 사람 수 구하기 | 15점 |

03 채점 기준
| ❶ ㉠과 ㉡이 나타내는 수 구하기 | 10점 |
| ❷ ㉠과 ㉡의 차가 얼마인지 구하기 | 15점 |

04 채점 기준
| ❶ □ 안에 들어갈 수 있는 수의 범위 구하기 | 10점 |
| ❷ □ 안에 들어갈 수 있는 수는 모두 몇 개인지 구하기 | 15점 |

실전 서술형 평가 18~19쪽

01 예 ❶ 부르즈 칼리파의 높이에서 에펠탑의 높이
를 빼면 되므로 828−324를 계산합니다.
❷ 828−324=504이므로 부르즈 칼리파는
에펠탑보다 504 m 더 높습니다.
/ 504 m

02 예 ❶ 파란색 테이프의 길이는
258+134=392이므로 392 cm입니다.
❷ 빨간색 테이프와 파란색 테이프를 겹치지
않게 이어 붙이면 258+392=650이므로
650 cm가 됩니다.
/ 650 cm

03 예 ❶ 152>149>139>127이므로 키가 가장
큰 사람은 민지이고 가장 작은 사람은 예
희입니다.
❷ 152−127=25이므로 키가 가장 큰 사람
은 가장 작은 사람보다 25 cm 더 큽니다.
/ 25 cm

04 예 ❶ 오늘 다녀간 관람객은
279+195=474(명)입니다.
❷ 어제와 오늘 다녀간 관람객은 모두
279+474=753(명)입니다.
/ 753명

풀이

01 채점 기준
| ❶ 문제에 알맞은 식 만들기 | 10점 |
| ❷ 부르즈 칼리파는 에펠탑보다 몇 m 더 높은지 구하기 | 15점 |

02 채점 기준
| ❶ 파란색 테이프의 길이 구하기 | 10점 |
| ❷ 이어 붙인 테이프의 길이 구하기 | 15점 |

03 채점 기준
| ❶ 키가 가장 큰 사람과 가장 작은 사람 찾기 | 10점 |
| ❷ 키가 가장 큰 사람은 가장 작은 사람보다 몇 cm 더 큰지 구하기 | 15점 |

04 채점 기준
| ❶ 오늘 다녀간 관람객 수 구하기 | 10점 |
| ❷ 어제와 오늘 다녀간 관람객 수 구하기 | 15점 |

2 평면도형

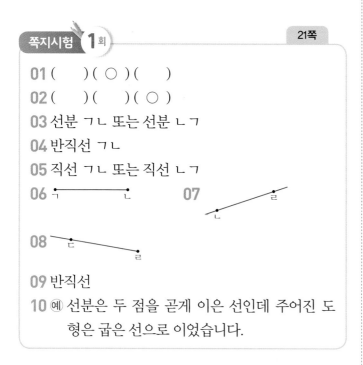

01 (   ) (○) (   )
02 (   ) (   ) (○)
03 선분 ㄱㄴ 또는 선분 ㄴㄱ
04 반직선 ㄱㄴ
05 직선 ㄱㄴ 또는 직선 ㄴㄱ
06 ㄱ———ㄴ   **07** ㄷ╱ㄹ
08 ㄷ╲ㄹ
09 반직선
10 ⑩ 선분은 두 점을 곧게 이은 선인데 주어진 도형은 굽은 선으로 이었습니다.

💬 **풀이**

01 선분은 두 점을 곧게 이은 선입니다.

02 직선은 선분을 양쪽으로 끝없이 늘인 곧은 선입니다.

03 점 ㄱ과 점 ㄴ을 이은 선분입니다.
참고 선분은 두 점 중 어느 점을 먼저 읽어도 상관없습니다.

04 점 ㄱ에서 시작하여 점 ㄴ을 지나는 반직선입니다.
주의 점 ㄱ에서 시작하였으므로 ㄱ을 먼저 써야 합니다.

05 점 ㄱ과 점 ㄴ을 지나는 직선이므로 직선 ㄱㄴ 또는 직선 ㄴㄱ입니다.
참고 직선은 두 점 중 어느 점을 먼저 읽어도 상관없습니다.

06 점 ㄱ과 점 ㄴ을 곧게 잇습니다.

07 점 ㄷ과 점 ㄹ을 지나도록 긋습니다.

08 점 ㄹ에서 시작하여 점 ㄷ을 지나는 곧은 선을 긋습니다.

09 반직선은 한 점에서 시작하여 한쪽으로 끝없이 늘인 곧은 선입니다.

10 선분은 두 점을 곧게 이은 선입니다.

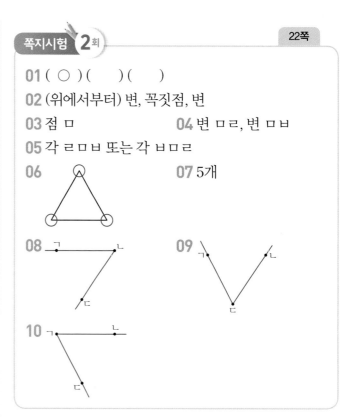

01 (○) (   ) (   )
02 (위에서부터) 변, 꼭짓점, 변
03 점 ㅁ   **04** 변 ㅁㄹ, 변 ㅁㅂ
05 각 ㄹㅁㅂ 또는 각 ㅂㅁㄹ
06 (삼각형)   **07** 5개
08 ㄱ——ㄴ ╲ ㄷ   **09** ㄱ╲ ╱ㄴ ㄷ
10 ㄱ——ㄴ ╲ ㄷ

💬 **풀이**

01 각은 한 점에서 그은 두 반직선으로 이루어진 도형입니다.

02 점 ㄴ을 각의 꼭짓점이라 하고, 두 반직선은 각의 변이라 합니다.

03 각의 꼭짓점은 반직선이 시작되는 점입니다.

04 반직선 ㅁㄹ과 반직선 ㅁㅂ을 각의 변이라고 합니다.

05 꼭짓점 점 ㅁ이 가운데에 오도록 읽습니다.

07  도형에서 각은 모두 5개입니다.

08 점 ㄴ이 꼭짓점이 되도록 점 ㄴ에서 점 ㄱ을 지나는 반직선 ㄴㄱ과 점 ㄷ을 지나는 반직선 ㄴㄷ을 각각 긋습니다.

09 점 ㄷ이 꼭짓점이 되도록 점 ㄷ에서 점 ㄱ을 지나는 반직선 ㄷㄱ과 점 ㄴ을 지나는 반직선 ㄷㄴ을 각각 긋습니다.

10 점 ㄱ이 꼭짓점이 되도록 점 ㄱ에서 점 ㄴ을 지나는 반직선 ㄱㄴ과 점 ㄷ을 지나는 반직선 ㄱㄷ을 각각 긋습니다.

01

02 (   ) (○) (   )   **03**

04 칠판, 창문

05 예

06 가, 라

07 가, 라

08 예 한 각이 직각인 삼각형이 아닙니다.   **09**

10 예

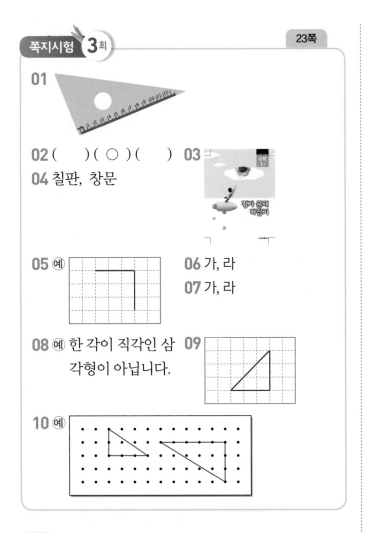

풀이

02 삼각자의 직각 부분을 대었을 때 꼭 맞게 겹쳐지는 각을 찾습니다.

04 이외에도 공책, 액자, 사물함, 모니터 등에서 직각을 찾을 수 있습니다.

05 모눈종이에 그어진 선분의 양 끝점에서 옆으로 모눈종이의 선을 따라 곧은 선을 그으면 직각이 만들어집니다.

06 삼각자를 이용하여 직각을 찾거나, 모눈종이에서 점선과 점선이 만나는 곳이 직각임을 이용하여 직각을 찾을 수 있습니다.

09 주어진 두 변의 양 끝점을 선분으로 이어 주면 직각삼각형을 그릴 수 있습니다.

10 어떤 모양의 삼각형이든 세 각 중에서 한 각이 직각이면 직각삼각형입니다.

01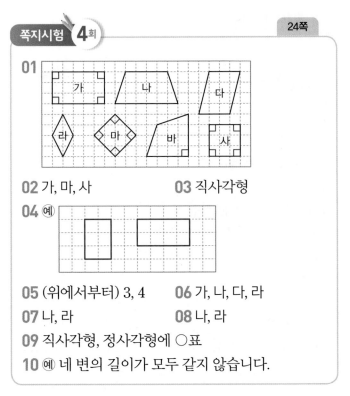

02 가, 마, 사   **03** 직사각형

04 예

05 (위에서부터) 3, 4   **06** 가, 나, 다, 라

07 나, 라   **08** 나, 라

09 직사각형, 정사각형에 ○표

10 예 네 변의 길이가 모두 같지 않습니다.

풀이

01 모눈종이에서 점선과 점선이 만나는 곳이 직각임을 이용하여 직각을 찾을 수 있습니다.

02 네 각이 모두 직각인 것은 가, 마, 사입니다.

03 네 각이 모두 직각인 사각형을 직사각형이라고 합니다.

04 모눈종이의 선을 따라 모양과 크기가 서로 다른 직사각형을 2개 그립니다.

05 직사각형은 마주 보는 변의 길이가 같습니다.

06 네 각이 모두 직각인 사각형은 가, 나, 다, 라입니다.

07 네 각이 모두 직각이고 네 변의 길이가 모두 같은 사각형은 나, 라입니다.

08 네 각이 모두 직각이고 네 변의 길이가 모두 같은 사각형을 정사각형이라고 합니다.

09 네 각이 모두 직각이고 네 변의 길이가 모두 같으므로 정사각형입니다. 정사각형은 네 각이 모두 직각이므로 직사각형이라고 할 수 있습니다.

10 정사각형은 네 각이 모두 직각이고 네 변의 길이가 모두 같은 사각형입니다.

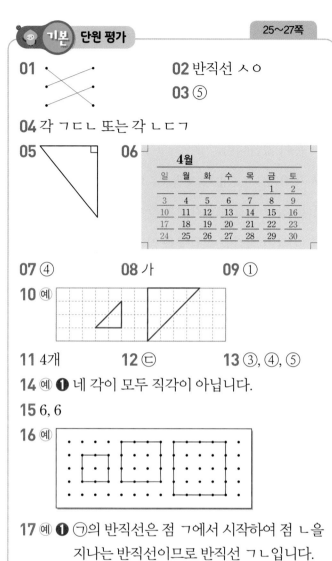

01

02 반직선 ㅅㅇ

03 ⑤

04 각 ㄱㄷㄴ 또는 각 ㄴㄷㄱ

05

06
4월

일	월	화	수	목	금	토
					1	2
3	4	5	6	7	8	9
10	11	12	13	14	15	16
17	18	19	20	21	22	23
24	25	26	27	28	29	30

07 ④   **08** 가   **09** ①

10 예

11 4개   **12** ㉢   **13** ③, ④, ⑤

14 예 ❶ 네 각이 모두 직각이 아닙니다.

15 6, 6

16 예

17 예 ❶ ㉠의 반직선은 점 ㄱ에서 시작하여 점 ㄴ을 지나는 반직선이므로 반직선 ㄱㄴ입니다.
㉡의 반직선은 점 ㄴ에서 시작하여 점 ㄱ을 지나는 반직선이므로 반직선 ㄴㄱ입니다.
❷ 반직선 ㄱㄴ과 반직선 ㄴㄱ은 서로 다른 도형입니다.

18 8개   **19** 10개

20 예 ❶ 직사각형 가의 네 변의 길이의 합은
4+8+4+8=24이므로 24 cm입니다.
❷ 정사각형 나의 한 변을 □cm라고 하면
□+□+□+□=24, 6+6+6+6=24
에서 □=6입니다. 따라서 정사각형 나의
한 변은 6 cm입니다. / 6 cm

풀이

01 ·선분은 두 점을 곧게 이은 선입니다.
·반직선은 한 점에서 시작하여 한쪽으로 끝없이 늘인 곧은 선입니다.
·직선은 선분을 양쪽으로 끝없이 늘인 곧은 선입니다.

02 점 ㅅ에서 시작하여 점 ㅇ을 지나는 반직선입니다.
⇨ 반직선 ㅅㅇ

03 ①, ③, ④ 선 하나가 굽은 선이므로 각이 아닙니다.
② 한 점에서 만나지 않으므로 각이 아닙니다.

04 꼭짓점 점 ㄷ이 가운데에 오도록 읽습니다.
주의 각을 읽을 때에는 양 끝에 있는 점 어디서든 시작힐 수 있지만 항상 꼭짓점이 가운데 들어가게 읽어야 합니다.

07 점 ㄴ에서 시작하여 각 점을 연결한 반직선을 그어 직각이 되는 점을 찾으면 ④입니다.

09 긴바늘과 짧은바늘이 이루는 각이 직각인 시각은 3시입니다.

11 그림에서 찾을 수 있는 직사각형은 모두 4개입니다.

12 직사각형은 변과 각이 각각 4개씩 있고 네 각이 모두 직각입니다.

13 도형은 사각형이면서 네 각이 모두 직각이고 네 변의 길이가 모두 같으므로 정사각형입니다. 정사각형은 네 각이 모두 직각이므로 직사각형이라고 할 수 있습니다.

14

채점기준	❶ 직사각형이 아닌 이유 쓰기	5점

17

채점기준	❶ 서로 다른 반직선 이름 알기	3점
	❷ 반직선의 이름이 다른 이유 쓰기	2점

18
①, ②, ③, ④: 4개
①②, ③④, ①④, ②③: 4개
⇨ 직각은 모두 8개입니다.

19 각 1개로 이루어진 각: 4개
각 2개로 이루어진 각: 3개   ⇨ 4+3+2+1
각 3개로 이루어진 각: 2개   =10(개)
각 4개로 이루어진 각: 1개

20

채점기준	❶ 직사각형 가의 네 변의 길이의 합 구하기	2점
	❷ 정사각형 나의 한 변은 몇 cm인지 구하기	3점

실력 단원 평가 28~30쪽

01 ㉢

02 (1) 직선 ㄷㄹ 또는 직선 ㄹㄷ (2) 반직선 ㄹㄷ

03 ㉡

04

05
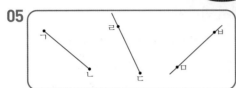

06
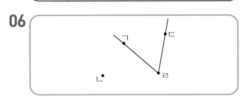

07 16개 **08** 가 **09** 마

10 다, 라, 마 **11** 2개

12 정사각형 **13** 3개

14 예 ❶ 직각삼각형은 직각이 1개 있으므로 ■=1
이고 직사각형은 직각이 4개 있으므로
★=4입니다.
❷ ■＋★＝1＋4＝5이므로 ▲＝5입니다.
/ 5

15 24 cm **16** 8개

17 예 ❶ 직사각형은 마주 보는 두 변의 길이가 같
습니다.
❷ 5＋9＋5＋9＝28이므로 직사각형의 네
변의 길이의 합은 28 cm입니다. / 28 cm

18 7개 **19** 24 cm

20 예 ❶ 만들 수 있는 가장 큰 정사각형의 한 변의
길이는 처음 직사각형의 짧은 변의 길이와
같으므로 3 cm입니다.
❷ 3＋3＋3＋3＝12이므로 만들어지는 정사
각형 한 개의 네 변의 길이의 합은 12 cm
입니다. / 12 cm

풀이

03 한 점에서 그은 두 반직선으로 이루어진 도형이 각
입니다.

04 모니터의 네 모퉁이는 모두 직각입니다.

06 점 ㄹ이 각의 꼭짓점이 되도록 그립니다.

07 선분은 두 점을 곧게 이은 선이므로 모두 16개입니다.

08 가에는 한 점에서 그은 두 반직선으로 이루어진 부
분이 없습니다.

09 가: 0개, 나: 3개, 다: 4개, 라: 1개, 마: 6개, 바: 5개

10 한 각이 직각인 삼각형을 찾아보면 다, 라, 마입니다.

11 한 각이 직각인 삼각형을 직각삼각형이라고 합니다.
⇨ 2개

12 변과 각이 각각 4개씩 있는 도형은 사각형입니다.
네 변의 길이가 모두 같고 네 각이 모두 직각인 사
각형은 정사각형입니다.

13 직각을 표시하면 직각이 모두 3개 있음을 알 수 있
습니다.

14
채점 기준	❶ 직각삼각형과 직사각형의 직각 수 구하기	3점
	❷ ▲가 나타내는 수 구하기	2점

15 정사각형은 네 변의 길이가 모두 같습니다.
⇨ 6＋6＋6＋6＝24이므로 24 cm입니다.

16

②, ④, ⑤, ⑦, ②③, ①④, ⑤⑧, ⑥⑦ ⇨ 8개

17
채점 기준	❶ 직사각형은 마주 보는 두 변의 길이가 같음을 알기	2점
	❷ 직사각형의 네 변의 길이의 합을 구하기	3점

18 사각형 1개짜리: 4개, 사각형 2개짜리: 1개,
사각형 3개짜리: 1개, 사각형 4개짜리: 1개
⇨ 4＋1＋1＋1＝7(개)

19 직사각형의 긴 쪽의 길이는 4＋4＝8이므로 8 cm
이고, 짧은 쪽의 길이는 4 cm입니다.
⇨ 4＋8＋4＋8＝24이므로 24 cm입니다.

20
채점 기준	❶ 만들 수 있는 정사각형의 한 변의 길이 구하기	3점
	❷ 정사각형 한 개의 네 변의 길이의 합을 구하기	2점

01 예 ❶ 선분은 두 점을 곧게 이은 선이고 반직선은 한 점에서 시작하여 한쪽으로 끝없이 늘인 곧은 선이며 직선은 선분을 양쪽으로 끝없이 늘인 곧은 선입니다.
❷ 삼각형을 이루는 변은 끝점이 있으므로 선분입니다. / 선분

02 예 ❶ 그림에서 각 ㄱㅇㅁ(또는 각 ㅁㅇㄱ),
각 ㄴㅇㅂ(또는 각 ㅂㅇㄴ),
각 ㄷㅇㅅ(뜨는 각 ㅅㅇㄷ)이 직각입니다.
❷ 직각은 모두 3개입니다. / 3개

03 예 ❶

❷ 네 각이 모두 직각입니다.
❸ 변의 길이가 다릅니다.

04 예 ❶ 정사각형은 네 변의 길이가 모두 같습니다. 작은 정사각형 한 변은 7 cm이고 큰 정사각형 한 변은 9 cm입니다.
❷ 선분 ㄱㄴ은 작은 정사각형 한 변과 큰 정사각형 한 변으로 이루어져 있습니다.
7+9=16이므로 선분 ㄱㄴ의 길이는 16 cm입니다. / 16 cm

🧩 풀이

01

채점기준	❶ 선분, 반직선, 직선을 알기	10점
	❷ 삼각형을 이루는 변이 선분, 반직선, 직선 중에 무엇인지 구하기	15점

02

채점기준	❶ 그림에서 직각 찾기	15점
	❷ 직각은 모두 몇 개인지 구하기	10점

03

채점기준	❶ 모양과 크기가 다른 직사각형 2개를 그리기	9점
	❷ 두 직사각형의 같은 점 쓰기	8점
	❸ 두 직사각형의 다른 점 쓰기	8점

04

채점기준	❶ 작은 정사각형과 큰 정사각형의 한 변의 길이 각각 구하기	10점
	❷ 선분 ㄱㄴ의 길이 구하기	15점

01 예 ❶ 매 정각 때 시계의 긴바늘이 12를 가리킵니다.
❷ 긴바늘과 짧은바늘이 직각을 이루는 시각은 3시와 9시입니다.
/ 3시, 9시

02 예 ❶ 정사각형은 네 변의 길이가 모두 같은 사각형입니다. 7+7+7+7=28, 8+8+8+8=32이므로 가장 큰 정사각형의 한 변의 길이는 7 cm입니다.
❷ 30−28=2이므로 남은 철사의 길이는 2 cm입니다.
/ 2 cm

03 예 ❶ 펼친 색종이의 접힌 선을 점선으로 표시하면 다음과 같습니다.

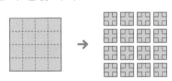

❷ 접힌 선을 따라 모두 잘랐을 때 정사각형은 모두 16개가 생깁니다. / 16개

04 예 ❶ 한 각이 직각인 삼각형을 직각삼각형이라고 합니다. 칠교판에서 칠교 조각 중 직각삼각형은 5개이고, 조각 2개를 붙여서 만들 수 있는 직각삼각형은 1개이며 조각 5개를 붙여서 만들 수 있는 직긱심긱형은 1개입니다.
❷ 크고 작은 직각삼각형의 수는
5+1+1=7(개)입니다. / 7개

🧩 풀이

01

채점기준	❶ 매 정각 때 시계의 긴바늘이 가리키는 숫자 찾기	15점
	❷ 긴바늘과 짧은바늘이 직각을 이루는 시각을 구하기	10점

02

채점기준	❶ 가장 큰 정사각형의 한 변의 길이 구하기	15점
	❷ 남은 철사의 길이 구하기	10점

03

채점기준	❶ 펼쳐서 접힌 선을 점선으로 표시하기	10점
	❷ 잘랐을 때 정사각형은 모두 몇 개 생기는지 구하기	15점

04	채점 기준	❶ 칠교판에서 찾을 수 있는 크고 작은 직각삼각형 찾기	15점
		❷ 찾을 수 있는 크고 작은 직각삼각형은 모두 몇 개 인지 구하기	10점

3 나눗셈

쪽지시험 **1**회   36쪽

01 3번   **02** 3상자   **03** 3

04 예 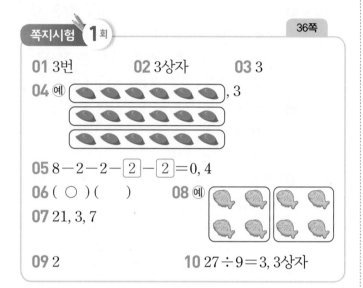 , 3

05 $8-2-2-\boxed{2}-\boxed{2}=0$, 4

06 (○) (   )   **08** 예

07 21, 3, 7

09 2   **10** $27 \div 9 = 3$, 3상자

풀이

01 $15-5-5-5=0$
     (3번)

02 0이 될 때까지 뺀 횟수가 몫이 됩니다.

03 $15 \div 5 = 3$

04 송편을 6개씩 묶으면 3묶음이 되므로 필요한 봉지는 3장입니다.

05 8에서 2씩 4번 빼면 0이 됩니다. 이것을 나눗셈식으로 나타내면 $8 \div 2 = 4$입니다.

06 24에서 8을 3번 빼서 0이 되었으므로 나눗셈식으로 나타내면 $24 \div 8 = 3$입니다.

07 $21 \div 3 = \boxed{7}$ → 필요한 봉지 수
     → 한 봉지에 담는 귤 수

08 붕어빵 8개를 4개씩 묶습니다.

09 붕어빵 8개를 4개씩 묶어 보면 2묶음이 됩니다.
     ⇨ $8 \div 4 = 2$

10 (상자의 수)$= 27 \div 9 = 3$(상자)

쪽지시험 **2**회   37쪽

01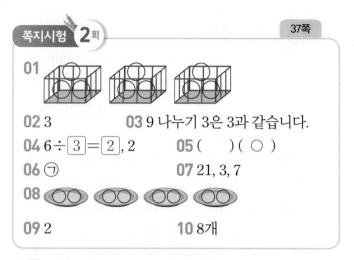

02 3   **03** 9 나누기 3은 3과 같습니다.

04 $6 \div \boxed{3} = \boxed{2}$, 2   **05** (   ) (○)

06 ㉠   **07** 21, 3, 7

08

09 2   **10** 8개

풀이

01 ○를 3곳에 3개씩 나누어 그립니다.

02 $9 \div 3 = 3$

04 요구르트 6개를 접시 3개에 1개씩 번갈아 가며 놓으면 한 접시에 2개씩 놓을 수 있습니다. 이것을 나눗셈식으로 나타내면 $6 \div 3 = 2$이고, 이때 몫은 2입니다.

05 $35 \div 5 = 7$의 몫은 7, $30 \div 6 = 5$의 몫은 5입니다.
     ⇨ 몫이 5인 나눗셈은 $30 \div 6 = 5$입니다.

06 밤 48개를 8명에게 똑같이 나누어 주면 6개씩 줄 수 있습니다. ⇨ $48 \div 8 = 6$

07 $21 \div 3 = \boxed{7}$ → 한 봉지에 담아야 할 귤 수
     → 봉지 수

08 ○를 4곳에 2개씩 나누어 그립니다.

09 붕어빵 8개를 4접시에 1개씩 번갈아 가며 놓으면 한 접시에 2개씩 놓이게 됩니다. ⇨ $8 \div 4 = 2$

10 (한 상자에 담아야 하는 당근의 수)$= 32 \div 4 = 8$(개)

쪽지시험 **3**회   38쪽

01 (위에서부터) 8, 7   **02** (위에서부터) 6, 9, 54

03 18   **04** 2   **05** 9

06 28   **07** 7, 4   **08** 4, 7

09 $6 \times \boxed{2} = \boxed{12}$, $\boxed{12} \div 6 = \boxed{2}$

10 $8 \times 2 = 16$, $2 \times 8 = 16$ / $16 \div 8 = 2$, $16 \div 2 = 8$

01 하나의 곱셈식을 2개의 나눗셈식으로 나타낼 수 있습니다.

02 하나의 나눗셈식을 2개의 곱셈식으로 나타낼 수 있습니다.

03 가지가 9개씩 2줄 있습니다.

04 가지 18개를 9명에게 1개씩 번갈아 가며 주면 한 명에게 2개씩 줄 수 있습니다.

05 가지 18개를 2개씩 묶으면 9묶음이 됩니다.

06 참외가 7개씩 4줄 있습니다.

07 참외 28개를 7개씩 묶으면 4묶음이므로
$28 \div 7 = 4$입니다.

08 참외 28개를 네 곳에 똑같이 나누면 한 곳에 7개씩이므로 $28 \div 4 = 7$입니다.

09 오이가 6개씩 2줄 있습니다. ⇨ $6 \times 2 = 12$
오이 12개를 6개씩 묶으면 2묶음이 됩니다.
⇨ $12 \div 6 = 2$

10 도넛이 8개씩 2줄 있습니다. ⇨ $8 \times 2 = 16$
도넛이 2개씩 8줄 있습니다. ⇨ $2 \times 8 = 16$
도넛 16개를 8개씩 묶으면 2묶음이 됩니다.
⇨ $16 \div 8 = 2$
도넛 16개를 2개씩 묶으면 8묶음이 됩니다.
⇨ $16 \div 2 = 8$

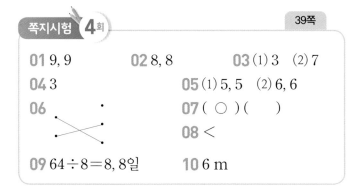

쪽지시험 4회　　　39쪽

01 9, 9　　**02** 8, 8　　**03** (1) 3　(2) 7
04 3　　　　**05** (1) 5, 5　(2) 6, 6
06
07 (○) (　)
08 <
09 $64 \div 8 = 8$, 8일　　**10** 6 m

01 $8 \times 9 = 72$를 이용하면 $72 \div 8 = 9$입니다.

02 $5 \times 8 = 40$ ⇨ $40 \div 5 = 8$

03 (1) $6 \times 3 = 18$ ⇨ $18 \div 6 = 3$
(2) $4 \times 7 = 28$ ⇨ $28 \div 4 = 7$

04 $7 \times 3 = 21$ ⇨ $21 \div 7 = 3$

05 (1) 6과 곱해서 30이 되는 수는 5이므로 곱셈식으로 나타내면 $6 \times 5 = 30$이고 $30 \div 6 = 5$입니다.
(2) 7과 곱해서 42가 되는 수는 6이므로 곱셈식으로 나타내면 $7 \times 6 = 42$이고 $42 \div 7 = 6$입니다.

06 $24 \div 3 = 8$ ⇨ $3 \times 8 = 24$, $54 \div 9 = 6$ ⇨ $9 \times 6 = 54$

07 $24 \div 3 = 8$, $56 \div 7 = 8$, $63 \div 9 = 7$이므로 몫이 같은 것은 $56 \div 7$입니다.

08 $56 \div 8 = 7$, $32 \div 4 = 8$ ⇨ $7 < 8$

09 64쪽짜리 책을 하루에 8쪽씩 매일 읽으면 이 책을 모두 읽는 데 $64 \div 8 = 8$(일)이 걸립니다.

10 $18 \div 3 = 6$이므로 한 명이 철사를 6 m씩 가져야 합니다.

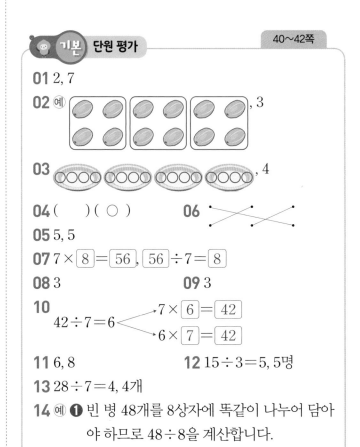

기본 단원 평가　　40~42쪽

01 2, 7
02 예 , 3
03 , 4
04 (　) (○)　　**06**
05 5, 5
07 $7 \times \boxed{8} = \boxed{56}$, $\boxed{56} \div 7 = \boxed{8}$
08 3　　　　**09** 3
10 $42 \div 7 = 6$
　　　　$7 \times \boxed{6} = \boxed{42}$
　　　　$6 \times \boxed{7} = \boxed{42}$
11 6, 8　　　　**12** $15 \div 3 = 5$, 5명
13 $28 \div 7 = 4$, 4개
14 예 ❶ 빈 병 48개를 8상자에 똑같이 나누어 담아야 하므로 $48 \div 8$을 계산합니다.
❷ $48 \div 8 = 6$이므로 한 상자에 6개씩 넣으면 됩니다. / 6개

15 =

16 ╳ (선 연결)

17 예 ❶ 금붕어는 6마리씩 3줄이므로
6×3＝18(마리)입니다.
❷ 18÷6＝3이므로 3명에게 나누어 줄 수
있습니다. / 3명

18 3개, 5개

19 3×9＝27, 9×3＝27 / 27÷3＝9, 27÷9＝3

20 예 ❶ 소율이네 전체 모둠원 수는 2＋3＝5(명)
입니다. 토마토 모종 40개를 5명이 똑같이
나누어 심어야 하므로 40÷5를 계산합
니다.
❷ 40÷5＝8이므로 한 사람이 8개씩 심으면
됩니다. / 8개

풀이

01 14 나누기 2는 7과 같습니다. ⇨ 14÷2＝7

02 참외를 4개씩 묶으면 3묶음이 되므로 3명에게 나
누어 줄 수 있습니다.

03 한 접시에 그린 ○의 수를 세어 봅니다.

04 25÷5＝5, 36÷4＝9, 40÷8＝5이므로 몫이 같
은 것은 40÷8입니다.

05 사탕이 3개씩 5묶음입니다. ⇨ 3×5＝15
사탕 15개를 3개씩 묶으면 5묶음이 됩니다.
⇨ 15÷3＝5

06 8÷4＝2, 54÷6＝9, 49÷7＝7

07 56이라는 수를 식으로 표현할 때 곱셈식으로는
7×8＝56, 나눗셈식으로는 56÷7＝8로 표현합
니다.

08 18÷6＝3(명)

09 18÷6＝3(개)
주의 08번과 09번은 나눗셈식이 같지만 의미하는 것
이 다릅니다. 08번과 09번을 살펴보면 가진 자두 수와
사람 수가 다른 것을 알 수 있습니다. 즉, 구하려는 것이
무엇인지 잘 파악해야 함에 주의합니다.

10 하나의 나눗셈식을 2개의 곱셈식으로 나타낼 수
있습니다.

11 18÷3＝6, 24÷3＝8

12 15÷3＝5(명)

13 28÷7＝4(개)

14
채점 기준	❶ 문제에 알맞은 나눗셈식 만들기	2점
	❷ 한 상자에 넣어야 하는 빈 병의 수 구하기	3점

15 27÷9＝3, 15÷5＝3 ⇨ 3＝3

16 18÷3＝**6**　　54÷6＝**9**　　72÷9＝**8**
6×9＝54　　9×**8**＝72　　3×**6**＝18

17
채점 기준	❶ 금붕어의 수를 곱셈식으로 구하기	3점
	❷ 몇 명에게 나누어 줄 수 있는지 구하기	2점

18 사탕: 27÷9＝3(개), 과자: 45÷9＝5(개)

19 ・만들 수 있는 곱셈식은 3×9＝27 또는
9×3＝27입니다.
・만들 수 있는 나눗셈식은 27÷3＝9 또는
27÷9＝3입니다.

20
채점 기준	❶ 소율이네 전체 모둠원 수를 구해 문제에 알맞은 나눗셈식 만들기	3점
	❷ 나눗셈의 몫을 구해 한 사람이 몇 개씩 심어야 하는지 구하기	2점

실력 단원 평가 43~45쪽

01 5

02 24÷6＝4, 24 나누기 6은 4와 같습니다.

03 12－[2]－[2]－[2]－[2]－[2]－[2]＝0,
12÷[2]＝[6]

04 (○)
( )

05 3×[7]＝[21], [21]÷[3]＝7

06 3, 4

07 (1) 8 (2) 6 (3) 4 (4) 3

08 ⑤   **09** 4, 32

10 $32 \div \boxed{8} = \boxed{4}$, $32 \div \boxed{4} = \boxed{8}$

11 >   **12** $16 \div 8 = 2$, 2개

13 (   ) (   ) (○)

14 예 ❶ 동그랑땡 54개를 6개의 접시에 똑같이 나누어 담아야 하므로 $54 \div 6$을 계산합니다.
❷ $54 \div 6 = 9$이므로 한 접시에 동그랑땡이 9개씩 놓입니다. / 9개

15 ㉠

16 $16 \div 2 = 8$(또는 $16 \div 8 = 2$)
 / $8 \times 2 = 16$, $2 \times 8 = 16$

17 예 ❶ 두 사람이 딴 배는 $45 + 27 = 72$(개)입니다. 배 72개를 8상자에 똑같이 나누어 담으려고 하므로 $72 \div 8$을 계산합니다.
❷ $72 \div 8 = 9$이므로 한 상자에 배를 9개씩 담을 수 있습니다. / 9개

18 웅이

19 $72 \div 9 = 8$

20 예 ❶ 수박 15개를 3바구니에 똑같이 나누어 담으려고 합니다. 한 바구니에 몇 개씩 담으면 될까요?
❷ $15 \div 3 = 5$이므로 한 바구니에 5개씩 담으면 됩니다. / 5개

풀이

01 우산 10개를 2개씩 묶으면 5묶음입니다.

02 $24 \div 6 = 4$라 쓰고, '24 나누기 6은 4와 같습니다' 라고 읽습니다.

03 12에서 2씩 6번 빼면 0이 됩니다. 이것을 나눗셈식으로 나타내면 $12 \div 2 = 6$입니다.

04 20에서 5를 4번 덜어 내면 0이 됩니다.

05 곱셈식으로는 $3 \times 7 = 21$, 나눗셈식으로는 $21 \div 3 = 7$로 나타냅니다.

06 (한 사람이 가질 수 있는 블록 수)
 =(전체 블록 수)÷(사람 수)
 =$12 \div 3 = 4$(개)

07 (1) $3 \times 8 = 24$를 이용하면 $24 \div 3 = 8$입니다.
(2) $4 \times 6 = 24$를 이용하면 $24 \div 4 = 6$입니다.
(3) $6 \times 4 = 24$를 이용하면 $24 \div 6 = 4$입니다.
(4) $8 \times 3 = 24$를 이용하면 $24 \div 8 = 3$입니다.

08 (전체 지우개 수)÷(상자 수)
 =(한 상자에 담을 수 있는 지우개 수)
 ⇨ $28 \div 7 = 4$

09 축구공이 8개씩 4줄 있습니다.

10 하나의 곱셈식을 2개의 나눗셈식으로 나타낼 수 있습니다.

11 $63 \div 7 = 9$, $24 \div 3 = 8$ ⇨ $9 > 8$

12 (한 사람에게 줄 수 있는 곰 인형 수)
 =(전체 곰 인형 수)÷(사람 수)
 =$16 \div 8 = 2$(개)

13 $27 \div 3 = 9$, $18 \div 2 = 9$, $54 \div 6 = 9$, $36 \div 6 = 6$이므로 몫이 다른 것은 $36 \div 6$입니다.

14
채점 기준	❶ 문제에 알맞은 나눗셈식 만들기	2점
	❷ 한 접시에 동그랑땡이 몇 개씩 놓이는지 구하기	3점

15 ㉠ $18 \div 2 = 9$, ㉡ $28 \div 7 = 4$, ㉢ $72 \div 9 = 8$
 ⇨ $9 > 8 > 4$이므로 몫이 가장 큰 것은 ㉠입니다.

16 $16 \div 2 = 8$ $\nearrow$ $8 \times 2 = 16$ $\searrow$ $2 \times 8 = 16$

17
채점 기준	❶ 전체 배의 수를 구해 문제에 알맞은 나눗셈식 만들기	3점
	❷ 나눗셈의 몫을 구해 한 상자에 배를 몇 개 담을 수 있는지 구하기	2점

18 지우: $12 \div 3 = 4$(개), 이슬: $24 \div 8 = 3$(개), 웅이: $36 \div 6 = 6$(개)
 ⇨ 만두를 가장 많이 먹은 사람은 웅이입니다.

19 몫이 가장 크려면 나누어지는 수를 가장 크게, 나누는 수는 가장 작게 해야 합니다.
가장 큰 수는 72, 가장 작은 수는 9이므로 몫이 가장 큰 나눗셈식은 $72 \div 9 = 8$입니다.

20
채점 기준	❶ $15 \div 3$의 몫을 구하는 문제를 만들기	3점
	❷ 만든 문제를 풀기	2점

01 예 ❶ 굴비 한 두름을 한 상자에 5개씩 담아 포장 하려고 하므로 20÷5를 계산합니다.
❷ 20÷5=4이므로 4상자가 필요합니다.
/ 4상자

02 예 ❶ 딸기 63개를 9팩에 똑같이 나누어 담아야 하므로 63÷9를 계산합니다.
❷ 63÷9=7이므로 한 팩에 딸기를 7개씩 담으면 됩니다.
/ 7개

03 예 ❶ 과자의 수를 ☐개라 하면 ☐÷2=9입니다. 2×9=18, ☐=18이므로 과자의 수는 18개 입니다.
❷ 과자 18개를 한 봉지에 3개씩 담으면 18÷3=6이므로 6봉지가 됩니다.
/ 6봉지

04 예 ❶ 호박 36개를 4바구니에 똑같이 나누어 담 으려고 합니다. 한 바구니에 몇 개씩 담으 면 될까요?
❷ 호박 36개를 4바구니에 똑같이 나누어 담 으려고 하므로 36÷4를 계산합니다. 36÷4=9이므로 한 바구니에 9개씩 담으 면 됩니다.
/ 9개

풀이

01 채점 기준
❶ 문제에 알맞은 나눗셈식 만들기	10점
❷ 필요한 상자 수 구하기	15점

02 채점 기준
❶ 문제에 알맞은 나눗셈식 만들기	10점
❷ 한 팩에 딸기를 몇 개씩 담으면 되는지 구하기	15점

03 채점 기준
❶ 나눗셈식을 만들어 과자의 수 구하기	10점
❷ 한 봉지에 3개씩 담으면 몇 봉지가 되는지 구하기	15점

04 채점 기준
❶ 보기 의 단어를 넣어 36÷4의 몫을 구하는 문 제 만들기	10점
❷ 만든 문제를 풀기	15점

01 예 ❶ 32÷4에서 4와 곱해서 32가 되는 수는 8 입니다. 4×8=32이므로 나눗셈식으로 나타내면 32÷4=8입니다.
❷ ㉠÷㉡=㉢은 32÷4=8이므로 ㉠=32, ㉡=4, ㉢=8입니다. / 32, 4, 8

02 예 ❶ 주연이가 한 사람에게 나누어 준 색종이 수는 28÷4=7이므로 7장입니다.
❷ 명신이가 한 사람에게 나누어 준 색종이 수는 54÷9=6이므로 6장입니다.
❸ 7>6이므로 나누어 준 색종이 수가 더 많 은 사람은 주연이입니다. / 주연

03 예 ❶ 한 상자에 탬버린은 32÷8=4(개)씩, 트 라이앵글은 18÷3=6(개)씩 담았습니다.
❷ 4<6이므로 한 상자에 트라이앵글을 6-4=2(개) 더 많이 담았습니다.
/ 트라이앵글, 2개

04 예 ❶ 초콜릿은 28-4=24(개)가 남았고, 과자 는 24-3=21(개)가 남았습니다.
❷ 한 상자에 넣어야 하는 초콜릿은 24÷3=8 이므로 8개씩 넣어야 하고 과자는 21÷3=7이므로 7개씩 넣어야 합니다.
/ 8개, 7개

풀이

01 채점 기준
❶ 곱셈식을 이용하여 몫 구하기	15점
❷ ㉠, ㉡, ㉢에 알맞은 수 구하기	10점

02 채점 기준
❶ 주연이가 한 사람에게 나누어 준 색종이 수 구하기	9점
❷ 명신이가 한 사람에게 나누어 준 색종이 수 구하기	9점
❸ 나누어 준 색종이 수가 더 많은 사람이 누구인지 구 하기	7점

03 채점 기준
❶ 탬버린과 트라이앵글을 한 상자에 몇개씩 담는 지 각각 구하기	15점
❷ 한 상자에 어느 악기를 몇 개 더 많이 담았는지 구하기	10점

04 채점 기준
❶ 남은 초콜릿과 과자 수 구하기	10점
❷ 한 상자에 넣어야 하는 초콜릿과 과자 수 구하기	15점

4 곱셈

01 6 / 20, 60   **02** 9, 9

03 (1) 40   (2) 70   **04** (1) 80   (2) 60

05 $20 \times 4 = 80$, 80개

06 (위에서부터) 3, 90, 93

07 (위에서부터) 8, 40, 48

08 (1) 39   (2) 64   **09** (1) 99   (2) 46

10 $11 \times 6 = 66$, 66권

풀이

01 십 모형의 개수는 $2 \times 3 = 6$(개),
십 모형이 나타내는 수는 $20 \times 3 = 60$입니다.

02 $3 \times 3 = 9$이므로 $30 \times 3 = 90$입니다.

03 (1)
```
    2 0
  ×   2
─────────
    4 0
```
(2)
```
    1 0
  ×   7
─────────
    7 0
```
주의 세로셈으로 계산할 때에는 (몇)×(몇)의 값을 써야
할 자리에 주의합니다.

04 (1) $10 \times 8 = 80$ $1 \times 8 = 8$
     (2) $30 \times 2 = 60$ $3 \times 2 = 6$

(몇십)×(몇)은 (몇)×(몇)의 곱에 0을 1개 붙입니다.

05 사탕이 20개씩 4봉지 있으므로 20×4입니다.
⇨ $20 \times 4 = 80$(개)

06 31×3의 값을 1×3과 30×3으로 계산하여 더합니다.

07 $4 \times 2 = 8$, $20 \times 2 = 40$이므로 $24 \times 2 = 48$입니다.

09 (1)
```
    3 3
  ×   3
─────────
    9 9
```
(2)
```
    2 3
  ×   2
─────────
    4 6
```

10 동화책이 책꽂이 한 칸에 11권씩 6칸에 꽂혀 있으므로 11×6입니다.
⇨ $11 \times 6 = 66$(권)

01 42, 4, 168

02 (위에서부터) 9, 210, 219

03 (1) 128   (2) 246

04 (1) 126   (2) 128

05 146   **06** >

07 =   **08** ㉠

09
```
    5 3
  ×   2
─────────
  1 0 6
```

10 $41 \times 3 = 123$, 123개

풀이

01 • 일 모형은 $2 \times 4 = 8$(개),
십 모형은 $4 \times 4 = 16$(개)입니다.
• 일 모형이 나타내는 수는 $2 \times 4 = 8$이고,
십 모형이 나타내는 수는 $40 \times 4 = 160$입니다.
⇨ $42 \times 4 = 168$

02 $3 \times 3 = 9$, $70 \times 3 = 210$이므로 $73 \times 3 = 219$입니다.

03 (1)
```
    3 2
  ×   4
─────────
  1 2 8
```
(2)
```
    8 2
  ×   3
─────────
  2 4 6
```

04 (1)
```
    4 2
  ×   3
─────────
  1 2 6
```
(2)
```
    6 4
  ×   2
─────────
  1 2 8
```

05 $3 \times 2 = 6$, $70 \times 2 = 140$이므로 $73 \times 2 = 146$입니다.

06 $52 \times 3 = 156$, $31 \times 5 = 155$ ⇨ $156 > 155$

07 $21 \times 6 = 126$, $63 \times 2 = 126$ ⇨ $126 = 126$

08 ㉠ $83 \times 3 = 249$, ㉡ $61 \times 4 = 244$
⇨ $249 > 244$이므로 계산 결과가 더 큰 것은 ㉠입니다.

09 **주의** 53에서 5는 십의 자리 수이므로 $5 \times 2 = 10$에서 100이 됨에 주의합니다.

10 방울토마토를 한 봉지에 41개씩 3봉지에 담았으므로 41×3입니다.
⇨ $41 \times 3 = 123$(개)

01 12, 7, 84

02 (위에서부터) 24, 60, 84

03 (위에서부터) 16, 40, 56

04 (1) 94   (2) 96   05 (1) 52   (2) 81

06 <   07 =

08 ㉡, ㉠, ㉢

09 $13 \times 6 = 78$, 78쪽   10 85분

풀이

01 · 일 모형은 $2 \times 7 = 14$(개),
   십 모형은 $1 \times 7 = 7$(개)입니다.

· 일 모형이 나타내는 수는 $2 \times 7 = 14$이고,
   십 모형이 나타내는 수는 $10 \times 7 = 70$입니다.
   ⇨ $12 \times 7 = 84$

02 $4 \times 6 = 24$, $10 \times 6 = 60$이므로 $14 \times 6 = 84$입니다.

03 $8 \times 2 = 16$, $20 \times 2 = 40$이므로 $28 \times 2 = 56$입니다.

04 (1)
$$\begin{array}{r} \overset{1}{} \\ 4\ 7 \\ \times\quad 2 \\ \hline 9\ 4 \end{array}$$
(2)
$$\begin{array}{r} \overset{1}{} \\ 2\ 4 \\ \times\quad 4 \\ \hline 9\ 6 \end{array}$$

일의 자리에서 올림한 수를 십의 자리 위에 작게 쓴 후 계산합니다.

05 (1)
$$\begin{array}{r} \overset{1}{} \\ 2\ 6 \\ \times\quad 2 \\ \hline 5\ 2 \end{array}$$
(2)
$$\begin{array}{r} \overset{2}{} \\ 2\ 7 \\ \times\quad 3 \\ \hline 8\ 1 \end{array}$$

06 $35 \times 2 = 70$, $26 \times 3 = 78$ ⇨ $70 < 78$

07 $24 \times 3 = 72$, $18 \times 4 = 72$ ⇨ $72 = 72$

08 ㉠ $17 \times 4 = 68$, ㉡ $18 \times 5 = 90$, ㉢ $16 \times 3 = 48$
   ⇨ ㉡ $90 >$ ㉠ $68 >$ ㉢ 48

09 $13 \times 6 = 78$(쪽)

10 (5일 동안 달리기를 한 시간)
   = (하루 동안 달리기를 한 시간) $\times 5$
   = $17 \times 5 = 85$(분)

01 32, 6, 192

02
$$\begin{array}{r} 4\ 7 \\ \times\quad 6 \\ \hline 4\ 2 \\ 2\ 4\ 0 \\ \hline 2\ 8\ 2 \end{array}$$
$4\ 2 \leftarrow \boxed{7} \times \boxed{6}$
$2\ 4\ 0 \leftarrow \boxed{40} \times \boxed{6}$

03
$$\begin{array}{r} 2\ 8 \\ \times\quad 5 \\ \hline 4\ 0 \\ 1\ 0\ 0 \\ \hline 1\ 4\ 0 \end{array} \rightarrow \begin{array}{r} \overset{\boxed{4}}{} \\ 2\ 8 \\ \times\quad 5 \\ \hline 1\ 4\ 0 \end{array}$$

04 (1) 172   (2) 220   05 (1) 192   (2) 348

06 <   07 >

08 (위에서부터) 174, 116

09 $27 \times 6 = 162$, 162마리   10 112개

풀이

01 · 일 모형이 2개씩 6묶음이므로 $2 \times 6 = 12$(개)이고, 일 모형이 나타내는 수는 12입니다.

· 십 모형이 3개씩 6묶음이므로 $3 \times 6 = 18$(개)이고, 십 모형이 나타내는 수는 $30 \times 6 = 180$입니다.
   ⇨ 십 모형과 일 모형이 나타내는 수를 모두 더하면 192입니다.

02 $7 \times 6 = 42$, $40 \times 6 = 240$이므로 $47 \times 6 = 282$입니다.

03 $8 \times 5 = 40$, $20 \times 5 = 100$이므로 $28 \times 5 = 140$입니다.

04 십의 자리에서 올림한 수는 백의 자리에 씁니다.

05 (1)
$$\begin{array}{r} \overset{1}{} \\ 9\ 6 \\ \times\quad 2 \\ \hline 1\ 9\ 2 \end{array}$$
(2)
$$\begin{array}{r} \overset{2}{} \\ 8\ 7 \\ \times\quad 4 \\ \hline 3\ 4\ 8 \end{array}$$

06 $46 \times 4 = 184$, $24 \times 8 = 192$ ⇨ $184 < 192$

07 $84 \times 8 = 672$, $72 \times 9 = 648$ ⇨ $672 > 648$

08 $58 \times 3 = 174$, $58 \times 2 = 116$

09 $27 \times 6 = 162$(마리)

10 $56 \times 2 = 112$(개)

기본 단원 평가

01 8 / 40, 80

02
（선으로 연결된 그림）

03 69

04 (1) 148　(2) 219

05 130

06 (○) (　)

07 30살

08 >

09 204, 284, 168

10
$$\begin{array}{r} \overset{1}{4\ 6} \\ \times2 \\ \hline 9\ 2 \end{array}$$

11 21×3=63, 63명

12 ㉢, ㉠, ㉡

13 294번

14 예 ❶ 효임이가 하루에 먹는 견과류의 수는
5+3+3=11(개)이므로 11×4를 계산
합니다.

❷ 4일 동안 먹은 견과류는 모두
11×4=44(개)입니다. / 44개

15 4

16 84

17 예 ❶ 한 사람당 마스크를 15장 받을 수 있고, 대
한이네 가족은 4명이므로 15×4를 계산
합니다.

❷ 대한이네 가족이 받는 마스크 수는
15×4=60(장)입니다. / 60장

18 7, 8, 9

19 28

20 예 ❶ 슬기네 아파트의 층수의 합은
29×6=174(층)이고, 아름이네 아파트의
층수의 합은 15×9=135(층)입니다.

❷ 두 아파트의 층수의 합은 모두
174+135=309(층)이므로 필요한 화재
경보기는 309개입니다. / 309개

풀이

01 십 모형의 개수는 4×2=8(개),
십 모형이 나타내는 수는 40×2=80입니다.

02 10×7=70, 20×4=80

03 23×3=69

04 (1)
$$\begin{array}{r} 7\ 4 \\ \times2 \\ \hline 1\ 4\ 8 \end{array}$$
(2)
$$\begin{array}{r} 7\ 3 \\ \times3 \\ \hline 2\ 1\ 9 \end{array}$$

05 65×2=130

06 19×4=76, 24×3=72이므로 □ 안에 들어갈 수
있는 곱셈은 19×4입니다.

07 정훈이의 나이는 7+3=10(살)이고, 어머니의 나
이는 정훈이 나이의 3배이므로 10×3=30(살)입
니다.

08 83×3=249, 31×8=248 ⇨ 249>248

09 4×51=51×4=204, 4×71=71×4=284,
4×42=42×4=168

10 6×2=12에서 올림하는 수 1을 십의 자리 계산에
더하지 않아 잘못되었습니다.

11 21×3=63(명)

12 ㉠ 27×2=54　㉡ 17×3=51　㉢ 12×5=60
⇨ ㉢ 60>㉠ 54>㉡ 51

13 마루가 하루에 줄넘기를 하는 횟수는
35+7=42(번)입니다.
⇨ (일주일 동안 줄넘기를 하는 횟수)
=(하루에 줄넘기를 하는 횟수)×7
=42×7=294(번)

14

채점 기준	❶ 하루에 먹는 견과류 수를 구한 후 문제에 알맞은 식 만들기	2점
	❷ 4일 동안 먹은 견과류 수를 구하기	3점

15 ㉠에 들어갈 수는 1이고 ㉡에 들어갈 수는 3입니다.
⇨ ㉠+㉡=1+3=4

16 어떤 수를 □라고 하면 잘못 계산한 식은
□+3=31입니다. □=31-3=28이므로 어떤
수는 28입니다.
⇨ 바르게 계산한 값은 28×3=84입니다.

17

채점 기준	❶ 문제에 알맞은 식 만들기	2점
	❷ 대한이네 가족이 받는 마스크 수 구하기	3점

18 78×5=390, 78×6=468, 78×7=546이므로
□ 안에 6보다 큰 수가 들어가면 그 곱이 500보다
크게 되므로 □ 안에 들어갈 수 있는 수는 7, 8, 9입
니다.

19 $49 \times 3 = 147$, $22 \times 9 = 198$이므로 ★ $= 4$, ■ $= 7$,
▲ $= 9$, ● $= 8$입니다.
$\Rightarrow$ ★ $+$ ■ $+$ ▲ $+$ ● $= 4 + 7 + 9 + 8 = 28$

20

채점 기준		
❶ 슬기네 아파트와 아름이네 아파트의 층수의 합 각각 구하기		3점
❷ 두 아파트의 층수의 합을 구해 필요한 화재경보기 수 구하기		2점

실력 단원 평가
58~60쪽

01 3, 90

02

03 (위에서부터) 8, 240, 248

04 5, 65   **05** 92, 276

06 (위에서부터) 96, 112, 128, 84

07 $12 \times 3 = 36$, 36개

08 (1) $<$ (2) $>$ **09** 130개

10 128개   **11** 금성관

12 156 m   **13** 171 m

14 예 ❶ 한 통에 들어 있는 빨대 수에 통수를 곱하면 되므로 12×7을 계산합니다.
❷ 7통에 들어 있는 빨대 수는 모두 $12 \times 7 = 84$(개)입니다. / 84개

15 (위에서부터) 3, 8   **16** 5 4 $\times$ 6 $=$ 324

17 예 ❶ 십의 자리 계산에서 $2 \times 2 = 4$에 올림한 수 1을 더하여 5를 써야 하는데 2와 올림한 수 1을 더한 3에 2를 곱한 수 6을 썼습니다.
❷
$$\begin{array}{r} {\scriptstyle 1} \\ 2\ 7 \\ \times\quad 2 \\ \hline 5\ 4 \end{array}$$

18 8개   **19** 민주

20 예 ❶ 아버지의 나이는 은수 나이의 4배이므로 $10 \times 4 = 40$(살)입니다.
❷ 할아버지의 나이는 아버지 나이의 2배이므로 $40 \times 2 = 80$(살)입니다. / 80살

풀이

01 30장짜리가 3개 있으므로 전체 색종이의 수는 $30 \times 3 = 90$(장)입니다.

02 $11 \times 4 = 44$, $14 \times 2 = 28$, $23 \times 3 = 69$

03 62×4의 값을 2×4와 60×4로 계산하여 더합니다.

04 13씩 5번 뛰어 세기를 한 것이므로 곱셈식으로 나타내면 $13 \times 5 = 65$입니다.

05 $23 \times 4 = 92$, $92 \times 3 = 276$

06 $32 \times 3 = 96$, $4 \times 28 = 28 \times 4 = 112$,
$32 \times 4 = 128$, $3 \times 28 = 28 \times 3 = 84$

07 $12 \times 3 = 36$(개)

08 (1) $83 \times 2 = 166$, $31 \times 7 = 217$ $\Rightarrow$ $166 < 217$
(2) $43 \times 3 = 129$, $21 \times 6 = 126$ $\Rightarrow$ $129 > 126$

09 $65 \times 2 = 130$(개)

10 $32 \times 4 = 128$(개)

11 봄이네 학교 3학년 전체 학생 수는 $23 \times 8 = 184$(명)입니다.
$\Rightarrow$ 모두 다 관람하려면 200석이 있는 금성관을 빌려야 합니다.

12 $78 \times 2 = 156$이므로 156 m 탔습니다.

13 $57 \times 3 = 171$이므로 171 m 탔습니다.

14

채점 기준		
❶ 문제에 알맞은 식 만들기		2점
❷ 7통에 들어 있는 빨대 수 구하기		3점

15
$$\begin{array}{r} {\scriptstyle ㉠}\ 2 \\ \times\quad {\scriptstyle ㉡} \\ \hline 2\ 5\ 6 \end{array}$$
$2 \times ㉡$에서 곱의 일의 자리 수가 6이므로 ㉡은 3 또는 8입니다.
㉡ $= 3$일 때, $㉠ \times 3 = 25$가 될 수 없습니다.
㉡ $= 8$일 때, $2 \times 8 = 16$이므로 $㉠ \times 8 = 25 - 1$,
$㉠ \times 8 = 24$에서 ㉠ $= 3$입니다.

16 곱이 가장 큰 (몇십몇) $\times$ (몇)의 곱셈식을 만들려면 가장 큰 수인 6을 곱하는 수에 놓고, 남은 세 숫자 카드로 만든 두 자리 수 중 가장 큰 수인 54를 곱해지는 수에 놓아야 합니다.
$\Rightarrow$ $54 \times 6 = 324$

17

채점기준	❶ 잘못된 이유를 쓰기	3점
	❷ 바르게 계산하기	2점

18 42개씩 4봉지: $42 \times 4 = 168$(개)

32개씩 5봉지: $32 \times 5 = 160$(개)

⇨ 남은 사탕은 $168 - 160 = 8$(개)입니다.

19 $12 \times 4 = 48$, $36 \times 2 = 72$이므로 ▲$=4$, ●$=8$,

■$=7$, ♥$=2$입니다.

⇨ 민주의 생일은 4월 8일, 종진이의 생일은 7월 2일이므로 민주의 생일이 더 빠릅니다.

20

채점기준	❶ 아버지의 나이 구하기	2점
	❷ 할아버지의 나이 구하기	3점

연습 서술형 평가 61~62쪽

01 예 ❶ 수민이네 학교 교실 수에 한 교실에 설치할 선풍기 수를 곱하면 되므로 43×2를 계산합니다.

❷ 선풍기는 모두 $43 \times 2 = 86$(대)가 필요합니다.

/ 86대

02 예 ❶ 1반이 수확한 당근의 수는 32개씩 4상자이므로 $32 \times 4 = 128$(개)입니다.

❷ 2반이 수확한 당근의 수는 43개씩 3상자이므로 $43 \times 3 = 129$(개)입니다.

❸ 2반이 당근을 $129 - 128 = 1$(개) 더 많이 수확했습니다.

/ 2반, 1개

03 예 ❶ 가람이가 넘은 줄넘기 횟수는 10번씩 9일 동안 했으므로 $10 \times 9 = 90$(번)이고 아름이가 넘은 줄넘기 횟수는 31번씩 4일 동안 했으므로 $31 \times 4 = 124$(번)이며 보름이가 넘은 줄넘기 횟수는 13번씩 7일 동안 했으므로 $13 \times 7 = 91$(번)입니다.

❷ $124 > 91 > 90$이므로 아름이가 줄넘기를 가장 많이 넘었습니다.

/ 아름

04 예 ❶ 떡볶이 58인분을 만드는 데 필요한 물은 $58 \times 5 = 290$(컵)입니다.

❷ 어묵탕 34인분을 만드는 데 필요한 물은 $34 \times 7 = 238$(컵)입니다.

❸ 떡볶이와 어묵탕을 만드는 데 필요한 물은 모두 $290 + 238 = 528$(컵)입니다.

/ 528컵

풀이

01

채점기준	❶ 문제에 알맞은 식 만들기	10점
	❷ 선풍기가 모두 몇 대 필요한지 구하기	15점

02

채점기준	❶ 1반이 수확한 당근의 수 구하기	8점
	❷ 2반이 수확한 당근의 수 구하기	8점
	❸ 어느 반이 당근을 몇 개 더 많이 수확했는지 구하기	9점

03

채점기준	❶ 가람, 아름, 보름이가 넘은 줄넘기 횟수 각각 구하기	15점
	❷ 줄넘기를 가장 많이 넘은 사람은 누구인지 구하기	10점

04

채점기준	❶ 떡볶이 58인분을 만드는 데 필요한 물은 몇 컵인지 구하기	8점
	❷ 어묵탕 34인분을 만드는 데 필요한 물은 몇 컵인지 구하기	8점
	❸ 떡볶이와 어묵탕을 만드는 데 필요한 물은 모두 몇 컵인지 구하기	9점

실전 서술형 평가 63~64쪽

01 예 ❶ 명희가 가지고 있는 구슬 수는 채희가 가진 구슬 수의 2배이므로 $24 \times 2 = 48$(개)입니다.

❷ 주희가 가지고 있는 구슬 수는 채희가 가진 구슬 수의 4배이므로 $24 \times 4 = 96$(개)입니다.

/ 48개, 96개

02 ⑩ ❶ 태양호가 5초 동안 달린 거리는
$11 \times 5 = 55$이므로 55 cm입니다.

❷ 우주호가 5초 동안 달린 거리는
$14 \times 5 = 70$이므로 70 cm입니다.

/ 55 cm, 70 cm

03 ⑩ ❶ 큰 선물 상자 2개를 포장하는 데 필요한 리본의 길이는 $49 \times 2 = 98$이므로 98 cm입니다.

❷ 작은 선물 상자 3개를 포장하는 데 필요한 리본의 길이는 $43 \times 3 = 129$이므로 129 cm입니다.

❸ 큰 선물 상자 2개와 작은 선물 상자 3개를 포장하는 데 필요한 리본은 모두 $98 + 129 = 227$이므로 227 cm입니다.

/ 227 cm

04 ⑩ ❶ $21 \times 2 = 42$입니다.

❷ $42 \times 5 = 210$입니다.

❸ ★＝2, ▲＝1, ■＝0이므로 승지의 생일은 2월 10일입니다.

/ 2월 10일

풀이

01	채점 기준	❶ 채희의 구슬 수로 명희가 가진 구슬 수 구하기	10점
		❷ 채희의 구슬 수로 주희가 가진 구슬 수 구하기	15점

02	채점 기준	❶ 태양호가 1초 동안 달린 거리로 5초 동안 갈 수 있는 거리 구하기	10점
		❷ 우주호가 1초 동안 달린 거리로 5초 동안 갈 수 있는 거리 구하기	15점

03	채점 기준	❶ 큰 선물 상자 2개를 포장하는 데 필요한 리본의 길이를 구하기	8점
		❷ 작은 선물 상자 3개를 포장하는 데 필요한 리본의 길이를 구하기	8점
		❸ 큰 선물 상자 2개와 작은 선물 상자 3개를 포장하는 데 필요한 리본은 모두 몇 cm인지 구하기	9점

04	채점 기준	❶ 왼쪽에 있는 곱셈식 계산하기	8점
		❷ ❶의 값을 이용하여 오른쪽에 있는 곱셈식 계산하기	8점
		❸ ★, ▲, ■의 값을 구해 승지의 생일 구하기	9점

---

5 길이와 시간

쪽지시험 1회   66쪽

01 (1) 70   (2) 3
02 (1) 4, 9   (2) 39
03 25 밀리미터
04 ㉠
05 6, 60
06 (1) 5000   (2) 4
07 (1) 3, 540   (2) 5420
08 2530 킬로미터
09 ㉡
10 편의점, 3

풀이

01 (1) 1 cm＝10 mm이므로 7 cm＝70 mm입니다.

(2) 10 mm＝1 cm이므로 30 mm＝3 cm입니다.

02 (1) 49 mm＝40 mm＋9 mm＝4 cm 9 mm

(2) 3 cm 9 mm＝30 mm＋9 mm＝39 mm

03 mm는 밀리미터라고 읽습니다.

04 ㉠ 200 mm＝20 cm, ㉡ 30 cm이므로 길이가 더 짧은 것은 ㉠입니다.

05 6 cm는 60 mm입니다.

06 (1) 1 km＝1000 m이므로 5 km＝5000 m입니다.

(2) 1000 m＝1 km이므로 4000 m＝4 km입니다.

07 (1) 3540 m＝3000 m＋540 m
　　　　　＝3 km 540 m

(2) 5 km 420 m＝5000 m＋420 m
　　　　　　　＝5420 m

08 km는 킬로미터라고 읽습니다.

09 ㉠ 3000 m＝3 km, ㉡ 5 km이므로 길이가 더 긴 것은 ㉡입니다.

다른 풀이 ㉠ 3000 m, ㉡ 5 km＝5000 m이므로 길이가 더 긴 것은 ㉡입니다.

10 놀이터: 5000 m＝5 km
편의점: 8000 m＝8 km
⇨ 8 km－5 km＝3 km이므로 편의점이 3 km 더 멉니다.

01 ⑩ 약 4 cm, 3 cm 5 mm

02 ⑩ 약 8 cm, 7 cm 8 mm

03 cm

04 m

05 km

06 35 mm

07 20 cm

08 약 2 km

09 약 3 km

10 동물원

풀이

01 3 cm보다 5 mm 더 길므로 3 cm 5 mm입니다.

02 7 cm보다 8 mm 더 길므로 7 cm 8 mm입니다.

03 가위의 길이는 약 22 mm, 약 22 m, 약 22 km는 아니므로 약 22 cm로 어림할 수 있습니다.

04 방의 높이는 약 3 mm, 약 3 cm, 약 3 km는 아니므로 약 3 m로 어림할 수 있습니다.

05 산의 높이는 약 6 mm, 약 6 cm, 약 6 m는 아니므로 약 6 km로 어림할 수 있습니다.

06 엄지손가락의 길이는 약 35 mm입니다.

07 손목에서 팔꿈치까지의 길이는 약 20 cm입니다.
참고 어림해야 하는 길이와 수를 보고 알맞은 길이의 단위를 찾습니다.

08 식물원에서 가게까지의 거리가 약 1 km이고 식물원에서 미술관까지의 거리는 식물원에서 가게까지의 거리의 약 2배이므로 식물원에서 미술관까지의 거리는 약 2 km입니다.

09 식물원에서 가게까지의 거리가 약 1 km이고 식물원에서 주차장까지의 거리는 식물원에서 가게까지의 거리의 약 3배이므로 식물원에서 주차장까지의 거리는 약 3 km입니다.

10 식물원에서 가게까지의 거리가 약 1 km이고 4 km는 1 km의 4배이므로 식물원에서 가게까지의 거리의 약 4배가 되는 곳을 찾으면 동물원입니다.

01 1, 30, 40

02 7, 20, 10

03 (1) 60 (2) 360

04 (위에서부터) 3, 120

05 (1) 150 (2) 200

06

07

08 (1) 1, 10 (2) 2, 15

09 (○) ( )

10 ㉣, ㉡, ㉠, ㉢

풀이

01 초바늘이 숫자 8을 가리키므로 40초입니다.

02 초바늘이 숫자 2를 가리키므로 10초입니다.

03 (1) 1분=60초
(2) 1분=60초이고 60×6=360이므로 6분=360초입니다.

04 ・60초=1분이고 180=60×3이므로 180초=3분입니다.
・1분=60초이고 60×2=120이므로 2분=120초입니다.

05 (1) 2분=120초이고 120+30=150이므로 2분 30초=150초입니다.
(2) 3분=180초이고 180+20=200이므로 3분 20초=200초입니다.

06 20초는 초바늘이 숫자 4를 가리키게 그립니다.

07 45초는 초바늘이 숫자 9를 가리키게 그립니다.

08 (1) 70초=60초+10초=1분 10초
(2) 135초=60초+60초+15초=2분 15초

09 초바늘이 작은 눈금 한 칸을 가는 동안 걸리는 시간이 1초입니다.

10 ㉠ 123초 ㉡ 1분 55초=115초
㉢ 2분 5초=125초 ㉣ 83초
⇨ 시간이 짧은 순서대로 기호를 쓰면 ㉣, ㉡, ㉠, ㉢입니다.

69쪽

쪽지시험 4회

01 6, 45
02 5, 53, 30
03 10, 20
04 9, 40, 29
05 3시 55분 50초
06 7시 30분
07 6시 30분
08 (위에서부터) 1, 7, 10, 40
09 (위에서부터) 29, 60, 7, 19, 35
10 1시간 25분

풀이

02 시는 시끼리, 분은 분끼리, 초는 초끼리 더합니다.

04 시는 시끼리, 분은 분끼리, 초는 초끼리 뺍니다.

05 3시 10분 30초＋45분 20초＝3시 55분 50초

06 6시 40분＋50분＝6시 40분＋20분＋30분
＝7시 30분

07 7시 20분－50분＝7시 20분－20분－30분
＝6시 30분

08 시간의 덧셈을 세로로 계산할 때 같은 단위끼리의 합이 60이거나 60보다 크면 60초를 1분으로, 60분을 1시간으로 바꾸어 계산합니다.

09 시간의 뺄셈을 세로로 계산할 때 같은 단위끼리 뺄 수 없으면 1분을 60초로, 1시간을 60분으로 바꾸어 계산합니다.

10 6시－4시 35분＝1시간 25분

기본 단원 평가

70~72쪽

01 1
02 12, 30, 40
03 3, 6
04 8000, 8, 8, 300
05 (1) 1, 300 (2) 1200
06 (1) 5, 2, 5 (2) 180, 195

07

08 시, 시, 분, 초, 분
09 7시 5분 37초
10 2시 24분 35초
11 (1) cm (2) mm
12 ＞
13 30분 15초
14 ⑩ ❶ 2분 29초＝120초＋29초＝149초
❷ 149초＜180초이므로 양치를 더 오랫동안 한 사람은 정수입니다. / 정수
15 8
16 1시간 55분 15초
17 ⑩ ❶ 우체국에서 태호네 집까지의 거리는 1520 m＝1 km 520 m입니다.
❷ 1 km 95 m＜1 km 520 m이므로 우체국에서 더 가까운 곳은 성아네 집입니다.
/ 성아네 집
18 14시간 14분
19 2시간 24분 48초
20 ⑩ ❶ 할머니 댁에서 집으로 돌아오는 데 걸린 시간은 1시간 14분＋35분＝1시간 49분입니다.
❷ 윤주가 버스를 탄 시간은 모두 1시간 14분＋1시간 49분＝3시간 3분입니다.
/ 3시간 3분

풀이

01 1 cm를 10칸으로 똑같이 나누었을 때 작은 눈금 한 칸의 길이는 1 mm입니다.

02 초바늘이 숫자 8을 가리키므로 40초입니다.

03 3 cm보다 6 mm 더 길므로 3 cm 6 mm입니다.

04 1000 m＝1 km이므로 8000 m＝8 km입니다.

05 (1) 1300 m＝1000 m＋300 m
＝1 km 300 m
(2) 1 km 200 m＝1000 m＋200 m
＝1200 m

06 (1) 120초＝2분이고, 125＝120＋5이므로
125초＝2분 5초입니다.
(2) 3분＝180초이므로
3분 15초＝180초＋15초＝195초

07 60초=1분

130초=120초+10초=2분 10초,

250초=240초+10초=4분 10초,

190초=180초+10초=3분 10초

08 단위 앞의 수를 보고 상황에 알맞은 시간의 단위를 찾습니다.

09 60분=1시간입니다. 15분과 50분을 더하면 65분이 되므로 60분을 1시간으로 바꾸어 계산합니다.

　참고　시간의 덧셈을 세로로 계산할 때 같은 단위끼리의 합이 60이거나 60보디 크면 60초를 1분으로, 60분을 1시간으로 바꾸어 계산합니다.

10 같은 단위끼리 뺄 수 없으면 1분을 60초로, 1시간을 60분으로 바꾸어 계산합니다.

11 어림해야 하는 길이와 수를 보고 알맞은 길이의 단위를 찾습니다.

12 12 cm 4 mm=12 cm+4 mm

　　　　　　　=120 mm+4 mm=124 mm

⇨ 12 cm 4 mm>119 mm

13 8시 35분 30초−8시 5분 15초=30분 15초

14

채점 기준	❶ 시간의 단위를 통일하기	3점
	❷ 양치를 더 오랫동안 한 사람 구하기	2점

15 알고 있는 길이를 이용하여 어림합니다.

16 3시 25분 55초−1시 30분 40초=1시간 55분 15초

17

채점 기준	❶ 길이의 단위를 통일하기	3점
	❷ 우체국에서 누구네 집이 더 가까운지 구하기	2점

18 오후 7시 49분=19시 49분

⇨ 19시 49분−5시 35분=14시간 14분이므로 낮의 길이는 14시간 14분입니다.

19 하루는 24시간이므로 낮의 길이는

24시간−13시간 12분 24초=10시간 47분 36초

⇨ 밤의 길이는 낮의 길이보다

13시간 12분 24초−10시간 47분 36초

=2시간 24분 48초 더 깁니다.

20

채점 기준	❶ 집으로 돌아오는 데 걸린 시간 구하기	2점
	❷ 윤주가 버스를 탄 시간 구하기	3점

실력 **단원 평가** 　　　　73~75쪽

01 　9mm 　, 9 밀리미터

02 53분 56초　　　　**03** 3시간 22분 13초

04 (1) 2　(2) 2000　　**05**

06 (1) 18 cm　(2) 2 m　**07** (1) 2, 5　(2) 130

08 ㉡, ㉢　　　　　　**09** ㉣

10 달이　　　　　　　**11** 1시간 20분

12 ㉡, ㉣　　　　　　**13** 1시간 26분 20초

14 예 ❶ 2 km=2000 m이므로 500 m의 4배입니다.

❷ 집에서 약 2 km 떨어진 곳에 있는 건물은 500 m의 4배 정도가 되는 곳을 찾으면 됩니다. 따라서 집에서 500 m의 4배 정도가 되는 곳을 찾으면 편의점입니다. / 편의점

15 시작한 시각　　끝낸 시각

 →

16 34분 40초

17 예 ❶ 10 mm=1 cm이므로

156 mm=150 mm+6 mm

=15 cm 6 mm입니다.

❷ 연필의 길이는 15 cm 6 mm입니다.

/ 15 cm 6 mm

18 (위에서부터) 10시 35분, 13시 34분,

14시 33분, 17시 55분

19 11시 30분

20 예 ❶ 별이가 미용을 시작한 시각에서 15분 50초를 빼면 되므로 3시 12분−15분 50초를 계산합니다.

❷ 3시 12분−15분 50초=2시 56분 10초

/ 2시 56분 10초

풀이

01 9 mm ⇨ 9 밀리미터라고 읽습니다.

02 분은 분끼리, 초는 초끼리 더합니다.

03 시는 시끼리, 분은 분끼리, 초는 초끼리 뺍니다.

04 (1) 10 mm=1 cm이므로 20 mm=2 cm입니다.
    (2) 1 km=1000 m이므로 2 km=2000 m입니다.

05 · 3 km 500 m=3000 m+500 m=3500 m
    · 35 mm=30 mm+5 mm=3 cm 5 mm

06 어림해야 하는 길이와 수를 보고 알맞은 길이의 단위를 찾습니다.

07 (1) 60초=1분이므로
        125초=60초+60초+5초=2분 5초
    (2) 2분=120초이고, 120+10=130이므로
        2분 10초=130초입니다.

08 100 mm는 10 cm입니다. 10 cm보다 짧은 것은
    ㉡ 클립의 길이와 ㉢ 엄지손톱 길이입니다.

09 ㉠ 3분 15초=195초   ㉡ 190초
    ㉢ 3분 20초=200초   ㉣ 172초
    ⇨ 시간이 가장 짧은 것은 ㉣입니다.

10 해민: 8시간 49분 60초=8시간 50분
    달이: 10시간 65분=11시간 5분
    샛별: 10시간 10분
    ⇨ 가장 오랜 시간 잠을 잔 친구는 달이입니다.

11 10시간 10분−8시간 50분=1시간 20분

12 ㉠ 121초   ㉡ 3분 9초=189초
    ㉢ 3분 23초=203초   ㉣ 137초
    2분 15초=135초, 135초<□<193초
    ⇨ □ 안에 들어갈 수 있는 시각은
        ㉡ 3분 9초=189초, ㉣ 137초입니다.

13 시계가 나타내는 시각은 1시 20분 50초입니다.
    330초=300초+30초=5분 30초
    1시 20분 50초+5분 30초=1시 26분 20초

14

채점기준	❶ 2 km는 500 m의 몇 배인지 구하기	3점
	❷ 약 2 km 떨어진 곳에 있는 건물 찾기	2점

15 아침을 먹기 시작한 시각: 7시 50분 30초
    끝낸 시각: 8시 25분 10초

16 8시 25분 10초−7시 50분 30초=34분 40초

17

채점기준	❶ 156 mm를 몇 cm 몇 mm로 나타내기	3점
	❷ 연필의 길이는 몇 cm 몇 mm인지 구하기	2점

18 · 9시 50분+45분=10시 35분
    · 12시 49분+45분=13시 34분
    · 15시 18분−45분=14시 33분
    · 18시 40분−45분=17시 55분

19 (2교시를 시작하는 시각)
    =9시+40분+10분=9시 50분
    (3교시를 시작하는 시각)
    =9시 50분+40분+10분=10시 40분
    (4교시를 시작하는 시각)
    =10시 40분+40분+10분=11시 30분

20

채점기준	❶ 달이가 미용을 시작한 시각을 구하는 식 만들기	3점
	❷ 달이가 미용을 시작한 시각 구하기	2점

연습 서술형 평가 76~77쪽

01 예 ❶ 집에서 공원을 지나 박물관까지 가는 거리는 5 km 800 m입니다.
    ❷ 5 km 800 m
    =5 km+800 m=5000 m+800 m
    =5800 m입니다. / 5800 m

02 예 ❶ 같은 단위로 고친 다음 비교합니다.
    1 km=1000 m이므로
    에베레스트산은 8 km 850 m=8850 m,
    백두산은 2 km 744 m=2744 m, 아콩카과산은 6 km 950 m=6950 m입니다.
    ❷ 높이를 비교하면 8850 m > 6950 m > 6190 m > 5895 m > 4509 m > 2744 m
    이므로 가장 높은 산은 에베레스트산이고 가장 낮은 산은 백두산입니다.
    / 에베레스트산, 백두산

03 ⓔ ❶ 걸린 시간이 지수는 9시 56분−8시＝1시간 56분이고 선호는 9시 40분−8시＝1시간 40분입니다.

❷ 선호가 1시간 56분−1시간 40분＝16분 차이로 이겼습니다. / 선호, 16분

04 ⓔ ❶ 수영장에서 나온 시각에서 들어간 시각을 빼면 되므로 12시−9시 20분 30초를 계산합니다.

❷ 진주네 가족이 수영장에서 있었던 시간은 12시−9시 20분 30초＝2시간 39분 30초입니다. / 2시간 39분 30초

풀이

01 채점 기준
❶ 집에서 공원을 지나 박물관까지 가는 거리는 몇 km 몇 m인지 구하기	10점
❷ 집에서 공원을 지나 박물관까지 가는 거리는 몇 m인지 구하기	15점

02 채점 기준
❶ 높이의 단위를 통일하기	10점
❷ 높이를 비교하여 가장 높은 산과 가장 낮은 산 찾기	15점

03 채점 기준
❶ 출발 시각과 도착 시각을 이용해서 걸린 시간 각각 구하기	10점
❷ 누가 몇 분 차이로 이겼는지 구하기	15점

04 채점 기준
❶ 문제에 알맞은 식 만들기	10점
❷ 진주네 가족이 수영장에서 있었던 시간 구하기	15점

실전 서술형 평가 78~79쪽

01 ⓔ ❶ 등산로 ㉠은 12 km 200 m,
㉡은 11000 m＝11 km,
㉢은 16000 m＝16 km,
㉣은 15500 m＝15 km 500 m입니다.

❷ 거리가 15 km와 16 km 사이인 등산로는 ㉣입니다.
/ ㉣

02 ⓔ ❶ 가장 짧은 길은 가로로 800 m를 3번, 세로로 500 m를 3번 가는 길입니다.
800＋800＋800＋500＋500＋500 ＝3900이므로 3900 m입니다.

❷ 3900 m＝3 km 900 m이므로 적어도 3 km 900 m를 걸어야 합니다.
/ 3 km 900 m

03 ⓔ ❶ 종목별 걸린 시간의 합이 정애는 8분 20초＋40분 12초＋19분 25초 ＝67분 57초이고 혜진이는 10분 40초＋38분 50초＋18분 20초 ＝67분 50초입니다.

❷ 67분 50초＜67분 57초이므로 시간이 적게 걸린 혜진이가 기록이 더 좋습니다.
/ 혜진

04 ⓔ ❶ 이어달리기 기록의 합이 가 모둠은 1분 17초＋1분 59초＋1분 10초 ＝4분 26초입니다.
나 모둠은 1분 25초＋2분 5초＋1분 5초 ＝4분 35초입니다.
다 모둠은 1분 17초＋1분 10초＋2분 10초 ＝4분 37초입니다.

❷ 가 4분 26초＜나 4분 35초＜다 4분 37초이므로 가 모둠이 가장 빠릅니다. / 가 모둠

풀이

01 채점 기준
❶ 등산로의 거리 단위를 통일하기	15점
❷ 거리가 15 km와 16 km 사이인 등산로 찾기	10점

02 채점 기준
❶ 가장 짧은 길을 찾아 거리를 m로 나타내기	10점
❷ 거리를 몇 km 몇 m로 나타내기	15점

03 채점 기준
❶ 두 사람의 종목별 걸린 시간의 합 각각 구하기	15점
❷ 누가 기록이 더 좋은지 구하기	10점

04 채점 기준
❶ 세 모둠의 이어달리기 기록의 합 각각 구하기	15점
❷ 어느 모둠이 가장 빠른지 구하기	10점

6 분수와 소수

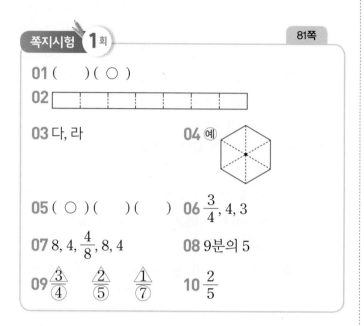

81쪽

쪽지시험 1회

01 ( ) (○)

02

03 다, 라

04 예

05 (○) ( ) ( )

06 $\frac{3}{4}$, 4, 3

07 8, 4, $\frac{4}{8}$, 8, 4

08 9분의 5

09 $\frac{3}{4}$ $\frac{2}{5}$ $\frac{1}{7}$

10 $\frac{2}{5}$

풀이

01 똑같이 나누어져서 크기와 모양이 같은 것은 오른 쪽입니다.

02 눈금을 연결하면 7로 똑같이 나누어집니다.

03 똑같이 나누어져서 크기와 모양이 모두 같은 도형은 다, 라입니다.

04 가운데에 있는 점과 꼭짓점을 연결하면 똑같이 나누어집니다.

05 전체를 똑같이 4로 나눈 것 중의 2만큼 색칠한 것을 찾습니다.

06 전체를 똑같이 ■로 나눈 것 중의 ▲이므로 $\frac{▲}{■}$라 쓰고, ■분의 ▲라고 읽습니다.

07 전체를 똑같이 8로 나눈 것 중의 4이므로 $\frac{4}{8}$라 쓰고, 8분의 4라고 읽습니다.

08 분모를 먼저 읽고 분자를 읽습니다.

09 분수에서 가로선 아래쪽에 있는 수가 분모, 위쪽에 있는 수가 분자입니다.

10 $\frac{(분자)}{(분모)}$ ⇨ $\frac{2}{5}$

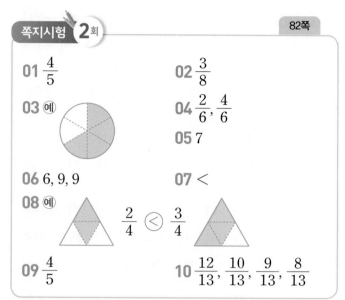

82쪽

쪽지시험 2회

01 $\frac{4}{5}$

02 $\frac{3}{8}$

03 예

04 $\frac{2}{6}$, $\frac{4}{6}$

05 7

06 6, 9, 9

07 <

08 예 $\frac{2}{4}$ ◁ $\frac{3}{4}$

09 $\frac{4}{5}$

10 $\frac{12}{13}$, $\frac{10}{13}$, $\frac{9}{13}$, $\frac{8}{13}$

풀이

01 색칠한 부분은 전체를 똑같이 5로 나눈 것 중의 4 이므로 $\frac{4}{5}$입니다.

02 색칠한 부분은 전체를 똑같이 8로 나눈 것 중의 3 이므로 $\frac{3}{8}$입니다.

03 $\frac{4}{6}$는 전체를 똑같이 6으로 나눈 것 중의 4만큼 색칠합니다.

04 전체를 똑같이 6으로 나누었습니다.

05 $\frac{▲}{■}$는 $\frac{1}{■}$이 ▲개입니다.
⇨ $\frac{7}{8}$은 $\frac{1}{8}$이 7개입니다.

06 분모가 같은 분수는 단위분수의 개수가 많을수록 더 큽니다.

07 $\frac{5}{7}$는 $\frac{1}{7}$이 5개이므로 $\frac{5}{7}$가 더 큽니다.

08 색칠한 부분이 넓을수록 더 큰 수입니다.

09 $\frac{4}{5}$는 $\frac{1}{5}$이 4개이고, $\frac{3}{5}$은 $\frac{1}{5}$이 3개이므로 $\frac{4}{5}$가 더 큽니다.

10 분모가 같은 분수는 분자가 클수록 더 큽니다.

쪽지시험 3회

01 분모

02 (1) <　(2) >

03 예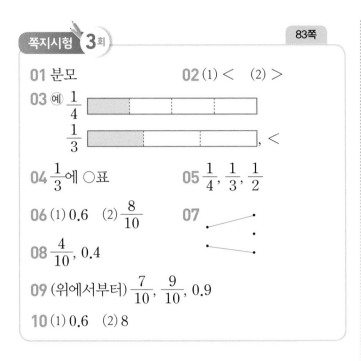
$\dfrac{1}{4}$

$\dfrac{1}{3}$, <

04 $\dfrac{1}{3}$에 ○표

05 $\dfrac{1}{4}$, $\dfrac{1}{3}$, $\dfrac{1}{2}$

06 (1) 0.6　(2) $\dfrac{8}{10}$

07

08 $\dfrac{4}{10}$, 0.4

09 (위에서부터) $\dfrac{7}{10}$, $\dfrac{9}{10}$, 0.9

10 (1) 0.6　(2) 8

풀이

01 단위분수는 분모가 클수록 더 작습니다.

05 4>3>2이므로 $\dfrac{1}{4}<\dfrac{1}{3}<\dfrac{1}{2}$입니다.

07 0.3 ⇨ 영 점 삼, 0.7 ⇨ 영 점 칠

08 전체를 똑같이 10으로 나눈 것 중의 4만큼 색칠하였으므로 분수로 나타내면 $\dfrac{4}{10}$이고, 소수로 나타내면 0.4입니다.

09 0.7=$\dfrac{7}{10}$, $\dfrac{9}{10}$=0.9

10 (1) 0.1이 6개인 수는 0.6입니다.

(2) $\dfrac{1}{10}$이 8개이면 0.8입니다.

쪽지시험 4회

01 3.4, 삼 점 사

02 (1) 37　(2) 2.3

03 (1) 2.8　(2) 5.3

04 1.5, 2.2

05 3.2 cm

06 <

07 >

08 예 1.2

1.8 , <

09 65, 68, 6.8

10 과학책

풀이

01 3보다 0.4만큼 더 큰 수는 3.4이고, 삼 점 사라고 읽습니다.

02 (1) 3.7은 0.1이 37개인 수입니다.

(2) 0.1이 23개인 수는 2.3입니다.

03 (1) 1 mm=0.1 cm, 28 mm는 0.1 cm가 28개이므로 2.8 cm입니다.

(2) 5 cm 3 mm=53 mm
53 mm는 0.1 cm가 53개이므로 5.3 cm입니다.

04 1보다 0.5만큼 더 큰 수는 1.5, 2보다 0.2만큼 더 큰 수는 2.2입니다.

05 3 cm 2 mm=32 mm
1 mm=0.1 cm이고 32 mm는 0.1 cm가 32개이므로 3.2 cm입니다.

06 1.9는 0.1이 19개인 수이고 2.8은 0.1이 28개인 수이므로 1.9<2.8입니다.

07 5.6은 0.1이 56개인 수이고 5.4는 0.1이 54개인 수이므로 5.6>5.4입니다.

08 색칠한 부분이 넓을수록 더 큰 수입니다.
⇨ 1.8이 1.2보다 더 큽니다.

09 6.5는 0.1이 65개, 6.8은 0.1이 68개이므로 6.8이 6.5보다 더 큽니다.

10 2.3은 0.1이 23개, 3.1은 0.1이 31개, 2.9는 0.1이 29개이므로 2.3<2.9<3.1입니다.
⇨ 가장 무거운 책은 과학책입니다.

기본 단원 평가

01 5

02 (　　)(　○　)

03 4, 2, $\dfrac{2}{4}$, 4분의 2

04 $\dfrac{2}{6}$

05 파란색: $\dfrac{2}{5}$, 빨간색: $\dfrac{3}{5}$

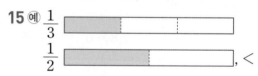

06 예 (도형 그림)
07 예 (사다리꼴 그림)

08 (1) > (2) >

09 ②

10 $\dfrac{1}{10}$, 0.1

11 예 (원 그림) $\dfrac{4}{6}$ ⊘ $\dfrac{5}{6}$

12 (선 연결)

13 2.4

14 예 ❶ 똑같이 나누어진 것은 크기와 모양이 같으므로 나눈 부분을 포개었을 때 완전히 겹쳐지는 것을 찾습니다.
❷ 도형을 똑같이 셋으로 바르게 나눈 사람은 라이입니다. / 라이

15 예 $\dfrac{1}{3}$ (막대 그림)
$\dfrac{1}{2}$ (막대 그림) , <

16 $\dfrac{1}{5}$, $\dfrac{1}{8}$, $\dfrac{1}{9}$, $\dfrac{1}{11}$

17 예 ❶ 1 mm = 0.1 cm이므로 2 mm = 0.2 cm입니다.
❷ 정우가 가지고 있는 철사의 길이는 9 cm보다 0.2 cm만큼 더 길므로 9.2 cm입니다.
/ 9.2 cm

18 $\dfrac{3}{7}$, $\dfrac{4}{7}$, $\dfrac{5}{7}$

19 ㉡

20 예 ❶ 단위분수는 분모가 클수록 더 작으므로 $\dfrac{1}{5}$보다 큰 단위분수가 되려면 분모가 5보다 작아야 합니다.
❷ □ 안에 들어갈 수 있는 수는 4, 3, 2로 모두 3개입니다. / 3개

풀이

01 똑같이 다섯으로 나누었습니다.

02 나누어진 3개 조각의 크기와 모양이 같은 것을 찾습니다.

---

05 ·파란색 부분은 전체를 똑같이 5로 나눈 것 중의 2만큼이므로 분수로 나타내면 $\dfrac{2}{5}$입니다.
·빨간색 부분은 전체를 똑같이 5로 나눈 것 중의 3만큼이므로 분수로 나타내면 $\dfrac{3}{5}$입니다.

06 여러 가지 방법으로 똑같이 넷으로 나눌 수 있습니다.

07 전체를 똑같이 7로 나눈 것 중 3만큼을 색칠합니다.

08 분모가 같은 분수는 분자가 클수록 더 큽니다.

09 분자가 1인 분수를 단위분수라고 합니다.

10 색칠한 부분은 전체를 10으로 나눈 것 중의 1입니다.
⇨ $\dfrac{1}{10}$ = 0.1

11 $\dfrac{4}{6}$는 $\dfrac{1}{6}$이 4개이고 $\dfrac{5}{6}$는 $\dfrac{1}{6}$이 5개이므로 $\dfrac{5}{6}$가 더 큽니다.

12 $\dfrac{1}{10}$ ⇔ 0.1 ⇔ 영 점 일 $\dfrac{5}{10}$ ⇔ 0.5 ⇔ 영 점 오
$\dfrac{2}{10}$ ⇔ 0.2 ⇔ 영 점 이 $\dfrac{6}{10}$ ⇔ 0.6 ⇔ 영 점 육

13 2보다 0.4만큼 더 큰 수는 2.4입니다.

14

채점 기준	❶ 똑같이 나눈다는 의미 설명하기	2점
	❷ 바르게 나눈 사람 찾기	3점

15 단위분수는 분모가 클수록 더 작습니다.

16 11 > 9 > 8 > 5이므로 $\dfrac{1}{5}$ > $\dfrac{1}{8}$ > $\dfrac{1}{9}$ > $\dfrac{1}{11}$입니다.

17

채점 기준	❶ 2 mm는 몇 cm인지 소수로 나타내기	2점
	❷ 정우가 가지고 있는 철사의 길이는 몇 cm인지 소수로 나타내기	3점

18 분모가 7인 분수 중에서 $\dfrac{2}{7}$보다 크고 $\dfrac{6}{7}$보다 작은 분수는 $\dfrac{3}{7}$, $\dfrac{4}{7}$, $\dfrac{5}{7}$입니다.

19 ㉠ 4.4 ㉡ 4.5 ㉢ 4.3
⇨ 4.5 > 4.4 > 4.3이므로 가장 큰 수는 ㉡입니다.

20

채점 기준	❶ □ 안에 들어갈 수 있는 수의 범위 구하기	3점
	❷ □ 안에 들어갈 수 있는 수는 모두 몇 개인지 구하기	2점

 **실력 단원 평가** 88~90쪽

01 ( )( )(◯) 02 예

03 예 , 3분의 1

04 (1) 8 (2) 0.6 05 가, 나, 라

06 $\frac{4}{10}$, 0.7 07 ✕

08 2.7, 이 점 칠 09 7, 7.7

10 $\frac{1}{5}$에 ◯표, $\frac{1}{10}$에 △표

11 (1) > (2) < 12 훈민 13 0.7

14 예 ❶ 1 mm=0.1 cm이므로 8 mm=0.8 cm
입니다.

　❷ 내린 비는 3 cm보다 0.8 cm만큼 더 내렸
으므로 3.8 cm입니다. / 3.8 cm

15 (1) < (2) < 16 $\frac{1}{15}$, $\frac{3}{15}$, $\frac{5}{15}$, $\frac{7}{15}$, $\frac{14}{15}$

17 예 ❶ 5.9는 0.1이 59개, 4.8은 0.1이 48개, 5.2는
0.1이 52개이므로 4.8<5.2<5.9입니다.

　❷ 가장 몸무게가 많이 나가는 강아지는 바다
입니다. / 바다

18 $\frac{1}{2}$, $\frac{1}{64}$ 19 1, 2, 3, 4, 5

20 예 ❶ $\frac{1}{7}$보다 큰 단위분수는 $\frac{1}{2}$, $\frac{1}{3}$, $\frac{1}{4}$, $\frac{1}{5}$, $\frac{1}{6}$
입니다.

　❷ 이 중에서 분모가 2보다 큰 단위분수는
$\frac{1}{3}$, $\frac{1}{4}$, $\frac{1}{5}$, $\frac{1}{6}$입니다. / $\frac{1}{3}$, $\frac{1}{4}$, $\frac{1}{5}$, $\frac{1}{6}$

풀이

02 2개씩 모아서 나누면 똑같이 나누어집니다.

04 (1) 0.8은 0.1이 8개인 수입니다.
　(2) 0.1이 6개이면 0.6입니다.

05 $\frac{2}{4}$는 전체를 똑같이 4로 나눈 것 중의 2입니다.

전체를 똑같이 4로 나눈 것 중의 2만큼 색칠한 것
을 모두 찾습니다.

06 0.4=$\frac{4}{10}$, $\frac{7}{10}$=0.7

07 $\frac{2}{10}$=0.2, $\frac{6}{10}$=0.6, $\frac{7}{10}$=0.7, $\frac{5}{10}$=0.5

09 7 cm 7 mm=77 mm
1 mm=0.1 cm이고 77 mm는 0.1 cm가 77개
이므로 7.7 cm입니다.

10 10>9>5이므로 $\frac{1}{10}$<$\frac{1}{9}$<$\frac{1}{5}$입니다.

　⇨ 가장 큰 분수는 $\frac{1}{5}$이고 가장 작은 분수는 $\frac{1}{10}$입
니다.

12 $\frac{3}{10}$>$\frac{2}{10}$이므로 훈민이가 식빵을 더 많이 먹었습
니다.

13 남은 피자는 10조각 중 10-3=7(조각)이므로
$\frac{7}{10}$입니다. ⇨ $\frac{7}{10}$=0.7

14 | 채점기준 | ❶ 8 mm는 몇 cm인지 소수로 나타내기 | 2점 |
| | ❷ 내린 비는 모두 몇 cm인지 소수로 나타내기 | 3점 |

15 (1) 5.2는 0.1이 52개이므로 0.1이 55개인 수가 더
큽니다.
　(2) 2보다 0.8만큼 더 큰 수는 2.8입니다. 2.8은 0.1
이 28개, 3.1은 0.1이 31개이므로 3.1이 더 큽
니다.

16 1<3<5<7<14이므로
$\frac{1}{15}$<$\frac{3}{15}$<$\frac{5}{15}$<$\frac{7}{15}$<$\frac{14}{15}$입니다.

17 | 채점기준 | ❶ 강아지의 몸무게 비교하기 | 3점 |
| | ❷ 몸무게가 가장 많이 나가는 강아지 찾기 | 2점 |

18 64>32>16>8>4>2이므로
$\frac{1}{64}$<$\frac{1}{32}$<$\frac{1}{16}$<$\frac{1}{8}$<$\frac{1}{4}$<$\frac{1}{2}$입니다.

19 0.6은 0.1이 6개인 수이므로 0.1이 6개보다 적은
수를 찾으면 됩니다.
　⇨ □ 안에 들어갈 수 있는 수는 1, 2, 3, 4, 5입니다.

20 | 채점기준 | ❶ $\frac{1}{7}$보다 큰 단위분수 구하기 | 3점 |
| | ❷ ❶의 분수 중에서 분모가 2보다 큰 분수 구하기 | 2점 |

정답 및 풀이

01 예 ❶ 분모가 같은 분수는 분자가 클수록 더 큰 수이므로 $\frac{16}{28} > \frac{12}{28}$입니다.

❷ 수미가 나라보다 초콜릿을 더 많이 먹었습니다. / 수미

02 예 ❶ 단위분수는 분모가 작을수록 더 크므로 세 사람이 사용한 색 테이프의 길이를 비교하면 $\frac{1}{9} < \frac{1}{7} < \frac{1}{3}$입니다.

❷ 색 테이프를 가장 많이 사용한 사람은 성훈입니다. / 성훈

03 예 ❶ 사용한 리본은 전체를 똑같이 10으로 나눈 것 중의 7이므로 $\frac{7}{10}$입니다. 사용한 리본의 양을 소수로 나타내면 $\frac{7}{10} = 0.7$입니다.

❷ 남은 리본은 $10 - 7 = 3$(조각)입니다. 남은 리본은 전체를 똑같이 10으로 나눈 것 중의 3이므로 $\frac{3}{10}$입니다. 남은 리본의 양을 소수로 나타내면 $\frac{3}{10} = 0.3$입니다.

/ 0.7, 0.3

04 예 ❶ 분수를 소수로 나타냅니다.

$\frac{4}{10} = 0.4$, $\frac{6}{10} = 0.6$

❷ $0.8 > 0.6 > 0.5 > 0.4$이므로 우유를 가장 적게 마신 사람은 나리입니다. / 나리

풀이

| 01 | 채점 기준 | ❶ 두 사람이 먹은 초콜릿의 양을 비교하기 | 15점 |
| | | ❷ 초콜릿을 더 많이 먹은 사람을 구하기 | 10점 |

| 02 | 채점 기준 | ❶ 세 사람이 사용한 색 테이프의 길이를 비교하기 | 15점 |
| | | ❷ 색 테이프를 가장 많이 사용한 사람을 구하기 | 10점 |

| 03 | 채점 기준 | ❶ 사용한 리본의 양을 소수로 나타내기 | 10점 |
| | | ❷ 남은 리본의 양을 소수로 나타내기 | 15점 |

| 04 | 채점 기준 | ❶ 우유의 양을 분수나 소수로 통일하기 | 10점 |
| | | ❷ 크기를 비교하여 우유를 가장 적게 마신 사람 찾기 | 15점 |

01 예 ❶ 마루는 첫째 날 피자를 6조각으로 나눈 것 중에 2조각을 먹었으므로 둘째 날에 먹은 피자는 $6 - 2 = 4$(조각)입니다.

❷ 둘째 날에 먹은 피자의 양을 분수로 나타내면 $\frac{4}{6}$입니다. / $\frac{4}{6}$

02 예 ❶ 0.5는 0.1이 5개, 0.8은 0.1이 8개, 1.2는 0.1이 12개이므로 $0.5 < 0.8 < 1.2$입니다.

❷ 미정이네 집에서 가장 먼 곳은 1.2 km 떨어진 도서관입니다. / 도서관

03 예 ❶ $2 < 4 < 8 < 16 < 32 < 64$이므로

$\frac{1}{64} < \frac{1}{32} < \frac{1}{16} < \frac{1}{8} < \frac{1}{4} < \frac{1}{2}$입니다.

❷ 호루스의 눈에서 가장 큰 분수는 $\frac{1}{2}$입니다.

/ $\frac{1}{2}$

04 예 ❶ 9 mm = 0.9 cm, 26 mm = 2.6 cm, 4 cm 8 mm = 48 mm = 4.8 cm입니다.

❷ 4.1은 0.1이 41개, 0.9는 0.1이 9개, 2.6은 0.1이 26개, 4.8은 0.1이 48개이므로 $0.9 < 2.6 < 4.1 < 4.8$입니다.

따라서 4.8이 가장 크고, 0.9가 가장 작으므로 가장 많이 사용한 사람은 아름이이고, 가장 적게 사용한 사람은 다운이입니다.

/ 아름, 다운

풀이

| 01 | 채점 기준 | ❶ 둘째 날에 먹은 피자의 조각 수 구하기 | 15점 |
| | | ❷ 둘째 날에 먹은 피자의 양을 분수로 나타내기 | 10점 |

| 02 | 채점 기준 | ❶ 소수의 크기를 비교하기 | 15점 |
| | | ❷ 미정이네 집에서 가장 먼 곳 찾기 | 10점 |

| 03 | 채점 기준 | ❶ 단위분수의 크기를 비교하기 | 15점 |
| | | ❷ 호루스의 눈에서 가장 큰 분수 찾기 | 10점 |

| 04 | 채점 기준 | ❶ mm 단위를 cm 단위의 소수로 나타내기 | 10점 |
| | | ❷ 소수의 크기를 비교하여 가장 많이 사용한 사람과 가장 적게 사용한 사람 찾기 | 15점 |

단과 학습 프로그램

푸르넷 수학

현직 초등학교 교사와 일타 강사들의 경험을 토대로 각종 문제들을 종합 분석하여 만든 초등 수학 전문 프로그램

- 본교재(월 1권), 플러스북(월 1권)
- 중간고사·기말고사 예상문제(연 4회 / 4·6·9·11월)
- 푸르넷 아이스쿨(동영상 강의, 유사·발전 문제, 학습만화 e-book)

오! 역사논술

초·중등 역사 교육 과정을 반영하여 한국사를 총 48주 탐구 주제로 풀어낸 역사 논술 프로그램

- 본교재(월 1권), 활동자료(월 1종)
- 동영상 강의(월 4강)
- 오! 역사논술 퀴즈(월 40문항)

푸르넷 독서논술

다양한 분야의 책을 읽고, 창의·융합적 지식과 공부의 원천 기술을 기르는 독서논술 프로그램

- 1~7단계: 리딩북(월 2~4권), 워크북(월 4권), 리딩다이어리(연 1권),
  X-파일북(연 2권)
- 3~7단계: 동영상 강의(월 2~3강)

푸르넷 한자

실생활에서의 한자 활용 능력, 어휘력, 교과서 한자어 인지도 등을 종합적으로 향상시켜 주는 한자 학습 프로그램

- 본교재(월 1권), 교과서 한자어(월 1권), 한자 쓰기 연습장(월 1권)
- 한자 만화 e-book

영어 학습 프로그램

English Buddy

공신력 있는 리딩 프로그램과 체계적인 커리큘럼, 영어 학습에 최적화된 다양한 디지털 콘텐츠, 정확한 개별 진단 및 지도 교사의 맞춤 지도가 융합된 영어 전문 프로그램

- **Beginner** Reading Book 4권, Reading Study Book 1권,
  Phonics Study Book 1권, Pencil Book 1권,
  MP3 CD 1장, Smart Learning 서비스
- **Prime** Reading Book 4권, Reading Study Book 1권(Writing Note
  포함), Study Book 1권, Smart Learning 서비스
- **Experience** Reading Book 4권, Study Book 1권, Webtoon for
  Daily Conversation 1권, Test Buddy 1권, MP3 CD 1장,
  Smart Learning 서비스

초등 수학 3-1
자습서 & 평가문제집

발행일 • 2022년 3월 1일 초판 발행
발행인 • 김무상
발행처 • (주)금성출판사
주소 • 서울특별시 마포구 만리재옛길 23 (우)04210
등록 • 1965년 10월 19일 제10-6호
구입문의 • TEL 02-2077-8144~6 / mall.kumsung.co.kr
내용문의 • TEL 02-2077-8226

정답 및 풀이

수학 익힘 다잡기

정답 및 풀이와 수학 익힘 다잡기 PDF를
다운로드 받을 수 있습니다.